LE CHEVALIER INFIDÈLE

ROGER MAUGE

LE CHEVALIER INFIDÈLE

roman

ÉDITIONS ROBERT LAFFONT
PARIS

ISBN 2-221-04271-9

Personnages

En Bretagne et en Flandre :

RIOU DE LA VILLEROUHAULT, vingt-trois ans, jeune chevalier breton dans son petit château.
COUETTE, sa servante, dix-sept ans, et sa maîtresse depuis leur enfance.
COLLIN LE DU, son unique valet d'armes.
MÉHEUDE MOHANDIAU, la fille du notaire du comte de Québriac, qui rêve d'épouser Riou.
LE COMTE DE QUÉBRIAC, suzerain de Riou, débauché et malhonnête.
DAME MATHILDE DE LA VILLEROUHAULT, mère de Riou, veuve depuis quelques mois.
CONAN NEIL, l'Irlandais éleveur de chiens de guerre.
TIRE-FROGNE, le capitaine des bandits de la forêt de Fougères.
L'ÉMERAUDE, seul bien de famille qui reste à Dame Mathilde.
GRAND-GOUGE, un des bandits de Tire-Frogne.
LE COMTE GUÉTHENOC DE FOUGÈRES, qui engage de jeunes seigneurs pour la guerre contre les Anglais.
LA COMTESSE SÉGOLÈNE, son épouse.
BAUDOUIN, COMTE DE FLANDRE, qui donne à Bruxelles un grand « Dyct du Paon ».
URI DE MONTFORT, revenu de Terre sainte avec la lèpre après une longue captivité chez les Infidèles. Il prêche la croisade.
L'ÉVÊQUE ENOCH D'IRLANDE, saint homme bâtisseur de cathédrales.
JUDITH, jeune femme juive, fille du bijoutier Mordoch, qui sait lire l'avenir dans les pierres précieuses.
FOULQUE DE MACÉ, jeune seigneur normand violent et avide. Il poursuit Riou de sa jalousie et de sa haine.
GISQUIER, son valet, qui participe aux débauches de son maître.

Entrent en scène à la croisade :

L'ARMÉNIEN DOURIANE, valet d'armes de Riou au siège de Mahdia.
LE DUC DE BOURBON, qui commande l'expédition.
LE COMTE JEHAN D'EU, chef de guerre des Normands, grand pourfendeur d'Infidèles.
LE MARQUIS BEAUFORT DE WEINSGATE, suzerain des Anglais.
LE SULTAN DE TUNIS AHMED et ses deux fils. Il chérit le plus jeune, Mégid, âgé de seize ans.
KECELJ, médecin hongrois qui s'est joint à la croisade et deviendra l'ami de Riou.
LE CONDOTTIERE GUIDO ORLANDINI, qui commande les archers de la République de Gênes devant Mahdia.
L'AGHA SADOK, vieil officier mahométan, blanchi sous le harnais au service du Sultan Ahmed.
Un membre de la secte des Haschachinns, pendu sur l'ordre du sultan Ahmed.

Apparaissent pendant la captivité de Riou :

LE RAÏS MAQSAR, propriétaire de galères.
SLIMANE LE TURC, le chef de nage qui commande les rameurs, ancien rameur lui-même sur une galère chrétienne.
RACHID ED DINE, Maître de la Secte des Haschachinns, qu'on nomme dans tout l'Orient *le Vieux de la Montagne*.
SAYED ES SAYOUNN, l'exécuteur de ses hautes œuvres.
LE FRÈRE EVERARD, sénéchal des Courriers de l'Ordre du Temple en Palestine.
L'ATABEG AL ZAHIR EL MUNDIQH, régnant sur la principauté de Djabala, amateur de jardins et de belles-lettres.
OUMSTAL, son secrétaire, qui a voyagé chez les Francs et parle leur langue.
MAHMOUD, fils aîné de l'atabeg.
OUMIA, MOUNIRA et SAMIRA, les filles cadettes de l'atabeg. L'aînée, SOFANA, déjà divorcée, aime-t-elle en secret Riou, le captif franc ?
ANNE, jeune Franque élevée chez les musulmans, convertie à leur religion sous le nom de Maïmouna.
ZOFAR, esclave noire, donnée à Riou en présent par Sofana.

IBN ARABI, célèbre écrivain musulman de la secte soufi, et ELÉAZAR, savant juif, qui vivent tous les deux dans le jardin de l'atabeg.

GUILLAUME DE GISY, le Grand Maître de l'Ordre du Temple en Terre sainte.

L'ÉMIR MACTOUM DE CHEÏSAR, qui convoite les terres de l'atabeg Al Zahir.

LE ROI RICHARD D'ANGLETERRE, qui se joint à la croisade.

LE SULTAN SALAH ED DINE, que les Francs appellent Saladin.

MOURAD, son envoyé secret auprès de l'empereur chrétien de Constantinople.

MÉLISSA, courtisane grecque, amie de l'entremetteuse Théodika fameuse à Constantinople.

PREMIÈRE PARTIE

UN CHEVALIER DE BRETAGNE

1.
Riche de l'amour de Couette

Sous le terrible choc qu'il avait reçu à l'épaule, en même temps que la douleur écœurante lui serrait la gorge, Riou sentit son cheval plier sous lui et s'enfoncer, s'enfoncer... Le cavalier et sa monture, le solide Martroi et lui-même le dru chevalier, tous deux tombaient dans un vide sans fond, de plus en plus vite. Riou poussa un grand cri de terreur qui le réveilla, inondé de sueur.

Il vit le ciel d'étoffe de son lit, les poutres du plafond de sa chambre et, toute proche, la douce blancheur de la poitrine nue de Couette, Couette qui le rassurait.

— Doux, Messire, doux... C'est la fièvre, allongez-vous plutôt !

Elle le repoussait doucement en arrière, mais Riou restait le visage contre les seins tièdes de la jeune fille et c'était bien elle qui était là contre lui, avec son ventre ferme que la chemise de lin ouverte par-devant dévoilait quand elle venait le rejoindre pour la nuit.

— Ah, Couette, murmura Riou, je tombais, je tombais avec Martroi...

Il se laissa aller sur les oreillers tandis que sa compagne lui essuyait le visage. A son épaule enveloppée dans un emplâtre d'onguent et de plantes que Couette avait préparé la veille au soir quand il était revenu blessé dans la litière prêtée par le comte Hamelin, la douleur revenait sans pitié.

Le jeune homme avait sombré dans le sommeil après que Couette et Quevaise la rebouteuse lui eurent fait ce pansement et donné à boire une tisane d'armoise endormante, les chirurgiens du comte ayant jugé qu'il n'avait pas d'os brisé.

— Et Martroi ? demanda le jeune chevalier, en voulant se remettre sur son séant. Martroi est-il rentré ? Est-ce qu'il boite ? Couette ! Réponds-moi ! Je veux l'aller voir...

— Tout doux, Messire... Ne vous inquiétez pas d'une bête, mais de vous. La fièvre grandira si vous vous agitez. Martroi était de retour à la nuit tombée avec Colin le Du et il ne boite presque plus...

Martroi, le plus beau, le plus fort, le plus courageux destrier pour combattre qu'il y ait jamais eu à la Villerouhault, et dans toutes les seigneureries à vingt lieues autour... Que deviendrait Riou de la Villerouhault sans Martroi qu'il avait mis cinq ans à dresser pour le tournoi, c'est-à-dire pour la bataille ?

— Tu ne mens pas, Couette ? Sa jambe va-t-elle bien ?

Sous le choc qui avait jeté Riou à bas, Martroi lui aussi était tombé, mal tombé, et avant de perdre conscience le jeune homme avait vu son cheval se débattre à terre comme s'il avait une jambe rompue. C'est-à-dire comme s'il était mort... Car il n'y a plus qu'à faire venir un boucher avec son merlin pour abattre un cheval qui a la jambe brisée.

Couette approcha sa bouche du visage du jeune homme.

— Mon Dieu, dit-elle en le tutoyant tendrement, vais-je donc me mettre à te mentir ? Tu me mentiras avant, toi...

Leurs bouches se joignirent et elle lui caressa les cheveux de sa main derrière la tête tandis qu'il l'embrassait.

Il l'avait prise quand elle avait treize ans, et lui quinze, au bord de la rivière où elle l'accompagnait à la pêche à la truite et aux écrevisses, elle la fillette en socques de bois née au château au milieu des domestiques et lui le fils de Messire, sur qui tous avaient les yeux tournés avec respect car il serait le Seigneur de la Villerouhault après son père. Les fils des messires, messires eux-mêmes, prenaient toutes les filles des paysans qu'ils voulaient et on les laissait faire pour qu'ils n'aillent pas courir trop ailleurs, et attraper des maladies. Mais celle-ci n'avait plus quitté son lit et il l'appelait Couette depuis longtemps, à cause de ses deux tresses qu'elle nouait au-dessus de sa tête pour le travail dans la journée, et qu'elle défaisait le soir quand elle venait se coucher avec lui, et aussi parce qu'elle était ronde, douce et tiède comme une couette de lit... Bien sûr cela finirait un jour, quand il prendrait une femme, une vraie, une seigneure comme lui, pour les terres ou l'or qu'elle apporterait en venant s'installer au château avec ses coffres pleins de linge, et cela Couette le savait. On lui donnerait six pièces d'or pour qu'elle se marie avec un rougeaud aux grosses mains comme son père et elle n'aurait pas à se plaindre ni à pleurer. Elle aurait des enfants qu'elle emmènerait aux champs où elle le verrait passer sur Martroi ou sur Vaillant son cheval de chasse, partant au tournoi ou courant le sanglier avec les autres sires. Il lui ferait un signe de la main de loin avec un sourire, et à Noël lui offrirait des vêtements pour ses petits...

— Je n'ai rien à te mentir, ma Couette, chuchota-t-il dans la bouche de la jeune fille à la fin de leur baiser.

Il sentait son désir s'éveiller contre le ventre de sa compagne et elle le sentait aussi. Elle rit à voix basse comme si on pouvait les entendre dans le reste du château endormi, depuis la chambre défendue par ses murs de pierre épaisse, au bout du long couloir dallé de l'étage.

— La fièvre vous prend partout, messire, vous n'êtes pas si blessé que vous dites...

Elle s'appesantit sur lui et ils s'unirent tendrement, avant de sombrer à nouveau dans le sommeil tous les deux ensemble.

Il la réveilla encore, un peu plus tard. Il la secouait :

— Couette ! Couette !

Elle n'avait dormi que deux heures tout au plus, à le veiller après qu'il avait eu son pansement, et elle émergea péniblement de son sommeil.

Il était assis dans le lit, fiévreux de nouveau, et se penchait sur elle engourdie.

— Couette ! Va chercher Collin le Du !

Elle le regardait, cherchant en même temps à deviner où en était la nuit, à travers la fente du volet de bois qui fermait la fenêtre en face du lit à baldaquin où ils étaient couchés. Réveiller Collin le valet d'armes à cette heure, pour le faire venir dans la chambre ! Il délirait, le visage baigné de sueur. Elle se dressa sur ses coudes, à son tour.

— Messire... commença-t-elle.

— Lève-toi ! Va le chercher tout de suite ! Dis-lui de venir avec les harnais de Martroi, les harnais de dessous. La sous-ventrière surtout !

Elle chercha le linge avec lequel elle avait épongé son visage et sa poitrine, tout à l'heure, avant qu'il ne la prenne. Il ruisselait de nouveau. Elle n'aurait pas dû le laisser faire. Elle avait rallumé sa fièvre en l'embrassant d'amour.

Elle l'essuya en disant :

— Mon Riou, tu es tout tremblant. Pour Dieu, repose-toi...

— Non ! Non ! Fais ce que je te dis, Couette ! Si tu n'y vas pas, j'y vais moi-même ! Je sais maintenant pourquoi je suis tombé. Je veux voir le harnais et parler à Collin à l'instant !

Il sortit ses jambes des draps pour descendre du lit en même temps qu'elle-même se levait, mais aussitôt les pieds posés sur le carrelage de la chambre sa tête tourna et il retomba en arrière. Il vit encore une fois son adversaire qui fonçait sur lui dans le martèlement du galop de son cheval, un cheval plus lourd que Martroi, et le cavalier aussi, bien plus pesant que lui, il vit la lance pointée, il entendit la clameur qui s'élevait des tribunes quand il recevait encore une fois le choc dans son épaule et qu'il tombait dans le vide sans fond.

Cette clameur sonnait dans sa tête, faite de surprise et de colère pour les voix bretonnes, de triomphe pour les normandes, car le combat de Riou de la Villerouhault contre Foulque de Macé était le dernier des douze joutes, selon le tirage au sort. Les Bretons avaient gagné cinq fois, contre les Normands six. Riou et Martroi roulant à terre au premier choc avaient fait perdre le tournoi à la Bretagne.

Quand il revint à lui sur ses oreillers Collin le Du était debout auprès de Couette sagement mise dans sa robe qui fermait au cou et sa coiffe rajustée comme si elle n'était qu'une servante qui veillait le Maître malade. Le valet tenait à la main d'un air penaud les harnais de Martroi.

Aux yeux de Riou le visage de Collin était devenu bien net maintenant dans la clarté de l'aube qui venait de la fenêtre à travers le volet et qui éclipsait la lueur de la lampe à huile allumée par la jeune fille avant de descendre quérir le valet d'armes.

Le jeune seigneur de la Villerouhault se sentit dispos soudain, comme si la fièvre l'avait quitté.

— Collin ! Tu as regardé le harnais du dessous ? Donne-le moi.

— Je l'ai regardé, Messire, quand Couette m'a dit...

Le valet d'armes avait pris la sous-ventrière de cuir qui avait cédé au moment du choc et il avança jusqu'au grand lit à baldaquin pour la tendre à son jeune seigneur.

— Ils l'ont coupé, dit-il. C'est vrai qu'ils l'ont coupé, ces maudits Normands...

Assis dans son lit, Riou passait son doigt sur le cuir à l'endroit où il avait cédé. Ceux qui avaient fait cela l'avaient bien fait. Ils l'avaient usé pour qu'il casse sous un effort violent. Les Normands avaient triché...

— C'est foi mentie ! fit le valet d'armes.

— Oui-da ! C'est bien foi mentie, comme tu dis, et mauvais tour de Normand. Mais toi, poursuivit sévèrement le jeune homme, pourquoi n'es-tu pas resté à garder Martroi et les harnais, quand il le fallait ? Quand as-tu quitté l'écurie ? Avec qui as-tu parlé, des Normands ? Combien de temps es-tu resté à ne pas faire bonne garde ! Réponds, drôle !

Collin le Du baissa le nez.

— J'ai joué aux dés avec les valets normands, reconnut-il.

— Sot ! lança Riou de la Villerouhault. Ne t'avait-on pas dit de tous les côtés de te méfier d'eux ?

— Ponant du Trouère et Grand-Jehan, les valets de Messire de Lorgeril, sont venus me chercher avec un Normand qu'ils connaissaient de longtemps, Gisquier qu'il se nomme, et on a joué aux dés un peu pendant la nuit...

— Un peu ? demanda le jeune seigneur. Tu veux dire trois ou quatre heures ?

— Comme ça, dit Collin le Du.

— Et tu as gagné, bien sûr ?

Collin fit la moue, comprenant qu'il avait été berné par les Normands. Pendant qu'il jouait avec celui-là, d'autres étaient allés à l'écurie où étaient Martroi et ses harnais et ils avaient abîmé la sous-ventrière pour que celui qui monterait le lendemain matin chute au premier coup de lance.

— Trois pistoles, avoua-t-il.

— Voilà trois pistoles qui coûtent cher au Duché de Bretagne, observa Riou.

Il se tut quelques instants et reprit :

— Combien de coups de bâton mérites-tu ?

— Ce que vous voudrez, messire, murmura le valet.

— Va-t'en au diable ! Vois dans quel état tu nous as mis, Martroi et moi, par ta tête sans cervelle !

Collin le Du rassembla les harnais, accablé par la disgrâce qui le frappait et marcha vers la porte. La voix du jeune seigneur l'arrêta au moment où Couette soulevait le grand loquet de fer pour l'aider à sortir.

— Avant d'y aller, passe au bourg chez Béhoude le sellier et fais-lui refaire une sous-ventrière... Et rapporte-nous celle qui a été coupée, sans rien dire à personne !

Collin sortit les harnais dont les boucles tintaient contre le mur de pierre de l'escalier par lequel il s'éloignait, le jeune seigneur ordonna :

— Couette ! Remets le verrou et viens te recoucher.

— Messire ! protesta la jeune fille. Il sera bientôt six heures et j'irai à l'étable, aider à traire...

Riou secoua la tête.

— Non pas, dit-il. Reviens vers moi.

Elle vint se rasseoir sur le lit où il l'enlaça.

— Ne sois pas sotte. Tu n'as pas dormi de cette nuit. Jusqu'à neuf heures, quand Mohandiau le tabellion va venir, tu vas pouvoir te reposer.

— Me reposer, vraiment, Messire ? ironisa-t-elle. Comme vous prenez souci de la santé de votre servante !

Elle faisait mine de ne pas le laisser lui ôter sa coiffe bordée de dentelle, mais elle dégrafait déjà les lacets de derrière sa robe.

— Tire le rideau pour faire le noir, poursuivit-il.

Elle n'avait plus que son jupon, les seins nus, et il la contempla tandis qu'elle allait vers la fenêtre d'où venait le jour encore tout neuf, et jusqu'à ce qu'elle eût ramené le lourd rideau. Il sentait tout à coup combien elle comptait pour lui maintenant que tout était changé, que son père était mort, que sa mère avait quitté la maison pour faire retraite chez les Dames Benoîtines de Pontivy. C'était lui le seigneur maintenant, et il lui semblait que le bien le plus précieux de son royaume était cette petite paysanne qui savait à peine lire et écrire maladroitement.

Elle fut contre lui de nouveau et fit glisser ce qu'il lui restait de vêtement.

— Ma pauvre Couette, que ferais-je sans toi..., murmura-t-il tendrement en la prenant dans ses bras.

— Vous feriez la même chose avec une autre, Messire, ou même pis, rit-elle.

Comme Couette gardait toujours bien sa tête à elle, même quand elle dormait auprès de son Maître, elle s'éveilla sans faute une demi-heure avant neuf heures et se leva en hâte pour l'aider à revêtir son habit de velours.

Elle lui enleva l'emplâtre d'herbes qui déformait son épaule, pour qu'il puisse s'habiller comme il faut, et elle remit seulement de l'onguent. La blessure désenflait et la fièvre était tout à fait tombée. Il s'installa dans le fauteuil à haut dossier droit, et ils entendirent le bruit des roues de la charrette du notaire sur les pavés de grès de la cour.

— Messire ! s'exclama Couette qui, en curieuse, avant de disparaître dans la lingerie qui ouvrait par une autre porte au fond de la chambre, guettait le notaire à la fenêtre. Voyez quelle belle voiture a notre Mohandiau aujourd'hui !

Riou se leva tandis qu'elle s'éloignait et alla jusqu'à la fenêtre à son tour. Mohandiau descendait d'une voiture neuve en effet, attelée à deux chevaux, vêtu d'une robe et d'un bonnet qui lui donnaient l'allure de ces riches marchands bourguignons qui venaient aux marchés de Rennes et de Fougères les jours de grande foire.

Mohandiau s'enrichissait de plus en plus depuis qu'il était devenu le notaire du comte.

Le chevalier vit le bonhomme traverser la cour, puis entendit bientôt ses pas dans l'escalier de pierre qui menait à la chambre, conduit par un des petits garçons de la ferme qui gardaient les oies, nourrissaient les lapins, et siégeaient dans la cuisine le plus souvent possible dans l'espoir de grappiller un peu de nourriture des mains de Couette ou d'une autre servante.

L'enfant ouvrit la porte et le tabellion parut sur le seuil, son bonnet neuf à la main.

— Je vous rends hommage, Messire, dit-il en s'inclinant.

L'étiquette féodale voulait qu'il s'inclinât devant ce garçon de vingt-trois ans, seigneur d'une toute petite terre, dont il savait la pauvreté par les comptes enfermés dans la sacoche de cuir qu'il tenait à la main.

— Entrez et prenez place, Mohandiau, dit le jeune chevalier, s'adressant au bonhomme dans les termes qu'il avait entendus de la bouche de son père en des circonstances semblables.

Il désignait le second fauteuil à haut dossier, recouvert d'une tapisserie brodée par les mains de sa mère pendant les heures que le petit château passait à traverser l'hiver noyé dans la fine pluie bretonne.

— Et ne me saluez pas trop bas ! ajouta-t-il. Je n'ai pas à cela les titres qu'avait mon père...

— Que si, que si, Messire ! fit le bonhomme qui s'asseyait en manœuvrant les pans de sa robe. Le titre est bien là, et la fierté aussi ! Tout le monde parle de votre belle allure au tournoi hier... Sans la mauvaise chance d'un tirage au sort qui a aligné contre vous le plus lourd des Normands, vous auriez fait triompher les nôtres !

Riou fronça les sourcils.

— Ne parlez pas de cela, Maître Mohandiau ! C'est un cuisant souvenir, dans mon épaule et dans mon cœur !

— L'une et l'autre guériront, Messire. Un cœur de vingt-trois ans ne s'assombrit pas longtemps pour une joute perdue... Ma fille Méheude était dans la tribune du Seigneur comte, et elle m'a dit combien vous vous êtes montré habile, dans la première mêlée des vingt chevaliers, et comment vous guidiez votre cheval Marbois... C'est bien son nom, Marbois ?

— Martroi ! corrigea Riou.

— C'est ça ! Ma fille m'a bien dit Martroi, mais je n'ai pas ma tête ! Je ne suis plus tout jeune, Messire...

Il s'interrompit un instant pour sortir un mouchoir de sa robe.

— J'ai peiné à monter votre escalier, Messire, continua-t-il en s'épongeant le front, et il faudrait bien que je songe à régler mes propres affaires, outre celles des autres...

— Vous n'en êtes pas là, Maître Mohandiau ! protesta Riou aimablement.

— Allons ! dit le bonhomme en remettant son mouchoir en place et en ouvrant sa sacoche. Parlons de vos comptes, puisque je suis venu pour cela !

— Sont-ils si mauvais ? demanda le jeune homme, qui savait que son père avait laissé en mourant des dettes et une situation difficile.

Le notaire eut une moue.

— Mon Dieu, ils ne sont pas trop bons, ainsi que je vous en avais averti sitôt après la mort du défunt chevalier. Nous nous sommes efforcés qu'ils n'empirent point, afin de gagner du temps...

— De gagner du temps ? s'inquiéta Riou.

— Je vais vous laisser tous les comptes, résumés sur cet état, dit le tabellion en sortant de la sacoche un parchemin couvert de chiffres impeccablement calligraphiés par l'un des cinq ou six comptables qui travaillaient dans l'étude Mohandiau, au bourg de Pontivy. Vous y réfléchirez et me direz bientôt ce que vous décidez, Messire...

— Qu'aurais-je à décider, selon vous ? interrogea le jeune homme qui sentait confusément que la visite du notaire amenait avec elle un événement d'importance.

— Mon jeune Sire, le chevalier votre père, comme vous le savez, tenait ce château de votre aïeul Odon, qui l'avait fait construire avec l'or gagné en suivant Guillaume à la conquête de l'Angleterre. Mais votre aïeul avait peut-être bâti un peu trop, et il a eu ensuite plusieurs années de mauvaises récoltes. Aussi devait-il léguer une première dette assez lourde à votre père. Celui-ci, alors que vous aviez deux ans, a été requis d'entrer en guerre contre Eudes le Noir, dans la suite du Duc Guy de Bruc, et il a levé pour cela une vingtaine d'hommes d'armes. La maladie et la mort du Duc, laissant sa veuve et son fils en bas âge dans la ruine, ont fait que la maison de Bruc n'a jamais réglé à votre père les vingt besants d'or qu'avaient coûtés les frais de sa troupe, contrairement à ce qu'avait promis le Duc Guy de son vivant. Votre père eût pu poursuivre en justice, mais il s'y était toujours refusé pour ne pas être de ceux qui causèrent tant de soucis à cette veuve. Il a donc emprunté pour payer et c'est ce qui fait aujourd'hui l'état que vous avez en main. Bien malheureusement, cette dette dont vous avez hérité égale à peu de deniers près la valeur des terres de la Villerouhault...

Le notaire avait dit cela calmement, en homme habitué à ne voir dans les chiffres que des figures anonymes mesurant des choses lointaines, dépourvues de consistance réelle, mais le jeune chevalier reçut cette phrase en plein cœur, comme il avait reçu hier le coup de lance de Foulque de Macé dans les clameurs du tournoi.

— Voulez-vous dire, Maître Mohandiau, qu'il me faudrait vendre la Villerouhault pour rembourser la dette ? Est-ce bien ce que vous entendiez quand vous m'annonciez tout à l'heure que j'aurais à décider ?

Le tabellion agita ses deux mains dans un geste d'apaisement.

— N'allons pas si vite, Messire ! N'ai-je pas dit que nous avons gagné du temps, souvenez-vous ?

— En effet, accorda le chevalier. Mais qu'est-ce à entendre ?

— C'est à entendre que j'ai pris à mon propre compte les billets qui permettaient de repousser à une année le remboursement de tout ce qui était impayé. Vous n'avez donc pas à vous en soucier avant sept mois depuis la date d'aujourd'hui...

— Sinon la dette aurait été exigible du vivant de mon père et peu de temps avant sa mort ? observa le jeune chevalier.

— Exactement.

— C'est donc un service que vous avez rendu à mon père, et à moi-même ?

Le jeune chevalier resta un moment songeur. Son père l'avait élevé dans l'exercice des arts de la chevalerie et de la guerre, sans lésiner, et sans jamais lui faire part de ses soucis d'argent.

— Est-ce à penser que le poids de cette dette arrivée à son échéance a pu aussi aggraver l'état de mon père ?

— Cela peut être, mon jeune Sire, dit le notaire.

— Pourquoi avoir fait cela, Maître Mohandiau ? Acheter de vos deniers une année de tranquillité pour mon père et moi-même ?

Le bonhomme abaissa ses paupières pour une mine modeste.

— Je dois beaucoup de la notoriété que j'ai acquise dans notre région à la confiance de votre père et de ce qu'il a toujours dit du bien de moi aux autres chevaliers. Si Messire votre père avait fait une grande fortune contre les Normands d'Eudes le Noir, j'en aurais sans doute bénéficié... Cela n'a pas été, mais il était juste tout de même que je le soutienne dans vos difficultés...

L'univers simple et un peu naïf où Riou avait toujours vécu avait soudain changé d'aspect. Hier, il avait mordu la poussière de la lice parce qu'un chevalier sans foi avait fait trancher par ses valets la sous-ventrière de Martroi. Aujourd'hui, la Villerouhault, la maison où il était né, et où son père était né lui-même, avant d'y mourir, ne lui appartenait plus...

Le jeune homme entendit sa propre voix, irréelle, qui demandait :

— Pensez-vous que je pourrais garder la maison, après avoir vendu les terres, Mohandiau ?

Le notaire protesta.

— Messire, nous n'en sommes pas là !

Il s'agita néanmoins sur sa chaise, comme s'il était gêné d'aller plus loin, avant de reprendre :

— Un jeune chevalier comme vous a en réserve une arme contre la mauvaise fortune ! Votre nom est sans tache, et parmi les dames qui vous admirent au tournoi il y a des jeunes filles à marier... Vous ne pensez pas à rester garçon, Messire, que je sache ?

Le jeune homme rit.

— Non pas, non pas, Mohandiau ! Mais je n'avais pas encore songé à cela...

La mort de son père était toute proche, et son mariage, en tout cas, ne pourrait se faire que selon les désirs de sa mère. Riou voyait maintenant les choses comme elles se présentaient. Il irait voir sa mère au couvent des Dames Benoîtines et il lui demanderait de s'enquérir d'une jeune fille capable d'apporter en dot assez d'or pour éviter la vente de la Villerouhault.

— Eh bien, il faut commencer à y penser ! lança le notaire d'un ton bonhomme.

C'était une conclusion toute trouvée à l'entretien et Riou pensa que Mohandiau allait se lever pour prendre congé. Le jeune chevalier avait hâte de se retrouver seul pour réfléchir au triste tableau que le tabellion venait de brosser devant lui, mais celui-ci ne paraissait pas songer à faire effort de ses courtes jambes pour quitter sa chaise. Le gros homme poursuivait au contraire, avec un sourire entendu :

— Je puis vous dire, Messire, qu'il y a déjà des personnes qui y pensent, avec beaucoup de sérieux !

— Vraiment ? fit Riou, surpris.

— Je vous disais tout à l'heure que ma fille vous avait beaucoup admiré sous votre armure de tournoi. La confidence qu'elle m'en a faite n'est pas nouvelle... Elle vous a vu deux années plus tôt en compagnie de Messire votre père quand vous nous avez fait l'honneur de venir ensemble à mon office et elle m'avait après votre visite fait de grands compliments de vous...

Le notaire s'interrompit un instant, attendant une phrase de son interlocuteur qui eût pu indiquer quels étaient ses sentiments, maintenant que lui-même avait dévoilé ses propres intentions. Mais le jeune homme, tout à son étonnement, ne disait mot.

Envahi par la gêne, le notaire rougit, conscient tout à coup de l'énormité de ce qu'il proposait au chevalier : une mésalliance, contre un certain nombre de marcs d'or, dont il avait déjà versé une partie pour mettre le fils de Raoul de la Villerouhault devant le fait accompli.

Puis il pensa au front têtu de Méheude, qui lui faisait la guerre depuis plusieurs mois pour qu'il aille à la Villerouhault faire sa demande, et qui l'attendait dans la maison du bourg. Elle devait être à guetter, derrière le rideau de la fenêtre du premier étage où était sa chambre, le bruit des roues qui annoncerait le retour de la charrette de son père. Il ne pouvait plus reculer.

— Ma fille unique Méheude héritera tous mes biens et elle apporte en dot vingt marcs d'or, lança-t-il, qui peuvent payer quatre fois la dette de Messire votre père. En outre, les terres du Bourg-Bléhault, qui sont voisines des vôtres, vont être vendues par Dame Jeanne Fergent, qui épouse un seigneur poitevin, et ne veut plus garder de biens en Bretagne. Elle m'a chargé de trouver un acquéreur. Il s'agit de soixante arpents, poursuivit le notaire, se réfugiant dans les détails et les termes de sa profession pour chercher un peu d'aise dans le passage scabreux où il s'était aventuré. C'est dire presque autant que les terres à blé noir et à avoine de la Villerouhault. L'acquéreur sera vous, Messire, par un emprunt que nous ferons, et que je prendrai sous mon bonnet, si je puis parler ainsi que nous le faisons nous autres tabellions...

Conscient de la maladresse avec laquelle il rappelait par ce dernier mot au jeune seigneur assis devant lui dans son habit de velours qu'il n'était pas de son monde, et qu'il achetait pour sa fille la noblesse d'un chevalier sans le sou, le notaire rouvrit sa sacoche pour y chercher son flacon de sels.

Les larmes lui vinrent aux yeux tandis qu'il dévissait maladroitement le bouchon d'argent du flacon de cristal, avant de le porter à ses narines.

— Veuillez me pardonner, Messire, mais je ne me sens pas bien et la chaleur de ces jours m'a beaucoup fatigué...

Riou prit le parti de rire.

— Allons, Mohandiau, dit-il en essayant de trouver les mots qu'aurait eus son père dans une pareille occasion, vous traitez là une affaire bien difficile !

— Eh oui ! mon jeune Messire, lança le bonhomme dans un visage congestionné en refermant son flacon. Mais si nous la menons à son terme, vous aurez une épouse bien dévouée, et une maison bien solide. Messire votre père...

Riou interrompit d'un geste de la main.

— Ne le faisons pas parler, Mohandiau ! Là où il est, il nous entend, mais ne peut nous répondre... C'est à ma mère de dire ce qu'elle pense de votre offre.

— Vous ne la refusez pas, en ce qui vous concerne, Messire ? Puis-je le dire à Méheude ? Savez-vous qu'elle m'attend avec impatience ?

— Dites-lui que je suis touché au plus profond de mon sentiment par les pensées qu'elle a pour moi et qui me réconfortent dans l'inquiétude où je suis pour l'héritage que mon père me demande de maintenir...

Le jeune chevalier était à sa fenêtre pour voir le tabellion remonter dans sa coûteuse voiture, quand la porte de la lingerie, qui donnait derrière le lit à baldaquin, s'ouvrit pour laisser entrer Couette portant une pile de draps fraîchement repassés. Riou se retourna.

— Tu étais demeurée à côté, curieuse ?

— Je repassais vos draps, Messire. Vous les froissez volontiers, il faut bien quelqu'un pour le faire, dit-elle moqueusement.

— Tu m'aides bien à les froisser toi-même, que je sache !

— Moi ? Je ne fais que ce que vous me dites... Il ne tient qu'à vous qu'ils restent plats. Je ne suis que la servante, ici !

— Oui-da ! Mais tu écoutes aux portes... Tu as entendu ce qu'a dit Mohandiau, bien sûr ?

Elle rangeait les draps dans le coffre de chêne qui était, avec les deux chaises et le grand lit, les seuls meubles de la chambre et elle répliqua sans gêne :

— J'entends sans écouter, et je n'ai rien appris que je ne savais déjà.

— Comment ? Qu'est-ce que tu me chantes là ?

Elle se retourna vers lui après avoir refermé l'armoire.

— Croyez-vous que les valets et les filles ne parlent pas, d'une maison à une autre, Messire ? Quand vous êtes au tournoi, à donner des coups d'épée aux autres seigneurs, nous autres les petits, nous nous inquiétons de notre sort... Avec tout le respect que j'ai pour vous, tous savent que Messire Raoul votre père devait plus d'argent qu'il n'en pouvait rendre. Et les filles de cuisine qui font le marché au bourg quand je vais y vendre vos œufs de cane, est-ce qu'elles ne prennent pas de plaisir à me raconter à moi que Méheude Mohandiau parle un peu trop souvent de vous ? Quand on a un bon maître, on craint de le perdre, n'est-ce pas ?

Riou avait repris place sur sa chaise.

— Tu crains de me perdre, ma Couette, murmura-t-il.

Il releva les yeux vers elle et vit qu'elle était un peu pâle.

— Je sais que j'aurais à vous perdre un jour ou l'autre, fit-elle, et je ne ferai point d'embarras pour cela, comme je l'ai promis à Messire Raoul...

Elle revit en disant cela le jour où Messire Raoul l'avait trouvée revenant du lavoir avec son panier de linge, un beau jour de soleil. Elle avait dix-sept ans depuis un mois et le père de son amant lui avait dit qu'elle était assez grande, maintenant, pour comprendre qu'elle devrait s'attendre à perdre Riou un jour, et qu'il serait peut-être mieux qu'elle se marie avec un bon garçon d'un château voisin, avec une dot de six pièces d'or et un trousseau de lin et de laine. Elle avait répondu non en rougissant, et qu'elle quitterait Riou quand le moment serait venu pour la convenance du jeune homme, sans pleurer ni geindre.

— Tu es une bonne fille, Couette, avait soupiré Messire Raoul. Dieu veuille que Riou ne te regrette pas quand il prendra femme...

Ce moment était venu.

— Mais je vais vous en faire de l'embarras, et je ne serai pas la seule, reprit-elle vertement, si vous prenez la fille de Mohandiau. Qui ne rira pas de vous, à Pontivy, à Langogne et ailleurs ? On dira que vous avez déchu pour épouser un sac d'or monté sur deux jambes, et nous perdrons tous l'honneur, moi y compris...

Riou fronçait les sourcils. Plus d'un seigneur breton s'était mésallié pour soutenir son château et payer ses valets d'armes, et beaucoup vivaient en concubinage avec des filles du peuple, imposant leurs bâtards à l'Evêque sous menace de mettre à sac sa ville et ses terres s'il ne les légitimait pas, quand ils étaient barons et pourvus d'un ost nombreux [1].

— Et Dame votre mère ? poursuivit Couette. Vous allez vous rendre au couvent de Mur, lui dire que vous voulez la fille Mohandiau comme future mère de vos fils ? Et pour qu'ils soient plus tard armés chevaliers devant la boutique du tabellion, peut-être, par le Sire Comte de Québriac avec une grande plume d'oie en guise d'épée ?

La jeune servante-maîtresse secoua la tête.

— Non pas ! renchérit-elle. Ce n'est pas bonne conduite pour le souvenir de Messire Raoul. Est-ce qu'il a pris une fille comme ça, en place de Dame votre mère, pour épouse, en comptant sa dot plutôt que ce qu'il y avait de peint sur l'écu de Messire du Plessis, son père ?

Riou ne disait mot. Couette avait raison.

— Et Damoiselle Méheude, vous la connaissez de caractère, elle ? C'est une grande entêtée, qui veut tout régenter, se sentira forte de ses deniers et des parchemins de son père et qui nous fera tous la guerre, vous le premier quand vous lui ferez porter des cornes !

— Comment sais-tu que je lui ferai porter des cornes ? fit Riou qui commençait à rire de l'éloquence de sa compagne.

Elle s'esclaffa.

— Vous, Messire ? Ne m'en faites vous pas de droite et de gauche une belle moisson, quand vous partez en tournoi où à l'exercice chez le Sire Comte, tant bien pourtant que vous me répétez dans cette chambre, quand la chandelle est soufflée, que vous m'aimez d'amour, moi qui suis dans votre lit depuis bientôt huit ans, sans qu'il y ait d'obligation ni de contrat, ni pour l'un ni l'autre, que celui de notre bon vouloir à tous les deux... Elle sera plus encornée qu'un bœuf du Mardi Gras et on entendra ses cris au bout de l'allée des grands hêtres qui mène au château...

— Eh bien, Couette ! s'exclama-t-il. Je ne te connaissais pas si savante de tout ça...

— Oh, moi, Messire, ce que j'en dis, c'est pour vous ! De toute façon, je ne le verrai pas, mariée que je serais avec un garçon de ferme à qui je ferai des enfants et des fromages, puisque c'est mon sort, que j'ai toujours connu à venir...

— Bon Dieu ! dit soudain le jeune homme en se levant de sa chaise. Tais-toi, s'il te plaît...

La pensée qu'elle serait à un autre bientôt venait de l'envahir pour

---

1. Un ost : une armée.

la première fois et elle lui perçait le cœur d'une douleur qu'il n'avait jamais connue.

Il la serrait contre lui et lui mit sa main sur la bouche pour la faire taire.

— C'est la vérité mauvaise à dire, Messire, chuchota-t-elle de ses lèvres chaudes contre les doigts de son amant.

Les larmes jaillirent des yeux de la jeune fille, en fontaine.

— Couette ! supplia le chevalier en posant sa joue contre celle où coulaient les pleurs. Non, pas cela ! Tu avais promis que tu ne pleurerais pas de peine si nous devions nous quitter...

— Ce n'est pas de peine, Messire, murmura-t-elle en s'abandonnant contre lui. C'est du bonheur d'amour d'être encore dans vos bras, après tant d'années.

Marchant dans la grande allée de hêtres qui avaient été plantés sur l'ordre de son arrière-grand-père Odon l'année où avait commencé la construction de la Villerouhault, Riou voyait maintenant d'un regard nouveau le paysage où il avait grandi. Sous l'apparence paisible et rassurante qu'il lui avait toujours connue, le petit château, entouré de tous ces manants qui le révéraient, de leurs filles toujours prêtes à sourire au Maître, des garçons anxieux d'être choisis pour porter un jour la cotte de mailles des valets d'armes, n'était pourtant qu'une forteresse minée.

Son arc à la main et son carquois à l'épaule, le jeune homme quitta l'allée pour gagner la chaussée de l'étang que son père avait fait aménager en barrant la rivière lorsque le petit Riou avait huit ans. Le soleil était haut dans le ciel, pesant de toute la chaleur de midi sur l'eau immobile constellée de nénuphars. Riou se souvint de son émerveillement la première année où l'étang avait été curé, lorsque les paysans descendus les pieds nus dans la vase du fond remplissaient de grands paniers d'anguilles et de brochets qui se débattaient en jetant les lueurs blanches de leurs ventres serpentins. Longeant la levée de terre, il parvint sans bruit jusqu'à la chaussée qui bordait l'étang à son plus profond. Les carpes étaient là, cherchant paresseusement la lumière au sommet de l'eau tiède, leur nageoire dorsale tranchant la surface comme elles faisaient toujours en été, fixant dans le vague le regard de leur œil placide.

La flèche de Riou siffla jusqu'à frapper l'eau. La plus grosse des carpes, transpercée, se tordait lentement, essayant d'entraîner le bois qui la paralysait. Les autres avaient plongé pour fuir. Elles reparaîtraient un peu plus loin, offrant de nouveau des proies faciles au chasseur.

Le jeune homme se pencha pour saisir l'empennage de sa flèche. Quand il se releva avec sa prise, un cavalier apparut sous les hêtres de l'allée suivi d'un autre homme à cheval qui avait les allures d'un valet, avec les sacs de bagage aux fontes de sa selle, et son cheval trapu.

Le premier cavalier venait d'apercevoir Riou se redressant sur la chaussée de l'étang, car il levait la main dans sa direction en signe de salut. Le jeune seigneur de la Villerouhault reconnut, à sa taille légèrement voûtée et à sa moustache blanche, le chevalier de Tresbrivien, compagnon de son père et comme lui vassal du Comte Hamelin de Québriac.

Riou longea la berge à la rencontre du visiteur.

— Eh bien, Riou ! lança le vieil hobereau. Tu te prépares à faire maigre demain, à ce que je vois !

— Je vous salue de tout mon respect, Messire Henri, dit Riou. Les servantes qui gouvernent cette maison m'ont requis en effet d'approvisionner la cuisine. Mais vous allez loger céans, puisque je vois que vous êtes en voyage ! Permettez que je prenne d'autres carpes.

— Je t'accompagne, mon garçon. Je suis venu te parler d'une affaire importante, pour laquelle il serait bon que tu te rendes le plus tôt possible chez le Comte. Tiens mon cheval, que je mette pied à terre pour marcher avec toi. Je suis en selle depuis avant l'aube, dit le chevalier aux cheveux blancs qui avait dépassé la soixantaine, et cela réveille le souvenir de ma blessure du dos.

Henri de Tesbrivien avait reçu un coup de lance dans les reins alors qu'il frappait de sa grande épée à deux mains les piétons normands qui avaient désarçonné son compagnon de la Villerouhault et s'efforçaient de trouver le défaut de son armure pour l'égorger.

— Celle du jour où vous avez sauvé mon père ? dit Riou qui avait entendu dix fois le récit de cette bataille où plusieurs centaines de chevaliers bretons étaient tombés sous les coups des Normands pour leur barrer la route de Rennes.

— Elle me fait toujours mal, mais je ne la regrette pas, fit le vieux chevalier qui se tenait les reins en accompagnant Riou. Si ton père était resté à terre ce jour-là, tu ne serais pas venu au monde, et la Bretagne aurait eu un bon garçon de moins...

Il avait pris Riou par le bras et lui souriait affectueusement.

— Si, si ! dit-il. Ton père est mort heureux d'avoir un fils comme toi. Il me l'a dit avant de partir...

Janou, le valet d'armes de Sire Henri, avait pris le cheval de son maître par la bride. Il s'éloigna vers le château avec les deux montures, tandis que Riou et son visiteur poursuivaient leur conversation en longeant le bord de l'étang.

— Pourquoi irais-je me montrer à Québriac chez le Comte, sire Henri ? demanda le jeune homme. Le moment n'est pas bien choisi... Savez-vous que j'ai fait perdre le tournoi, hier, à Vannes, en tombant contre un Normand du nom de Foulque de Macé en douzième et dernière joute ?

Le seigneur de Tresbrivien haussa les épaules.

— Qu'est-ce qu'un tournoi ? Le comte sait que ton père était de ceux qui ont chassé les Normands une fois pour toutes. Ils peuvent bien revenir rompre des lances contre nous pour amuser les dames, et même te faire mordre la poussière ! Ils ont perdu le vrai tournoi, celui où les lances ne sont pas épointées et où les dames restent à la maison...

— Je suis tombé parce que la sous-ventrière de mon cheval avait été coupée à l'écurie pendant la nuit de veille, dit Riou avec amertume. Je vous la montrerai... Les Normands ont attiré Collin le Du au jeu de dés et de cartes pour pouvoir faire leur tricherie.

— Tiens donc ! s'exclama le vieux chevalier. Cela peut demander réparation, et jugement d'honneur ! Voilà l'occasion d'aller voir le comte, pour lui en faire la confidence.

Riou fit une moue.

— Me croira-t-il ? J'aurais l'air de chercher une excuse à ma chute.

— Il n'y a point d'excuse à chercher et il s'agit de bien autre chose... Sais-tu que la Duchesse de Bruc, qui était de mon âge, vient de mourir en laissant tout ce qu'elle avait au Seigneur Comte, son demi-frère ?

— Elle n'avait rien que des dettes, à ce que mon père m'a toujours affirmé. C'est pourquoi il ne lui a jamais voulu réclamer les huit marcs d'or qu'il avait engagés dans la campagne contre Eudes le Noir, pour lesquels nous sommes toujours durement endettés nous-mêmes. Mohandiau, qui sort d'ici, m'en a encore parlé ce matin...

— Mohandiau ? fit le vieux hobereau. C'est un coquin. Il s'est enrichi de mensonges et de tours.

— Ne dites point cela, Sire Henri. Il a avancé de l'argent sur ses deniers pour faire attendre nos dettes au moment de la maladie de mon père...

Le chevalier de Tresbrivien hocha la tête.

— Que va-t-il te demander en échange ? Il ne fait rien pour rien.

Riou hésita. Mesurant qu'il n'osait pas avouer au chevalier le projet de mésalliance que lui avait offert le notaire, il préféra mentir.

— Mais... je ne sais, Sire Henri. Il me dit le faire en reconnaissance des bons sentiments de mon père à son égard...

— T'a-t-il dit que la Duchesse de Bruc avait enfin gagné le procès que son mari avait depuis vingt ans à Rome contre les Mori de Trévise, et qu'elle a appris peu de jours avant sa mort qu'elle recevrait plus de mille besants d'or, qui iront maintenant au Seigneur Comte, notre suzerain, à ton père et à moi ?

— Il ne m'a point parlé de cela, avoua le jeune homme.

— Je n'en suis pas surpris, vois-tu, dit Tresbrivien avec ironie. Il a oublié de t'apprendre que le Seigneur Comte devrait te rendre maintenant ce que ton père avait avancé pour entrer en guerre contre Eudes et ses Normands ! Ce n'est rien d'autre que la volonté formelle de la veuve du Duc, sa sœur, qui s'en est exprimée avant de mourir...

— L'a-t-elle fait dans son testament ? demanda Riou tandis que l'espoir revenait dans son cœur.

Avec cet or miraculeusement venu d'Italie, il paierait Mohandiau et les autres créanciers et il garderait Couette. Oui, c'est cela ! Il ne se séparerait pas de Couette, pour épouser Méheude ou une autre. Car cette journée était aussi celle où il avait senti combien il tenait à la jeune fille. Elle n'irait pas à un autre. Couette était son bien, à lui, comme le château, comme les terres, et il ne la rendrait jamais...

— Malheureusement non, dit la voix du chevalier de Tresbrivien. Elle n'a pas laissé de volontés écrites. Mais je sais qu'elle l'a déclaré devant son intendant Matthieu Bottereau, le chargeant d'en porter le message au Comte son frère pour qu'il exécute sa volonté de te rendre ce qui était dû à ton père dès que l'or arrivera d'Italie.

Ils entrèrent ainsi dans la cour du petit château, où dormaient les oies en troupeau, engourdies par la chaleur, sous le regard des chiens qui avaient cherché la courte ombre des murs pour s'y allonger.

— Allez vous rafraîchir à la cuisine, Sire Henri, dit Riou. Je vais réveiller Collin le Du, qu'il aille chercher Vaillant au pré. Je partirai pour Québriac dès que le soleil aura baissé...

2.

Les mauvais comptes du sire de Québriac

Riou et son Vaillant étaient encore à une demi-lieue du château de Québriac quand ils aperçurent les lueurs qui en illuminaient les murailles à travers les branches du chemin creux.

Vaillant dressait les oreilles, entendant ou sentant des présences humaines avant son cavalier. Le chemin creux cessa bientôt de l'être et Riou découvrit, piqueté çà et là de lumières de lanternes, le nocturne paysage des marais qui entouraient la place forte du Comte, que les Anglais autrefois avaient assiégée à plusieurs reprises sans rien pouvoir contre elle.

Atténués par la moiteur de la nuit d'été, des rires et des chansons parvinrent aux oreilles du jeune chevalier, accompagnant le bruit de l'eau qu'on frappait avec des verges d'ajonc. Les nombreux bancs de grenouilles qui vivaient dans le vaste marécage s'appelaient et se répondaient aux quatre coins de l'horizon, ajoutant leurs basses coassantes à ce concert rustique.

Riou sourit. C'était la coutume, qui voulait que paysans, vilains et serfs allassent battre l'eau des étangs et des mares autour du château de leur seigneur quand sa femme était en couches. Le jeune homme parvint bientôt à l'endroit où opérait un premier parti de batteurs et de chanteurs, éclairés par leurs lampes à résine.

Les manants qui étaient les jambes dans l'eau, leurs chausses retroussées, marquèrent un temps d'arrêt pour identifier ce cavalier longeant le marécage. L'un d'eux, ayant reconnu un chevalier à son allure et à son épée, s'écria comiquement, avec la familiarité des paysans bretons, qui n'étaient pas comme en France ou en pays normand asservis corps et biens à leurs maîtres :

— Bienvenue à Québriac, Messire ! Priez avec nous pour que ce soit une fille ! Le Seigneur Comte nous a promis de faire couler une fontaine de vin dans la cour du château si le Ciel lui accorde une damoiselle cette fois-ci...

Un très vieil homme sous son chapeau rond cherchait à voir le visage du chevalier dans les lueurs des lanternes.

— N'êtes-vous point le fils du défunt chevalier de la Villerouhault, avec tout mon respect, mon jeune Sire ?

— Si fait, mon bon homme, dit Riou.

— Alors vous êtes vassal du seigneur Comte, et devez battre avec nous, selon la coutume !

Ceux qui étaient autour approuvèrent bruyamment avec des rires et Riou descendit de cheval.

— Ma foi, je ferai mon devoir comme vous, déclara le chevalier à qui l'un tendait des verges d'ajonc, tandis qu'un autre prenait la bride de Vaillant.

Il ôta ses bottes pointues et descendit dans l'eau avec eux pour frapper. Un des bonshommes avait pris sa cornemuse posée à terre sur la chaussée. Il se mit à sonner un air que tous reprirent au refrain dans leur langue bretonne.

— Vous êtes quitte, Messire ! dit le doyen des batteurs après quelques minutes. Sauf que vous nous devez une petite dîme pour que nous achetions tantôt un peu de cidre à boire à votre santé...

Sous de nouveaux rires, Riou sortit de sa bourse un des trois écus qu'il avait emportés en quittant la Villerouhault, et qui étaient tout le numéraire présent à la maison. Puis il se remit en selle au milieu des remerciements et des souhaits de tous ces pauvres gens, et continua son chemin vers les murailles illuminées du château.

Lorsqu'il atteignit le long pont de bois qui traversait le marais à son plus profond et menait à la poterne du château, ce pont de bois auquel on mettait le feu à chaque siège des Anglais ou des Normands afin d'isoler la forteresse, les musiques des luths et des vielles lui parvinrent à travers les fenêtres ouvertes sur la nuit, mêlées aux cris et aux rires des invités du comte. Chaque accouchement de son épouse était pour le comte Hamelin de Québriac, friand de festins, de bals et de beuveries, l'occasion d'une fête.

Riou passa la poterne, gardée par deux archers avec qui il s'entraînait au tir d'habitude, et qui connaissaient l'adresse du fils de Raoul de la Villerouhault.

On disait du jeune chevalier dans l'ost du Comte qu'il lui manquait vingt livres pour se battre en armure, mais qu'il était dangereux une dague à la main, ou quand il se servait d'une arbalète.

Il laissa dans la cour Vaillant aux mains des valets d'écurie et gravit l'étroit escalier de pierre qui menait au second étage, où se tenait le banquet dont la rumeur étouffait les cris de douleur de la comtesse en mal d'enfant.

Sur les dalles jonchées de feuillage frais pris à des hêtres rouges et à des ormes vert tendre, écuyers, sergents d'armes et simples chevaliers occupaient de longues tables disposées perpendiculairement à celle, juchée sur une estrade, où siégeait le comte avec ses invités de marque. Les jeunes filles qui servaient en grand nombre allaient et venaient au milieu du brouhaha, portant les aiguières de vin et les cruches de bière et de cidre, ainsi que les plats que les cuisiniers et les cuisinières chargeaient de volailles et de quartiers d'agneau rôtis.

La haute taille du comte, une pièce de viande à la main, découpant lui-même pour ses voisins, selon l'usage, dominait toute la salle sous les voûtes de laquelle virevoltaient les chauves-souris poursuivant les moustiques du marais que la lumière avait attirés.

— Voilà le héros du tournoi ! s'écria le comte à la vue du jeune chevalier qui s'avançait vers lui entre les tables. Hé, Riou ! Tu fais bien de venir boire avec nous pour t'enlever le goût de la poussière que tu as mangée hier matin !

Les rires éclatèrent de tous côtés pour saluer la plaisanterie du seigneur comte, dont le visage rouge, barbu et moustachu, luisait de tout ce qu'il avait bu et mangé depuis le début de la veillée.

— Sire comte, dit Riou penaud après avoir incliné la tête devant son suzerain, je venais pour une demande à vous faire avant votre départ en voyage, et je ne savais pas qu'il y avait naissance et fête céans...

— Qu'importe ! lança le comte. Tu es ressuscité grâce à Dieu et c'est l'essentiel. Si c'est une fille qui me vient ce soir et si tu as la patience d'attendre, je te la donnerai en mariage pour ses vingt et un ans !

Les rires déferlèrent de nouveau et l'un des trouvères assis sur les marches de l'estrade qui supportait la table d'honneur se leva pour improviser d'une voix exagérément fluette :

Messire Riou la nuit tombée
Sur son donjon s'en vient monter
Là-haut là-haut vers Québriac,
Soupire bien fort à sa fiancée...

Un des autres trouvères se leva brusquement à son tour au moment où son compagnon se rasseyait pour enchaîner d'une voix de basse qui était censée jouer celle de Riou vieillissant :

Ma barbe pousse, je n'y vois guère
J'irai bientôt périr à la guerre
Devant que d'avoir un beau-père
Qui me la baille à marier...

Les rires éclatèrent de tous côtés tandis que Roland la Muce, le maître d'armes du comte, se levait de sa table et reprenait, suivi par tous les écuyers :

J'irai bientôt périr à la guerre...

Le chant joyeux emplit la grande salle et le premier trouvère, debout de nouveau dès que le troisième vers eut été chanté par le chœur, lança de sa voix de fausset :

Sa fille de chambre monte à la tour
Sa robe de nuit est son atour...
Elle a tôt fait de l'enlever !

Les écuyers et les chevaliers répétèrent le couplet d'un seul chant puissant, en frappant la table du pommeau de leur dague, puis la voix fluette conclut :

Sire Riou je ne suis pas comtesse
Et ma dot tient dans mon panier...
Mais pour qu'on la prenne et la caresse
Point n'est besoin de longue attente
Point n'est besoin de vingt années !

Un tonnerre d'applaudissements et de bravos éclata tandis que le comte de Québriac riait aux larmes.

— A mes côtés, Riou ! s'écria-t-il. Viens t'asseoir à ma table, tu l'as bien mérité.

Le comte fouillait dans sa bourse en disant ces mots. Il en tira un écu d'argent qu'il lança aux ménestrels. Le chanteur à la voix fluette l'attrapa au vol et tous ses compagnons de chanson et de musique s'inclinèrent pour saluer la générosité du seigneur qui les avait engagés pour la soirée.

Alors que Riou montait sur l'estrade à l'invitation de son suzerain, une grosse nourrice parut à l'orée de l'escalier qui venait de l'étage supérieur, où étaient les appartements du comte. Celui-ci leva un bras pour réclamer le silence et la nourrice s'écria :

— Sire comte, le travail a commencé et la chose est en bonne voie !

Des acclamations retentirent. Tous les convives se levèrent leur hanap à la main.

Le comte s'appuya sur la table pour se dresser à son tour.

— A la santé de la première demoiselle de Québriac ! cria-t-il de toute sa force, le visage congestionné, avant de vider son hanap.

Le baron de Rubren, cousin germain d'Hamelin de Québriac, avait fait place à Riou pour qu'il puisse s'asseoir à côté du Comte, et celui-ci se rassit lourdement sur sa chaise curule en posant son hanap vide avec des précautions lentes d'homme pris de boisson qui se sait assez de volonté pour garder sa contenance. Le comte était un colosse capable de rester à cheval et en armure aussi longtemps qu'à table sous la charge des viandes et du vin. Il fit un signe de la main à l'adresse d'une des jeunes filles aux cruches.

— Holà, Gwendhynne ! Tu nous laisses à sec, par saint Riok et saint Gonéri...

La jeune fille brune ainsi interpellée se dirigea vers la table d'honneur pour remplir les hanaps de son seigneur et de ses voisins et se trouva entre le comte et Riou.

Le châtelain de Québriac la prit par la taille.

— Verse d'abord à ce jeune homme, Gwendhynne, et prends soin de lui jusqu'à demain. S'il a trop bu, emmène-le aux étuves...

La jeune fille sourit sous sa coiffe en gardant les yeux sur le vin qu'elle versait.

— Prends bien garde à son épaule, qu'il a failli casser hier au service de la Bretagne !

Le vin coula dans les hanaps d'argent à la table du comte, et d'étain aux autres, et le seigneur de Québriac reprit à l'adresse du jeune chevalier :

— Eh bien, mon garçon, quelle est ta requête ? C'est un bon jour pour en présenter une, comme tu le vois autour de toi !

— Messire, commença Riou, elle est au sujet de la bien grande dette que mon père m'a léguée en me quittant cette année...

— Des dettes ! s'exclama le comte. C'est un signe de bonne santé... Regarde-moi, poursuivit-il plaisamment en posant sur sa poitrine sa forte main musclée par le mouvement de la masse d'armes qu'il maniait à la bataille et qui était réputée pour son poids exceptionnel. Et vois comment on peut vivre en devant de l'or et de l'argent à toute la Bretagne, ajouta-t-il en désignant cette fois la fête bruyante, les tables pleines de nourriture, les musiciens et les jeunes filles souriantes.

Mais Riou, décidé à aller jusqu'au bout de sa démarche, poursuivit :

— J'ai ouï dire que Dame de Bruc votre sœur, de qui mon père espérait le remboursement des six marcs d'or qu'il avait engagés à la suite du défunt duc son mari votre beau-frère contre Eudes le Noir, que Dame votre sœur a enfin reçu de l'argent d'Italie et que vous pourriez dès lors nous libérer de nos ennuis...

Le comte se mit en arrière sur sa chaise et prit un air bonasse.

— Oui-da, mon garçon, fit-il, tu es bien renseigné. Il y a peut-être de l'or en marche de Rome vers la Bretagne, mais Dieu sait s'il y en aura assez pour combler le trou que j'ai fait en creusant plus profond encore que mon père Sire Gilles avait fait avant moi...

Le comte eut un grand rire en atteignant une galette de froment dans le plat d'argent disposé devant lui. En y faisant couler du miel du pot de grès placé à côté, il reprit sans regarder Riou :

— Qui t'a appris cela, mon garçon ? Mohandiau ?

— Non pas, Messire. Je le tiens de ce qu'aurait dit l'intendant de Dame de Bruc votre sœur, qui...

— Ha ! fit le duc en amenant à sa bouche la galette qu'il venait de rouler entre ses doigts.

Il y eut un silence pendant qu'il mâchait et Riou s'enhardit :

— Matthieu Bottereau n'a-t-il pas reçu de Dame votre sœur ses volontés devant que de rendre son âme à Notre Seigneur Dieu ?

Le comte mastiqua encore un temps, puis tendit la main vers son hanap.

— Matthieu Bottereau est un sot, déclara-t-il posément.

Il porta le hanap à ses lèvres, but deux gorgées de vin et le reposa sur la table.

— Et il s'est noyé sottement à la pêche avant-hier dans l'étang de Bourg-Neuf...

Il se tourna vers Riou cette fois-ci avec son air bonasse et le regarda dans les yeux.

— Ne le savais-tu pas ?

— Non pas, Messire comte, fit le jeune homme, décontenancé.

Un malaise envahit le chevalier. Déjà Mohandiau n'avait rien dit de l'or d'Italie ni des volontés de la Duchesse de Bruc... Et si Matthieu Bottereau ne s'était pas noyé tout seul ?

Une musique aigrelette de cornemuses arriva d'en bas par l'escalier, précédant les sonneurs eux-mêmes, ceux du bourg de Québriac, qui firent leur entrée. Les écuyers et les chevaliers entonnèrent le chant des Moissons qu'ils entendaient sonner, et se levèrent pour entraîner à danser les jeunes filles du service.

Le comte se pencha vers Riou dans le vacarme des musiques.

— Tu as vu Mohandiau, dis-tu, garçon ?

— Oui-da, Sire comte. Il est venu me porter les comptes de mon père, c'est-à-dire de tout ce que nous devons.

— Il ne t'a rien dit d'autre ?

Riou hésita, craignant de comprendre que le projet de mésalliance apporté à la Villerouhault par le tabellion était connu de son suzerain.

— Si fait, Messire. Il m'a proposé sa fille en mariage, répondit Riou d'un ton amer.

— Eh bien ! s'écria le Comte de Québriac sur le mode jovial. Voilà ton affaire ! Tu vas reprendre dans les jupes de la fille une partie de l'or que ce malin de Mohandiau enlève à tout le monde...

Tout à son mécontentement, Riou ne répondit pas. Où étaient les sentiments de chevalerie que son père lui avait enseignés, dans ces propos cyniques du Comte Hamelin de Québriac ?

— Plains-toi ! poursuivit celui-ci. Prends donc ce qu'on t'apporte, garçon ! tu ne seras pas le premier à marier une fille comme celle-là pour agrandir ta terre et remonter tes murs. Et si la damoiselle n'est pas noble, elle peut le devenir...

Le comte regarda le hanap que le jeune homme tenait machinalement dans une main posée sur la table.

— Par tous nos saints bretons ! lança-t-il. Tu fais grise mine et tu ne bois pas mon vin !

Riou sourit avec gêne, cachant la colère qui montait en lui. Il était dans un piège auquel le comte lui-même avait pris part, afin de n'avoir pas à rendre les marcs d'or que la duchesse sa sœur avait promis en mourant.

— Tiens ! jeta le Comte. Si tu veux la fille, je l'annoblirai comme c'est de mon droit suzerain, sur ma parole ! On rira de toi un peu, mais plus tard tes fils auront plus de quartiers que toi sur leur écu quand ils iront à la bataille, et qui saura alors que leur mère est devenue noble juste avant de les mettre au monde ?

Déconcerté, Riou porta son hanap à ses lèvres. Sous ses yeux les chevaliers dansaient, les sonneurs battaient la mesure avec leurs pieds en soufflant dans leurs pipes, les filles en beaux costumes ornés de dentelles allaient et venaient entre les tables en échangeant des plaisanteries avec ceux qui restaient assis à boire et à manger.

Le jeune chevalier vida son hanap à longs traits.

— Gwendhynne ! appela le comte en levant le bras.

La belle jeune fille brune se dirigea vers l'estrade.

— Emmène le chevalier, dit le comte. Il a beaucoup voyagé depuis la veille du tournoi, et fais-lui avoir tout le repos du monde.

Riou sentait que la tête allait lui tourner. Il entendit la galopade du destrier de Foulque de Macé, revit la lance pointée sur lui et porta la main à son épaule, comme pour prévenir la douleur qu'il allait y recevoir et qui revenait maintenant, dans le vacarme de la salle en fête. La jeune fille aux cheveux bruns lui avait pris la main et elle l'aidait à se lever, croyant qu'il avait trop bu, comme c'était l'usage.

Puis la musique et les danseurs s'interrompirent d'un coup. Riou entendit une clameur succéder à ce silence subit, et la voix de la grosse nourrice qui criait au bas de l'escalier venant des appartements :

— Sire comte, grâce à Dieu c'est une fille bien belle et bien grosse !

Il s'appuya sur Gwendhynne dont il sentait la main chaude dans la sienne et marcha vers l'escalier au milieu des bravos et des rires qui saluaient la naissance de la première fille de son suzerain.

3.

L'émeraude de la dernière chance

Le sous-bois s'assombrissait, et les pas du Vaillant, le cheval de voyage de Riou, un breton solide, qui pouvait aussi bien porter une charge que son maître, ou poursuivre un cerf pendant de longues heures, semblaient s'assourdir à mesure que le jour déclinait. Riou compta qu'il n'était plus qu'à une lieue de la trouée de Broclande, où il était d'usage de passer la nuit quand on traversait la forêt de Lude pour aller à Mur. Il restait l'oreille aux aguets néanmoins, car plus d'un voyageur avait été attaqué en dépit de la proximité des auberges. On n'entend pas les cris de ceux qu'on égorge à une lieue et il est bon, pour disparaître impunément avec son butin, d'assaillir les passants peu avant que la nuit tombe...

Le jeune chevalier portait ses regards sur les côtés du chemin, et par moments se retournait pour veiller derrière, cherchant si la forme d'une branche ou d'un buisson ne cachait pas un danger.

Puis il vit devant lui au loin la lueur d'un feu qu'on allumait, avec de la fumée épaisse, à travers les arbres. Il pressa les flancs du Vaillant, pour qu'il se hâte. La piste sablonneuse s'élargissait, des pins succédaient aux chênes sous lesquels cheval et cavalier avaient avancé depuis une bonne heure et ils débouchèrent dans une clairière où venait de s'installer un campement.

Un homme de haute taille, ventru, à la chevelure et à la barbe rousse, se tenait debout au bord du chemin, ayant à ses côtés un énorme molosse au collier hérissé de pointes comme ceux dont on affuble les chiens qui combattent contre les loups et les ours. Le chien et l'homme regardaient venir à eux le chevalier sur sa monture. Le feu que Riou avait aperçu un instant plus tôt crépitait maintenant avec de vives flammes et plusieurs hommes installaient au-dessus d'assez grandes marmites, les remplissant d'eau venue d'une source voisine par les seaux de cuivre qu'on voyait à proximité.

Quatre grands chariots étaient disposés en carré à toucher la ligne des arbres qui bordaient la clairière. Riou observa qu'ils étaient reliés entre eux par des filets, enfermant ainsi un espace qui paraissait destiné à tenir des bêtes captives. Dans la pénombre qui s'établissait avec le crépuscule, le jeune homme distingua des pelages et des formes, et pensa à un montreur d'ours ou un dresseur de fauves allant de ville en ville.

L'homme roux fit un salut de tête au voyageur, en qui il reconnaissait un chevalier, par l'épée qu'il avait au côté et tout le reste de son allure.

— Messire, dit-il d'une voix aimable, si vous allez à la Trouée de Broclande pour y dormir, sachez que les auberges y sont pleines d'une troupe de seigneurs normands avec leurs valets en grand nombre. J'en reviens tout à l'heure et vous n'y trouverez plus d'abri...

Riou avait arrêté son Vaillant, qui secouait son mors et tirait à bas pour essayer de brouter l'herbe au bord du chemin.

— Ma foi, admit Riou qui ne tenait pas à poursuivre sa route dans la nuit, j'ai trop vu de Normands ces temps-ci...

Celui-là n'en était pas un, son parler breton différait pourtant de la langue de Cornouaille, et le jeune chevalier n'y reconnaissait non plus l'accent du Léon ni celui du Finistère.

L'homme barbu reprit :

— Si vous voulez passer la nuit à mon camp, Messire, c'est de bon cœur que je vous le propose... Et si vous ne craignez pas l'odeur des bêtes.

Le jeune chevalier tourna les yeux vers les chariots et l'enclos de filets.

— De quelles bêtes avez-vous la compagnie ? demanda Riou dont le regard revenait à l'énorme molosse aux côtés de l'homme.

— De chiens comme celui-ci, dit l'autre.

— Eh bien, dit Riou, s'ils sont tous comme celui-là, et si Guillaume Tire-Frogne nous veut du mal cette nuit, ce sera sa fin pour cette fois, dit le jeune chevalier en se levant de sa selle pour mettre pied à terre. Ma foi, je camperai avec vous, puisque vous m'en faites l'offre, compagnon breton...

— De quel Guillaume Tire-Frogne parlez-vous, Messire ? demanda l'autre en prenant la bride du Vaillant.

— Comment, fit le chevalier, vous ne connaissez pas ce démon-là ?

Il a vingt hommes avec lui dans cette forêt de Mur, et on n'a pas encore pu le prendre. Le sire Evêque et le comte tiennent vingt écus d'or chacun à la disposition de ceux qui l'amèneront mort ou vif. On ne vous a pas mis en garde contre eux ? D'où êtes-vous, puisque vous ne parlez pas comme les gens d'ici ?

— Je suis d'Irlande, Messire. Et je ne m'arrête guère dans les bourgs, à cause de mes chiens, qui font peur.

L'Irlandais fit un signe de la main à un des hommes qui s'affairaient maintenant autour des marmites à préparer une soupe d'orge dans laquelle ils jetaient des morceaux de viande que l'un d'eux découpait. Riou vit deux carcasses de sanglier pendues à l'un des chariots, dépouillées de leur chair.

L'homme à qui le barbu avait fait signe s'en vint prendre Vaillant pour l'attacher à une forte corde devant laquelle étaient alignés les chevaux du campement, avec de la paille sous eux et du fourrage. Aucune parole n'avait été dite par l'Irlandais à son domestique, pas plus qu'entre eux les hommes au visage fruste, aux cheveux roux et aux mains énormes, n'en avaient échangées depuis que le jeune seigneur de la Villerouhault avait pénétré dans la clairière.

L'Irlandais sentit que le chevalier s'étonnait de ce silence partagé par tout le monde.

— Ils sont sourds-muets, expliqua-t-il. Le curé de mon village qui s'occupe de ces gens-là m'a demandé de les prendre avec moi pour le travail de mes chiens.

Il amenait le voyageur de l'autre côté d'un des chariots rangés tout contre les arbres qui bordaient la clairière. Riou découvrit deux tabourets sur un tapis disposé sur le sol sous une toile tendue depuis le haut du véhicule et une jeune femme très brune, aux yeux noirs, avec des anneaux d'or aux oreilles, accroupie devant un feu de braise où elle faisait cuire des aliments dans une terrine.

— Prenez place, Messire ! C'est un grand honneur pour moi si vous partagez mon repas. Je ne me trompe pas en voyant en vous un chevalier allant à ses affaires ?

— Je vais à Mur demander à ma mère, retirée au couvent, avis sur mon mariage, dit Riou, désireux de rendre à cet homme, par une confidence, la politesse qu'il lui faisait.

— Hé ! dit l'homme à la barbe rousse. C'est un avis bien difficile à donner, pour ce qu'on ne sait jamais si ce qui brille sera toujours de l'or, et si les sourires gracieux ne se changeront pas en grises mines...

Il saisit une grande cruche de bière que la jeune femme avait prise dans le chariot et en coupa d'un tour de couteau le cachet de cire qui la coiffait. Il la tint ensuite suspendue en attendant que sa compagne sorte deux hanaps d'étain d'un coffre de voyage où reposait sur des formes recouvertes de velours toute une vaisselle de ce métal.

— Pour moi, bien que bon chrétien, poursuivit-il avec jovialité, heureux d'avoir un convive tombé du ciel, je vis dans le péché avec Anna que vous voyez ici... Mais comment faire autrement, pour un homme de guerre comme moi ? interrogea-t-il en remplissant les hanaps de bière mousseuse et brune. Ce serait bien hasardeux de la prendre pour vraie épouse, lui faire avoir des enfants, pour être sans cesse en campagne ou en aventure...

— Vous êtes homme de guerre, donc ? demanda Riou.

— Oui-da, Messire, mes chiens et moi sommes de guerre...

— Vos chiens aussi, dites-vous ?

— Oui, mon jeune seigneur, pour vous servir. Je dresse des chiens de guerre comme le faisaient autrefois nos aïeux gaulois et je m'en vais les vendre en Angleterre aux seigneurs qui m'en demandent. Douze dizaines de dogues font une compagnie de chiens, et si chacun d'eux pèse cent soixante livres et n'a pas mangé de viande depuis quatre jours, la charge qu'ils font ensemble sur de l'infanterie, par la vitesse qu'ils ont en courant, est fort dangereuse.

— Personne n'a jamais eu de chiens de ce genre en Bretagne, remarqua Riou.

— En effet, jusqu'à maintenant. Mais le sire Comte de Fougères sait que les Anglais en ont et il veut leur faire pièce là-dessus... C'est pourquoi je suis ici, en marche vers son château pour lui livrer la première moitié d'une compagnie que j'ai élevée chez moi...

— Guéthenoc de Fougères ? demanda Riou.

— Oui, Messire. Il m'a envoyé l'année dernière un écuyer à mon village d'Irlande pour me demander de ne plus travailler pour les Anglais, mais pour lui.

La jeune femme brune tendait à Riou une assiette d'étain dans laquelle elle avait versé le ragoût qui était dans la terrine. Le barbu commenta :

— Vous mangerez chez un Irlandais de la cuisine d'Espagne. C'est le pays d'Anna. Nous avons beaucoup de liens avec ce royaume de soleil, dans notre île pluvieuse, et les navires de là-bas viennent nombreux au port de Galway, qui n'est pas éloigné de mon village. C'est là que j'ai trouvé ma servante, qui est aussi ma compagne. Elle était venue avec un bateau qui l'avait débarquée parce qu'elle était malade. Elle mourait tout à fait sûrement de fièvre. Je l'ai amenée à mon curé, qui fait beaucoup de médecine et l'a guérie. Je l'ai mise alors dans mon lit et mon curé m'a fait la guerre pour que je l'épouse, puisque chez nous on ne compose pas avec ces choses-là. Grâce au ciel, cette fille, qui ne parle pas beaucoup, a tout de même ouvert la bouche in extremis pour nous apprendre qu'elle était déjà mariée en Espagne, et que son mari l'avait abandonnée dans le port de Vigo. Voilà comment j'ai été sauvé du danger qui vous menace, Messire, si j'ai bien compris le but de votre voyage...

L'Irlandais s'était échauffé avec sa bière mousseuse, dont il remplissait de nouveau les hanaps, et Riou lui-même sentait la bonne humeur le gagner, oubliant pour l'instant la duplicité de son suzerain de Québriac et les ruses de Mohandiau.

Il avait sorti de l'étui qu'il portait à la ceinture son couteau à manger et piquait avec entrain les morceaux de mouton dans son assiette.

— Je crains bien de n'y pas échapper, dit Riou en riant. Quoi qu'il en soit, votre compagne fait bien la cuisine, et son ragoût est fort bon.

Le jeune chevalier eut une mimique pour en faire le compliment à la jeune femme, qui lui rendit un sourire.

— Ne craignez pas de vider votre hanap, Messire, intervint l'Irlandais en saisissant à nouveau la cruche. Nous avons des provisions dans le chariot pour toutes les circonstances. Nous autres Irlandais ne voyageons pas sans notre bière.

— Pour ce qui est de vos chiens, demanda le jeune chevalier qui vidait sa chope, est-ce à dire que le Comte de Fougères se prépare à aller en campagne contre les Anglais ?

— Sans doute, fit l'homme aux molosses en remplissant le récipient que le jeune homme lui tendait. Il engage tout ce qui peut porter les armes à la ronde, jusqu'en Irlande, où son écuyer, après m'avoir vu pour les compagnies de chiens, a levé aussi une troupe d'hommes de de pied. Il paie bien. Je crois savoir qu'il a un traité avec le Comte de Flandre Baudouin, qui voudrait entraîner toute la chevalerie de Bretagne et de Normandie dans une grande alliance contre les Anglais. Le Comte Baudouin compte bien chasser ceux-ci de la côte flamande, où ils tiennent depuis Calais jusqu'à Ostende, comme vous le savez peut-être, mon jeune Sire. Et ces seigneurs de Flandre sont riches de beaucoup d'or, qui arrive jusqu'au Comte Guéthenoc. Et comme vous savez aussi, Messire, quand on paie bien, on trouve toujours des hommes prêts à mourir... Pour un chevalier qui s'enrôle sous sa bannière, le seigneur de Fougères donne un marc d'or à l'engagement, et ensuite un marc par année sans compter le salaire de deux écuyers. C'est toutefois ce que son envoyé a promis aux chevaliers de mon pays qu'il a pressentis. On est pauvre en Irlande, et cela a paru beaucoup...

— Deux marcs d'or comptant, dès l'engagement, c'est un beau denier, en effet, dit Riou pensivement.

Il songeait à la somme que devait son père depuis si longtemps, et à la dot de Méheude Mohandiau, telle que le notaire l'avait fait briller devant lui quelques jours plus tôt.

L'Irlandais observait le jeune homme.

— Eh là, mon jeune Seigneur ! On dirait que ces marcs d'or vous font réfléchir. Ce n'est pas pour vous, que je sache ? Puisque vous songez à prendre femme, ce n'est pas le moment de partir en guerre !

Riou fit un geste de la main comme pour écarter ses pensées. Pourtant c'était là le moyen d'échapper au piège dans lequel son père s'était en vain débattu. En entrant dans l'ost du Comte Guéthenoc, il pourrait commencer à rembourser la dette.

— Non pas, non pas, mon ami..., dit-il après avoir laissé un instant l'interpellation de son hôte sans réponse. Je m'étonnais seulement du silence de vos chiens, et me demandais comment de grands dogues peuvent demeurer aussi calmes. Je songeais tout à coup ne pas les avoir entendu aboyer depuis que je suis arrivé à votre camp...

L'Irlandais secoua la tête.

— Ne vous étonnez point. Je leur coupe les cordes vocales dès le jeune âge, excepté à ceux qui sont les capitaines et commandent douze autres bêtes. Ceux-là sont dressés à ne donner de la voix que sur ordre, et c'est pourquoi vous n'entendez point d'aboiement, alors qu'il y a plus de soixante bêtes réunies ici... A la guerre il faut savoir se taire si l'on veut surprendre l'ennemi. Messire votre père, qui vous a enseigné les arts du combat, vous a sûrement appris cette vérité-là !

Riou hocha la tête pensivement.

— Je vois chaque jour que mon père n'a pas eu le temps de m'apprendre tout ce que je devrais savoir...

— Dame votre mère est bien aise de vous voir enfin, Chevalier ! Elle nous parle si souvent de vous...

La Mère Prieure conduisait Riou dans le couloir dallé de la maison des Benoîtines qui menait au parloir où sa mère attendait le jeune homme.

— Vous la trouverez sereine, poursuivit la religieuse qui exerçait en second l'autorité sur le couvent où Dame Mathilde de la Villerouhault était venue faire retraite après la mort de son époux. Elle pourra bientôt revenir près de vous.

Une cloche tintait à coups mesurés à l'intérieur du cloître.

— On m'appelle, dit la religieuse prêtant l'oreille aux battements du bronze qui étaient le langage de la maison vouée à Dieu. Pardonnez-moi de ne pas vous introduire moi-même chez Dame Mathilde. Frappez à la troisième porte devant vous, Chevalier. Je demanderai ce soir un ave maria à votre intention, pour votre garde et votre protection...

— Grand merci, ma révérende mère, dit Riou en s'inclinant.

Il frappa à l'huis de chêne ciré, entendit la voix de sa mère lui dire d'entrer et il la vit assise dans son fauteuil, avec le sourire qu'elle avait toujours eu pour lui, et le même geste d'ouvrir ses bras, comme lorsqu'il était petit enfant.

— Riou ! s'écria-t-elle. Mon Dieu, comme tu es pâle !

— C'est l'émotion de vous revoir, ma Mère, dit le jeune homme qui s'était agenouillé devant elle et lui baisait les mains.

— Non, c'est quelque coup que tu as reçu, qui te fait souffrir, j'en suis sûre. Relève-toi et assieds-toi près de moi sur cette chaise...

— C'est mon épaule, il est vrai, admit-il en approchant la chaise que lui avait désignée sa mère.

— Mon Dieu, soupira la veuve de Raoul de la Villerouhault, quelle condition nous avons, nous autres, de toujours trembler à attendre nos maris et nos fils... Lorsque je te vois ainsi, je me demande si ce n'est pas un bonheur que ton père soit mort auprès de moi autrement que d'un coup d'épée, lui qui s'en désolait au contraire...

Elle gardait les mains du jeune homme dans les siennes.

— Pourquoi viens-tu, Riou ? Est-ce seulement pour me voir, ou m'apporter une bonne nouvelle ?

— C'était pour vous voir, Mère. Huit mois ont passé depuis la mort de père...

— Huit mois..., répéta-t-elle. Je crois que j'ai trouvé la paix, maintenant, et que je ne l'ai pas quitté par la pensée. Cette maison prie sans cesse, et ma voix au milieu des autres va vers lui... Et vers toi, mon petit, ajouta-t-elle affectueusement en lui pressant les mains.

— Nous aussi, à la Villerouhault, pensons à vous et parlons de vous, Mère...

— Couette..., murmura la veuve. C'est d'elle que tu veux parler sans doute. C'est une bonne fille, qui t'est très attachée. Tant qu'elle sera près de toi, je serais tranquille... Comme il est dommage qu'elle ne soit pas de condition !

La veuve se tut un instant puis reprit :

— Est-ce tout ? Mohandiau t'a-t-il donné les comptes de ton père ?

— Oui, Mère. Il est venu quelques jours plus tôt et m'a laissé un état...

— Est-ce mauvais ? Ton père ne voulait pas m'instruire de son souci d'argent, me disant qu'il préférait être seul à le porter et vivre au milieu de gens qui l'ignoraient. Je lui ai amené si peu de dot... Que t'a dit Mohandiau ?

— Il a très bien agi, pour nous donner le temps de faire face aux dettes, qui ne seront pas exigibles avant quatre mois.

— Exigibles ! Cette dette est-elle si grande ?

Le jeune homme eut un sourire rassurant.

— Elle l'est un peu, mais nous ne devons pas craindre, car Mohandiau m'a assuré qu'il ne nous laissera pas dans l'embarras, en souvenir des services que lui a rendus mon père et aussi parce que je vais entrer dans l'ost du Comte de Fougères. C'est la nouvelle, il est vrai, que j'étais venu vous dire, ma Mère... le Comte donne deux marcs d'or dès la première année aux chevaliers qui servent chez lui. En trois années nous aurons remboursé tout ce que devait mon père. Les parts de butin seront en plus...

— Et les coups d'épée, ou les flèches des archers aussi..., soupira la veuve de Raoul de la Villerouhault.

Elle le regardait, mais au-delà des traits encore un peu enfantins du jeune homme, elle voyait les vitres battues par la pluie bretonne de la chambre du château où elle avait si souvent, en tirant l'aiguille sur sa tapisserie, guetté le bruit des sabots d'un cheval dans la cour, peut-être un cavalier porteur de l'annonce de la mort au combat du Sire son époux.

— C'est donc six marcs d'or que nous devons, calcula-t-elle.

— Oui, ma Mère.

— Je sais que tu as le même courage que ton père, et je n'ai rien à redire à ce que tu vas faire. Dieu te protégera. Il ne peut te reprendre, de mon vivant ! Ce serait trop injuste. Aussi vais-je m'efforcer de vivre bien vieille, poursuivit-elle en souriant, pour que tu nous enrichisses beaucoup au service du Comte Guéthenoc...

Elle porta la main au col de sa robe pour en défaire les deux premiers boutons. Ses doigts attirèrent la chaîne d'or qui était autour de son cou.

— Tu devras t'équiper, pour entrer dans l'ost du Comte, n'est-ce pas ? demanda-t-elle en amenant au jour une très grosse émeraude qui était au bout de la chaîne, avec une croix d'or.

— Certes, ma Mère, dit le jeune homme. J'ai déjà Martroi et le Vaillant, mais il me faudra beaucoup de choses, pour moi-même et mon valet d'armes. Je comptais emprunter...

Elle ouvrit le fermoir de la chaîne pour libérer l'émeraude, qui était enchâssée dans des griffes d'or, et elle la remit au jeune homme.

— Ton père a toujours refusé de vendre cette pierre quand je lui en ai fait l'offre, disant que nous ne serions pas plus riches si nous la vendions. Mais aujourd'hui tu ne la refuseras pas. Elle sera le commencement de ta fortune... Vends la bien, et sois très prudent à ce sujet, car elle me vient de ma mère et vaut beaucoup. Achète aussitôt une chaîne d'argent chez un bijoutier de la ville pour la porter comme moi autour de ton cou, et lorsque tu seras à Fougères demande le conseil de l'intendant du comte pour en avoir le meilleur prix...

Au pas vif de Vaillant reposé par une nuit à l'écurie de l'auberge du *Coq au Mur,* Riou passa la porte du Faou que les sergents d'armes venaient d'ouvrir pour laisser les voyageurs sortir de la ville de Combourg à la fin du couvre-feu. Le jeune homme vit bientôt les premiers rayons du soleil dorer le sommet des frondaisons de la forêt qui reprenait ses droits après la plaine au milieu de laquelle s'élevaient les remparts de la cité.

Il chemina quelque temps en tête d'une colonne de marchands flamands qui avaient chargé sur leurs mules des ballots de dentelles achetées en Cornouaille, et comptaient, une fois la forêt franchie, remonter vers leur Nord à travers le pays normand. Ces rougeauds placides, mais grands et bien bâtis, étaient armés de piques et accompagnés de six sergents arbalétriers appartenant à l'ost de l'évêque de Dol, qu'ils payaient deux deniers à la journée pour leur protection contre les voleurs. Tous se félicitaient de la présence du jeune chevalier, avec son épée, sa dague, et la science du combat qui était l'apanage des gens de sa condition. Mais les mules chargées allaient lentement et Vaillant se trouvait sans cesse loin en tête. Riou ne tarda pas à prendre congé de ses compagnons, leur souhaita bon voyage et laissa faire son cheval qui l'entraîna loin en avant sous les rouvres redevenus nombreux à mesure que la grande forêt s'épaississait de nouveau, ainsi qu'elle le fait jusqu'au moment où elle s'arrête aux limites de la plaine de Fougères, lorsque le voyageur découvre au loin la masse des remparts de la ville, surmontés du donjon du château du Comte, et qui était le but du voyage de Riou, anxieux d'être admis à son service.

Le temps d'août était lourd depuis plusieurs jours, aussi le sous-bois ne recelait-il aucune fraîcheur. Riou croisa une dame de qualité à demi-couchée sur les coussins brodés d'or de sa belle litière que précédaient vingt hommes à cheval armés de lances et d'arbalètes eux aussi. Derrière la litière roulaient plusieurs chariots, dont l'un plein de gens de pied porteurs de hallebardes. Le jeune chevalier se rangea sur le bord du chemin pour saluer la riche dame, qui lui fit un petit signe protecteur de la main. Un sergent qui marchait en serre-file apprit au jeune homme qu'il avait croisé Dame Auboyne de Keraurais, qui se rendait chez son frère le Duc de Léon, c'est-à-dire le suzerain du Finistère, ces terres farouches battues par l'océan, où les nobles et leurs métayers exerçaient toujours depuis l'époque gauloise le droit de pillage sur les navires que les courants et les tempêtes précipitaient à la côte, dépouillant et mettant à mort les malheureux jetés par les vagues sur les plages, en dépit des colères des Evêques qui n'avaient jamais pu arracher au Duc la suppression de ces usages féroces.

Riou rencontra encore, beaucoup plus tard, une troupe de colporteurs, auxquels s'étaient joints des baladins et d'autres amuseurs ou charlatans, en route vers la grande foire de Kemper, qui se tient à la Saint-Corentin à la mi-août. Ils venaient de Fougères et plaisantèrent avec le jeune Chevalier, lui disant qu'ils n'avaient que leurs vielles et leurs luths à offrir à Tire-Frogne, si celui-ci se montrait avec sa bande, tout comme lui-même n'avait que son épée de chevalier solitaire, consacrée au service de Dieu. Riou se souvint alors qu'il portait sur sa peau, sous sa chemise, l'émeraude de sa mère au bout de la chaîne d'argent qu'il avait achetée à Mur dans la rue des Ors après être sorti du couvent des Dames Benoîtines. Puis le temps s'écoula, Riou n'y pensa plus et, ayant vu le soleil haut maintenant au-dessus des cimes des arbres, jugea qu'il était nécessaire d'abreuver son Vaillant et le faire se reposer un peu. Il commença à chercher de chaque côté du chemin les signes annonciateurs d'une source ou d'une de ces mares de sous-bois si nombreuses dans les forêts bretonnes, où rien n'est jamais vraiment sec au pire de l'été. Il aperçut bientôt la tache vert clair d'un banc de ces fougères à larges feuilles qui poussent auprès des fondrières et témoignent d'une eau proche.

Au moment où il engageait Vaillant dans le couvert, Riou crut voir une silhouette se détacher du tronc d'un chêne. Il arrêta son breton et le fit volter pour revenir en arrière au milieu du chemin. Celui-ci pourtant demeurait silencieux et vide. Le jeune homme écouta un instant le roucoulement d'un ramier qui appelait dans les plus hautes branches, puis rentra dans le sous-bois, menant Vaillant jusqu'aux fougères.

Elles bordaient bien une fondrière où les sangliers et les cerfs venaient nombreux piétiner la nuit aussi bien pour s'abreuver que rouler leur gale dans la fange bienfaisante.

Un amoncellement de grands rochers commençait un peu plus loin et une fraîcheur venue au visage du jeune homme lui fit comprendre que la source était là. Vaillant l'avait sentie lui aussi et il hennit discrètement, lui qui ne s'était plaint d'aucune façon depuis le début du voyage pour ne pas faire mentir son nom, ni de la chaleur ni de la fatigue, et cela fit rire Riou, qui flatta l'encolure de sa monture, en lui disant de ces paroles amicales que le cavalier réserve à son cheval quand il est seul avec lui dans la profondeur d'une forêt, et que le rassure la chaude présence de la bête entre ses jambes, et toute cette force qu'il sent contenue dans les muscles puissants.

C'est quand Vaillant trempait sa bouche dans le bassin que formaient les pierres au pied des grands rocs que le bruit d'une galopade résonna dans la lueur ensoleillée du chemin, à cinquante pas. Riou se retourna pour voir une dizaine de cavaliers foncer vers lui en fracassant les branches mortes du sous-bois sous les sabots de leurs montures. Les arrivants qui portaient des masques pour cacher leurs visages se divisèrent en deux groupes pour envelopper le voyageur occupé à faire boire son cheval. Riou sentit son cœur battre plus vite. C'était la bande de Tire-Frogne. Ils furent en quelques instants immobiles autour de lui.

Les uns tenaient sur leur cuisse la crosse d'une arbalète prête à lâcher son carreau, les autres à la main une épée ou une masse, et ne disaient mot. C'était bien la silhouette de l'un d'eux que Riou avait aperçue tout à l'heure.

Riou cherchait quelle phrase lancer à ces hommes sans visage pour leur montrer qu'il n'avait pas peur d'eux mais déjà un autre cavalier sortait de derrière les rochers, monté sur un cheval noir aux formes élégantes, volé sans doute à l'équipage d'un seigneur. Celui-là ne cachait rien de sa physionomie d'homme de proie, faite d'un regard perçant au-dessus d'un nez en bec d'aigle, avec deux canines de loup fendant sa moustache tombante quand il lança au jeune homme :

— Hé, chevalier ! lança-t-il au jeune homme. C'est fanfaronnade que voyager par ici avec un beau bijou sur soi !

L'émeraude ! Riou n'y pensait plus depuis son départ de Mur, tout à l'anxiété dans laquelle il était de savoir si le comte Guéthenoc consentirait à le prendre dans son ost, malgré sa défaite au tournoi devant les Normands, dont le bruit avait dû parvenir jusqu'au château de Fougères. La pierre précieuse était autour de son cou sous sa chemise de lin, invisible, son col montant plus haut que la chaîne d'argent qui la retenait, mais cet homme savait qu'il avait une émeraude. Des gens à lui épiaient les clients des bijoutiers ou des juifs qui s'occupaient d'argent dans la rue aux Ors de Mur, et la bande l'avait attendu, en embuscade, après l'avoir surveillé le long du chemin.

Des cheveux bruns et sales sortaient en broussaille de l'espèce de bonnet de cuir que le bandit portait, et il riait en un rictus qui découvrait maintenant toute une dentition de carnassier. Tire-Frogne, c'était lui, qui ajouta, en arrêtant son cheval à six pas de celui de Riou :

— Un chevalier ne doit pas mentir, on m'a appris... Ne me cachez point qu'il y a une jolie pierre dans votre bagage, Messire, et donnez-la-moi bientôt.

En parlant, Tire-Frogne jetait des regards en direction du chemin, auprès duquel, dans le sous-bois, derrière un énorme chêne étaient apparus deux hommes à pied.

La bande avait vingt hommes, à ce qu'on savait. Riou en compta une dizaine autour de lui. Les autres devaient veiller en amont et en aval du chemin, à bonne distance. Tire-Frogne était un bon capitaine de volerie, sachant placer son monde.

— Si vous ne nous faites pas perdre de temps, mon jeune chevalier, continua le bandit, et nous laissez votre cheval avec la pierre, nous vous attacherons sans méchanceté à un arbre un peu plus loin derrière les rochers et vous aurez la vie sauve, car c'est péché de tuer quelqu'un qui ne se défend pas.

Il se tourna vers l'un des cavaliers masqués.

— Toi ! montre-lui ! ordonna-t-il.

Le cavalier atteignit le sac fait de peau de vache qui était attaché à l'arçon de sa selle et le souleva pour en ouvrir le rabat. Il tira d'abord des cheveux, puis vint la tête tout entière d'un des sergents arbalétriers que Riou avait vus ce matin escorter les marchands des Flandres.

— Celui-là n'a pas voulu nous obéir, un peu plus tôt, et il s'est servi de son arbalète, dit le capitaine des bandits.

L'homme au sac en peau de vache rentra la tête ensanglantée d'où il l'avait sortie.

Tire-Frogne attendait l'effet de ses paroles sur le jeune chevalier.

— Tu sais bien que je ne peux t'obéir, Guillaume, répondit calmement celui-ci. Cela est contraire à mes serments.

— Hé ! ho ! s'exclama le bandit. Mieux vaut un serment écorché que six carreaux à pointes d'acier plantés à mort dans ta poitrine. Es-tu jaloux du martyre de saint Sébastien ?

Riou dénombra les cavaliers qui tenaient leurs arbalètes prêtes. C'étaient des arbalètes anglaises, les meilleures qu'on fît des deux côtés de la mer bretonne. Il y en avait six, en effet, et Guillaume n'avait qu'un mot à dire.

La forêt restait calme et chaude, et le bandit s'amusait de ce jeune homme naïf qui lui était tombé entre les mains. Riou pensa à sa mère, qui lui dirait, si elle était là, de donner l'émeraude. Couette aussi, sans doute. Mais Collin le Du, le valet qui frottait de graisse l'épée de son seigneur Riou et craignait les moqueries des autres valets d'armes dans les écuries, après les tournois ? Et son père ? Et le comte de Fougères ? Et tous les autres ?

Ayant gagné assez de temps pour décider ce qu'il allait faire, Riou enleva Vaillant d'un double et brutal coup d'éperons pour le jeter sur les bandits qui se trouvaient au plus près de lui. Hennissant de colère et de douleur, le Breton se lança en avant de tous ses jarrets, tandis que Riou criait *Tayaut ! Tayaut !* pour l'exciter, comme s'il y avait cerf en vue qu'il fallait forcer.

Les chevaux des bandits que Vaillant bousculait se cabrèrent, et l'un des cavaliers vida les étriers en jurant. Riou fonçait vers le chemin, entraînant derrière lui la troupe des voleurs, tandis que Guilaume leur chef criait de sa forte voix de commandement :

— Sus ! Sus ! Et laissez-le-moi !

Riou enfila le chemin au grand galop dans la direction de Fougères, le cœur battant, hésitant entre les partis à prendre. Puis il songea à voir de quelle vitesse étaient capables les chevaux de ses poursuivants. S'ils étaient trop rapides, il rentrerait dans le sous-bois et jouerait sur les qualités de Vaillant sur ce terrain-là. Comme s'il avait compris que son maître était aujourd'hui le gibier plutôt que le chasseur, Vaillant volait sur la terre sablonneuse. Riou se retourna un instant.

Comme il l'avait imaginé, sur le bel anglais noir qui allongeait son galop dans un balancement aisé, Guillaume Tire-Frogne avait déjà remonté la troupe de ses cavaliers partis avant lui. Il rejoindrait

Vaillant sans peine. Riou tira alors de sa ceinture, d'un geste prudent que son poursuivant ne pouvait voir, la dague que Collin le Du avait aiguisée sur la meule avec le plus grand soin, la veille du départ de son maître, comme il faisait les veilles de chasse.

Le jeune chevalier tint serré le pommeau de l'arme dans sa main droite en même temps que les rênes de Vaillant, et attendit que le bandit arrive à sa hauteur.

Le galop du cheval noir était maintenant tout proche des oreilles de Riou. Son rictus devenu féroce, tenant d'une main les rênes de son cheval qu'il encourageait en poussant une sorte de grognement rythmé au mouvement de son galop, Tire-Frogne tendait en avant dans son autre main une sorte d'épieu qui se terminait par une lame tranchante. Parvenu à portée, presque jambe à jambe, il engagea sa lame sous la ceinture du jeune chevalier à l'endroit où était l'épée dans son fourreau, en criant :

— A terre, Messire ! A terre !

Riou sentit la lame pénétrer à travers son vêtement et entamer son flanc.

— Sautez, Messire ! ordonna le bandit.

Mais Riou bascula vers son assaillant qui s'attendait à le voir chuter de l'autre côté et, détendant son bras armé de sa dague, lui trancha la gorge d'un seul coup frappé de toute sa force et sa colère. Le bandit poussa un cri rauque noyé dans le flot de sang qui jaillissait sur l'encolure de son anglais. Comme celui-ci continuait sa course flanc contre flanc avec Vaillant, le jeune chevalier réussit à s'appuyer sur lui pour se remettre en selle, comme à l'exercice, quand sa légèreté et sa souplesse, que lui reprochait Roland la Muce, le maître d'armes du Comte de Québriac, lorsqu'il s'agissait de combattre en armure poids contre poids au tournoi, lui donnaient au contraire l'avantage sur les autres dans la voltige à deux chevaux sur le sable de la carrière.

Guillaume Tire-Frogne était parti en arrière, passant les jambes hautes par-dessus son cheval et Riou le vit rouler sur le chemin de telle façon que sa tête déjà à demi tranchée se détacha presque complètement du tronc. Les voleurs parvenus auprès du corps de leur chef s'agitaient, les uns mettant pied à terre, les autres invectivant et repartant à la poursuite du chevalier qui venait de décapiter la bande invaincue depuis des années.

Riou lança Vaillant dans le sous-bois où il perdrait facilement un à un les bandits déconcertés par la mort de leur chef et plus pressés d'aller se battre pour le partage du butin caché quelque part dans un endroit sauvage de la forêt que pour le venger.

Quand il regarda en avant pour voir où Vaillant l'emmenait ventre à terre à travers les arbres, il eut devant lui deux arbalétriers à pied qui l'ajustaient et il comprit qu'il était malheureusement sorti de la route à l'endroit même où des hommes de Tire-Frogne étaient embusqués en flanc-garde. Il distingua le sifflement des traits qui accouraient, reçut un choc terrible à l'épaule, celle-là même que Couette avait soignée avec tant d'amour, vida les étriers et tomba durement sur le dos, perdant toute conscience.

4.
La justice du comte Guéthenoc

Conan Neil s'était assoupi dans son chariot en marche sur le chemin sablonneux de la forêt, quand une main secoua son épaule. L'Irlandais ouvrit les yeux. L'un des muets qui venait de réveiller son maître lui désignait du doigt quelque chose en avant, sur le chemin.

Se redressant sur sa couche, Neil pencha la tête au-dehors. Il vit un cheval sellé, mais sans cavalier, la bride cassée traînant à terre. L'animal s'était arrêté à cent pas des chars, tendant les naseaux pour flairer les odeurs qui en venaient.

L'Irlandais pensa qu'il avait déjà vu ce cheval quelque part, et le muet, dans son langage par signes, fit avec les mains le geste de ceindre une épée au côté, qui signifiait *chevalier*, puis le geste d'une main posée contre sa joue penchée, qui voulait dire *dormir*. Il compta enfin le chiffre deux avec ses doigts étendus.

— Bon Dieu, dit l'Irlandais, c'est vrai ! C'est le cheval du petit messire qui a dormi avec nous deux jours plus tôt...

Vaillant hennit alors en reconnaissant le fumet des chiens et prit le trot pour venir à la rencontre du convoi.

Les muets l'attrapèrent par sa bride. Conan Neil qui était descendu de son véhicule s'approcha. Il vit le flanc de l'animal éclaboussé de sang et il pensa aussitôt aux bandits. Le jeune chevalier était passé sur le chemin avant lui, seul, en direction de Fougères, et les gens de Tire-Frogne l'avaient attaqué.

— Thorr ! cria l'Irlandais en se retournant vers les véhicules suivants. A moi !

Le grand dogue sauta du chariot où il était avec Anna et accourut vers son maître. Il aboya en reconnaissant lui aussi le cheval que les muets tenaient par la bride, et lui fit fête avec des bonds puissants.

L'Irlandais frotta en hâte la manche de sa chemise au sang coagulé qui était sur le flanc du cheval et la fit sentir au molosse.

— Allez ! Thorr ! Cherche ! Cherche !

L'énorme bête partit sur le chemin en lançant des aboiements caverneux et Conan Neil se mit en selle sur Vaillant pour le suivre.

Le visage de l'Espagnole que Conan Neil l'Irlandais avait trouvée dans le port de Galway apparut aux yeux de Riou sur le fond des feuillages d'un grand chêne. Ce visage était sérieux, comme si la jeune femme s'appliquait à une tâche difficile que le jeune homme ignorait, jusqu'au moment où la douleur de son épaule se fit déchirante, lui arrachant un cri. Il se souvint alors des carreaux d'arbalètes tirés sur lui et de la gorge tranchée du chef des bandits tombant de son cheval noir et reprit conscience.

Il était étendu au pied du grand chêne auprès duquel les hommes de Tire-Frogne avaient surgi en l'ajustant de leurs armes, la tête appuyée sur des coussins venus du chariot de l'Irlandais. Celui-ci se tenait debout avec son ventre en avant et son air débonnaire tandis qu'Anna, sa compagne, lavait sa blessure après en avoir retiré le carreau.

— Vous avez joliment gagné les écus d'or de l'Evêque, Messire, dit l'Irlandais en souriant dans sa barbe.

— Les écus d'or ? demanda Riou qui voyait le trait d'arbalète dans un linge souillé de son sang à côté de la jeune Espagnole agenouillée qui commençait à enfermer son épaule dans un pansement.

Il entendit l'Irlandais lui rappeler qu'il s'agissait des vingt écus d'or que l'évêque de Dol avait offerts pour la capture de Guillaume Tire-Frogne mais une émotion violente s'empara de lui. L'émeraude ! Il porta sa main valide à sa poitrine et chercha à son cou la chaîne d'argent qu'il avait achetée à Mur pour porter la pierre de sa mère. Ses doigts rencontrèrent sa chair nue... Les bandits avaient enlevé l'émeraude quand il était tombé à terre frappé par un des carreaux tirés par les deux arbalétriers. Désorientés par la mort de leur chef, ils s'étaient enfuis sans achever leur victime.

Riou fit effort pour se relever.

— Conan ! dit-il. Ils m'ont pris l'émeraude !

— De quelle émeraude parlez-vous, Messire ?

— Une grosse pierre que ma mère m'a donnée à Mur. Je l'avais autour du cou, à une chaîne...

L'Irlandais secoua la tête.

— Il n'y avait pas de chaîne à votre cou, Messire, quand Anna a ouvert votre col...

Riou s'assit le dos au rouvre, aidé par la jeune femme qui avait terminé le pansement.

— Il faut courir sus aux bandits, dit Riou. Je n'ai pas d'autre fortune que cette pierre.

— Vous avez la vie sauve, Messire. C'est beaucoup mieux qu'une émeraude, à ce que tout le monde vous dira, et Dame votre mère en premier, qui ne voudrait pas vous voir à cheval dans cet état où vous êtes...

Mais Riou cherchait à s'appuyer sur l'Espagnole pour se mettre debout.

— Vaillant ? Où est-il ? L'ont-ils pris ?

— Votre Vaillant est avec les miens, Messire. N'ayez point de souci. Il est près des chiens.

— Les chiens ! s'écria le jeune homme en se retournant pour chercher des yeux les chariots de l'Irlandais.

Ils étaient rangés au bord du chemin et les sourds-muets tenaient en laisse des groupes de chiens qu'ils avaient fait descendre pour les promener.

— Conan ! Est-ce que votre Thorr a du flair ?

— Thorr ? fit l'Irlandais. Il en a, par tous les saints, comme un chien de chasse, quand il veut ! Et j'en ai dix autres qui savent suivre une piste aussi bien que des limiers.

— Mettez-moi sur Vaillant, Conan, et lâchez vos chiens sur la trace des bandits.

— Messire ! Vous n'y pensez pas ! Vous avez perdu beaucoup de sang !

— Les vingt écus d'or de l'Evêque sont à vous, Conan, si vous me donnez vos chiens.

— Tudieu ! jura l'Irlandais, je ne veux rien de votre or, et tout ce que vous paierez si vous êtes encore vivant quand nous serons à Fougères, c'est un grand muid de bière !

Il fit ses signes des mains en direction des sourds-muets, et ceux-ci commencèrent à faire claquer leurs fouets pour manœuvrer leurs bêtes.

Le comte Guéthenoc de Fougères galopait derrière ses lévriers quand il les vit s'arrêter pile au bord du chemin autour d'une forme humaine étendue à terre. Parvenu auprès d'eux, le Comte découvrit du haut de son cheval le corps d'un homme qui n'avait plus de tête. Il fit claquer son fouet pour disperser les chiens qui commençaient à lécher le sang répandu autour du cadavre mutilé.

Les animaux chasseurs s'écartèrent en jappant à quelque distance, tandis qu'arrivaient les cavaliers de l'escorte du seigneur de Fougères, tous armés d'épées au côté, de dagues, d'arbalètes en travers de leur dos, et quelques-uns de lances.

Gauthier le Musard, le chef pisteur du comte, qui connaissait la forêt mieux que personne, pour y passer des jours et des nuits sur les traces des bêtes avant les chasses, et qui était aussi un homme dangereux dans les combats, avec le fléau qu'il maniait d'une terrible manière, ainsi que beaucoup d'Anglais l'avaient appris à leurs dépens et misère quand ils avaient voulu imposer leur loi aux Bretons, Gauthier arrêta son cheval tout près de celui de son seigneur.

— Messire, s'écria-t-il, c'est un homme de Tire-Frogne, sans doute aucun !

Le Musard avait vu défiler la bande, un jour, dans un sentier de la forêt, alors qu'il s'était caché dans un fourré épais en entendant leurs chevaux hennir et se rapprocher. Lui-même suivait la piste d'un grand dix-cors depuis l'aube, après l'avoir guetté pendant la nuit se battant avec un autre grand cerf pour la royauté sur les femelles.

— Il aura gardé quelque part de prise pour lui, et Tire-Frogne lui aura coupé la tête, jeta Guéthenoc de Fougères.

— Est-ce qu'il mérite un trou pour l'enfouir, Messire ? demanda le pisteur.

Le comte haussa les épaules.

— C'est un chrétien même si c'est un pécheur, et les bêtes le mangeront cette nuit s'il n'est pas en terre...

Puis le comte Guéthenoc jeta un regard autour de ses cavaliers qui semblaient peu envieux d'avoir à creuser une fosse pour un bandit dont on aurait laissé le squelette sécher à une potence s'il avait été pris vivant. Il vit que les autres chiens qui couraient tout à l'heure en arrière avec l'escorte n'avaient pas rejoint.

— Eh bien, Gauthier, où sont tes chiens ? Vois qu'il n'y a ici que les miens !

— C'est ma foi vrai, Messire, dit le Musard. Ils ont dû partir sur une trace.

Le pisteur prit la corne qui pendait à son cou et sonna plusieurs coups longs, selon le langage que les lévriers connaissaient.

Le comte et ses hommes tendaient l'oreille, écoutant les cris de la trompe de Gauthier se perdre dans le silence du sous-bois. Le soleil était déjà bien bas. Une rumeur d'aboiements parvint jusqu'au chemin. Les chiens avaient entendu la trompe et lui répondaient.

Le comte observa :

— Ils te disent qu'ils n'ont pas envie de revenir, Gauthier. Ils sont après quelque chose...

Il tourna son cheval dans la direction d'où venaient les lointains aboiements, puis ordonna en éperonnant :

— Allons à leur suite ! Nous rentrerons par le Val d'Enfer et le ravin des charbonniers.

Derrière leur comte, les hommes d'armes galopaient à la voix des chiens qui, sentant qu'ils avaient rallié leurs maîtres, jappaient joyeusement sur la piste. Les chevaux de la troupe, sachant qu'on rentrait vers l'écurie, donnaient toute leur force et bientôt les grands lévriers furent en vue, filant leur chemin à contourner les ronciers géants, et à dévaler des ravines humides.

— Bon Dieu, Gauthier, sur quoi sont-ils ? demanda le comte alors que son pisteur s'arrêtait près de lui en haut d'un éboulis profond. Les chiens étaient déjà de l'autre côté, jappant toujours.

Les cavaliers qui suivaient hésitaient eux aussi à dévaler la pente encombrée d'arbres morts en hécatombe, et l'un d'eux, qui avait l'ouïe fine, s'écria :

— On chasse loin devant, Messire ! C'est ce qui fait courir les nôtres.

— Hé donc ! lança le comte. Qui chasse ici, si ce n'est nous ?

— Entendez, Messire, répéta le cavalier à l'ouïe fine. Il y a une meute là-bas.

— Je voudrais bien voir ça ! fit le comte en poussant son cheval dans la ravine.

La poursuite continua, tandis que le soleil baissait à travers les branches et que l'écume venait au poitrail des chevaux. La troupe montait péniblement la grande pente au-delà de laquelle on pouvait redescendre vers Fougères à travers la partie la plus sauvage de la forêt encombrée d'énormes rochers et découpée de ravins profonds où les chasseurs eux-mêmes n'aventuraient pas leurs chevaux de crainte de leur briser un membre.

Les aboiements de la meute qui avait entraîné tout le monde se faisaient maintenant entendre clairement sur un ton grave qui n'était pas celui des chiens de chasse que les frondaisons de la forêt avaient l'habitude d'entendre, et le comte s'étonnait fort, jusqu'au moment où il arriva le premier en haut de la pente.

Sous ses yeux un peu plus bas une trentaine d'énormes dogues encerclaient une troupe de cavaliers aux mines farouches qui n'osaient franchir le dangereux barrage de mufles et de crocs. Un cheval que son cavalier avait voulu obliger à passer de force gisait à terre, égorgé, se débattant dans les soubresauts de l'agonie. Le cavalier lui-même, la cuisse ouverte, s'appuyait sur l'animal en gémissant, face au rictus ensanglanté du chien de guerre qui s'était jeté tout à l'heure au poitrail de sa monture.

Un jeune homme à cheval, le torse nu, l'épaule enveloppée d'un pansement rougi tenait une épée de chevalier à la main.

— Par tous les saints bretons, s'écria le comte Guéthenoc en reconnaissant le gros homme barbu qui se tenait en selle un peu plus loin, c'est mon ami Conan Neil qui chasse l'homme sur mes terres !

— Eh bien, Conan ! Sont-ce là mes chiens ?

— Certes oui, Sire Comte, répondit l'Irlandais. Ils seraient déjà chez vous ce soir, si nous n'avions pas dû courir sus à ces bandits qui avaient attaqué ce midi le chevalier que voici...

— Je vous salue, Sire Comte, dit Riou.

— Qui es-tu ?

— Je suis Riou de la Villerouhault et j'allais chez vous, Messire, pour vous demander de servir dans votre ost quand j'ai rencontré ceux-ci...

— Est-ce toi qui en as découpé un sur le bord de la route, que nous avons vu sans tête tout à l'instant ?

— C'est lui-même, Messire, intervint l'Irlandais, fier du courage de son ami le jeune chevalier, avec sa dague, alors que dix d'entre eux le poursuivaient, et c'est la tête de Tire-Frogne, ni plus ni moins, qui manque à ce cadavre-là... Nous l'avons dans nos bagages pour vous l'échanger contre les vingt écus d'or !

— Si tu fais ça aux Anglais, chevalier, je peux bien te prendre. Qu'as-tu à l'épaule ?

— Un carreau d'arbalète que l'un d'eux m'a tiré pour me mettre à bas, Sire Comte. Conan Neil m'a sauvé en me trouvant sans connaissance et nous sommes repartis à la suite de ceux-là en lâchant les chiens...

— Fort bien, observa le Comte. Tu as la rancune tenace et tu ne jettes pas le manche après la cognée.

Riou secoua la tête.

— Ce n'est pas tant la rancune, Messire, qu'une grosse et belle émeraude que Dame ma mère m'avait donnée la veille à Mur pour équiper mes gens d'armes si j'entrais à votre service de guerre, et que ceux-là m'ont prise quand je suis tombé à terre du trait d'arbalète...

Le regard du seigneur de Fougères passa en revue la troupe des bandits pétrifiés au centre du cercle des dogues.

— Qui de vous a l'émeraude ? lança-t-il.

Les hommes de Tire-Frogne se taisaient. Ils savaient qu'ils allaient être pendus, ou écartelés sur la grand-place de la ville, pour tous leurs crimes impunis depuis deux années, les gens d'armes qu'ils avaient abattus par surprise d'une flèche tirée dans leur dos depuis le tronc d'un chêne, les filles qu'ils avaient entraînées jusque dans leur repaire pour s'en amuser, et dont plusieurs étaient mortes, leurs corps qu'on avait retrouvés abîmés par les renards et les loups. Et tous ces bourgeois de Fougères, de Mur ou d'ailleurs qui avaient été dépouillés de leur or et de leurs vêtements, leurs chevaux volés, alors qu'un seul cheval emblé [1] valait la corde...

Le comte Guéthenoc comprit qu'il fallait marchander pour rendre au jeune homme son émeraude.

— La vie sauve à celui qui nous dit où est la pierre ! lança-t-il de sa voix de commandement.

Les bandits, méfiants, gardaient le silence, mais leurs regards s'étaient animés.

L'un d'eux, qui avait mis pied à terre et s'appuyait à un rocher en tenant par la bride tout près du mors son cheval qui tremblait de peur des chiens de guerre, désigna son compagnon étendu, la jambe déchirée, auprès du cadavre de son cheval.

— J'ai vu Roi Renard l'avaler ! dit-il. Il s'est battu avec Langogne, qui l'a prise le premier au col du chevalier, il l'a tué pour cela auprès des mares de Vaudraye. Il a dit qu'il ne l'avait pas trouvée sur Langogne, mais moi je l'ai vu la mettre en bouche !

Le blessé tourna vers le délateur son visage mal rasé et creusé par la douleur.

— Menterie de couard ! jeta-t-il. Tu n'as rien vu, Grand Gouge ! Tu seras pendu de toute façon, avec nous autres...

Celui qui s'appelait Grand Gouge interrogea le Comte du regard.

— C'est ma parole, déclara Guéthenoc de Fougères. Celui qui trouve la pierre sera libre.

1. Embler un cheval : le voler.

Le dénonciateur hésita.

— Il l'a, Messire ! répéta-t-il enfin.

— Alors, prends-lui ! jeta le Comte de sa voix impérative.

Le misérable contemplait le seigneur de Fougères sur son beau cheval, la selle de cuir fin, le fouet de chiens qu'il tenait à la main, l'épée à pommeau d'or et d'argent dans son fourreau, et sa barbe bien soignée que le barbier du château peignait chaque matin.

— Mais, Messire, balbutia-t-il, il faut attendre que... qu'elle sorte.

Les hommes d'armes du comte, sur leurs chevaux aux poitrails encore tachés d'écume, rirent.

Le comte Guéthenoc tira sa dague de chasse de sa ceinture.

— Nous n'avons pas à attendre, dit-il durement. Si tu sais où est la pierre, prends-la aussitôt ! ajouta-t-il en lançant à la volée le coutelas en direction du bandit.

Grand Gouge regarda à terre, avec crainte, le magnifique coutelas, immaculé et précieux comme tout ce qui venait du Comte, et qui incarnait maintenant sa trahison, en même temps que sa vie ou sa mort...

— Alors ? lança le comte Guéthenoc. Vas-tu nous faire la fine bouche, toi qui as planté tant de lames dans la gorge des voyageurs, sans compter celle que tu as entre les jambes, et que tu as plantée dans le ventre des vierges violées au bord du chemin...

Il y eut encore deux ou trois rires du côté des cavaliers de l'escorte, mais le comte ne riait pas. Le bandit ramassa le couteau de chasse avec lequel le Seigneur de Fougères affrontait les sangliers blessés pour les achever, et marcha vers Roi Renard.

Celui-ci attendit que son compagnon se penche sur lui pour lui cracher au visage.

— Maudit chien ! jeta-t-il. Tu vas chercher ta vie dans la m...

Le bras de Grand Gouge s'abattit, enfonçant la lame en plein cœur, faisant taire celui que Tire-Frogne avait surnommé Roi Renard pour ses ruses qui avaient plusieurs fois dérouté et perdu les hommes d'armes manœuvrant contre la bande dans la forêt.

Puis le coutelas ouvrit le ventre du haut en bas, libérant les viscères avec un bruit de gargouillement et une odeur douceâtre.

Le comte regardait le jeune chevalier de la Villerouhault qui, épuisé maintenant par sa course à travers la forêt et le sang qu'il avait perdu, détournait la tête du répugnant spectacle d'un homme fouillant dans les entrailles d'un autre pour y trouver de quoi échapper au gibet.

— Eh bien, chevalier ! lança le seigneur de Fougères. Tu ne croyais pas que ton émeraude valait si cher !

Riou s'appuya en avant sur le garrot de Vaillant, luttant contre la nausée. Puis il se redressa pour secouer la tête.

— Non, Messire...

— Il y a une leçon dans toute chose, chevalier, poursuivit le comte, et chacune doit se payer son prix...

Un affreux sourire aux lèvres, Grand-Gouge se relevait au-dessus du cadavre de son compagnon, montrant la pierre au bout de ses doigts ensanglantés.

— Elle y était, Messire...

— Conan Neil, ordonna le comte, rameute tes chiens !

L'Irlandais lança un ordre à Thorr, qui se tenait près des jambes de son cheval et le grand dogue courut vers le cercle des molosses en aboyant. Les trois capitaines de dizaines lui répondirent par des jappements brefs, qui ordonnaient aux autres de défaire le cercle enfermant les vaincus pour se reformer dans leurs trois meutes distinctes.

— Conan ! ordonna le sire de Fougères. Amène-nous ces hommes au château au milieu de tes bêtes. Il n'y aura pas à les enchaîner.

Les hommes de la chasse rassemblaient les chevaux des bandits pour les conduire en sous-verge.

Grand-Gouge cherchait le regard du comte, craignant que le puissant seigneur ne tienne pas sa promesse.

Guéthenoc de Fougères descendit de son magnifique alezan dont il noua la bride sur l'encolure, et se retourna vers le bandit.

— Approche, toi ! ordonna le comte qui se dirigeait maintenant vers le tronc d'un chêne qu'une tempête avait abattu, et qui gisait sur le sol, déjà moussu, luttant contre le pourrissement des hivers.

L'alezan, dressé à ne pas quitter son maître quoi qu'il arrive, lui emboîta le pas.

Le bandit marcha vers le chêne couché. Le comte tira son épée. La peur glaça les yeux de Grand-Gouge.

— Messire, implora-t-il. J'ai trouvé la pierre...

— Je tiens ma parole, coupeur de gorges ! ironisa le comte. Je te remets tes crimes, pas tes voleries. Tends ton bras sur ce tronc ! Le gauche ou le droit, comme tu voudras...

C'était la peine pour un voleur en Bretagne : une main coupée. Guéthenoc de Fougères rendait la justice.

Défiguré par la peur, Grand-Gouge se mit à genoux, appuyant son bras sur le chêne.

— Gauthier ! lança le comte à l'adresse de son pisteur, expert à soigner les chiens de chasse déchirés par les bois des cerfs ou les défenses des sangliers. Tu lui feras une bonne ligature, qu'il vive longtemps pour chanter partout nos louanges.

Le pisteur se dirigea vers le lieu de l'exécution tandis que l'épée maniée d'un poignet savant sifflait comme un serpent.

L'alezan du comte qui cherchait quelque pousse tendre entre les feuilles du sous-bois leva la tête au grand cri de douleur que poussa Grand-Gouge, puis se remit à brouter.

DEUXIÈME PARTIE

LE DYCT DU PAON

5.

Un caprice de la comtesse de Fougères

L'astre d'août imposait sa loi à la monotone plaine flamande. Dans la brume de chaleur qui vibrait au-dessus de l'horizon des moissons mûres, Riou aperçut enfin les deux tours du château d'Anderlecht. L'ost du comte Guéthenoc, les vingt-huit chevaliers, leurs écuyers, leurs valets, les chevaux de main et de charge, les mules, la tapissière de Dom Eygon le chapelain du Comte, les chariots aux grandes roues cerclées de fer portant les armes et les armures, les harnais de rechange des montures, les tentes d'apparat et aussi les meubles du Sire comte et de la comtesse son épouse, tout ce train étirait son long convoi sur la route poussiéreuse entre les blés au-dessus desquels piaillaient les alouettes grisées de soleil.

Comme toujours, le pas vif de Vaillant avait amené le jeune seigneur de la Villerouhault en tête. La ligne verte des frondaisons qui barrait la plaine à l'horizon, faite des bois entourant le château où seraient logés les invités de marque du Comte Baudouin, devint claire aux yeux de Riou. Puis il vit venir en face trois cavaliers joliment accoutrés, portant bannière au Lion de Flandre. Des ordres criés derrière lui firent Riou se retourner. La litière dans laquelle voyageait la comtesse Ségolène avait fait halte, immobilisant tout l'ost. Les chevaux, fatigués par la marche qui les avait menés sur le chemin de Belgique bien avant l'aube, s'ébrouaient, les uns hennissant dans un cliquetis de mors pour faire savoir qu'ils étaient impatients de s'arrêter pour de bon dans l'ombre d'une écurie, les autres s'endormant déjà debout dans l'aura de chaleur qui montait de la route entre leurs jambes.

Riou vit la comtesse Ségolène, belle femme aussi grande que son époux le solide Guéthenoc, sortir de sa litière aux rideaux blancs, portant pantalon d'homme, pour se mettre en selle sur un grand destrier que les valets lui avaient amené. La litière du seigneur comte, attendant derrière celle de son épouse, demeurait close. Le grand destrier se mit à aller l'amble pour remonter la colonne, la comtesse, dont les longs cheveux blonds de Flamande étaient assemblés en chignon, se tenant bien droite en selle, sûre de son assiette, pleine de santé et de robustesse, elle qui combattait dans les tournois comme les hommes et contre eux, ainsi que le faisaient certaines dames de bonne santé et de bonne charpente que leurs pères ou leurs frères avaient entraînées sur le sable des arènes à manier les armes et les coursiers dès leur enfance.

La comtesse Ségolène, qui dominait Riou d'une tête de par la taille de son destrier fut bientôt près du jeune homme. Les trois cavaliers de Baudouin saluèrent la noble dame qu'ils savaient être la cousine germaine de leur seigneur, et s'enquirent du comte de Fougères, afin de lui présenter, dirent-ils, les souhaits de bienvenue de leur maître.

— Le comte dort dans sa litière, répondit Ségolène en riant. Il a trop bu et trop dansé à l'étape de Vervins, chez notre hôte d'hier le Sire de Laon. Laissez-le en paix jusqu'à ce soir. Il aura fort à faire à tenir tête cette nuit à mon cousin Baudouin. Ne suis-je pas bonne à mener l'ost moi-même ?

— Si donc, Madame la comtesse, s'écria l'écuyer qui était venu au-devant des gens de Fougères avec deux hommes d'armes, dont l'un portait la bannière. Nous vous savons riche du sang de Flandre, qui vous donne un bras assez fort pour manier l'épée !

— Allez devant, ordonna la comtesse, que ce jeune chevalier me puisse faire sa cour en chemin !

Les trois cavaliers tournèrent bride pour précéder la colonne, qui se remit en route après que la comtesse eut levé le bras pour en donner l'ordre, et Riou se trouva botte à botte avec sa suzeraine, qui lui souriait.

— Eh bien, Riou, êtes-vous heureux au service de Fougères ? lui dit-elle en souriant, cherchant de ses yeux à saisir le regard du jeune homme. Voilà un bon mois que vous êtes avec nous, mais plus assidu aux écuries et à l'exercice qu'aux soirées du château !

— Madame, dit Riou en rougissant, je ne veux pas importuner...

La comtesse rit.

— N'est-ce pas plutôt pour vous faire désirer ? Nous vous savons bien capable de ruse, selon ce que m'a raconté mon époux de la manière dont vous avez coupé la tête de ce Tire-Frogne, dont personne n'était venu à bout... Vous en usez sans doute avec les dames comme avec les voleurs ?

Le mouvement du destrier fit que la botte de la Comtesse Ségolène vint s'appuyer contre celle du jeune chevalier qui rougit à nouveau en ramenant son cheval à l'écart.

— Je n'oserai pas faire de calcul en ce domaine, Madame, dit le jeune homme décontenancé.

— Les plus habiles calculs sont dans la tête de ceux qui semblent n'en pas faire, répliqua-t-elle de son ton moqueur.

Le destrier de la comtesse avait instinctivement accordé son allure à celle de Vaillant, si bien que tous deux s'étaient nettement détachés des premiers cavaliers de la colonne, et les trois écuyers de Flandre, pour obéir à l'ordre qu'ils avaient reçu, ne cessaient de presser le pas de leurs chevaux. Riou comprit tout à coup qu'au milieu de la plaine inondée de soleil, avec tous ces cavaliers et ces chariots la traversant, il était aussi seul avec la comtesse Ségolène que dans une chambre du château de Fougères.

Le chemin entre les blés avait fait un coude et Riou voyait entre quelques maisons basses les manants assemblés pour regarder passer le charroi des invités de leur seigneur.

— Quoi qu'il en soit, poursuivit la Comtesse, qui avait vu elle aussi ce qu'il se présentait devant, votre réserve me peinerait fort si elle ne se changeait pas en un peu plus d'empressement à mon égard...

Elle regardait de nouveau le chevalier, l'obligeant à tourner son visage vers elle. Leurs regards s'affrontèrent et Riou lut un peu de tristesse dans celui de sa suzeraine. Elle sentit qu'il l'avait comprise, et s'enhardit.

— Avez-vous pensé que la vie d'une femme comme moi peut n'être pas toujours heureuse ? Si je ne puis avoir l'affection d'un jeune chevalier comme vous, qui ressemble si fort à celui auquel je rêvais lorsque j'étais jeune fille, ma vie ne serait faite que de l'accomplissement de mes devoirs...

— Madame, dit Riou qui voyait approcher les manants et leurs maisons aux toits de chaume, et se trouvait ainsi pressé de donner une réponse à sa suzeraine avant que leur dialogue ne prenne fin, j'ai moi-même des devoirs à l'égard du Comte...

— Le Comte ! s'exclama-t-elle. Il ne se soucie de moi qu'autant que je lui fais les enfants qu'il me demande, et que je remplis le contrat de notre mariage... Il est bien trop occupé à cocher mes filles de chambre et toutes les damoiselles sans mari ni dot qui s'agglutinent autour de nous à Fougères comme mouches sur un gâteau de miel... Il ne demande qu'un peu de discrétion de ma part, dans la façon que j'aurai de remplir les soirées qu'il me laisse vides.

Elle obligea de nouveau le regard de Riou à soutenir le sien pour mesurer si elle avait convaincu le jeune homme.

Riou s'efforçait à retrouver son sang-froid, après l'étonnement et la crainte qui l'avaient envahi dès le début de cette conversation dangereuse.

— Je ne veux vous causer aucune peine, Madame, dit-il d'un ton plus assuré cette fois, ni de cette façon ni d'une autre...

— A la bonne heure, murmura la comtesse qui se détendait elle aussi.

Elle appuya de nouveau sa jambe contre celle de son compagnon de route, longuement cette fois-ci, et Riou n'osa s'écarter.

— J'ai mon appartement de jeune fille au château d'Anderlecht. Je vous enverrai ma vieille nourrice vous quérir dans votre tente lorsque nous serons installés, ajouta-t-elle tranquillement tandis que retentissaient les vivats poussés par les braves gens qui sortaient maintenant de l'ombre des maisons et des granges du hameau au bord de la route, bien plus nombreux qu'il n'y paraissait de loin.

— Bon retour en Flandre à notre comtesse Ségolène ! lança une bonne femme en coiffe de dentelle qui s'approchait, menant par la main une fillette porteuse d'un bouquet de marguerites et de coquelicots.

La Comtesse se pencha pour élever l'enfant jusqu'à elle sur son grand destrier.

Riou vit que la comtesse aux longs cheveux blonds, lorsqu'elle souriait à cette petite et à ses fleurs, était belle avec son nez droit et ses lèvres charnues, une fille du Nord pleine de la vie qui palpitait dans sa forte poitrine. Et cette belle femme s'offrait à lui, remplie d'affection et de désir... Après les tristes heures vécues à la Villerouhault sous le coup des révélations de Mohandiau le tabellion, et la grande déception ressentie au château de Québriac devant le cynisme de son ex-suzerain, le monde avait changé, montrant soudain au chevalier démuni de tout un visage de sourires. A quel moment ? se demandait Riou tandis que l'ost de Fougères, qu'il menait aux côtés de la Comtesse maintenant sa complice, approchait d'Anderlecht et des fastes qui attendaient les Bretons. Le jeune homme eut devant ses yeux l'image de l'émeraude apparaissant entre les mains de sa mère comme au jour où celle-ci l'avait ôtée de son corsage pour lui en faire don. Il comprit que l'émeraude lui portait bonheur. C'est en la défendant avec son courage et sa dague contre les bandits de Tire-Frogne qu'il avait gagné l'estime du Comte Guéthenoc, et la place qu'il avait dans l'ost. Maintenant la pierre, au souvenir de son exploit, lui ouvrait l'intimité de la comtesse Ségolène. Selon qu'il est d'usage chez les grands seigneurs, la comtesse marierait le chevalier à une riche héritière lorsque les liens qu'elle voulait nouer avec lui se relâcheraient. L'émeraude aurait assuré sa fortune...

Une marche guerrière, jouée par des fifres à l'allemande, tira Riou de sa rêverie satisfaite. L'ost du Comte de Fougères allait maintenant entre les chênes, les ormes et les châtaigniers qui ombrageaient les alentours du château. Çà et là sous les arbres et dans de nombreuses clairières dont l'herbe était entretenue fraîche par des manants manœuvrant des tonnes remplies d'eau, les tentes des invités du Comte Baudouin chatoyaient de toutes leurs couleurs et broderies. Au pied des mâts qui soutenaient les bannières des chevaliers, leurs armures de tournoi avaient été disposées par les valets, rutilantes. Riou songea avec inquiétude à sa tente de lin gris, qui ne portait ni feston ni broderies à ses armes. Les valets en livrée toute neuve allaient au milieu de tout cela avec leur air le plus important, celui des grandes occasions, quand ils se sentaient investis eux-mêmes d'une part de la noblesse et de la bravoure de leurs seigneurs et maîtres. Quelle figure ferait son Collin le Du, dont les deux livrées, celle de tous les jours et celle du dimanche, avaient été si souvent sous le battoir au lavoir de la Villerouhault, et reprisées par Couette ou les autres ? Couette ! Le cœur du jeune homme s'émut au souvenir de la douceur de sa compagne. Déjà le petit manoir aux six fenêtres lui paraissait bien loin, comme si la faveur de Ségolène, ouvrant une nouvelle vie au chevalier, commençait à effacer celle qu'il avait eue jusqu'à maintenant.

L'intendant du comte Baudouin, à pied, et le vieux Maître du Camp Ruppert sur son palefroi noir étaient maintenant devant le cheval de Riou et celui de la comtesse, qu'ils saluaient bien bas.

— Dites-moi, Messires, lança celle-ci qui leur avait joué plus d'un tour dans son enfance, prenant aux écuries les chevaux difficiles qu'on lui interdisait, où avez-vous logé les Bretons de Fougères ? Je compte bien que vous leur avez donné de l'ombre et de l'eau... Sinon, ils repartiront en Bretagne, mauvais coucheurs comme ils sont !

— Madame, dit le Maître du Camp, votre ost est tout au long de la petite pièce d'eau sous les grands frênes...

— Fort bien, mon Maître ! C'est une place de choix en effet, car tu sais que si les Bretons sont pauvrement abrités chez eux, ils veulent du luxe quand ils sont chez les autres !

L'intendant, le Maître du Camp, les chevaliers et tous les valets qui s'attroupaient au passage de la grande et belle comtesse rirent de la plaisanterie et l'ost, au bruit de ses chariots et aux hennissements de ses chevaux qui répondaient à ceux qu'on voyait attachés dans les écuries aux toits de chaume bâties entre les arbres pour la circonstance, se dirigea vers l'endroit désigné.

— Par Dieu ! s'écria la comtesse Ségolène en reconnaissant les bannières des tentes proches de l'espace libre au fond duquel on voyait briller la pièce d'eau sous le soleil, tu nous a logés à côté des Normands d'Eu ! C'est mettre ensemble les chiens et les chats, sais-tu ?

Il y eut de nouveaux rires, tandis que l'intendant expliquait :

— C'est par ordre exprès de votre sire cousin, Madame !

— Gare aux coups de griffes et aux morsures, alors ! poursuivit la comtesse.

Riou et la comtesse longèrent une grande arène de tournoi entourée de barrières fraîchement peintes. Les Normands, maîtres et valets mêlés, sortaient de leurs tentes et de leurs écuries pour voir s'approcher les arrivants.

— C'est Fougères ! disaient des valets.

— Les Bretons se font conduire par leurs femmes ! lança un jeune chevalier normand, qui était rouge d'avoir bu la bière flamande que le camp mettait en grande abondance, tonneaux percés à longueur de jour, à la disposition des invités.

Ségolène arrêta son cheval.

— Qui es-tu, qui n'aimes pas les dames ? lança-t-elle.

Au milieu des rires, le chevalier se nomma.

— Je suis Michel d'Eu, dit-il avec suffisance.

— Tu es le neveu du comte Jehan ?

— Oui, Madame, pour vous obéir.

— Veux-tu voir si une Bretonne née en Flandre peut conduire l'ost de Fougères au combat ? reprit-elle d'un ton impérieux.

— J'ai bien dit que je suis là pour vous obéir, répliqua l'autre devenu mal à l'aise.

— Prends une lance et ton cheval, si tu en as un, et viens donc dès maintenant dans l'arène avec moi !

— Madame..., fit le jeune chevalier qui avait rougi un peu plus.

— Comment ! lança la comtesse Ségolène avec impatience. Y a-t-il du sang dans tes veines, ou bien est-ce la bière de mon cousin que tu as trop bue qui y coule en ce moment ?

Il y eut encore des rires, mais aussi des silences, car autour de la Comtesse et des chariots de l'ost breton immobilisé entre deux haies de Normands, l'atmosphère se tendait.

— Madame la comtesse ! intervint le Maître du Camp, qui s'autorisait de son âge et de sa fonction pour tenter d'éteindre la querelle. Le Sire comte Baudouin sera fort mécontent !

— Holà, holà, Messire Ruppert ! Ne parlez pas pour mon cousin ! Je répondrai de moi devant lui. Eh bien, chevalier normand, as-tu trouvé un cheval ? poursuivit Mathilde de Fougères à l'adresse de Michel d'Eu.

Des valets étaient allés quérir le destrier du jeune homme, un pommelé fringant, et d'autres lui apportaient déjà une lance de tournoi, terminée par la boule de bois recouverte de cuir qui empêche la pointe de tuer. Michel d'Eu se mit en selle dans le silence, tandis que de toutes les tentes, de sous les arbres, sortaient des spectateurs pour la joute insolite qui allait mettre aux prises la femme d'un comte et un garçon de dix-neuf ans.

— Madame, intervint Riou. Laissez-moi combattre pour vous, ou quelqu'un d'autre de l'ost...

— Tiens donc ! lança la comtesse. Crois-tu que les femmes n'ont point d'honneur à elles, et ne savent le défendre ?

Elle enleva son cheval vers l'arène, une lance à la main que les valets d'armes de Fougères s'étaient empressés de lui apporter, friands qu'ils étaient du spectacle dont ils devinaient l'issue, ayant vu plus d'une fois l'épouse du comte Guéthenoc donner des leçons à des chevaliers mâles.

La comtesse galopa tout au long des barrières qui fermaient l'arène pour échauffer sa monture, puis se plaça au fond de la lice, la lance appuyée dans son étrier. Le jeune Michel d'Eu s'efforçait de calmer son cheval, qui n'avait pas été monté depuis deux jours et dansait d'impatience.

— S'il vous plaît, Messire Ruppert ! lança la comtesse Ségolène. Veuillez ordonner cette joute, afin que j'obtienne réparation des propos du chevalier Michel.

— Ce n'est pas de bon cœur, Madame, bougonna le vieux maître de camp.

Des valets avaient prévenu des sonneurs de trompettes, qui s'étaient eux aussi hâtés de rallier avec leurs instruments l'endroit où se tenait ce remue-ménage. Le Maître du Camp leva le bras.

— Pour la première allée ! lança-t-il.

Son bras s'abaissa, déclenchant le cri des trompes qui libéraient les deux adversaires.

Dressé à obéir à la seconde près aux sonneries qui rythmaient les tournois aussi bien que les batailles véritables, le destrier de la comtesse Ségolène prit le départ avec une telle vivacité et une telle puissance que les chevaliers et les valets pressés contre l'enceinte de la lice laissèrent ensemble échapper un cri d'admiration. L'animal avait combattu contre les Anglais en portant les quatre cents livres du comte Guéthenoc en armure, et il semblait connaître, à l'appel des trompes, une sorte de colère sacrée qui est celle du guerrier saisi de la fureur des combats. Au bruit de ce galop impitoyable qui frappait le sol de l'arène comme un roulement de tambour, tous voyaient bien que le cheval de Michel d'Eu ne faisait pas le poids. Le cavalier crispé derrière son écu en avait déjà conscience.

Il vit venir à lui la lance de la comtesse et pointa la sienne droit vers la poitrine de son adversaire, pensant trouver là le point faible de cette femme qui avait déjà mis au monde et allaité trois enfants. Tous retenaient leur souffle, attendant le choc, mais la comtesse, à l'instant même où la pointe de la lance du Normand allait l'atteindre, se déroba sur le côté avec une agilité si surprenante que son adversaire, qui avait donné tout son poids et sa force dans l'espoir de tenir tête à la masse du puissant destrier breton, partit en avant, perdant son assiette.

Un seul grand cri partit de l'assistance, se changeant en cascade de rires : la comtesse Ségolène avait attrapé au passage la jambe de son adversaire l'aidant à basculer sur l'encolure de son cheval... Michel d'Eu roula sur le sable de l'arène tandis que sa monture affolée par la clameur et la chute de son cavalier prenait un galop désordonné le long des barrières.

La comtesse de Fougères revenait d'un trot tranquille au fond de la lice où elle attendait, la lance haute, le bon vouloir de son adversaire. Celui-ci qui s'était relevé rouge de honte marchait vers son cheval que des valets avaient mis à la raison.

Le maître de camp s'approcha de Ségolène.

— Madame, commença-t-il sur un ton de reproche, ce n'est pas loyal combat ! Si vous ne joutez justement, je vais proclamer Monsieur d'Eu vainqueur et vous faire remontrance publique. Déjà, votre cheval est plus lourd et plus savant...

— C'est bien, Maître Ruppert ! J'accepte le reproche. Ordonnez que Monsieur d'Eu prenne mon cheval, et que je prenne le sien.

Les larmes vinrent aux yeux du vieux maître de camp. La petite Ségolène ! A douze ans elle était montée avec ses mains nues à la plus haute tour du château par la muraille, pour montrer à ses cousins et à ses frères qu'elle était aussi garçon qu'eux.

— Monsieur d'Eu ! lança maître Ruppert. Prenez la monture de votre adversaire et donnez-lui la vôtre. Préparez-vous pour la seconde allée !

Les valets aidèrent les deux jouteurs à se mettre en selle, puis coururent reprendre leurs places derrière les barrières. Ségolène mit le pommelé au galop le long de celles-ci dans un grand silence. Tous les assistants rompus depuis leur enfance à l'équitation et aux soins des chevaux avaient compris qu'ils allaient assister à une leçon magistrale. Le cheval de Michel d'Eu qui avait commencé par se cabrer et faire des écarts pour tenter de se débarrasser de sa cavalière devait sentir qu'il avait affaire à forte partie, car au deuxième tour des barrières, il menait déjà un galop bien plus régulier. L'écume coléreuse sortait de sa bouche tandis qu'il s'efforçait de pousser son mors en avant afin de s'en emparer, mais il cessait ce jeu au troisième tour. Les spectateurs virent que la comtesse le tenait déjà moins serré, et qu'au quatrième passage elle laissait aller les rênes, l'animal gardant la piste et virant au bon endroit de lui-même. Puis elle lui fit exécuter une série de voltes et de demi-voltes courtes qui affichaient aux yeux de tous la parfaite docilité de la monture, qu'elle amena enfin à l'emplacement de départ où elle l'arrêta à la première sollicitation des rênes. Ségolène lui caressa l'encolure dans le murmure flatteur qui montait des barrières contre lesquelles se pressait maintenant toute une foule.

— Pour la seconde allée ! lança Maître Ruppert, le bras levé.

La plainte aigre des trompettes fit s'élancer les deux destriers dans un silence épais, où l'on n'entendait plus que les cris des oiseaux mêlés au martèlement des deux galops qui se précipitaient l'un vers l'autre pour un choc que chacun maintenant savait sans esquive ni pitié.

Les deux silhouettes se rejoignirent, celle de la Comtesse à peine penchée en avant sur sa lance et, frappé au ventre, le jeune Michel vida les étriers avec un cri de douleur, tandis que son arme, repoussée par la poigne de fer de son adversaire serrant la poignée de son écu, glissait en vain sur celui-ci.

Le jeune homme resta immobile sur le sable de l'arène où se précipitaient les valets pour le relever et le porter aux chirurgiens.

La comtesse Ségolène revint au petit galop auprès de Riou. La sueur perlait à son front, et sa poitrine se soulevait au rythme d'un souffle rapide. Elle chercha de ses yeux le regard du jeune homme comme pour lui offrir sa victoire, et lui faire comprendre que son corps était impatient d'autres joutes.

Collin le Du vit que les manants d'Anderlecht venus s'offrir au service des invités de leur seigneur le comte Baudouin étaient fort capables de monter la tente de son maître et il les laissa faire, emmenant Martroi et Vaillant aux écuries. La rivière claire qui sortait de la pièce d'eau au bord de laquelle se dressaient maintenant l'une après l'autre les tentes de l'ost de Fougères devenait la baignade des chevaux. Ses rives étaient encombrées de valets bretons et normands y menant les destriers et les chevaux de marche pour les rafraîchir.

Tous venaient de voir la comtesse de Fougères étriller le jeune Michel d'Eu. Les uns se sentaient goguenards, les autres au contraire humiliés qu'un de leurs seigneurs ait été remis à sa place par une femme. La longue et sanglante guerre qui avait fait s'entre-déchirer depuis des années les deux duchés était toujours dans les cœurs et les mémoires.

Goujat et Lance-Lancette, les deux valets du seigneur de Coëtlogon qui avaient déjà remis leurs bêtes à l'écurie, prêtèrent la main à Collin, seul avec ses deux montures. Goujat tenait Vaillant tandis que Collin et Lance-Lancette paraient les sabots de Martroi à côté d'un groupe de Normands qui s'occupaient à déferrer un destrier dont les pieds s'étaient échauffés.

L'animal protestait, hennissant et bousculant les valets qui juraient dans leurs patois par tous les saints du calendrier. Puis le grand destrier rua pour de bon, renversant l'homme qui lui tenait le pied avant de venir botter Martroi à la hanche. Le cheval de Riou lui rendit son coup et Collin le Du, projeté à terre à son tour, se releva pour se trouver face à face avec Gisquier, le valet normand qui l'avait entraîné à boire et à jouer aux cartes pendant la nuit de veille du tournoi de Vannes où les gens de Foulque de Macé avaient abîmé traîtreusement la sous-ventrière du destrier de son adversaire Riou de la Villerouhault.

— Hé ! dit Collin qui sentait la colère lui venir à la tête à la vue de l'homme qui l'avait trompé ce soir-là, maudit Normand, qui ne peut pas tenir son cheval !

— Tiens donc ! s'exclama l'autre. C'est mon ami Collin de la Villerouhault ! Je n'étais pas si maudit le soir où tu m'as tant gagné aux dés à Vannes. Tu me dois une revanche, Breton ! Nous allons être de compagnie ces jours-ci...

Outré, Collin qui était un cœur simple, lança :

— Une revanche, oui-da, c'est au bâton que je te la dois, trompeur, pour tes menteries et tes tours, pendant que les autres faisaient leur mauvais coup à l'écurie !

Le visage du Normand se fit rusé.

— Quelle est cette chanson que tu inventes là ? De quel coup as-tu à te plaindre, mon Collin ?

— Crois-tu que nous ne savons pas, mon seigneur et moi, que vous avez coupé le harnais de Martroi pour faire gagner ton maître ?

Les valets des deux provinces faisaient cercle autour du Normand et du Breton. L'accusation était lancée maintenant, et elle était de taille.

— Tout beau, Collin ! Ne sais-tu pas que tes paroles vont loin, en affirmant de la sorte ?

— Elles iront où elles doivent aller, mes paroles, et toi et tes tricheries vous irez au diable, qui s'en soucie ! Le harnais coupé est dans nos bagages, et si vous voulez le revoir on vous mettra le nez dedans, comme au chien sa crotte, vous les trois malins !

Muraille, valet de Foulque de Macé, avait maintenant un bâton à la main et il fit un pas vers Collin. Il avait une tête de plus que le petit Breton.

— Tu n'es pas assez grand pour me mettre le nez nulle part, mangeur de blé noir ! Si tu dis un mot de plus, je vas te faire saigner ici même...

Mais d'autres Bretons avaient saisi des fourches à porter le foin aux chevaux. Ils s'approchèrent.

— Gare à toué si tu bouges, Muraille ! avertit l'un d'eux. Tu auras la leçon comme le seigneur d'Eu tout à l'heure par Madame de Fougères...

Ayguson Bon-Parleur, le premier valet du seigneur de Lamballe, renchérit :

— Nous ne sommes point venus en Flandre pour nous faire décrier par des gratte-crottins comme vous autres, qui pétez des fèves à longueur de journée comme de nuit. Not' blé noir au moins il ne fait point d'vent par l'derrière !

Les Bretons riaient à qui mieux mieux de la plaisanterie de Bon-Parleur, mais elle mit Muraille en colère. Son bâton s'abattit, frappant Collin le Du en plein visage.

Revenant du château où il avait été présenté au milieu de tous les autres de l'ost de Fougères au Comte Baudouin, Riou s'approcha de sa tente que les manants avaient dressée. Il y vit ses deux coffres et son tabouret de camp, ainsi que son lit, tout bien rangé proprement et il chercha des yeux Collin. C'est alors qu'il aperçut le désordre qui se faisait au bord de la rivière, à l'endroit du bain des chevaux, les valets qui semblaient se battre, avec des cris qu'on entendait venant de là, et les bêtes énervées que personne ne tenait plus en longe s'échappant dans la rivière avec de grands jaillissements d'eau.

Dans le remue-ménage, Riou reconnut la robe claire de Martroi, que deux hommes cherchaient à attraper, et il comprit à cela que Collin se battait avec les autres. Il se hâta vers la pièce d'eau, croisant des valets qui en revenaient le visage tuméfié, dépassé par d'autres qui couraient avec des fouets de chien, des bâtons ou des fourches pour se mêler au combat, en dépit des ordres criés par deux seigneurs que Riou ne connaissait pas, sortis de leurs tentes à moitié habillés et qui injuriaient les marauds, leur enjoignant de regagner leurs écuries.

Riou n'était plus loin des combattants et il vit alors qu'on traînait Collin le Du allongé de tout son long, avec du sang sur lui. Des seigneurs des deux camps parvenaient au milieu des valets, leur arrachaient des mains leurs armes et les en menaçaient pour qu'ils mettent fin au combat. Riou reconnut la haute taille de Foulque de Macé, celui qui lui avait fait mordre la poussière à Vannes, se hâtant lui aussi le long de la pièce d'eau vers le lieu de la rixe.

Riou fut bientôt près de Collin le Du assis maintenant sur son séant, la tête basse, avec le sang qui tombait entre ses jambes.

— C'est les gars de l'autre fois à Vannes, Messire, les ceusses qu'ont coupé l'harnais de Martroi. J'leur ons dit ce que je pensais de leur tour...

Puis Riou vit le Maître de Camp, à cheval, entouré de plusieurs hommes d'armes, qui se dirigeait le long de la pièce vers le lieu du désordre, venant du château. Il arriva auprès des valets qui étaient maintenant regroupés en deux partis distincts et commença à les interroger. Il y eut de nouvelles invectives lancées par les deux partis et Maître Ruppert cria que tout le monde allait avoir du bâton et du cachot si le silence ne se faisait pas.

Puis des Normands désignèrent du doigt Collin le Du assis par terre près de Riou et Maître Ruppert se mit en marche vers eux au pas de son grand cheval noir. Le Maître de Camp reconnut Riou qu'il avait vu en faveur auprès de Ségolène tout à l'heure.

— Cet homme est-il à vous, chevalier ? demanda-t-il.

— C'est bien mon valet, Messire.

Foulque de Macé arrivait à son tour et pour la première fois depuis le tournoi de Vannes son regard croisa celui de Riou. Celui-ci lut dans les yeux de son adversaire qu'il savait maintenant ce que Collin avait dit. La fourberie de Vannes était devenue chose publique.

— Tu es la cause de ce désordre, drôle ! lança le vieux Maître de Camp. Tu as accusé ces Normands de male conduite et de tricherie. Sais-tu que tu ne peux accuser ainsi sans dommage ? Que fais-tu de la bonne entente qui doit régner entre tous ici chez le Seigneur Comte, dont tu es l'invité, du fait de ton maître ?

Toujours assis tête baissée, l'obstiné Collin ne disait mot.

— Alors, tête de bois, me répondras-tu ? poursuivit le Maître de Camp d'un ton bonhomme, tendant la perche au Breton pour qu'il revienne en arrière.

Collin leva son visage tuméfié vers son maître, comprenant soudain qu'il avait mis en route une machine infernale, mais incapable de renoncer à la vérité.

Riou sentait tous les regards sur lui, ceux des valets normands ou bretons, ceux des chevaliers qui s'étaient approchés entre-temps pour s'enquérir de la raison du tumulte, qui courait maintenant de bouche à oreille : les Normands étaient accusés d'avoir triché au tournoi de Vannes...

— Il n'a dit que la vérité, Messire, déclara le chevalier de la Villerouhault.

Les regards allaient maintenant à Foulque de Macé.

— Est-ce à dire que le maître prononce la même injure que son valet ? demanda le Normand après un temps.

— Messires ! hasarda le Maître de Camp, qui voyait venir le pire. Nous sommes ici assemblés pour une réunion de paix...

— Ce n'est pas injure, lança Riou avec mépris. C'est défi en combat, sans qu'il puisse y avoir traîtrise et tricherie cette fois...

Riou trouva Dom Eygon, chapelain de l'ost de Fougères, assis sur sa chaise à haut dossier sous la toile blanche que son valet avait tendue depuis la paroi de sa tapissière jusqu'à un arbre voisin pour ménager une place d'ombre à son maître. Le corpulent bonhomme s'était assoupi, les grains de son chapelet entre ses gros doigts.

— Mon révérend Père ! lança Riou pour réveiller le prêtre.

Riou dut répéter son appel en haussant le ton. Dom Eygon ouvrit les yeux et vit le chevalier devant lui. Il se carra en arrière dans sa chaise et tira de sa poche un grand mouchoir pour éponger son front moite.

— Cette plaine de Flandre est plus chaude que notre Bretagne, dit-il pour s'excuser.

Puis il considéra son visiteur.

— Vous n'êtes pas à la fête au château avec tout le monde, mon jeune seigneur, constata-t-il. Que voulez-vous d'un vieux bonhomme comme moi ?

— Que vous m'entendiez en confession, mon révérend père. J'ai relevé le gant que m'a jeté le sire normand Foulque de Macé et dois me battre contre lui pour le Jugement de Dieu...

— Ho, ho ! Toujours ces Normands ! Quand te bats-tu ? demanda le prêtre, que l'annonce du dangereux combat à mort autorisait à tutoyer son interlocuteur.

— Le jour suivant le Dyct du Paon du seigneur Comte Baudouin...

— Tu as trois journées et deux nuits pour te préparer, observa le prêtre.

Il se leva lourdement de sa chaise pour se diriger vers l'escabeau qui permettait d'accéder à l'intérieur de la tapissière. Il le gravit, invitant Riou à le suivre. Le dedans du véhicule ressemblait fort à une sacristie avec ses images pieuses et la statuette de la Sainte Vierge sur une sorte d'autel miniature fixé à la paroi en face du lit de Dom Eygon. Celui-ci déplaça une sorte de panneau vertical de bois grillagé qu'il plaça entre son pénitent et lui, et qui était son confessionnal de voyage.

Riou s'agenouilla sur le prie-Dieu qui faisait partie du meuble, pendant que le prêtre s'asseyait de l'autre côté. Il revêtit son étole et commença les gestes rituels en marmonnant les saintes paroles. Puis, s'éclaircissant la voix :

— Que le Seigneur te donne raison et victoire, déclara-t-il, ou qu'il saisisse l'occasion de ce combat pour te rappeler à Lui, le moment est venu que tu te mettes en règle avec la Sainte Eglise, et ta vie bien en ordre ! Le comprends-tu ?

— Bien sûrement, mon Révérend, dit Riou.

— Si ton adversaire périssait dans ce combat, mais quittait notre monde en état de grâce et, alors que toi-même continuais à vivre dans un état de péché, tu ne serais le vainqueur qu'en apparence, mais en vérité le vaincu... Ton adversaire entrerait en paradis aussitôt, tandis que toi-même serais sur cette terre dans l'antichambre de la géhenne...

Riou fit signe de la tête pour montrer qu'il acceptait ce raisonnement.

— Vis-tu dans le péché ? interrogea le Révérend, qui savait que Riou n'était pas marié.

— Ici, à l'ost ? demanda Riou.

— Ici, et ailleurs, rétorqua le prêtre en fronçant les sourcils.

Riou était resté chaste depuis son entrée au service du comte Guéthenoc. Il écarta l'idée de mentionner les pensées qu'il avait eues à l'égard de la comtesse Ségolène après que celle-ci se soit déclarée à lui le matin même. Mais il y avait Couette. Oui, il vivait dans le péché avec Couette. Et quel péché ! Chaud, vivant, profond...

— Mon Père, commença Riou, j'ai commerce avec ma servante, dans ma maison de la Villerouhault...

A travers le grillage de bois, la voix du prêtre se fit sévère.

— Ta servante ? Une seule servante, ou bien toutes les filles de ton domaine, que tu mets dans ton lit une à une, ainsi que le font tous ceux comme toi, qui croient que le Seigneur leur a donné un pouvoir sur les êtres pour leurs usage et plaisir personnels ?

Riou crut bon de montrer un peu de vivacité.

— Non, mon père. Ce n'est que de cette servante-là, à qui je porte affection depuis de longues années, et qui me donne bonne compagnie...

Le Révérend secoua la tête.

— Bonne compagnie, dis-tu ? Compagnie dans le Mal, oui-donc, et pour détourner les voies de Dieu qui veulent qu'on vive dans l'institution du mariage, pour la prospérité d'une famille, avec des enfants qui perpétueront ton nom et ta maison !

Courbant la tête sous l'orage qu'il avait déclenché par son aveu, Riou ne répondit rien et le Révérend poursuivit :

— Le jugement de Dieu ! s'exclama-t-il. Le voilà bien nommé ! Le jugement de Celui qui ordonne toutes choses est d'abord que tu mettes fin à cet état de péché, qui ne dure que depuis trop de temps... As-tu pensé que tu détournes cette jeune fille de sa destinée de mariage, comme tu te détournes toi-même de la tienne, au grand dam de ta lignée ? Le moment est venu que tu décides de rendre cette jeune fille à son juste devoir, en lui faisant savoir par un écrit ce jour même que tu lui accordes une dot convenable, afin qu'elle prenne mari au plus tôt, et que tu la retrouves dans cet état, si Dieu t'accorde de triompher au combat, quand tu reviendras dans ta terre de la Villerouhault !

Riou ne dit rien et le prêtre commença à réciter les prières qui précèdent le prononcé de l'absolution, comme s'il ne doutait pas que son pénitent accepte le verdict qu'il venait de rendre. Puis il interrompit son murmure latin.

— Je ne t'infligerai pas d'autre pénitence. Le sacrifice que tu fais en renonçant à la compagnie de cette jeune fille suffit au Seigneur Dieu... Mais tu iras écrire cette lettre sous ta tente dès maintenant, et me l'apporteras ici. Je l'adresserai moi-même au recteur de ta paroisse, afin qu'il la remette à la jeune fille, et qu'il la conduise par de bonnes paroles à rentrer, comme toi de ton côté, dans le juste chemin d'une vie selon la foi et les enseignements de Notre Seigneur...

Riou secoua la tête. Il venait d'imaginer sa mort sous l'épée ou la dague de Foulque de Macé et Couette apprenant cette mort, en même temps que lui parvenait la lettre disant que son amant l'avait abandonné.

— Mon Père, je ne puis...

Dom Eygon avait ouvert les yeux cette fois et il regardait son pénitent à travers le grillage de bois.

— Comment, tu ne puis ! s'exclama-t-il. Peux-tu résister à la volonté du Seigneur, au moment même où tu confies ta vie à son jugement ?

Riou, désespéré, secoua de nouveau la tête sans rien ajouter.

— Dans ce cas je ne puis te donner l'absolution, déclara le prêtre en refermant les yeux.

Il attendit un instant l'effet de ses paroles, mais Riou ne semblait pas vouloir capituler.

Le gros prêtre s'agita sur son siège.

— Tu ne peux rester dans cette situation, reprit-il. Si tu tiens à cette jeune fille, il faut alors que tu prennes l'engagement de l'épouser dès maintenant. Tu feras une mésalliance aux yeux de tous, mais le

Seigneur verra, lui, que tu respectes ses sacrements. Réfléchis, et viens me voir demain. Tu écriras alors une lettre pour la demander en mariage...

— Je ne puis non plus prendre cet engagement, dit Riou. Seule, dame ma Mère pourrait en décider...

Il songeait aussi à la comtesse Ségolène, qui rirait de lui d'épouser sa servante, elle qui lui trouverait, sans doute, pour se l'attacher et l'aider à faire sa fortune auprès du comte Guéthenoc, une riche héritière, peut-être même ici en Flandre, où l'on était bien plus riche qu'en Bretagne, parmi les nièces ou même les filles de son cousin Baudouin.

Dom Eygon s'exclama :

— Tu es trop difficile, Riou. Je ne puis aller plus avant avec toi !

Il réfléchissait, sincèrement peiné.

— Va donc prendre conseil de Monseigneur Enoch, qui construit la cathédrale à Bruxelles... Dis-lui ton cas, et demande-lui de t'aider. C'est un très saint homme, qui vient d'Irlande. Il est passé en Bretagne, au couvent de Langogne où je l'ai connu. Dis-lui que Dom Eygon t'envoie.

— Merci, mon Père, dit Riou en faisant le signe de croix.

L'heure était proche de la minuit quand Riou arriva au bas du long plan incliné qui permettait aux fardiers et aux chariots d'accéder avec leurs charges au sommet de la cathédrale Sainte-Gudule, ou tout au moins à la hauteur où celle-ci était parvenue après vingt-deux années de labeur. A mesure de la montée de l'édifice, les chariots amenaient encore plus de terre, pour renforcer l'immense levée que soutenaient tout en son long des contreforts de pierre maçonnée.

Riou sur son Vaillant défila devant ces contreforts entre lesquels étaient les auberges où se retrouvaient les rouliers, et où ils avaient pitance. Des cris et des chansons en sortaient. Des hommes ivres dormaient à même le sol sous les voitures qui encombraient les abords. Au pas de son cheval, Riou arriva au bas de la masse de la cathédrale, dont le faîte était hérissé de palans comme un grand navire de charge et dominé par la silhouette tronquée de la tour maîtresse encore inachevée.

Tout autour s'élevaient plus ou moins de guingois des constructions provisoires, dont certaines n'avaient pas moins de trois étages, où logeaient les ouvriers qui vivaient et travaillaient à bâtir la maison de Dieu. Ceux-ci allaient ainsi depuis de longues années d'une cathédrale en chantier à l'autre jusqu'à ce que la vieillesse les prenne, et qu'ils vivent de la charité des plus valides ou de celle des prêtres dans une cahute de fortune appuyée sur les contreforts de la bâtisse sacrée, bientôt devenue comme leur pierre tombale.

L'un d'eux, courbé par les souvenirs de tant de pierres de taille qu'il avait portées sur les échafaudages, se détacha de la muraille au pied de laquelle il était accroupi avec deux ou trois autres, profitant de la douceur de la nuit, et vint vers le chevalier pour lui proposer de garder son cheval en l'échange d'une petite obole. Riou lui abandonna Vaillant qu'il alla attacher à un anneau fixé dans la pierre auprès de l'endroit où il était campé avec ses compagnons.

Riou vit que des petites cahutes s'adossaient au plan incliné à l'endroit où celui-ci venait appuyer son énorme masse contre celle de la cathédrale, éclairées de l'intérieur par de méchantes lampes à huile, chacune abritant une des filles de joie qui étaient là, avec la permission de l'évêque Enoch, pour apaiser les ardeurs des hommes seuls du chantier, afin qu'ils n'aillent pas chercher à séduire les jeunes filles de la ville ni entraîner les femmes mariées en adultère.

Une voix douce l'interpella alors qu'il s'avançait vers le portail de la cathédrale.

— Sire Chevalier, venez à moi...

Riou la vit, une toute jeune fille très brune, avec de grands yeux noirs qui mangeaient son visage maigre.

— C'est en cadeau, Messire, puisque vous êtes chevalier !

Riou s'arrêta devant la boutique où la petite se vendait.

— Je ne puis, damoiselle, dit-il en souriant. Ton cadeau serait un grand péché, car je viens ici à confesse chez Monseigneur l'Evêque.

— Bien au contraire, Messire, si vous venez maintenant, ce ne sera qu'un péché de plus qui vous sera remis avec les autres...

Le jeune homme rit, mais s'éloigna pour aller pousser la petite porte qui, dans la surface du grand portail, donnait accès à la nef de la cathédrale.

Si le chœur du grand édifice était encore béant, sans toit, la partie de la nef la plus proche de l'entrée était achevée, et close, ainsi que les nefs latérales. Cela faisait déjà grand de place pour abriter tous ceux qui venaient veiller dans la maison de Dieu gaiement illuminée par les cierges de suif de mouton, tous ceux qui avaient le cœur gros d'une prière à la Vierge ou aux saints, tous ceux qui n'avaient pas d'autre maison ou bien craignaient de souffrir de solitude dans Bruxelles endormie. Ici le cœur de la ville continuait de battre sans s'interrompre jamais ni avec l'aube ni avec le crépuscule et l'évêque Enoch, qui incarnait cette vie permanente, ne quittait pas la nef, comme s'il était le capitaine d'un vaisseau naviguant sur la foi comme dans une haute mer difficile pour un voyage qui ne devait se terminer que dans l'au-delà sans toucher aucune escale terrestre.

Riou le vit, grand et maigre sous ses cheveux blancs avec ses yeux bleu de faïence, dans une robe noire de prêtre ordinaire, usée aux coudes et à l'endroit des genoux par les heures passées à prier à même les dalles neuves de sa cathédrale, debout au milieu d'un groupe d'hommes qui l'écoutaient assis les jambes croisées, tous maçons et tailleurs de pierre portant brodés sur leurs chemises de lin les signes du compas et de la masse. Le chevalier entendit qu'ils parlaient de la tour qui était en construction, l'évêque disant qu'elle serait achevée pour Pâques de l'année prochaine, et que ce serait la vingt-troisième fête de Pâques depuis que l'édifice avait été mis en chantier.

Comme l'évêque se tournait vers lui, jetant son regard sur ce jeune seigneur qui portait l'épée signe de sa condition, et visage avenant de jeunesse, Riou s'avança pour baiser l'anneau d'améthyste que le Monseigneur avait au doigt. Mais il n'y trouva en s'inclinant qu'un anneau d'étain sur lequel était gravée une croix.

— Viens-tu veiller avec nous, jeune chevalier ?

— Monseigneur, je vous demande la grâce de m'entendre en confession...

— D'où es-tu venu pour cela ?

— De Bretagne, Monseigneur, allant avec mon suzerain au Dyct du Comte Baudouin...

L'évêque prit le chevalier par le bras, marchant vers un confessionnal adossé à un des piliers de la nef.

— Et pourquoi te faudrait-il un évêque ? Je ne te vois pas la face d'un grand pécheur.

— Je dois me battre après-demain pour le Jugement de Dieu contre un chevalier normand...

Le regard bleu de l'évêque Enoch se voila de tristesse.

— C'est votre orgueil à tous les deux qui se bat, et non pas vous-mêmes, dit-il.

Il fixa un instant le visage juvénile de son pénitent.

— Nous autres prêtres devons nous contenter que vous vouliez bien vous entre-tuer pieusement, faute de pouvoir vous convaincre de vous pardonner les uns les autres, comme l'a fait pour ses bourreaux Notre-Seigneur Jésus, alors même que les clous s'enfonçaient dans ses mains sur la croix...

Ils étaient devant le confessionnal. Elevant le bras, l'évêque commanda :

— Agenouille-toi...

Riou ayant obéi, il commença son signe de croix, prononçant clairement les paroles de l'absolution.

— *Te absolvo, in nomine domini...*

Stupéfait, Riou courba la tête tandis que les larmes venaient à ses yeux. L'évêque ne voulait même pas entendre ses péchés !

— Pour ta pénitence, demeure à veiller ici avec les autres qui construisent la maison du Seigneur et repens-toi du mal que tu as fait à ceux ou à celles que tu n'as pas assez aimés...

Riou leva son visage baigné de pleurs, pensant à sa mère et à Couette, mais l'évêque s'éloignait déjà vers le grand portail, d'où venait le vagissement d'un nouveau-né enveloppé dans un chiffon qu'apportait entre ses mains l'un des vieux maçons qui s'étaient offerts à garder le cheval de Riou. Ils l'avaient trouvé à l'instant abandonné au pied d'un des contreforts de l'édifice.

L'évêque se retourna vers le chevalier.

— Regarde ! lança-t-il en désignant le pauvre enfantelet. Chaque jour nous apporte un nouveau présent du Seigneur, augmentant notre joie de Le servir...

— L'évêque Enoch est un saint homme, dit Simon Beau Mortier. Depuis qu'il est arrivé ici il y a cinq ans, appelé par le Sire Comte Baudouin pour avancer les travaux de la cathédrale, les pierres montent toutes seules au faîte, et c'est comme si les chevaux eux-mêmes tiraient mieux les fardiers...

Riou s'était assis au milieu des maçons qui lui racontaient la légende de l'évêque.

— Bientôt après son arrivée, quand le bruit a couru sur les autres chantiers de ce qui se faisait ici avec lui, il est venu des hommes de partout pour œuvrer à cette cathédrale, dit Paul Saintes-Ampoules, que les autres avaient surnommé ainsi pour les énormes cals de ses mains.

— Paul et moi, continua un des autres, nous sommes venus de Cologne, où les deux tours sont finies pour de bon. Celle-ci est plus petite, observa-t-il en hochant la tête. Mais la pierre d'icitte est plus dure... Elle use les mains.

— C'est du granit d'Angleterre, qui vient par la mer, expliqua Simon Beau Mortier à l'intention du chevalier, le supposant peu versé dans les diverses qualités de pierre qui fournissaient un sujet de conversation inépuisable aux compagnons vivant une vie entière au milieu des calcaires, des grès et des marbres.

— Où irez-vous quand cette tour sera finie ? demanda Riou pour être aimable avec ces braves gens qui l'avaient accueilli dans leur cercle.

Les ouvriers se regardèrent d'un air entendu, et Simon Beau Mortier répondit :

— C'est en Terre sainte que nous devrions aller maintenant, par la grâce de Dieu...

— En Palestine ? fit Riou étonné.

— N'y êtes-vous jamais allé, Messire ? interrogea Paul Saintes-Ampoules.

— Allons, coupa Gehrardt le Flamand avec son lourd accent, tu vois bien que le Sire Chevalier est trop jeune pour avoir déjà été à la croisade !

— Hé donc, répliqua le grand Paul, il y a des seigneurs qui sont nés là-bas, dans les châteaux des royaumes francs, et d'autres qui y sont partis tout enfants.

— C'est vrai qu'il y a des royaumes chrétiens, approuva Simon, même si Jérusalem n'est pas encore délivrée des mahométans.

— Et pourquoi iriez-vous ? poursuivit Riou. Pour y faire des églises ?

Beau Mortier secoua la tête.

— Non pas seulement, dit-il.

Il marqua un temps, comme s'il respectait ce qu'il allait dire, et qu'il avait conscience du poids de ces paroles-là.

— Pour y reconstruire le Temple de Salomon, Messire, que les Romains ruinèrent au ras de terre sous l'Empereur Titus.

Riou plissa le front.

— Mais c'est le Temple des Juifs ! observa-t-il.

Simon, tandis que les autres se taisaient, car il était le plus instruit d'eux tous, et celui qui pensait pour eux, expliqua :

— Notre-Seigneur Jésus y a prêché, devant les Docteurs de la Loi, et c'est la première maison de Dieu son Père Tout-Puissant, la fontaine dont coule toute notre religion. Tant qu'elle sera en ruines, cette maison, notre Foi ne pourra régner sur le monde... C'est à nous autres, les maçons, les tailleurs, de la relever. Aussitôt qu'elle le sera, la lumière de Dieu ne rencontrera plus de nuit, plus d'hiver...

Il regardait au loin, comme dans un rêve et Riou suivit machinalement la direction du regard de son interlocuteur. Elle lui fit découvrir un homme en robe de bure, agenouillé à même le sol dans une petite chapelle latérale, les pieds nus dans des sandales comme un moine, la capuche rabattue sur ses yeux dissimulant son visage.

— Lui, là-bas, dit Simon avec un mouvement de menton vers l'homme agenouillé, il a vu le Temple au péril de sa vie et de beaucoup de misères...

— Qui est-il ? s'enquit Riou.

— C'est le seigneur Uri de Montfort, qui est parti en pèlerinage en Terre sainte pour la rémission de ses péchés. Les Infidèles l'ont pris, bien qu'il leur ait payé tribut et qu'il ait eu un sauf-conduit du Sultan d'Egypte. Ils l'ont réduit en captivité pendant huit années, attelé comme une bête aux charrues et aux meules...

Riou vit que l'homme en robe de bure s'allongeait maintenant de tout son long sur le ventre devant l'autel de la Vierge au pied duquel il était prosterné et qu'il écartait ses bras en croix.

— Il a fait vœu à la Très Sainte Vierge de ne dormir que dans les églises s'il revenait dans la chrétienté, et dans la posture de l'adoration...

Beau Mortier fixa Riou dans les yeux.

— Seigneur chevalier, dit-il comme en confidence. Cet homme nous a parlé, le mois dernier, lorsqu'il est entré dans cette cathédrale, et depuis que je l'ai entendu, je ne puis dormir comme avant. Sa parole est brûlante.

Il ajouta à voix basse :

— Elle vient de là-bas. Elle vient de Dieu...

Au milieu des échafaudages qui s'élevaient dans le chœur inachevé, une troupe de moines entrait dans la cathédrale. Au-dessus de leurs têtes le ciel n'était plus criblé d'étoiles mais pâlissait, annonçant l'aube. Les moines s'agenouillèrent pour prier, puis vinrent s'asseoir dans des stalles. Leur chant grégorien s'éleva, sublime. Les maçons et les tailleurs de Simon Beau Mortier se levèrent pour aller se joindre à l'office de matines avec la plupart de ceux qui avaient trouvé abri dans la cathédrale.

Riou sentit tout à coup la fatigue. Le long voyage en selle depuis la Bretagne, la bataille entre les valets, la rencontre avec Foulque de

Macé, l'émotion du défi qu'il avait lancé en jetant son gant, tout s'appesantit soudain sur ses épaules. Ses paupières se firent lourdes, et lourde aussi son épée de chevalier à son côté. Il se leva à son tour. Il s'appuya sur le pilier, comme grisé par le chant des moines qui emplissait la nef avec une merveilleuse exactitude. Oui, ce chant, comme cette architecture, était issu de la même volonté céleste. L'un et l'autre parlaient aux habitants de la terre le même langage.

Riou vit devant lui Foulque de Macé et son sourire rusé dans son visage dur pour qui la force était la religion suprême. Le jeune Breton entendit le choc du métal de son épée contre celle de l'homme qu'il lui fallait appeler son ennemi, puisque le sort le ramenait devant lui une seconde fois, il entendit le bruit des galops mêlés de Martroi et du cheval de Foulque, comme il l'avait eu en tête au cours du tournoi de Vannes, martèlement farouche signifiant que deux hommes et deux bêtes précipitaient leurs chairs et leurs colères l'une contre l'autre. Rumeur du Mal, bruit de haine, dont Dieu devait trancher le nœud mauvais pour rendre son Jugement...

A midi aujourd'hui la somptueuse fête du comte Baudouin commencerait dans une débauche de fleurs, dans le ruissellement de fontaines déversant leur vin dans les rues, dans l'odeur des rôtisseries et l'amoncellement des victuailles, les rires des femmes et les cris des enfants, les aboiements des chiens énervés par les cavalcades de chevaux caparaçonnés et de mules sonnantes de clochettes qui traverseraient la ville... Journée de liesse qui serait pour Riou la longue attente du combat à mort.

Riou sortit de la cathédrale par la petite porte qui s'ouvrait dans le grand portail et se trouva sur le parvis. Devant lui la grande levée de terre qui venait s'appuyer contre l'édifice pour le nourrir de pierres rosissait avec l'aube. Elle allait bientôt de nouveau retentir du bruyant charroi des fardiers. Il marcha vers la silhouette de son Vaillant, auprès duquel dormaient les trois vieux maçons enveloppés dans de méchantes couvertures élimées. Vaillant hennit en reconnaissant le pas de son maître.

— Sire Chevalier, chuchota une voix derrière lui au moment où il caressait l'encolure de son cheval.

Le jeune homme se retourna. La petite ribaude se tenait devant lui sur ses pieds nus.

— J'ai gardé votre cheval pour ne pas vous manquer, dit-elle. Mon Dieu, Messire, partirez-vous en guerre bientôt ?

— Sans doute, dit Riou qui remettait en place le tapis de selle de

Vaillant, si le Sire Comte Baudouin en décide avec mon seigneur...

— Emmenez-moi avec vous à l'ost, pour l'amour de Dieu, Messire, implora-t-elle. Je ferai votre cuisine, tiendrai votre linge en ordre et accepterai toutes vos volontés. Prenez-moi avec vous, répéta-t-elle. Je ne veux pas rester dans ma condition. Sainte Madeleine me dit d'avoir espoir en vous, depuis que je vous ai vu cette nuit...

La lassitude qui l'avait accablé tout à l'heure dans la cathédrale revint peser sur les épaules de Riou. Cette petite malheureuse dans ses haillons s'accrochait à lui tout comme l'avait fait la riche comtesse Ségolène la veille sous ses beaux habits, et lui n'avait rien, que les dettes de son père, que son pauvre train d'équipage de chevalier breton promis à la mort dans quelques heures ou plus tard d'une autre façon si Dieu lui accordait de vaincre Foulque ! Riou appuya son front sur le rabat de la selle de Vaillant pour en resserrer la sangle, mais c'était aussi parce qu'il tombait de fatigue, et la petite, avec son instinct de femme, le sentit car elle agrippa sa manche, cherchant à enfermer les doigts du jeune homme dans les siens.

— Vous êtes trop las, Messire, dit-elle. Ne montez point votre cheval maintenant. Venez dormir dans ma maison jusqu'à ce que vous soyez reposé...

— Es-tu folle ? L'évêque Enoch m'a absous de mes péchés à confesse, et je ne puis aller dans ton lit... N'est-ce pas mal de me tenter, et est-ce sainte Madeleine qui t'a dit de le faire, pour un homme qui revient d'être pardonné ?

— Pardon, Messire, pardon, balbutia la petite. Mais ce n'est point ce que je veux. Je ne veux que votre repos, je tirerai le rideau et ne ferai que veiller sur votre sommeil... Par Dieu, Messire, ne me laissez point !

Riou desserra à nouveau la sangle de son cheval avant de suivre la petite qui le guidait par la main vers sa cahute. Et cette main brûlait la sienne d'un grand feu de même couleur que celui qui rougeoyait avec les premiers rayons du soleil sur le haut de la tour inachevée de la cathédrale, où les tailleurs de pierre et les maçons allaient remonter tout à l'heure pour siffler et chanter au nom de Dieu.

6.

Le Dyct du Paon du comte de Flandre

Riou arriva en retard au festin, au moment où les trompettes retentissaient pour *corner l'eau.* Tous les chevaliers étaient déjà à table à la place qui leur avait été assignée sur le vaste plan dressé dans l'allée de pas perdus qu'on traversait avant de pénétrer dans la grande salle. L'eau jaillit du vase qu'inclinait vers une conque marine la statue d'albâtre d'une femme à la lourde poitrine personnifiant l'Abondance au moment même où le son des trompettes s'arrêta. Un murmure d'admiration s'éleva des tribunes qui garnissaient les quatre murs de l'immense hall, où sur des bancs recouverts de velours étaient assis les bourgeois de la ville de Bruxelles et des autres cités vassales du Comte Baudouin, leurs épouses, leurs fils et filles au-dessus de l'âge de treize ans, invités de la noblesse de Flandre. Une odeur délicieuse s'était répandue soudain. L'eau qui allait couler de la statue fontaine tout au long de la fête était de l'eau de rose, somptueuse fantaisie pour laquelle des quintaux de fleurs avaient été distillés en Italie...

Riou s'assit auprès de son voisin le jeune chevalier de Lorgeril, cherchant des yeux dans les longues tables disposées parallèlement les unes aux autres la silhouette de Foulque de Macé qui devait comme lui au milieu de la fête songer au combat qu'il aurait à livrer sans merci demain. Riou découvrit parmi les autres la face rouge de son ennemi qui n'avait pu manquer de le voir se frayer un chemin jusqu'à sa place entre les tables. Elle le regardait avec un sourire ironique.

Se faisant servantes sous les yeux des bourgeois ébahis dans les tribunes, les filles de la noblesse, les épouses et les fiancées des chevaliers apportaient aux tables les aiguières et les bassins qu'elles venaient de remplir à la fontaine d'abondance. Puis les trompettes sonnèrent une nouvelle fois, précédant le cri du Maître des Ecuyers Tranchants, le Comte de Koudekercke qui annonçait *le*

Premier Mets du Dyct du Paon de Monseigneur le Comte de Flandre Baudouin...

A chacune des deux extrémités de la salle, où s'ouvraient les portes des offices, entra une suite qui paraissait interminable de cuisiniers en vêtements blancs brodés de bleu et de jaune aux couleurs du Seigneur Comte et qui portaient de grands plats chargés de volailles, les pintades, les pigeons et pigeonneaux, les oiseaux de bouche de plus petite taille comme les alouettes, grives et merles, ensuite plus gros les canards et les oies, tout cela rôti et bien entendu gracieusement disposé au milieu de parures de légumes multicolores découpés avec recherche. Les deux longues théories de porteurs des volailles serpentaient entre les tables selon un ballet qui avait été répété avec soin, avant de parvenir à l'estrade où se tenait le Seigneur Comte, flanqué des barons et comtes bretons, picards et normands suzerains de toute la chevalerie présente. Là ils s'inclinaient pour présenter leurs plats. Le Comte les remerciait d'un petit signe de la main sans cesse répété, debout devant son luxueux dressoir de chêne qui n'était pas haut de moins de six étagères, où s'accumulait toute sa vaisselle d'or et d'argent, ses hanaps incrustés de pierres précieuses et tous les couteaux à trancher et désosser, chefs-d'œuvre d'orfèvrerie italienne, avec lesquels tout à l'heure il découperait lui-même le Paon, pièce maîtresse du *Tiers Mets*, c'est-à-dire du troisième et dernier service avant *la Fruiterie*, celui des desserts, ce paon qui incarnait dans la magnificence de son plumage d'oiseau de rêve la condition supérieure à toutes autres, et tout à fait admirable, de la chevalerie. Le Paon symbolique que le Comte prendrait à témoin du serment qu'il allait faire, après l'avoir, selon les paroles que les assistants connaissaient par cœur, voué *tout premièrement à Dieu notre Créateur, à la très Glorieuse Vierge Sa Mère, aux Dames présentes ici...*

Les derniers porteurs de volailles avaient passé les portes des offices depuis quelques secondes quand, soudain, par une de celles-ci, un homme tout rouge, une sorte de géant, dont la corpulence était aussi remarquable que la taille, vêtu de blanc lui aussi et brandissant une longue broche comme s'il s'agissait d'une épée, entra dans la salle en courant, et en donnant les signes d'une vive émotion. Il s'arrêta à proximité des derniers porteurs de volailles et, examinant le contenu de leurs plats, fit mine de ne pas trouver ce qu'il cherchait en allant de l'un à l'autre. Etonné de ce manège, les assistants dans les tribunes faisaient silence, quand le géant s'écria d'une voix tonitruante, en langue flamande :

— Mais où sont les ortolans de Messire le Comte ? Marauds, qu'en avez-vous fait ?

Quelques rires contenus commençaient à fuser dans les tribunes tandis que le trouble-fête répétait, en langue française cette fois, la même bruyante apostrophe.

— Les ortolans du Seigneur Comte ! Où sont-ils ?

Il attrapa par l'oreille le valet qui était le plus proche de lui et le secoua rudement, criant :

— Avoue, coquin ! C'est toi qui les as mangés.

L'homme rudoyé laissa échapper son plat qui tomba à terre. Les grandes oies rôties qu'il contenait roulèrent sur le sol, et là s'ouvrirent, libérant des pigeons vivants qui s'envolèrent vers le haut plafond ouvragé de la salle, déchaînant les rires et les applaudissements. Aussitôt les trompettes sonnèrent à nouveau et, par la porte de l'office qui avait livré passage quelques minutes plus tôt au trouble-fête, une mule somptueusement harnachée, conduite par un petit nègre en gandoura de soie coiffé d'un haut turban à aigrette apparut, attelée à une litière dont une autre mule toute semblable soutenait l'arrière, et sur laquelle s'élevait une énorme pièce montée faite d'un millier d'ortolans rôtis embrochés sur une construction compliquée imitant un arbre couvert de fruits et de fleurs.

Les applaudissements et les vivats devinrent un tonnerre qui faisait vibrer les gradins des tribunes et le Seigneur Comte leva son hanap, qu'un échanson venait de remplir avant d'avoir versé un peu de vin qu'il destinait à son seigneur sur la longue défense de narval placée sur le dressoir afin de déceler si le breuvage n'était pas empoisonné. Tous les chevaliers se levèrent et Riou se leva avec les autres, son hanap à la main, songeant soudain avec amertume au festin qu'avait donné son ex-suzerain le Comte de Québriac pour la naissance de sa fille. Cette fête-là aussi lui apporterait-elle dégoût et déception, à quelques heures du combat qu'il allait avoir à livrer contre les mensonges de Foulque et de ses valets ?

La comtesse Hildebrande, épouse du seigneur Comte de Flandre qui présidait la table d'honneur des Dames, sentit l'impatience des convives, assis depuis trop longtemps devant leurs viandes et leurs vins et elle fit un signe aux musiciens qui n'avaient joué jusqu'ici que de temps à autre, pour souligner l'entrée des mets ou calmer le brouhaha de la salle quand celui-ci se faisait plus bruyant.

Sur le geste de la Comtesse, luths et violes attaquèrent vivement les premières mesures de la *Carole*, que tout le monde attendait puisqu'une rumeur joyeuse s'éleva aussitôt, mettant la plupart des convives debout, les faisant s'aligner pour la danse dans l'espace libre de parquet ciré qui s'étendait entre l'estrade des Comtes et les premières tables du banquet.

Bien qu'il ne fût pas d'humeur à cela, Riou avait fait comme les autres, et il se trouvait déjà au bord de l'espace à danser, du fait de la position de sa table en bordure de celui-ci. Il vit avec émoi la comtesse Ségolène, menant un groupe de dames qui s'alignait devant les danseurs mâles, marcher vers lui en avançant ses doigts dans sa direction avec un sourire aux lèvres, le désignant ainsi aux yeux de toute l'assistance comme son cavalier pour la Carole...

Le jeune chevalier rougit, effrayé de l'audace de la comtesse qui ne craignait pas de montrer publiquement l'intérêt qu'elle lui portait et il chercha des yeux le comte Guéthenoc son époux, et son suzerain, à lui, Riou...

Mais le comte n'avait cure de qui sa femme choisirait pour danser, ainsi que l'avait avancé de sa belle bouche la comtesse elle-même dans leur tête-à-tête sur la route d'Anderlecht, et Riou découvrit son suzerain à la table d'honneur du comte Baudouin, tourné vers celui-ci, riant des propos que tenait le comte d'Eu, suzerain de Foulque... Ni les uns ni les autres qui avaient autorisé le combat où périrait l'un des deux chevaliers leurs vassaux ne s'en souciaient plus.

— Riou ! lança la voix de la comtesse qui était maintenant en face du jeune homme et lui souriait, ses joues rosies par la fête et un peu de vin qu'elle avait bu. Nous porterons vos couleurs demain, et je serai votre dame pour votre combat !

Les doigts de Ségolène se refermèrent sur les siens et le jeune homme qui se trouva à danser au milieu des sourires des autres dames de la table d'honneur comprit que la comtesse s'autorisait de ce qu'il combattait demain au nom de l'honneur des Bretons pour faire de lui son cavalier à la carole et qu'elle avait l'habileté de déguiser ainsi la convoitise qu'elle avait pour lui. Il se sentit rassuré, et sourit à son tour à sa cavalière dès qu'elle se représenta face à lui après avoir tourné sur elle-même selon la figure de la danse.

— A la bonne heure ! lui dit-elle en approchant son visage du sien, avant de s'en éloigner de nouveau. Nous ferons de vous un chevalier vainqueur en toutes choses...

Ce que lui promettait la comtesse Ségolène de fortune et de plaisirs parut soudain à Riou le juste contrepoids aux duretés de sa dangereuse condition. Son propre père n'en avait jamais eu autant, dans l'existence austère qu'il avait menée, et quand finit la carole, et qu'il fut en train de s'incliner en face d'elle, devant que de regagner l'un et l'autre leur place à table, le jeune homme se sentit plein de confiance en lui-même.

Les trompettes éclatèrent, annonçant l'arrivée du Paon.

Il était sur les épaules de deux valets soutenant un plat assez vaste pour contenir sa longue traîne de plumes que les cuisiniers avaient remise à sa place naturelle, comme tout le reste du plumage, après avoir cuit l'animal. Derrière celui-ci dont brillaient les yeux de verre, venaient en procession douze faisans parés de la même manière sur douze plats d'argent, destinés aux douze tables de chevaliers. Les musiciens accompagnaient la marche du cortège en jouant le *Pas d'armes du comte Baudouin* composé pour la circonstance. Son rythme martial laissait entendre de quelle nature serait le vœu que le seigneur de la Flandre allait prononcer en immolant l'oiseau royal : la guerre aux Anglais, sans merci, jusqu'à ce qu'ils soient chassés des rivages où ils avaient pris pied.

Les jeunes filles les plus nobles et les plus titrées s'étaient groupées en face des porteurs de faisans, qui leur remirent les volatiles, afin qu'elles aillent les porter aux douze tables de chevaliers tandis qu'on disposait le paon devant le comte après que les écuyers commis au service de la table d'honneur l'eurent débarrassée des assiettes et des plats souillés, et qu'ils eurent changé la nappe pour une autre, immaculée.

Selon l'usage, chaque jeune fille offrait le faisan au plus jeune chevalier de la table à laquelle elle était vouée. Ce fut donc devant Riou que l'une d'elles vint déposer le plat d'argent et, toujours selon l'usage, le chevalier de la Villerouhault refusa l'honneur qui lui était fait, disant qu'il n'en était pas digne. Puis il se leva pour remettre le faisan au chevalier de Kerdoncuff, fils du Comte de ce nom tué au combat de Guérande contre les Anglais, mais Luhan de Kerdoncuff s'inclina en répétant les mots que Riou lui-même avait prononcés.

Le même cérémonial plein de subtilité se déroulait à toutes les autres tables. Depuis l'estrade le comte Baudouin en surveillait le cheminement, se préparant à sacrifier le Paon au moment où chacun des douze faisans serait arrivé devant celui des chevaliers qui à chaque table en avait finalement accepté l'hommage. Les douze vœux qui seraient prononcés aux douze tables seraient en effet à l'unisson de celui que la bouche du comte de Flandre allait proclamer dans le silence religieux qui s'était établi maintenant dans la grande salle, et d'abord sur les gradins où les bourgeois retenaient leur souffle, émerveillés par le spectacle qui symbolisait dans toute sa splendeur l'institution de la chevalerie, voulue par Dieu pour maintenir la chrétienté en armes contre les assauts des barbares qui n'avaient cessé de submerger ses frontières depuis l'effondrement du pouvoir des empereurs de Rome.

Enfin le seigneur comte de Flandre saisit son couteau d'argent. Son geste, qu'on guettait de partout, fit taire les derniers chuchotements et les bruits de pas ou de vaisselle qu'on entendait encore çà et là.

C'est alors que dans l'immobilité et l'attente générales une rumeur ponctuée d'éclats de voix s'éleva à l'entrée de la grande salle, là où se tenaient hallebardes en mains les gardes en cotte de mailles. Le son d'une crécelle retentit, bruit terrible qui fit tourner toutes les têtes. La crécelle des lépreux ! Un homme en robe de bure faisait tournoyer sa crécelle, et les gardes reculaient, effrayés d'être touchés par l'instrument, comme s'il s'agissait d'une arme dangereuse...

— Baudouin ! lança d'une voix puissante l'homme vêtu de bure. Refuseras-tu ta porte à ton ami Uri de Montfort ?

Le comte debout dans son riche habit de velours avait froncé les sourcils en direction du perturbateur et son visage exprimait la stupéfaction. Les gardes, voyant que leur maître ne disait mot, ne bougeaient plus. Uri de Montfort fit quelques pas sur le parquet ciré où il fut le point de mire de tous les regards.

— Je suis venu pour t'empêcher de prononcer encore une fois un vœu impie ! s'écria-t-il à l'adresse du Comte.

Les yeux de l'homme brillaient dans son visage émacié. Il éleva une main enfermée dans un gant de daim.

— Vois ma main que la maladie a rongée dans les prisons des Infidèles ! Elle se dresse pour retenir les paroles que tu vas prononcer...

Il désigna les tables remplies de chevaliers.

— Tu veux entraîner tous ceux-ci dans une guerre contre la noblesse d'Angleterre, alors que Jérusalem est aux mains des sultans et que de nombreux chevaliers sont encore prisonniers des mahométans... Qu'as-tu fait de ton vœu, prononcé en même temps que le mien, devant un paon comme celui-ci, et dédié à Dieu créateur de toutes choses et de sa très Sainte Mère Marie ? poursuivit Uri de Montfort en reprenant les paroles du serment. Si Dieu m'a permis de sortir des prisons des Infidèles, c'est pour que je vienne te rappeler ce que tu avais juré !

Le comte de Flandre avait reposé son couteau d'argent sur la nappe de la table d'honneur et son visage était pâle. La voix métallique aux accents déchirants de son ami Uri de Montfort, en compagnie de qui il avait fait serment autrefois de partir en Terre sainte, serment qu'il n'avait pas tenu, comme tant d'autres féodaux qui prenaient la croix, puis hésitaient ensuite à quitter leurs fiefs, leurs intérêts et leurs amours, cette voix revenant de la tombe où son ami avait été enseveli pénétrait le seigneur Comte jusqu'au plus profond de lui-même. La voix revenue d'Orient, au cours de ces années de souffrances dans les geôles musulmanes où le croisé captif avait tourné les lourdes meules à écraser les olives, attelé au même harnais qu'un chameau, s'était chargée d'un surprenant pouvoir.

Une merveilleuse éloquence coulait maintenant de la bouche du seigneur lépreux qui tenait la salle pleine de seigneurs, de bourgeois et de valets sous son charme. Uri de Montfort secoua la tête avec un sourire douloureux.

— Non, Baudouin... Ce n'est pas à mettre à mort d'autres chevaliers chrétiens que tu dois appeler ces seigneurs bretons, normands ou picards aujourd'hui !

Uri de Montfort ménagea un temps d'arrêt, puis reprit sur le ton de l'apostrophe :

— Sais-tu qui m'a racheté au Sultan Bourbour de Tripoli, pour cinq mille ducats d'or ? C'est un chevalier anglais ému de pitié quand il a connu mon sort, tandis que toi mon ami ne cherchais point à savoir ce que j'étais devenu...

Le Seigneur Comte de Flandre paraissait maintenant comme accablé par le poids du reproche que contenaient les paroles de celui qu'il avait délaissé. Dans le silence effrayé qui s'était établi, Baudouin prit la parole à son tour :

— Sire Uri, viens prendre place à mon côté...

Le lépreux secoua la tête.

— Je ne puis plus m'asseoir, hélas, qu'auprès de ceux à qui le Seigneur a envoyé comme à moi l'épreuve de cette maladie pour leur indiquer la route du Ciel.

Puis la voix éclata comme un appel de fanfare.

— Baudouin de Flandre ! Sur le Paon de noblesse et d'excellence, appelle ces chevaliers à faire le vœu de partir délivrer Jérusalem des mahométans aux cotés des chevaliers anglais qui s'y préparent, à Cantorbéry et à Londres, sous la bannière du roi Richard !

Il se tourna vers les tables.

— Voilà le vœu que le Seigneur attend de vous, chevaliers. Dieu le veult !

Riou vit avec stupéfaction les larmes jaillir des yeux rusés du Comte Baudouin. Le Comte avait repris son couteau à trancher et il le planta dans la chair du Paon.

— *Je voue à Dieu mon Créateur tout premièrement...*, commença-t-il d'une voix altérée par l'émotion qui se communiquait aussitôt à toute la salle.

Celle-ci, après avoir été bouleversée par la voix du lépreux en robe de bure, semblait maintenant soudée en une attente passionnée que les paroles sacramentelles sortant de la bouche du puissant seigneur de Flandre pouvaient seules combler.

— *... à la très glorieuse Vierge Sa Mère*, poursuivit la voix qui s'affermissait.

Riou se tourna vers ses compagnons. Les uns avaient les larmes aux yeux comme le seigneur Comte, d'autres souriaient d'un sourire extasié.

— *... aux dames et au Paon, ma volonté de partir combattre les Infidèles pour délivrer le tombeau de Notre-Seigneur le Christ !* acheva Baudouin de Flandre.

Il tenait au bout de sa fourchette à deux dents le cou du Paon qu'il avait détaché et le tendit à son voisin le Comte Jehan d'Eu qui le prit entre ses doigts, se leva et s'écria :

— Sur le Paon, je voue à Notre-Seigneur le départ de notre ost de Normandie pour la Terre sainte...

— Dieu le veult ! hurla la voix d'Uri de Montfort.

— Dieu le veult ! Dieu le veult ! criaient les chevaliers, tous debout maintenant.

La clameur s'enfla, faisant trembler la salle, tandis que les dames déchiraient les nappes des tables et, celles qui portaient des étoffes rouges, les ôtaient pour les découper afin de confectionner les insignes de la croisade : la croix rouge du sang du Christ sur le fond blanc de pureté.

Riou s'entendit crier à son tour *Dieu le veult !* regarda ses mains tremblantes, chercha des yeux Foulque de Macé, qu'il vit criant comme les autres, puis reporta son regard à la table d'honneur où son suzerain le Comte Guéthenoc de Fougères recevait d'une dame une pièce d'étoffe sur laquelle avait déjà été cousue une croix. La dame, que

Riou voyait de dos, l'attachait sur la poitrine du Comte et quand elle se retourna, Riou vit que c'était la Comtesse Ségolène son épouse... Leurs regards se croisèrent et elle lui fit un signe de la main avec un sourire triste qui voulait dire qu'il allait partir et qu'elle resterait au château de Fougères pour garder les intérêts de son époux et que le rêve qu'elle avait fait d'être à lui venait d'être brisé par la voix du seigneur lépreux Uri de Montfort...

Puis Riou chercha des yeux son ennemi Foulque de Macé à la table des Normands et il le vit avec une croix rouge aussi qu'on était en train de fixer à sa poitrine. Il comprit qu'il ne se battrait pas demain à mort avec lui, car le départ à la croisade arrêtait de droit tous les duels entre chevaliers chrétiens comme il remettait toutes les dettes des seigneurs qui en étaient grevés, et que les Templiers rachetaient pour libérer ceux qui s'offraient à mourir pour la délivrance du tombeau du Christ. Riou pouvait maintenant demander à la commanderie du Temple de Mur de Bretagne de rendre à sa place tout ce que son père avait emprunté et conserver sans angoisse ses terres et son château de la Villerouhault. Le jeune homme porta sa main à son cou, où était la chaîne d'argent qui cachait l'émeraude sous sa chemise. Il sentit la pierre contre sa peau pleine d'une mystérieuse puissance contenue dans son eau verte, pleine de l'inconnu qu'il allait affronter désormais, loin du petit château et de Couette.

Une immense tristesse envahit son cœur à la pensée qu'il ne verrait plus la jeune fille de longtemps, et peut-être de jamais.

7.

Judith, fille de Mordoch le Juif

Riou entra dans la rue de Bruxelles où les Juifs et les Lombards tenaient leurs boutiques de change et de bijouterie, que de hautes grilles fermaient aux deux extrémités gardées par des sergents du guet de la ville. Ceux-ci lui dirent de laisser son cheval devant leur poste, ce qu'il fit, en attachant Vaillant à un des anneaux fixés là à cet usage, car on n'entrait qu'à pied dans la rue où tant d'or, d'argent et de pierres précieuses changeaient de mains chaque jour dans la capitale du comte de Flandre. Il leur demanda où se trouvait la boutique du juif Mordoch. Ils lui désignèrent une maison qui avançait un peu sur la rue, et devant laquelle une mule harnachée pour le voyage attendait, tenue par un valet. Ils lui dirent que c'était là justement la mule du juif Mordoch, lequel semblait donc s'apprêter à partir en voyage. Riou marcha sur le pavé inégal jusqu'à la mule. Il vit une petite cour, entre la maison de Mordoch et la maison voisine, et dans cette cour un âne attaché au mur, sans doute la monture du valet qui allait accompagner son maître. Celui-ci était à son comptoir, rangeant des boîtes de bois verni qu'il s'apprêtait à enfermer dans un placard. Riou entra et lui dit qu'il venait sur la recommandation du second intendant du seigneur Comte Baudouin, le sieur Riejk Bliegenström.

Le juif Mordoch était un homme d'une cinquantaine d'années, de taille moyenne, avec un fort nez, des yeux bleus éclairés de gaieté, et une courte barbe grisonnante. Il jugea d'un regard rapide le jeune chevalier qu'il avait devant lui dans ses vêtements modestes, et le visage qui exprimait une grande résolution sous son aspect juvénile.

— Je suis très honoré, Messire, que le sieur Riejk ait bien voulu recommander mon officine à Votre Seigneurie...

— Je désire connaître la valeur d'une pierre qui me vient de Dame ma mère, dit Riou en portant la main à son cou, et la vendre si j'en puis avoir un bon prix.

Mordoch fit un geste d'approbation de la tête, tout en gardant les yeux fixés sur la chemise entrouverte du jeune homme, où l'émeraude apparut. Riou défit le fermoir de la chaînette, libérant la pierre précieuse, qu'il déposa sur le comptoir.

Le bijoutier la prit dans ses doigts et l'examina en silence sans qu'aucun mouvement ne vienne trahir sur son visage l'opinion qu'il était en train de se faire. C'est avec la plus parfaite impassibilité, acquise depuis son enfance passée à tailler des pierres sous la direction de son père et de son oncle, que Mordoch prit dans un petit tiroir la loupe qu'il porta à son œil pour parfaire son examen.

Puis il reposa l'instrument et soupesa l'émeraude dans sa main.

— C'est une fort belle pièce, dit-il en regardant le chevalier droit dans les yeux, et qui vaut beaucoup d'argent...

Il acheva sa déclaration par un sourire, puis se tourna vers le petit escalier en colimaçon qui prenait naissance auprès du comptoir pour permettre d'accéder à l'étage.

— Judith ! Veux-tu descendre un instant ? Ma fille connaît mieux les pierres de couleur que moi, expliqua-t-il, et je ne peux avancer un prix tant qu'elle ne nous aura pas donné son avis.

Riou entendit des pas au-dessus du plafond bas et le froissement d'une robe longue s'engagea dans l'escalier à vis. Riou qui avait levé la tête restait silencieux, surpris par la beauté du visage de la fille de Mordoch, la masse des cheveux encadrant un ovale très pur, et une bouche rouge au dessin sensuel. Les yeux noirs n'étaient pas de Mordoch, mais de sa mère à demi espagnole.

Judith s'inclina pour faire sa révérence au chevalier mais quand elle releva la tête son regard profond s'adressait à celui du jeune homme.

— Le jeune seigneur nous demande ce que nous pensons de cette émeraude, expliqua Mordoch.

Judith avait pris la pierre dans sa main. Elle referma ses doigts sur l'émeraude et l'appuya sur sa poitrine, regardant au loin à travers la fenêtre aux vitraux de couleur derrière laquelle passaient les silhouettes de ceux qui allaient et venaient dans la rue aux bijoux et aux écus.

Mordoch parut gêné.

— Ma fille Judith aime les pierres depuis son enfance, et elle connaît leur langage, expliqua-t-il. Chacune a son symbole, et la légende leur a attribué des pouvoirs qu'elles n'ont sûrement pas...

Il reprit à l'adresse de sa fille, avec impatience :

— Le jeune seigneur attend de nous le prix de sa pierre, Judith !

On était prompt à accuser les Juifs de sorcellerie, et Mordoch s'inquiétait du spectacle que sa fille donnait à ce chevalier qui venait de l'entourage du Seigneur Comte.

Le regard de Judith revint à Riou.

— Cette émeraude est pleine d'une douloureuse espérance, dit-elle avec une expression de gravité sur son visage. Une femme d'âge, dans une maison où sonnent des cloches, s'en est séparée par amour...

Mordoch fronçait les sourcils, visiblement inquiet.

— Judith, s'il te plaît ! N'as-tu point entendu mes paroles !

Riou intervint.

— Laissez, Mordoch, laissez ! Votre fille dit la vérité. Cette émeraude m'a été donnée par Dame ma mère, pour m'équiper dans le service de guerre du Comte de Fougères avec qui je dois partir à la croisade...

Riou vit que la jeune fille était pâle, comme si la pierre lui avait communiqué le trouble qu'elle portait en elle.

— Dame ma mère m'a bien dit qu'elle me porterait chance, selon ce que lui avait prédit mon grand-père maternel en la lui remettant par don d'héritage. La chance n'est pas venue du temps de ma mère, puisque mon père est mort prématurément, et qu'il a connu beaucoup de soucis de son vivant. Mais il est vrai que tout s'éclaire depuis que je la porte sur moi...

Judith remercia le chevalier d'un sourire qui fit revenir du rose à ses joues.

Mordoch se détendit à son tour.

— Nous allons d'abord la peser, dit-il. Ce sera plus utile, pour connaître ce qu'elle vaut, que les rêves de Judith !

Il posa la pierre sur le plateau de la balance.

— Vingt-sept carats ! annonça-t-il avec de l'étonnement dans la voix. Elle est plus lourde qu'elle n'y paraît. Vingt-sept ! Le chiffre de...

Il s'interrompit brusquement, conscient qu'il faisait une folie de citer la signification du chiffre vingt-sept selon les nomenclatures de la Kabbale, ce langage secret des alchimistes qu'on avait mentionné plus d'une fois dans les actes d'accusation qui cherchaient à les convaincre de magie ou de sorcellerie pour les envoyer au bûcher.

Il se reprit.

— Le chiffre du nombre des paniers que Votre Seigneur Jésus avait sous les yeux le jour où il multiplia les pains et les poissons pour nourrir ceux qui étaient venus l'écouter, selon le récit qu'en fait le Nouveau Testament...

Il secoua la tête en souriant.

— Je suis de ceux qui pensent que le Sanhédrin n'aurait pas dû condamner celui que vous appelez le Christ, Messire... Savez-vous que Jésus ne faisait que prêcher les enseignements d'un de nos bons docteurs de la foi, qui s'appelait Hillel ? Un homme un jour demanda à Hillel ce qu'il fallait faire pour mériter la félicité éternelle et Hillel lui répondit : Aime Dieu le Père et ensuite aime ton prochain comme toi-même. — Est-ce tout ? demanda l'homme. — C'est là toute la religion, répondit Hillel. Voyez-vous, Messire, les prêtres du Sanhédrin n'ont pas obéi à cette loi et ils ont livré Jésus au bourreau... Et c'est pourquoi nous autres nous vivons dans des rues fermées par des grilles et gardées par des hommes d'armes, et que l'on crache sur notre passage quand nous en sortons... Pardonnez-moi, Messire, si je m'exprime ainsi. Mais vous allez partir pour la Terre sainte et vous entendrez parler plus d'une fois de tout cela là-bas. C'est un beau pays où de nombreux seigneurs comme vous ont fait une belle fortune. Le soleil y brille tous les jours, ajouta-t-il avec un regard aux vitraux donnant sur la rue. Il le fait ici aujourd'hui, mais nous savons que la pluie et les nuages noirs sont les plus forts...

— Vous parlez de cette terre comme si vous la connaissiez, dit Riou.

Le Juif Mordoch fit un signe affirmatif.

— Nous autres Juifs pensons qu'on ne peut adorer Dieu ailleurs que dans le Temple de Jérusalem et nous nous efforçons de nous y rendre au moins une fois dans notre vie, si cela est possible...

— Les Mahométans vous permettent d'y aller ?

— En versant de l'or aux sultans, les pèlerins peuvent obtenir le droit de se rendre là-bas...

— Mais j'ai ouï dire que les Mahométans ne respectaient pas leur parole, et qu'ils réduisaient en esclavage les voyageurs, après leur avoir fait croire qu'ils pourraient librement faire leur route. C'est ce qui est arrivé au seigneur de Montfort, qui nous a prêché la croisade au cours du Dyct du seigneur comte Baudouin hier, comme vous le savez sans doute...

— Mon jeune chevalier, dit Mordoch, il en est des mahométans comme des autres hommes. Il y a parmi eux des justes et d'autres qui préfèrent le mal au bien... Les seigneurs musulmans se disputent et se font la guerre, tout comme les seigneurs chrétiens ici, si vous me permettez de le dire, et si le Sultan d'Egypte, qui veut régner jusqu'à Jérusalem, autorise le passage d'un Chrétien ou d'un Juif, il se trouvera un atabeg ou un émir pour réduire les pèlerins à la captivité, dans l'espoir d'une rançon, et pour faire pièce en même temps à l'autorité de ce Sultan dont il ne veut pas devenir le vassal en ignorant le firman qu'il a délivré à ce chrétien ou ce juif...

— Un firman ? demanda Riou. Qu'est-ce qu'un firman ?

— C'est en arabe un écrit d'un prince, qui promulgue une loi ou édicte une décision.

— Vous connaissez la langue arabe ? s'étonna le jeune homme.

— Cette langue est très voisine de la nôtre, l'hébraïque, et nous n'avons pas grand-peine à l'apprendre...

Riou restait songeur. Le Juif Mordoch savait beaucoup de choses sur cet Orient où allait maintenant se jouer son destin.

Déjà la nuit dernière dans la cathédrale, Simon Beau Mortier avait évoqué devant Riou les murailles en ruines du Temple de Salomon, que lui-même et ses compagnons rêvaient de reconstruire, ces ruines au milieu desquelles le Juif Mordoch était allé prier, au risque d'un dangereux voyage.

La voix de Mordoch ramena Riou à l'émeraude, qui attendait sur le comptoir auprès de la balance où elle avait été pesée dans la lumière colorée que les vitraux frappés par le soleil diffusaient dans l'officine.

— Etes-vous bien décidé à vous défaire de cette pierre, Messire ? Il est toujours fâcheux d'avoir à entamer son capital. Ne pourriez-vous faire autrement ?

Riou secoua négativement la tête.

— Non pas, dit-il. Ma terre de Bretagne ne rapporte que ma subsistance, celle de mes chevaux et de mes valets, et je dois m'équiper pour la guerre sur-le-champ...

— Beaucoup de seigneurs pauvres ont fait leur fortune là-bas, justement, dit Mordoch. Que n'empruntez-vous sur votre émeraude, en promettant à votre prêteur une part des butins que vous gagnerez ?

— Je ne sais s'il y aura du butin, fit Riou surpris. Nous avons fait serment de délivrer le tombeau du Christ... Qui me prêterait, sur ce butin-là ?

— Un Juif, dit tranquillement Mordoch.

Riou resta interdit.

Mordoch souriait. Judith continuait de chercher les yeux du jeune homme, comme anxieuse de lui faire comprendre l'émotion que sa venue avait fait lever en elle.

— A quoi servirions-nous, Messire, plaisanta Mordoch, si nous ne risquions pas dans des aventures comme la vôtre cet or qu'on nous reproche d'amasser ? Ne faut-il pas que nous gagnions notre paradis nous aussi ? De combien avez-vous besoin pour équiper de bonne façon vos écuyers et vos valets d'armes ?

— Je... je n'ai pas d'écuyer, dit Riou en rougissant légèrement.

Mordoch eut un sourire qui laissait entendre qu'il s'en était douté et insista :

— Il importe de partir en guerre avec tout ce qui est nécessaire, et ne pas lésiner. Voyons... Trente ducats d'or, est-ce que cela serait suffisant ?

— Trente ducats d'or ! dit Riou stupéfait. Mais cette émeraude ne vaut pas...

Mordoch eut un geste de la main.

— L'émeraude vaut beaucoup. N'est-ce pas, Judith ?

La jeune fille approuva avec chaleur :

— Ce n'est pas une pierre comme les autres, et il ne s'agit pas seulement de son poids. Son eau est admirable. Elle est de celles que les joailliers recherchent quand ils ont un bijou à monter pour un prince... Elle pourrait être vendue quinze ducats.

— Cela ne fait pas trente, répéta Riou effrayé d'emprunter tant d'argent.

— Fixons sa valeur à quinze, décida Mordoch. Nous vous la prendrons en gage pour cette somme. N'est-ce pas, Judith ?

— Certainement, dit la jeune fille. On la vendrait ce prix si on attend l'occasion favorable...

— Les quinze autres ducats seront pour un investissement que nous ferons sur la tête de Judith dans votre voyage en Palestine contre un quart du butin que vous amasserez là-bas, selon un contrat que nous allons préparer et que Judith signera avec vous... S'il m'arrive malheur avant votre retour d'Orient, Judith aura ces biens-là pour s'aider à subsister, ajouta Mordoch en fermant à clef les tiroirs devant lesquels le chevalier l'avait trouvé en entrant dans la boutique.

Il remit les clefs à Judith et quitta le comptoir.

— J'ai à aller à Anvers, Messire, chercher des diamants qui sortent d'être taillés...

— Je vais me retirer, dit Riou.

Mordoch s'arrêta pour regarder le jeune homme.

— Je souhaite que vous teniez compagnie à Judith, Messire. Elle va établir un reçu de la valeur de la pierre, qui sera enfermée ensuite dans la chambre forte que vous avez vue gardée à l'entrée aussitôt après les grilles par les hommes d'armes du Seigneur Comte et sous la garantie de Sa Seigneurerie, ainsi que le sont tous les ors et les pierres de cette rue. Quand partez-vous, Messire ?

— Très bientôt, dit Riou. Une avant-garde doit embarquer à Ostende pour l'Aquitaine, d'où l'ost gagnera par terre le port d'Aigues-Mortes. Là, la flotte se rassemblera pour traverser la Méditerranée.

— Je serai de retour après-demain, et vous prie de venir ici à midi, que nous vous remettions l'or qui vous est nécessaire, chevalier.

Le valet tenait la mule prête devant la porte que son maître venait d'ouvrir. Mordoch se mit en selle et, rassemblant les rênes de sa monture, déclara :

— Je connais un homme à Anvers, qui vient d'Orient et parle les langues de là-bas, aussi bien l'arabe que l'hébreu. C'est un chrétien d'Arménie. Je sais qu'il prendrait du service auprès d'un homme comme vous, si je lui proposais de le faire. Il s'ennuie de son pays et vous serait très utile. Le voulez-vous ?

— Si vous en jugez ainsi, dit Riou, je le prendrai en effet...

— Il viendra aussitôt à votre camp, Messire. Je suis très honoré de votre visite, et espère que vous ferez la richesse de Judith en même temps que la vôtre...

Il marqua un temps puis dit à voix plus basse, en regardant le jeune chevalier, avant de presser les flancs de sa mule pour la mettre en route :

— Je ne devrais pas vous le dire, Messire, mais je sens que vous avez un noble cœur. Je me suis moqué de ma fille tout à l'heure, et de ce qu'elle lisait dans les pierres, parce qu'il n'est pas toujours bon de parler de ces choses-là. Mais la vérité est qu'elle y a toujours vu juste. Aussi, voyez-vous, je ne risque pas grand-chose en vous prêtant de l'argent, si Judith pense que l'émeraude est pour vous signe de fortune...

Riou se trouva seul avec la jeune femme. Celle-ci s'approcha de lui pour fermer le verrou de la porte par laquelle son père venait de sortir.

— Je ne recevrai personne devant que mon père ne revienne, dit-elle pour expliquer son geste. Je ne souhaite pas que vous partiez aussitôt, ajouta-t-elle en rougissant...

Elle se tut, puis reprit :

— Ainsi que vous l'a dit mon père, les filles comme moi mènent une vie de recluse, pour ce que nous ne pouvons nous mêler à tout le monde, et que ceux de notre race sont peu nombreux dans cette ville. Aussi est-ce un grand plaisir pour moi que de pouvoir bavarder avec un jeune homme de votre qualité...

Pour cacher la gêne qu'il éprouvait lui-même en face de cette beauté qu'il sentait brûlante, Riou plaisanta :

— Que n'êtes vous allée avec votre père à Anvers où ceux de votre religion sont nombreux, et où vous n'auriez sûrement aucune peine à trouver un mari, avec de beaux yeux comme les vôtres !

Elle secoua la tête, heureuse de pouvoir donner un tour plus intime à leur dialogue.

— J'en ai eu un déjà, Messire. Mais nous ne nous sommes pas entendus parce que je n'ai pu lui donner l'enfant qu'il voulait et nous nous sommes séparés. Chez nous, c'est une chose qui se produit, et qui est dans la religion.

Ils étaient tout proche l'un de l'autre dans le silence de l'officine où les boiseries bien cirées luisaient de reflets rouges, verts ou jaunes qu'y peignaient les vitraux, avec les bruits de la rue qui leur parvenaient, des pas qui sonnaient sur les pavés et des éclats de voix de temps à autre.

— Aussi suis-je une jeune femme libre, ajouta-t-elle d'une voix qui devenait grave en baissant le ton.

Elle le regardait en souriant et elle ajouta :

— Mon état serait enviable si je faisais usage de ma liberté et si celle-ci n'était pas une prison...

Le silence s'épaissit encore tandis que Riou se rapprochait d'elle. Leurs mains se saisirent, attirées par une grande force.

— L'émeraude, chuchota-t-elle dans le souffle de leurs bouches. Lorsque je l'ai prise, j'ai senti qu'elle allait me donner à vous selon ce qui était écrit depuis longtemps...

La première lueur du jour venant entre les rideaux tirés de la chambre éclaira le visage de Judith endormie. Elle éveilla Riou, dans le bruit lointain de cloches qui égrenaient un carillon au-dessus des toits de la ville.

Judith sentit qu'il ne dormait plus et sans ouvrir les yeux, revint vers lui. Il l'enlaça et leurs bouches se prirent de nouveau avec violence, du souvenir de tout le plaisir qu'ils avaient éprouvé depuis le moment où ils avaient monté l'étroit escalier pour s'enfermer dans cette chambre, leurs mains tremblantes qui se pressaient et leurs regards lorsqu'elle avait commencé à se dévêtir devant lui et pour lui...

Ils luttèrent longuement pour s'arracher un dernier bonheur, puis retombèrent inertes, inondés de leurs sueurs mêlées.

Après un moment Riou se redressa. Sachant qu'il allait la quitter, elle lui mit sa main sur la bouche.

— Ne dis rien, mon ami, dit-elle en souriant. Judith t'appartient et elle t'attendra.

Riou marcha dans la rue jusqu'aux grilles qui étaient encore fermées et que les sergents lui ouvrirent. Ils lui dirent avec un clin d'œil qu'ils avaient pris soin de son cheval dès la tombée de la nuit, quand ils avaient compris que des affaires importantes le retiendraient au-delà de l'heure du couvre-feu. Riou leur remit une pièce de sa bourse et trouva son Vaillant dans l'écurie qui abritait la monture du sergent d'armes qui commandait le poste. Il se mit en selle et s'éloigna dans les rues où des marchands commençaient à ouvrir leurs volets et à garnir leurs étals.

Il vit à un carrefour le sommet de la tour inachevée de la cathédrale qui se dorait de soleil comme au matin où il en était sorti après avoir reçu l'absolution de l'évêque Enoch. Il pensa alors à la petite ribaude qui s'était accrochée à lui en le suppliant de l'emmener pour l'aider à quitter sa condition. Il se sentait riche et fort ce matin, de ce que Judith l'avait comblé, de l'or qu'il allait revoir de son père et de la confiance que l'un et l'autre mettaient en lui, selon les pouvoirs de l'émeraude. Oui, l'émeraude communiquait à Riou une nouvelle volonté... Il décida d'aller vers la petite et, s'il la trouvait dans les mêmes dispositions, de la prendre avec lui dans l'ost qui partirait bientôt pour combattre les musulmans, avec ses valets qu'il allait embaucher, et tout son train de guerre qui suivait chaque chevalier. Il dirigea Vaillant dans les rues qui menaient à la cathédrale et se trouva bientôt en vue de la haute levée de terre où les fardiers avaient commencé de rouler leur chargement de pierres vers la tour. Les silhouettes de leurs attelages à huit chevaux se détachaient sur le ciel. Riou, s'approchant de la cathédrale, eut devant lui un grand nombre d'ouvriers assemblés au pied de la levée de terre où ils semblaient entourer un chariot renversé à l'endroit même où étaient les cahutes des ribaudes. Attirés par le bruit qu'ils avaient entendu, des bourgeois qui finissaient de se vêtir sortaient en hâte de leurs maisons et Riou du haut de son cheval comprenait maintenant la raison de cette agitation. Levant son regard jusqu'au sommet du plan incliné, le jeune homme aperçut les traces qu'avait faites en quittant la rampe pour tomber jusqu'au bas l'énorme fardier que ses conducteurs n'avaient pas su maintenir en ligne, soit que l'attelage se soit énervé ou que son chargement eût été mal assujetti.

S'aidant de longues poutres de chêne comme leviers, les ouvriers s'appliquaient à retourner le véhicule après avoir écarté les blocs de pierre sous lesquels les fragiles bâtiments où les filles exerçaient leur métier étaient ensevelis.

Riou s'enquit de ce qui était advenu aux malheureuses qui vivaient là et on lui répondit que trois d'entre elles avaient péri. Leurs corps étaient dans la cathédrale, où l'évêque allait leur faire une messe.

Le jeune homme confia son cheval aux bonshommes qui en avaient pris soin la première fois et pénétra dans le chœur. Trois cercueils de bois blanc étaient sur des chevalets devant un autel de la Vierge, entourés de quelques personnes, dont l'évêque dans sa soutane usée, et un ouvrier ajustant avec son rabot les couvercles qu'il allait clouer ensuite.

Riou s'approcha avec l'espoir de ne pas trouver la petite parmi celles que les pierres avaient mises à mort, mais il vit le petit visage encadré de cheveux noirs, les yeux qui l'avaient supplié fermés pour toujours, et cette bouche qui lui avait dit de douces paroles toute bleuie par le coup qu'elle avait reçu. Alors son cœur se serra, comme si des larmes allaient venir à ses yeux, et dans sa peine il vit posé sur lui le regard de l'évêque Enoch qui reconnaissait son pénitent de l'autre nuit.

L'évêque prit le bras du jeune homme, interrogeant sur ce visage le secret qui était entre un chevalier et une fille de joie, secret qu'il savait lui, Enoch, appartenir à Dieu qui ordonne toutes choses dans un judicieux mystère.

— N'endurez point douleur, chevalier, murmura-t-il pendant que retentissait le grattement du rabot qui arrangeait le couvercle afin qu'il ferme bien. Elle est en paradis où Notre-Seigneur l'a appelée dans la fleur de sa jeunesse afin qu'elle ne se flétrisse point dans sa condition...

Il se tut, laissant Riou se reprendre.

— Et vous-même, chevalier, avez-vous combattu ou pardonné à votre ennemi ?

— J'ai pris la croix, Monseigneur, au Dyct du Paon, avec le Comte

Baudouin, sur la parole du Sire de Montfort, et de ce fait renoncé au combat...

L'évêque sourit.

— Je vous bénis, jeune chevalier, pour ce que Notre-Seigneur vous a appelé vous aussi, dit-il en élevant sa main pour le signe sacré.

TROISIÈME PARTIE

LA FORTERESSE DE MAHDIA

8.

Les plages de Mahdia

La sueur brûlait les yeux de Riou. Elle imbibait maintenant les épais sous-vêtements de lin qu'il portait comme les autres chevaliers armés de pied en cap sur leurs destriers caparaçonnés pour le combat, afin de prévenir les meurtrissures causées par la dureté et le poids de leurs armures. A Bruxelles, Douriane, l'Arménien appelé auprès de lui par Mordoch, avait hoché la tête après avoir calculé que l'avant-garde de la Croisade mettrait le siège devant Mahdia à la mi-septembre, un mois de grandes chaleurs en Tunisie...

Cependant, il était trop tard pour regretter que le Conseil des Comtes qui menait la Croisade en ait décidé ainsi, car la flotte génoise s'avançait lentement sur une houle paisible, poussée par la force de la brise de mer gonflant ses voiles, à quelques encablures du rivage mahométan...

Sa lance au poing engagée dans son étrier, Riou monté sur Martroi, aux côtés du chevalier de Lorgeril et du seigneur de Robien, s'apprêtait comme eux à se précipiter au galop sur la plage dès que s'abattrait la porte de chêne qui fermait l'avant de la barge de débarquement où la cohorte de chevaliers bretons avait pris place. Au moment de fouler enfin la terre d'Afrique, les trois jeunes gens jouissaient du grandiose spectacle des quatre-vingts navires de débarquement chargés de chevaliers prêts à combattre voguant vers la ligne éblouissante du sable incendié par le soleil.

Lorsque Riou avait fait part au comte Guéthenoc de la réflexion de son Arménien, le seigneur de Fougères avait haussé les épaules.

— Les Infidèles auront aussi chaud que nous, et nous leur donnerons plus chaud encore !

Puis il avait ajouté en regardant son jeune vassal d'une certaine façon :

— Riou ! N'écoute pas trop ton homme d'Orient. On m'a dit déjà qu'il ferait un bon espion pour les Mahométans...

— Mais c'est un chrétien comme nous, Messire ! avait protesté le chevalier. Son père a été massacré par les Infidèles au siège d'Acre et lui-même n'a échappé que par miracle, sous le corps de sa mère que les Turcs ont crue morte.

Le comte avait posé sa main gantée de cuir sur le bras du jeune homme.

— J'ai confiance en toi et je sais que tu es plus habile que la jeunesse de ton visage ne le laisse apparaître. Mais tous ne pensent pas comme moi et certains n'ont pas peur de dire que tu t'es laissé abuser par ceux qui t'ont fait connaître cet homme-là. Reste sur tes gardes, et tiens ton homme en lisière...

— Qui m'accuse, Messire, que je lui demande raison de ses propos !

Le Comte Guéthenoc avait secoué la tête en riant.

— Garde tes coups d'épée pour les Mahométans. Tu n'as plus le droit de fendre un chrétien en deux avant d'avoir pris Jérusalem !

— Par saint Yves ! s'écria le chevalier de Lorgeril en se retournant vers Riou. La forteresse !

Il désignait de son gant d'acier quelque chose qui venait de surgir à l'horizon devant la barge où ils se trouvaient tous massés pour l'assaut, et Riou vit en effet la haute silhouette d'une forteresse aux tours multiples, avec sa muraille incroyablement abrupte que la haute porte de la barge et les aveuglants rayons du soleil l'avaient empêché de voir jusqu'à maintenant. Loin devant eux, jaillissant du sable de l'isthme sur lequel les lourds chevaux de la cavalerie des Croisés allaient prendre pied, la forteresse de Mahdia, d'où partaient depuis trente ans des navires de pirates qui capturaient les voyageurs et les marchands chrétiens pour les réduire à un esclavage infâme, se dressait devant leurs yeux comme un symbole du Mal qu'ils étaient venus combattre...

Mais les jours de la forteresse étaient maintenant comptés. Les six mille cavaliers en armure et les neuf mille archers de la République de Gênes, qui attendaient eux aussi dans le flanc des navires ventrus dont les voiles innombrables piquetaient la mer en arrière des barges porteuses de la cavalerie, allaient enfermer l'orgueilleux repaire des pirates dans un anneau infranchissable, pour le réduire à la famine avant de lui donner l'assaut.

Les cris des nautoniers se répondaient d'une barge à l'autre, répétant les indications des pilotes qui naviguaient devant elles à bord de trois caïques rapides manœuvrés par de longues rames, filant en travers de la plage pour vérifier si l'eau claire ne cachait pas des bancs de rochers susceptible de gêner l'échouage.

Puis l'ordre arriva de mettre en action les huit bancs de rameurs qui attendaient à l'arrière de chaque barge, afin de lancer celles-ci à toute leur vitesse au moment de toucher le sable. Les aboiements des chefs de nage retentirent dans le dos des seigneurs sur leurs destriers, les lourdes rames frappèrent l'eau bleue en faisant jaillir des gerbes, et Riou sentit que la barge accélérait sa course.

Trente d'entre elles naviguaient maintenant à quelques brasses l'une de l'autre, suivies de trente autres, comme deux murailles chargées de guerriers et de chevaux s'avançant d'un mouvement irrésistible à la rencontre du rivage flamboyant. A ce spectacle, à sentir Martroi frémissant sous lui de tout son instinct de bête guerrière, Riou oublia ses doutes... Rien ne pouvait résister à la puissante cavalerie des seigneurs francs, quand elle ébranlait sa masse de chair et d'acier au nom du Christ auquel chacun d'eux avait voué sa vie et son épée en entrant en chevalerie... Les valets d'armes s'arc-boutèrent contre les chevaux pour les aider à supporter le choc à l'instant où le fond des barges raclerait le sable en touchant la plage. Les chaînes filèrent dans un grand vacarme, abattant les portes dans la vague qui venait mourir sur le rivage, libérant les milliers de chevaliers avec la grande clameur de leurs cris de guerre que les uns et les autres poussaient dans toutes les langues d'Occident.

Aussitôt l'ost de Fougères lancé au galop sur le sol de l'isthme, Douriane, le valet d'armes de Riou, avait quitté son maître pour se joindre à un parti d'écuyers et de valets chargés de patrouiller en flanc-garde de la puissante cavalerie hérissée de lances qui fonçait vers les murailles de la ville.

Vêtus seulement de cottes de mailles et casqués légèrement, les éclaireurs se dirigèrent vers les murs d'un grand verger qu'on voyait à quelque distance, afin de s'assurer qu'il ne cachait pas des hommes d'armes ou un élément de cavalerie. Tandis que les uns en faisaient le tour au grand galop, d'autres mettaient pied à terre devant le porche fermé qui permettait d'y pénétrer. Ils l'ouvrirent sans difficulté. Les cavaliers se précipitèrent dans les allées entre les arbres fruitiers, au pied desquels la terre humide disait qu'on y avait arrosé le matin même. Ils virent le puits avec ses grandes outres de cuir pour en tirer l'eau, deux bâtiments au toit en voûte blanchis à la chaux, tout cela désert et silencieux, abandonné par les jardiniers qui avaient dû comme tous les habitants de Mahdia se réfugier dans la forteresse avec leurs animaux dès que les guetteurs avaient découvert du haut des tours à l'aube l'horizon marin couvert de nefs ennemies...

Les éclaireurs ressortirent par le porche qui leur avait livré passage tout à l'heure, reprenant leur mission, et Douriane était le dernier d'entre eux. Emu par les senteurs que ses narines d'Oriental perdu dans les froidures du Nord avaient oubliées depuis de longues années, et poussé par le sentiment que le jardin n'était pas vide de toute présence vivante, l'Arménien laissa ses compagnons s'éloigner. Sur la plage se formait déjà la ligne des archers génois qui avaient entretemps débarqué des navires, et qui allaient établir leur camp de manière à barrer l'isthme à l'extrémité duquel se dressait la forteresse. Douriane ramena son cheval jusqu'à la *tabia*, la haie de figuiers de Barbarie aux pointes acérées qui défendait le jardin, puis monta debout sur la selle pour porter son regard à l'intérieur.

Proche du bassin de pierre où brillait l'eau gardée en réserve pour l'irrigation des arbres, la porte d'un des deux petits bâtiments s'ouvrit, donnant passage à un vieil homme qui en sortait le dos courbé en s'appuyant sur un bâton. Il gagna le banc de pierre qui attenait au mur et s'y assit avec difficulté. Douriane revint vers le porche, attacha son cheval à un amandier, et marcha vers le banc de pierre. Celui qui y demeurait immobile ne semblait pas le voir venir, et quand il leva enfin son visage vers l'intrus, Douriane comprit qu'il avait affaire à un aveugle.

— *Salam alik*, dit l'Arménien.

— Sois le bienvenu, répondit le vieillard.

— Tu n'es pas parti avec les autres ?

Le solitaire du jardin fit non de la tête.

— Tu ne crains pas les soldats ?

L'autre fixa son interlocuteur de son regard vide.

— Que crois-tu que craigne un vieil homme comme moi, qui ne voit plus depuis de longues années ? Quand le moment de partir sera venu, je partirai.

Il reprit après un temps :

— Les soldats francs sont déjà venus, et ils sont repartis...

— Tu étais là quand ils sont venus pour la première fois [1] ? demanda l'Arménien.

Le vieil homme fit à nouveau un mouvement de tête.

— Je ne suis pas si âgé, dit-il. C'était il y a plus de cent années... Mais quand j'étais un enfant, dans la ville de Tunis, les vieilles gens qui avaient connu cela racontaient que Dieu avait envoyé la peste qui avait fait mourir ces Chrétiens en grand nombre, et comment le Roi des Francs lui-même a péri de la maladie.

Il se tut, puis reprit sur un autre ton en désignant d'un geste la porte ouverte de la petite construction :

— Si tu veux boire, il y a de l'eau fraîche dans la pièce.

Douriane pénétra dans le petit bâtiment, versa de l'eau d'une gargoulette dans une tasse de terre cuite, et but. Puis il revint près du vieil homme.

— Assieds-toi, dit celui-ci, si tu ne crains pas d'approcher d'un musulman. Comment as-tu appris notre langue arabe ?

— Je suis arménien.

Le Tunisien hocha la tête.

— Tu es venu avec eux...

— Je porte les armes d'un seigneur franc, et l'aide à la guerre. Nous allons prendre la forteresse.

Le vieillard eut une grimace.

— La forteresse est puissante, et elle contient beaucoup d'hommes d'armes. Si Abbou el Abbas a fait rentrer de nombreuses provisions. Il y a des moutons, des bœufs, du grain et de l'huile que nous avons dû lui vendre sur son ordre, depuis deux mois. Il est venu des troupeaux même de Kairouan...

Douriane calcula que l'accord signé avec les Génois, par lesquels ceux-ci s'engageaient à financer une partie des frais de la Croisade vers Jérusalem en échange de l'assaut contre Mahdia, le repaire des corsaires qui causaient de grands dommages à leur commerce, l'avait été deux mois plus tôt, dans la ville même de Gênes. Les Tunisiens entretenaient des espions là-bas. Ils avaient aussitôt agi en conséquence.

— Qui est Abbou el Abbas ? demanda l'Arménien.

— L'émir de Mahdia. C'est un croyant et un homme juste. Remerciez Dieu de l'avoir pour ennemi, si vous ne pouvez le vaincre...

— Mais si la garnison est très nombreuse, elle manquera d'eau un

1. Allusion à la première croisade, au cours de laquelle Saint Louis mourut de la peste devant Tunis, sans pouvoir prendre la ville ni atteindre les buts de l'expédition.

jour, lorsque le siège aura duré, continua Douriane, faisant son travail de renseignement.

Le vieil homme secoua de nouveau la tête.

— Il y a de nombreuses sources sous la forteresse, qui ne tarissent jamais, même au cours des plus mauvaises années... Il a plu en abondance au printemps, et les citernes sont pleines.

Les deux interlocuteurs restèrent un moment silencieux. La rumeur de la troupe des archers en marche se fit alors entendre au-delà des murs du jardin, avec des lambeaux de chant et les voix d'officiers qui criaient des ordres, puis Douriane entendit qu'on ouvrait brutalement la porte par laquelle il était entré tout à l'heure. Il se leva du banc de pierre où il était assis auprès du vieillard.

Des hommes échangeaient des phrases en langue italienne, avec des rires, tandis qu'ils cassaient des branches pour prélever sans ménagement des fruits sur les arbres. Un sergent d'armes à cheval parut au croisement des deux allées, suivi bientôt de plusieurs fantassins qui portaient des hallebardes et des piques.

Ils marquèrent un temps d'arrêt à la vue de l'Arménien debout devant le vieillard, puis s'avancèrent.

Le sergent d'armes, qui avait reconnu la cotte de maille et le casque des valets de la chevalerie franque, interpella Douriane dans un mauvais français.

— Hé l'ami! Tou as fait prisonnier oune Infidèle ?

Les autres rirent et ils furent bientôt à entourer le Tunisien.

— Il ne s'est pas défendu beaucoup, plaisanta l'un des fantassins.

— Tu n'en auras pas une belle rançon, lança un autre.

Le sergent à cheval interpella le vieillard.

— Nous sommes venus sauver ton âme, mécréant ! s'écria-t-il. Sans nous tu n'aurais jamais pu aller en paradis.

Les fantassins s'esclaffèrent à nouveau et Douriane comprit à leurs faces rouges et à leur gaieté facile qu'ils avaient bu beaucoup du vin qu'on leur avait distribué avant de les mettre à terre pour marcher vers la forteresse, qu'on s'attendait à trouver protégée par une troupe nombreuse chargée d'opposer une forte résistance au débarquement.

Deux fantassins avaient saisi le vieillard aux épaules et ils voulaient l'obliger à se mettre à genoux.

Douriane s'interposa.

— Holà, vous autres ! C'est un aveugle. Laissez-le tranquille.

L'un des fantassins repoussa brutalement l'Arménien.

— Toi, ça suffit ! Retourne à ton cheval, et à ton seigneur. Il a besoin de toi pour astiquer son armure.

L'Arménien tira son épée.

— C'est mon prisonnier, dit-il d'un ton résolu, et pas le vôtre. Je dois l'amener à l'ost du Sire Comte de Fougères pour l'interroger.

Mais le sergent d'armes à cheval avait fait avancer sa monture et Douriane sentit dans son dos la pointe de sa lance qu'il y avait appliquée.

— Dis donc lé moricaud ! avertit le Génois. Tou aimes un pô trop les Infidèles... Tou es dé notre côté ou dé l'autre ?

Le vieux jardinier était à genoux et ses lèvres égrenaient les paroles d'une prière. L'un de ses tortionnaires lui présentait sa dague, la tenant par la lame afin qu'avec sa garde elle figure une croix chrétienne.

— Abjure Mahomet, et reconnais la croix du Christ Notre Seigneur, mécréant ! cria-t-il de sa voix avinée.

— Il ne comprend pas ce que vous dites, intervint Douriane. Il ne voit même pas votre croix. Laissez-le en paix...

— Il comprend très bien ! rétorqua l'autre. Et toi tu ferais mieux de te taire.

L'Arménien s'adressa en arabe au vieillard.

— Fais ce qu'ils veulent, dit-il. Ils ont bu ils sont capables de te tuer. Ils veulent que tu embrasses la croix. Obéis, et ils te laisseront. Cela n'a pas d'importance. Ce qui importe est dans ton cœur.

— Tou parles sa langue ! s'exclama le sergent à cheval qui enfonça une nouvelle fois la pointe de sa pique contre la cotte de mailles de l'Arménien. Né sérais-tou pas aussi dé sa réligion ?

Douriane se dégagea avec colère.

— Je lui ai dit d'abjurer, imbécile ! lança-t-il. Il va le faire et je l'emmènerai à l'ost pour qu'il nous dise tout ce qu'il sait sur la garnison de la forteresse... Si vous le tuez, mon seigneur en demandera compte à votre capitaine... Fais ce qu'ils te demandent, répéta l'Arménien en arabe à l'adresse de l'aveugle agenouillé. Je t'amènerai ensuite à mon seigneur qui te protégera...

— Je ne quitterai pas ce jardin, répondit le vieillard. Si tu le peux, enterre-moi près du mur de cette maison, et tu seras béni par Dieu.

— Qu'est-ce qu'il dit ? demanda le sergent génois du haut de son cheval. Il va nous faire attendre longtemps ? Qu'il abjure, ou bien gare à loui !

— Il est prêt à mourir, dit Douriane en croyant décourager les forcenés. Vous n'en tirerez rien d'autre.

Du manche de sa hallebarde, l'un des deux fantassins asséna un coup violent sur la nuque du vieillard, qui tomba en avant dans la terre sablonneuse.

— Qu'il aille rejoindre son Mahomet, ricana l'autre qui remettait sa dague à sa ceinture.

Le malheureux jardinier gisait sans mouvement sur le sol, les bras étendus. L'un des fantassins le retourna avec sa pique. La tête au regard vide apparut, avec le sang qui sortait des narines et aux commissures des lèvres.

— Je crois que tu l'as eu du premier coup. Il est déjà arrivé en enfer, conclut l'homme à la dague en se dirigeant vers la porte ouverte du petit bâtiment pour voir s'il y avait quelque chose à piller.

Les autres repartirent dans l'allée derrière le sergent d'armes à cheval, tandis que Douriane cherchait autour du puits une pelle ou une pioche pour enfouir le corps du vieil aveugle à même la terre selon la coutume de sa religion, le visage tourné vers l'est, où se trouve La Mecque.

Riou, galopant toujours aux côtés du chevalier de Lorgeril et du marquis de Robien, arriva avec toute l'avant-garde de la cavalerie franque dans l'ombre que faisait la forteresse. Les trois cents chevaliers et écuyers ruisselants sous leurs armures s'arrêtèrent au signal qu'en donnèrent les trois Comtes qui menaient le détachement, le Comte de Fougères, le Comte d'Eu et le marquis Beaufort de Weinsgate, suzerain des soixante-douze chevaliers anglais portant sur leur poitrine, sous les barbes blondes ou rousses qu'ils avaient juré sur le paon de ne couper qu'à Jérusalem, l'emblème des deux léopards rampants sur fond de sinople. Puis la cavalerie se rangea en bataille dans un bruit de piétinement et de mors qui tintaient. A l'ombre pour la première fois depuis qu'ils avaient pris contact avec le brûlant rivage, les chevaux s'ébrouèrent en hennissant mais plusieurs d'entre eux s'écroulèrent aussitôt, foudroyés par un coup de sang, vaincus par la chaleur de fournaise dans laquelle ils avaient fait leur galop de charge, faisant chuter leurs cavaliers dans un vacarme de métal. Les écuyers et les valets d'armes se précipitaient pour secourir leurs seigneurs incapables de se relever seuls dans leurs carapaces de fer.

Riou guettait avec inquiétude le souffle de forge qui sortait du poitrail de Martroi, mais la respiration du solide et vaillant destrier se calmait peu à peu. Le comte Guéthenoc, le Marquis de Beaufort et le comte Jehan d'Eu promenaient leurs regards étonnés sur le haut de la muraille crénelée de la forteresse où pas une tête casquée n'apparaissait, pas un arc bandé vers les envahisseurs, pas même une silhouette fugitive de guetteur. Les chevaliers en bataille n'entendaient entre les hennissements de leurs chevaux que la rumeur des vagues qui venaient battre le dos de la forteresse, de l'autre côté où ses murailles plongeaient abruptement dans la mer. Comme une bouche muette, l'énorme porte bardée de fer enserrée entre les deux tours de la poterne d'entrée s'élevait au-dessus d'un fossé rempli d'eau. Il n'y avait pas de pont-levis, sans doute un pont roulant qui se trouvait derrière la porte et que les hommes de la garnison pouvaient faire avancer après l'avoir ouverte. La forteresse de Mahdia toisait avec mépris ces chevaliers francs venus violer la terre d'Islam, ne leur montrant qu'un visage de pierre...

Riou se retourna pour voir ce qui se passait à l'endroit où se rattachait à la côte l'isthme à l'extrémité duquel la place forte avait été bâtie. Les gros navires de la flotte génoise étaient maintenant à toucher le rivage, bouchant tout l'horizon avec leurs mâtures et leurs hauts bords ventrus. La plage grouillait d'hommes, de chevaux, de chariots. Les troupeaux de moutons et de bœufs qui devaient servir à la subsistance du corps de débarquement de la croisade cheminaient lentement le long de la ligne bleue des vagues vers les enclos que les bergers casqués édifiaient pour eux en enfonçant dans le sable à grands coups de masse les pieux que des mules amenaient des navires.

Les officiers de l'infanterie génoise étaient arrivés derrière la ligne de bataille des seigneurs francs. Ils conférèrent avec les trois Comtes et il fut décidé que les archers prendraient position en deux groupes aux deux rives de l'isthme, hors de portée de flèche de la forteresse, et que la cavalerie franque resterait sous les armes entre les deux partis d'archers jusqu'à ce que le camp fortifié qui allait barrer l'isthme à sa base ait été installé par le gros des forces qui achevaient de débarquer.

Le soleil avait baissé et la chaleur beaucoup décru.

Riou frissonna dans ses vêtements de lin trempés de sueur sous le métal de son armure. Puis il vit Douriane qui venait reprendre sa place à ses côtés pour l'aider à descendre de cheval. Le chevalier envia la légère cotte de mailles de son valet d'armes, et son cheval andalou qui ne portait rien qu'une selle d'exercice.

Allongé sur le bâti de bois qui permettait aux chevaliers de se reposer sans enlever leur armure, Riou s'éveilla pour voir au-dessus de lui le ciel d'Afrique criblé d'étoiles. Autour de lui les autres chevaliers normands, bretons ou anglais dormaient dans le même équipage auprès de leurs destriers dont les uns étaient debout, les autres couchés, les valets d'écurie allongés contre leurs flancs, la longe en main, prêts à se dresser si l'animal s'agitait. Prêts aussi, les valets d'armes couchés à même le sable, à aider leurs seigneurs à se mettre en selle si l'alerte était donnée. Les lances plantées droites dans le sable mêlées aux bannières des Comtes qui se balançaient à la brise venue de la mer hérissaient le bivouac de leurs pointes guerrières et donnaient à cette vision nocturne de la chevalerie endormie le caractère farouche d'une volonté qui demeure égale à elle-même jusque dans son sommeil.

Ecoutant les aboiements lointains des chiens, et cherchant des yeux la silhouette massive de la forteresse, Riou vit les lueurs des feux que les Génois avaient allumés dans leurs campements, à droite et à gauche de celui de la cavalerie franque. Il songea que les défenseurs de Mahdia n'avaient pas osé s'opposer au débarquement de l'armée des Croisés, pourtant vulnérable au moment où elle avait pris pied sur l'isthme. La garnison ne devait donc pas être bien forte. Elle ne résisterait pas à un assaut bien mené par ces experts de l'attaque des châteaux forts qu'étaient les seigneurs francs, qu'ils fussent d'Angleterre ou de Bretagne. Nulle part ailleurs qu'en ces pays de pierre de taille l'art des fortifications et celui de les vaincre n'avaient été portés à de plus hauts sommets. Les Indifèles d'Orient ne pouvaient égaler les Chrétiens dans cette science-là...

Puis Riou entendit des voix à la lisière du bivouac. Les écuyers mis en sentinelles interpellaient une ombre dans la nuit. Quelques instants plus tard, une silhouette se frayait un chemin entre les dormeurs et le jeune chevalier reconnut son valet Douriane, qui avait quitté le campement aussitôt la nuit tombée.

— Messire, chuchota l'Arménien en se penchant pour placer son visage à la hauteur de celui de son maître, il faut réveiller l'ost. Les gens de la forteresse préparent une sortie...

A la clarté de la lune, le chevalier examina l'Arménien, qui ne portait pas son casque, seulement un bonnet d'étoffe noire sur la tête, et une tunique de même couleur par-dessus sa cotte de mailles.

— Comment le sais-tu ? demanda-t-il.

— Je suis allé tout près de la muraille. J'ai entendu des ordres en arabe ainsi que les bruits de chevaux et d'hommes qui se rassemblaient en grand nombre...

— Aide-moi, dit Riou qui voulait se mettre debout.

L'Arménien souleva le buste de son maître et Riou put s'asseoir sur le bâti qui le soutenait.

— Pourquoi sortiraient-ils, maintenant qu'ils ont laissé le débarquement se faire ? Il ne peut pas y avoir dans cette forteresse assez de monde pour attaquer l'ost...

— Détrompez-vous, Messire. Ils y sont près de six mille avec des provisions et de l'eau en abondance.

Riou fronça les sourcils.

— Par quel miracle en as-tu tant appris, simplement en écoutant au pied de la muraille ?

— Sans miracle, Messire. Seulement en parlant l'arabe.

Douriane raconta à son maître le meurtre du vieil aveugle et ce que le malheureux lui avait dit avant de tomber sous le coup du soudard Génois.

— Il faut donner l'alerte, Messire. L'aube approche et c'est un peu avant l'aube qu'on fait les attaques, chez les Mahométans...

Riou songea au Comte Guéthenoc, qui dormait sans doute à poings fermés, harassé des fatigues de la journée. Le Comte avait averti son vassal de se méfier de l'Arménien. Il n'accepterait pas de donner le branle à tout le bivouac sur la simple parole de celui-ci.

Le jeune homme secoua la tête.

— Ils ne nous croiront pas, dit-il.

— Avertissez au moins vos compagnons d'ost, Messire, insista l'Arménien, qu'ils ne soient point surpris trop tard ! Dites-leur de se préparer à combattre, et vous-même...

— Aide-moi à me lever, et va donner à boire à Martroi, ordonna Riou.

Martroi se mit sur ses jambes avec un hennissement, tandis que Riou s'approchait du bâti où se reposait le chevalier de Lorgeril. Au moment où il posait sa main gantée sur l'épaule de son compagnon endormi, le sol sembla trembler sous le piétinement d'une cavalerie au galop, une clameur sauvage déchira la nuit et une pluie de flèches s'abattit sur le camp arraché à son sommeil. Sous le ciel qui commençait à pâlir, le bivouac de l'ost franc s'emplit d'un désordre et d'un vacarmes intenses, fait des hennissements des chevaux, des cris des blessés que les flèches venaient d'atteindre et du choc des épées des écuyers et des valets d'armes qui étaient déjà au combat, n'ayant pas d'armure à revêtir.

Riou avait coiffé son heaume, seule pièce de sa cuirasse qu'il avait ôtée pour dormir, et les flèches qui tombaient en grêle ne pouvaient plus l'atteindre. Il fut sur Martroi en un instant et poussa jusqu'à la lisière du camp au milieu des autres chevaliers qui se mettaient en selle à la hâte. Il se trouva mêlé à un parti de chevaliers anglais de l'ost de Beaufort qui lui crièrent qu'ils étaient en train de jouer aux cartes au moment où les moricauds avaient attaqué. Il se mit jambe à jambe avec l'un d'eux, entouré par deux autres, et ils chargèrent comme des fous, la lance en avant, au milieu de cavaliers brandissant leurs sabres courbes, avec leurs longues queues de cheval qui volaient derrière leurs casques. La rage sacrée des chevaliers bardés de fer arrachait les musulmans de leurs selles en les transperçant de leurs lances de hêtre durcies au feu.

Les poitrails des grands destriers munis d'une cuirasse écrasaient leur acier contre les montures des musulmans, les renversant parfois sur le flanc au premier choc, et les quatre chevaliers se trouvèrent soudain seuls, ayant traversé la nappe mouvante de la cavalerie arabe en y laissant un sillon de morts. Ils tournèrent bride en piquant leurs chevaux pour les ramener en direction du bivouac maintenant rempli des cohortes de chevaliers armés de pied en cap derrière les bannières de leurs suzerains. Avec une clameur terrible, grossie de toute la colère d'avoir été surpris et toute la soif de vengeance qui animaient ces athlètes entraînés aux combats les plus brutaux depuis leur enfance, la cavalerie des seigneurs s'ébranla pour venir s'enfoncer avec un bruit de tonnerre au sein de la masse tourbillonnante des cavaliers musulmans.

De leur côté, les fantassins génois n'avaient eu qu'à saisir leurs armes lorsque leurs sentinelles avaient vu la cavalerie ennemie surgir de la nuit. Ils s'étaient formés en carré instantanément, et ce carré manœuvrait comme une machinerie bien rodée, une ligne d'archers lâchant leurs flèches à la volée avant de laisser la place à une ligne de piquiers qui tendaient en avant leurs armes sur lesquelles viendraient s'empaler les chevaux des assaillants si leurs cavaliers ne tournaient pas bride à la dernière seconde. Les archers s'effaçaient lorsque la charge s'éloignait, remplacés par les arbalétriers qui s'étaient préparés derrière eux et faisaient un pas en avant pour ajuster ensemble par centaines leurs armes chargées en direction de la nuée ennemie. Ils tiraient leurs carreaux, dont la portée était triple de celle des flèches et le pouvoir de perforation bien plus grand, au moment où la charge revenait.

Tout en combattant de cette manière, le carré des Génois qui avaient campé à l'ouest du bivouac de la cavalerie des seigneurs francs se déplaçait lentement pour rejoindre celui qui avait campé à l'est, afin de fondre ses rangs avec les siens et présenter ainsi une forteresse humaine imprenable aux troupes musulmanes, au cas où des contingents nouveaux sortiraient de la place forte.

Les Comtes qui commandaient l'avant-garde franque avaient formé à leur tour leur troupe en une masse compacte afin de reposer les chevaux après les avoir fait charger vingt fois. Ils la faisaient se déplacer lentement de manière à venir toucher le vaste quadrilatère hérissé de piques de l'infanterie génoise. Celle-ci ouvrit ses rangs, et la cavalerie des seigneurs se rangea en bataille à l'intérieur...

Le jour était tout à fait levé. Aux yeux de Riou, le soleil éclairait un champ de bataille jonché de cavaliers musulmans qui étaient tombés percés de flèches ou de traits d'arbalètes, ou des impitoyables lances franques. De nombreux chevaux mouraient dans des soubresauts. Sortis des rangs de l'ost franc, des valets d'armes s'empressaient auprès de ceux de leurs seigneurs en armure qui étaient tombés à bas de leur monture, blessés ou morts. La cavalerie des mahométans tournait à bonne distance autour d'eux sans chercher à les inquiéter.

Puis un nuage de poussière s'éleva à l'endroit où, à la base de l'isthme dont la forteresse occupait l'extrémité, le gros des troupes des Croisés avait établi son campement après avoir débarqué. Une foule de cavaliers dans leurs armures qui brillaient dans les premiers rayons du soleil s'avançait, toutes bannières au vent portées par les écuyers. Forêt de lances en marche, l'ost entier sortait du camp pour venir au secours de son avant-garde.

Une grande clameur arriva jusqu'aux oreilles de Riou immobile avec les autres chevaliers au milieu du carré des Génois, à laquelle on répondit en agitant les bannières.

Les Génois écartèrent alors encore une fois leurs rangs pour laisser passer les cavaliers qui y étaient enfermés et ceux-ci foncèrent vers la forteresse, dans l'espoir de couper la retraite à la cavalerie musulmane qui semblait vouloir se porter à la rencontre de la force qui arrivait.

Mais Riou vit les officiers aux casques d'argent surmontés du croissant de l'Islam se détacher de leurs hommes et crier des ordres, faisant soudain tourner bride à toute la cavalerie pour prendre un galop éperdu vers la forteresse. Les mahométans ne voulaient pas le combat, seulement le harcèlement de l'ost qui avait débarqué la veille.

Le chevalier de la Villerouhault et ses compagnons anglais foncèrent vers la cavalerie musulmane pour la prendre en écharpe au passage. Combattant avec leurs épées, ils se jetèrent au milieu du flot des cavaliers ennemis, cherchant à couper les têtes qui n'étaient pas comme les leurs protégées par des heaumes et défendues par des collerettes d'acier. Riou eut devant lui la grimace d'un cavalier moustachu et son bras lança l'épée à la volée d'un coup terrible.

La vision de cette tête tranchée entraînant dans son vol un sillage de sang fut la dernière image que le jeune chevalier emporta de la bataille. Galopant comme le vent sur leurs légers chevaux, les cavaliers de Mahdia disparaissaient dans un nuage de poussière vers la poterne de la forteresse qui allait s'ouvrir pour eux.

9.

La grande machine des mahométans

Le camp des seigneurs francs avait été dressé comme un défi devant la forteresse des Infidèles, à la limite de la portée des projectiles qu'une machine de guerre pouvait lancer. Mais les mahométans étaient-ils seulement capables d'avoir des machines de guerre ?

Au centre du camp s'élevaient les tentes somptueuses des comtes et des barons, en cercle autour de celle, vraiment royale, du seigneur Duc de Bourbon qui les dominait tant par la taille que par la richesse des étoffes dont elle était faite. Tout cet apparat était déployé comme pour un tournoi, mais un fossé large et profond, bordé par une levée de terre hérissée de pieux aux pointes ferrées, disait bien qu'il s'agissait de guerre.

Une chaleur sans pitié écrasait ce camp au milieu du jour. La chute vespérale du soleil dans la mer n'apportait pas le repos, car venaient alors les insectes en nuées énervantes, qui cherchaient le sang des seigneurs aussi bien que des hommes d'armes, et mettaient les destriers en colère.

Clouant un grand nombre de guerriers sur leurs lits de camp, leur ôtant la force de revêtir leurs armures et de monter à cheval, les premières fièvres avaient commencé à s'attaquer à l'ost.

Douriane avait disparu, après avoir demandé à son maître la permission d'aller séjourner au grand camp de l'infanterie génoise qui barrait l'isthme. Là vivaient avec les soldats et leurs officiers de fortune, dont le condottiere qui les commandait, tous ceux qui approvisionnaient l'ost, les matelots des navires ancrés à quelques encablures du rivage, les gardiens des troupeaux, les bouchers qui préparaient la viande, les meuniers qui faisaient le pain, les ribaudes qui étaient arrivées quelques jours après le débarquement sur des navires affrétés par les trafiquants qui s'installent toujours en parasites dans les fourgons d'une armée, les médecins, mires ou charlatans de toutes sortes qui vendent leurs remèdes aux soldats et s'offrent à guérir leurs blessures par des onguents de leur fabrication.

— On va venir du pays même vendre des choses aux soldats, avait dit le valet, et j'y apprendrai ce qu'il est bon de savoir dans l'intérêt de l'ost.

Riou avait compté dix jours depuis le départ de Douriane et fait pendant ce temps-là lui aussi la connaissance de la fièvre d'Afrique. Dans le délire de ce mal, le chevalier voyait que son Arménien était bien le traître qu'on avait dit, un traître qui avait abusé Mordoch lui-même, un de ces espions que les Mahométans envoyaient chez les Francs depuis que ceux-ci avaient au siècle précédent commencé, avec la Première Croisade, à envahir les possessions musulmanes.

Mais Douriane se montra soudain, alors que la fièvre avait quitté Riou et que le jeune homme se tenait assis sous sa tente, la tête lourde, les jambes remplies de faiblesse. Le calcul qu'avait fait l'émir de Mahdia apparaissait clairement aux yeux du jeune chevalier. Les mahométans refuseraient toujours un vrai combat, et l'ost chrétien s'épuiserait des mauvaises fièvres sous les murs de la forteresse si elle ne la prenait pas d'assaut rapidement.

Douriane avait maigri, mais son visage émacié souriait et Riou, heureux de revoir devant lui l'homme dont Mordoch lui avait vanté la valeur et l'habileté, préféra chasser les noires pensées qu'il avait nourries à l'égard de l'Arménien.

— Pardonnez-moi de n'avoir pas reparu plus tôt, Messire... mais j'ai été loin dans le pays des Infidèles et n'ai pu venir vous en avertir.

Riou, qui sentait ses soupçons renaître, fronça les sourcils.

— Comment as-tu pu aller ainsi au milieu d'eux ?

— Avec des Juifs, Messire, qui sont venus au camp des Génois peu après que je vous ai quitté. Je me suis vêtu comme eux, et comme je parle aussi leur langue ils...

— Des Juifs ! s'exclama Riou étonné. Il y a des Juifs chez les Infidèles et ceux-ci les laissent venir à notre camp ?

— Il y a des Juifs partout chez les Mahométans, Messire, dit l'Arménien. Ils y font leur commerce sous la protection des Emirs comme en Flandre à Amsterdam ou à Malines sous celle des comtes... Ceux-là sont venus de Kairouan avec des bijoux d'argent qu'on fabrique dans cette ville et qu'ils veulent vendre aux soldats. Ils m'ont dit que l'Emir de Kairouan formait une grande armée de cavaliers et de gens de pied, qui marcherait vers Mahdia. D'autres troupes s'assemblent au Nord, à Tunis et dans le reste du pays, pour dégager la forteresse. Le Sultan ne peut agir autrement. Il sait que s'il laisse prendre Mahdia, la route de Tunis aussi bien que celle du Sud seraient ouvertes à l'ost des chrétiens...

Riou, incrédule, réfléchissait. Les juifs étaient déjà là, alors que l'ost franc n'était apparu en vue des côtes que dans la matinée de la veille. Douriane ne mentait pas. Mais s'il se laissait abuser par les contes que lui faisaient des espions ennemis ?

Le chevalier demanda :

— Combien faut-il de temps pour venir à pied ou sur une mule de cette ville que tu dis ?

— De Kairouan, Messire ? Quatre jours, au plus.

— Ils savaient que l'ost allait débarquer, alors ?

— Tous dans ce pays le savaient, Messire, depuis longtemps... Ne vous ai-je pas dit que l'Emir de la forteresse avait fait de grandes provisions depuis deux mois...

Le chevalier de la Villerouhault se tut. Les Croisés avaient décidé de débarquer à Mahdia sans envoyer aucun espion les informer de l'état de la place à prendre, s'assurer de ce qu'elle possédait ou non des machines de siège, et du nombre d'hommes qui composaient sa garnison. Mais les mahométans, eux, connaissaient tout de l'importance de la force d'invasion qui avait quitté Gênes trois semaines plus tôt... Riou se souvint que l'armée avait dû abandonner trois mille chevaux à Gênes, faute de les pouvoir embarquer, et que le Comte Guéthenoc, comme les autres seigneurs, avait perdu des sommes importantes là-dessus, après avoir dû revendre à moitié de leur valeur ces montures qui avaient coûté si cher à amener de Marseille quand cela n'était pas d'Angleterre et de Flandre... Les espions du Sultan de Tunis n'avaient eu qu'à compter les chevaux sur les quais du port pour connaître longtemps avant son arrivée sur le rivage africain l'importance de la force d'invasion.

L'Arménien poursuivit :

— Ces Juifs m'ont demandé d'où je venais. Je leur ai dit que j'avais séjourné longtemps en Flandre et l'un d'eux connaissait Mordoch. Ils ont accepté de m'emmener avec eux à Kairouan. Là, Messire, j'ai pu voir le campement de l'armée sarrasine qui se prépare à venir jusqu'ici. Elle est forte de plus de vingt mille hommes, dont la moitié au moins sont montés. Si l'armée qui se rassemble au Nord est seulement de dix mille hommes, c'est trente mille qui vont bientôt s'attaquer à l'ost. Il faut prendre la forteresse avant qu'ils n'arrivent. Sinon cela ne sera plus possible...

Le Conseil de guerre s'était assemblé sur le terre-plein qui s'étendait devant la somptueuse tente du Duc de Bourbon, sous les yeux des guetteurs ennemis dont la silhouette apparaissait parfois entre les créneaux des tours de la forteresse. Son jeune et beau page assis près de lui sur un coussin de velours brodé à ses armes, le Duc lui-même trônait dans un fauteuil à haut dossier de bois sculpté dont il avait commandé la fabrication aux menuisiers des navires génois. Les autres seigneurs suzerains, voulant garder un équipage plus spartiate ou craignant de mécontenter le Duc soucieux d'affirmer son droit de préséance en toute occasion, siégeaient sur des selles juchées sur les chevalets qui servent à les tenir en bon état dans les selleries.

Chacun des comtes ou barons amenait avec lui au Conseil les simples chevaliers de son ost dont la présence lui paraissait utile à la discussion ainsi que ceux qui s'étaient distingués par leur fougue dans les derniers combats. Car les combats n'avaient point cessé depuis la première attaque qu'avait essuyée l'avant-garde de la cavalerie des seigneurs endormie à son bivouac.

La tactique des défenseurs de Mahdia était maintenant évidente. Ils jaillissaient par leur pont roulant aux plus fortes chaleurs du jour, défiant les seigneurs francs par des volées de flèches qu'ils venaient tirer par-dessus le fossé du camp, où elles pleuvaient en même temps qu'une grêle d'injures gutturales, les obligeant à combattre sous les ardeurs du soleil. A chaque engagement, plusieurs chevaliers tombaient d'épuisement dans leur armure, souvent pour ne plus jamais se relever, après avoir été transportés sous leur tente où ils agonisaient de fièvre et d'insolation. Certes, des cavaliers musulmans mouraient aussi chaque jour des coups de lance ou d'épée qui les frappaient. Mais ils pouvaient être remplacés par d'autres, alors que l'ost chrétien ne recevait pas de renforts. C'est bien ce que calculait sous sa tente dans l'autre camp, celui de l'infanterie génoise, le condottiere Guido Orlandini qui commandait les archers et les piquiers payés comme lui-même avec l'or de la République de Gênes. Les nobles seigneurs francs qui méprisaient les soldats de fortune, dont il était, allaient se faire saigner goutte à goutte par le rusé Abbou el Abbas avant d'avoir pu remplir leur part du contrat qu'ils avaient signé avec la République : prendre la forteresse des corsaires de Mahdia.

A ce premier conseil qu'on tenait devant les murailles ennemies, le Duc s'était bien gardé de convier le condottierre, dont il craignait les avis empreints de scepticisme. Pour obtenir leurs faveurs, Bourbon flattait les comtes les plus acharnés à détester les Infidèles, comme Jehan d'Eu le Normand. Il entendait, grâce à eux, se poser en généralissime de la Croisade lorsqu'elle marcherait vers la Palestine. Les Anglais du marquis Beaufort de Weinsgate dédaignaient cette prétention, s'autorisant de leur origine pour n'en pas tenir compte.

Ce fut Beaufort, en effet, qui commença la controverse par des paroles fort contrariantes pour le parti des plus ardents.

— Nous devons, dit-il, cesser de combattre à l'appel des Infidèles. Abbou el Abbas nous use à sa convenance, Messire, dans le piège qu'il nous tend en nous provoquant chaque jour...

— Or çà, Marquis, répondit Bourbon sur le ton de l'ironie, souffrirez-vous que les cavaliers musulmans nous viennent arroser de flèches, nous et nos valets d'armes, tandis que vous demeurerez dans vos tentes à jouer aux cartes ?

Il y eut parmi les chevaliers les plus empressés à haïr les Infidèles les rires que le Duc attendait. Les Anglais étaient connus pour leur passion du jeu, qui les tenaient éveillés tard dans la nuit en dépit des homélies de leurs chapelains.

— N'avons-nous point fait serment de combattre l'Infidèle en revêtant ceci ? poursuivit le Duc en désignant la croix qu'il portait sur sa poitrine, comme tous ceux qui étaient présents.

— Nous avons juré sur la Croix de délivrer le tombeau du Christ à Jérusalem, répliqua Beaufort, mais Jérusalem est à mille lieues d'ici et je gage qu'Abbou el Abbas, lui, a juré sur son Koran de nous empêcher d'y parvenir. C'est pourquoi il nous fait sortir dans nos armures en plein midi, et compte du haut de son donjon ceux de mes bons vassaux qui n'y parviendront jamais parce qu'il les a fait mourir avant ! Pour l'amour de Dieu, prenons cette forteresse aussitôt, ou bien allons-nous-en en emportant avec nous la leçon de bonne guerre que cet émir-là s'occupe à nous donner !

Des exclamations s'élevèrent de tous côtés parmi les chevaliers bretons et normands assis les jambes croisées autour de leurs suzerains. Leurs ancêtres s'étaient affrontés depuis deux siècles à ces Anglais détestés dans les luttes sans merci. Celui-là parlait d'abandonnner le combat avant même qu'il ait commencé pour de bon ! Riou avait été nourri pendant son enfance du récit des batailles que son père et ses compagnons avaient livrées à ces brutes barbues pour les chasser de Bretagne. Mais il sentait que celui-là avait raison.

— Vous chevaliers d'Angleterre avez peut-être des leçons à entendre des mahométans, lança Jehan d'Eu d'une voix méprisante. Nous de Normandie pensons être venus leur en donner, au nom de ce signe sacré que nous portons qui ne peut que nous armer d'une force incomparable...

Foulque de Macé et les autres hommes liges du Comte approuvèrent par de fiers mouvements de tête.

Le Duc de Bourbon intervint :

— Si des chevaliers succombent à la chaleur, les plus solides vont s'y accoutumer, et rien alors ne les pourra vaincre...

— Nous allons avoir l'occasion d'en faire la preuve d'un jour à l'autre, dit tranquillement Lord Beaufort, quand les quarante mille hommes d'armes et de cavalerie qui marchent en direction de Mahdia sous les ordres du Sultan de Tunis vont attaquer notre camp...

Riou regarda le Comte Guéthenoc, qui restait impassible. Le jeune chevalier avait prévenu la veille son suzerain de ce qu'avait découvert son valet arménien à Kairouan sous le vêtement d'un marchand juif. Le Comte de Fougères avait trouvé habile d'en faire la confidence au Marquis anglais, pour que le Conseil l'apprenne de la bouche de celui-ci. Maintenant, les exclamations se faisaient entendre de tous côtés.

— D'où savez-vous cette fable, Messire ? demanda le Duc de Bourbon avec humeur. Vient-elle de la piétaille génoise ?

Le Comte de Fougères leva la main.

— Nous le savons de source véridique, par un de nos hommes qui s'est rendu loin chez les Sarrasins pour notre sauvegarde et bonne sûreté. Un ost nombreux, à moitié composée de cavalerie, s'assemble pour venir délivrer la forteresse...

— Les Infidèles ne peuvent assembler quarante mille hommes d'armes dans ce pays ! s'écria le Comte d'Eu. Ils répandent ce bruit pour inquiéter les Génois, et les pousser à rembarquer leur infanterie... Nous savons les Génois de peu de foi. S'ils prennent peur, nous resterons seuls sur cette côte, sans ravitaillement !

— Quoi qu'il en soit, s'écria le Duc de Bourbon de son air important, nul ne peut, sans y être autorisé par ce conseil, se rendre chez l'Infidèle !

Le comte d'Eu apostropha le Comte de Fougères :

— Sire Guéthenoc ! Que votre homme qui répand cette nouvelle dangereuse ne nous laisse rien ignorer de ce qu'il sait, et de quelle manière il l'a appris !

Fougères fit signe à Riou de prendre la parole. Le chevalier de la Villerouhault se leva.

— Mon valet d'armes Douriane, qui parle l'arabe et la langue hébraïque, s'est rendu à Kairoun sous un déguisement en compagnie de marchands qui l'ont admis parmi eux. Il s'est approché de la ville autour de laquelle se rassemblent les tribus en armes et il a compté la force qu'il a vue à plus de vingt mille hommes. Il appris en questionnant des voyageurs sur le chemin du retour qu'une armée d'un nombre au moins égal s'apprête dans le Nord et l'Ouest du pays...

— Et qui sont ces marchands qui ont pris avec eux votre valet, chevalier ? Des mahométans, eux aussi ? Votre valet ne l'est-il pas lui-même, en vous le laissant ignorer ?

— Ces marchands sont des juifs, Messire.

— Les mahométans les laissent ainsi espionner au profit de l'ost chrétien ! s'étonna le Comte d'Eu. N'êtes-vous pas trop liés avec des incroyants, chevalier, pour partir à la Croisade ? N'avez-vous pas reçu beaucoup d'or, selon ce qu'on m'a dit, d'un marchand juif à Bruxelles, avant de vous embarquer parmi nous ?

La colère envahit Riou. Le Comte Guéthenoc saisit le bras du jeune homme pour l'avertir de ne pas s'y laisser aller.

— Qu'il parle à haute voix, celui qui me calomnie à voix basse au mépris de tout honneur selon son habitude de mensonge ! dit Riou d'une voix tremblante.

Foulque de Macé se leva auprès de son suzerain et fixa avec un mauvais sourire le chevalier breton à qui il se serait mesuré dans un combat mortel si la Croix qu'ils portaient ne l'avait pas interdit.

— Le chevalier nous dira-t-il qu'il a eu un commerce à Bruxelles avec une femme juive qui fait de la magie dans les pierres précieuses, sous couvert de bijouterie, et que cette femme a placé auprès de lui ce valet qui se dit arménien et a ses entrées dans le camp du Sultan de Kairouan ?

Certains chevaliers s'exclamaient, d'autres murmuraient, les uns choqués qu'un des leurs se soit lié avec une sorte de magicienne, ainsi que le suggérait la déclaration du Normand, juive par surcroît, les autres, indignés qu'on accuse aussi gravement un compagnon qui avait combattu les Mahométans avec la plus grande bravoure le matin où le campement avait été attaqué.

Le comte d'Eu sentit que l'accusation de son vassal avait déplu. Il chercha à ramener l'appui du duc dans son camp.

— Puis-je demander tout au moins si l'or qu'a reçu d'un juif ce chevalier pour partir en campagne l'autorise à s'occuper de la mener en envoyant des espions chez l'ennemi sans que nous en soyons prévenus ?

— Mon valet arménien est un homme d'Orient, né dans ces contrées, répondit Riou d'une voix ferme. Il a vu son père et sa mère périr sous les coups des mahométans. Il entend leur faire la guerre par tous les moyens et pense que c'est folie de venir combattre sur cette terre sans prendre soin de connaître la force et les dispositions de l'adversaire. Sachez que les chrétiens qui vivent en Terre sainte s'inquiètent qu'on vienne y donner de beaux coups d'épée sans savoir s'ils vont servir à autre chose qu'à flatter l'orgueil de seigneurs qui repartiront ensuite dans leurs châteaux de France, comme cela s'est vu deux fois déjà devant Tunis, en ne laissant que des morts inutiles derrière eux...

Le marquis de Weinsgate et le comte de Fougères approuvèrent de la tête tandis que des protestations s'élevaient dans les rangs des chevaliers qui se sentaient visés par la sortie du jeune Breton.

— Il blasphème le souvenir du Roi Louis ! criait-on.

Plusieurs Normands se levèrent et jetèrent leurs gants qui vinrent tomber aux pieds de Riou avec un bruit de métal.

Riou s'avança pour les relever mais le comte de Fougères s'interposa, quittant sa selle pour lui barrer le chemin.

— Sous peine de forfaiture à mon égard, Riou, tu ne peux toucher à ces gants ! Tu ne tireras ton épée contre une épée chrétienne tant que tu porteras la Croix !

Le comte repoussa du pied les gants dans la direction de ceux qui les avaient jetés. La colère le gagnait à son tour. Il se tourna vers les Normands.

— Avez-vous oublié déjà vos serments sur le Paon ? Est-ce pour faire la guerre à un loyal chevalier de Bretagne que vous avez pris la Croix ?

Le comte de Fougères dirigea cette fois son regard vers le Duc de Bourbon.

— J'ai moi-même donné ordre au chevalier d'envoyer son valet chez les Infidèles pour la sauvegarde et bonne menée de mon ost, que je puis retirer de guerre à tout moment qui bon me semble, selon nos lois, sans que quiconque ne puisse rien dire à cela !

Le comte, rouge de fureur, se rassit sur sa selle. Le marquis Beaufort de Weinsgate riait dans sa barbe rousse.

— Voilà qui est bien dit ! s'écria-t-il. Le jeune chevalier n'a pas qu'un bras solide, comme je l'ai vu le matin où il a combattu à côté des miens. Il a aussi une tête bien faite... Dites-moi, mon jeune sire, poursuivit-il de sa forte voix en interpellant Riou cette fois-ci, combien avez-vous obtenu de votre dame juive de Bruxelles ?

Gêné, alors que tous les regards pesaient sur lui, Riou balbutia :

— Messire, je...

— Je veux seulement savoir si vous avez été plus habile que moi à Londres avec la mienne, qui a plus de quarante-cinq ans et m'a fait payer fort cher les trois mille ducats qu'elle m'a avancés pour que je puisse venir mettre le siège devant Mahdia ! s'écria le Marquis en désignant d'un grand geste les murailles de la ville.

Un énorme rire partit des barbes épaisses des chevaliers anglais qui entouraient leur seigneur. Ce rire gagna les chevaliers bretons, puis quelques Normands et enfin tout le Conseil, qui s'esclaffa tandis que le Comte d'Eu et Foulque, mécontents de voir tourner court leur attaque contre le chevalier de la Villerouhault, faisaient grise mine.

A ce moment des cris retentirent derrière les rangs des chevaliers assis au Conseil. Des valets désignaient le sommet de la forteresse ennemie.

— Messires ! Messires ! Voyez la machine !

Tous les chevaliers étaient debout maintenant. Dans le camp, chacun sortait de sa tente pour observer l'énorme baliste qui s'approchait lentement du bord de la muraille, poussée par une cinquantaine d'hommes. Le bruit lointain de ses roues bardées de fer sur les dalles parvenait aux oreilles de tous. C'était une machine de guerre d'une taille remarquable, qui laissait les spectateurs stupéfaits. Les Infidèles avaient des balistes, et celle-ci était la plus grande que personne ait jamais vue !

Puis le crissement du câble qui servait à bander le bras de la baliste commença à se faire entendre, rythmé par le déclic régulier de la mécanique dont on voyait des hommes par dizaines manœuvrer les cabestans. Les mahométans se préparaient à tirer sur le camp de la cavalerie franque.

— Aucune machine ne peut porter jusqu'à nous ! s'exclama avec humeur le Duc de Bourbon qui avait repris place sur son fauteuil.

— Aucune excepté celle-ci, peut-être bien, grogna le Marquis de Beaufort dans sa barbe en se penchant vers le Comte Guéthenoc.

— Nous sommes à mille coudées de leurs tours, observa le Comte de Fougères. C'est deux fois la portée d'une grande baliste...

Le Marquis anglais fronça les sourcils.

— Ces gens-là sont malins comme des singes, dit-il. Ils ne sortent pas leur machine pour rien.

Le déclic des cabestans s'interrompit net et le silence s'établit aussi bien parmi ceux qui guettaient la machine entre les tentes du camp chrétien que sur le sommet de la forteresse inondée de soleil. Le Duc de Bourbon se pressait le menton. Les seigneurs bretons, anglais et normands qui avaient repris place sur leurs selles ou leurs tapis restaient impassibles devant le défi que les mahométans lançaient à leur orgueil. Ils avaient monté leur camp face à la forteresse. Celle-ci répondait à leur insolence.

Trois silhouettes se dressèrent soudain au sommet de la muraille, à quelque distance de la baliste. Elles tenaient en main trois longues trompettes de cuivre qui brillaient au soleil. Elles les embouchèrent, et un long appel retentit. Les Mahométans prévenaient les Francs qu'ils allaient tirer le premier projectile, pour qu'ils se reculent...

Le Duc de Bourbon se leva de sa belle chaise.

— Les mécréants nous narguent ! s'écria-t-il.

Il promena son regard sur les chevaliers dont certains s'étaient levés comme lui, puis il se rassit... La noblesse franque ne pouvait céder à la menace. Elle ne pouvait reculer devant la machine infernale que les Infidèles avaient sortie de son hangar pour l'humilier...

Le Marquis anglais frottait maintenant sa barbe rousse d'une main préoccupée. Combien pesaient les projectiles d'un engin de cette taille ? Deux cents livres ? Trois cents ? Ils allaient s'écraser sur les tentes, sur les écuries... Pourquoi ne pas donner au moins l'ordre de sortir les chevaux des abris sous lesquels on les protégeait des ardeurs du soleil ? pensa Lord Beaufort de Weinsgate.

Le bruit étrange du bras de la machine qui se détendait violemment vibra dans le silence ensoleillé qui pesait sur le camp, suivi du sifflement de l'énorme projectile qui venait de quitter son logement. Les chevaliers le virent foncer vers eux en décrivant une courbe dans le ciel bleu, entraînant derrière lui quelque chose de blanc qui tournoyait au vent de la vitesse, puis, passant au ras de la palissade qui bordait le fossé de protection du camp devant le terre-plein où le Conseil était assemblé, la lourde chose surgit brusquement pour s'abattre à six coudées au-devant de la belle chaise armoriée du Duc en faisant jaillir une gerbe de sable. L'artificier de l'Emir avait au premier jet placé sa pierre aux pieds du Seigneur franc qui présidait le Conseil de guerre...

Un nouvel appel des sonneurs de trompe juchés sur la muraille retentit, ramenant les regards vers le sommet de la forteresse. Une bannière blanche s'élevait à un mât qu'on venait de dresser là-haut. La pierre que les mahométans venaient de lancer était un message pour parlementer ! Quelques chevaliers entouraient le projectile, et ils en détachaient ce qui y était lié par un cordon de soie tressé. Il s'agissait d'un sac en étoffe, qu'ils remirent au Duc de Bourbon. Celui-ci dégaina sa dague pour déchirer la couture qui le fermait. Il en tira un rouleau de parchemin que les Comtes examinèrent avec lui. Richement orné d'arabesques peintes, il contenait un texte rédigé en français. Les mahométans avaient parmi eux des hommes qui connaissaient la langue et l'écriture dont l'Europe chrétienne se servait pour se comprendre, la langue de la chevalerie la plus puissante et la plus fameuse, la française...

Le Duc lut ces mots :

« *Si Abbou el Abbas, raïs*[1] *de la place de Mahdia par la grâce de Dieu Tout-Puissant et la faveur du Sultan de Tunis, au seigneur franc qui commande l'ost chrétien, propose :*

Avant que ne parviennent les armées du Sultan qui marchent vers Mahdia, que les chevaliers francs veuillent recevoir mes officiers en loyale entrevue, dans l'espoir d'épargner le sang des vaillants qui combattent dans nos deux camps ennemis ;

Qu'une bannière blanche s'élève parmi vous, et mes officiers sortiront aussitôt à cheval pour aller jusqu'à vos tentes ! »

— Par la grâce de Dieu Tout-Puissant ! s'exclama le Duc de Bourbon d'un ton irrité. Les mécréants blasphèment ! Qu'avons-nous à entendre les officiers d'Abbou el Abbas, autrement qu'après avoir pris sa forteresse et leur avoir mis les fers aux pieds !

— Il nous menace de l'armée du Sultan ! s'écria le Comte d'Eu. Marchons à la rencontre de celle qui vient du Sud et défaisons-la en rase campagne avant qu'elle ne rejoigne celle du Nord !

— Vous disiez tout à l'heure qu'elles n'existaient point, Comte ! remarqua Guéthenoc de Fougères avec un haussement d'épaules.

— Tout beau, Messires ! lança le Marquis anglais. Si ce mahométan veut nous parler, c'est qu'il a quelque chose à nous dire. Nous ne perdrons rien à l'entendre. S'il est vrai qu'une forte armée marche à

1. Raïs : capitaine, commandant.

son aide, il n'a qu'à l'attendre sans bouger. Nous autres Anglais aimons voir la tête de nos ennemis de près. Qu'en pensez-vous, Guéthenoc ?

— Qu'on les laisse venir, dit le Comte de Fougères. Ils n'ont pu nous capturer de prisonniers. Mais si cela devait se faire par malheur, il est bon que nous puissions nous entendre avec eux dès aujourd'hui sur leur sort...

— Ils verront notre fossé et nos défenses au passage, lança le Comte d'Eu. Ce n'est que prétexte pour espionner !

Beaufort de Weinsgate se mit à rire.

— Ils peuvent compter nos chevaux depuis trois semaines du haut de leurs tours et savoir combien de fois par jour les Normands vont aux latrines pour avoir trop bu de leur vilain cidre. Ne doutez point qu'Abbou el Abbas nous espionne déjà par les fenêtres de son harem pendant que ses négresses lui mettent son membre à l'aise !

Ses chevaliers barbus s'esclaffèrent comme ils l'avaient fait tout à l'heure lorsque leur suzerain avait parlé de sa bonne amie juive.

— Lève une bannière blanche à ma tente, ordonna le Duc de Bourbon à son page.

Les officiers d'Abbou el Abbas étaient au nombre de quatre, un agha d'une soixantaine d'années à la barbe blanche bien peignée, coiffé d'un turban surmonté d'une aigrette, et trois hommes plus jeunes, portant moustache et barbe courte noires de jais, avec des sabres courbes dans des étuis finement ouvragés, retenus par des baudriers de cuir rouge de Damas.

Ils avaient cheminé au pas de leurs chevaux depuis la poterne de la forteresse, accompagnés de valets nègres qui garderaient leurs montures à l'entrée du camp des Francs. Au haut des tours et des murailles, des centaines de silhouettes étaient apparues, observant la scène insolite de cette ambassade chez les envahisseurs chrétiens.

Un tapis avait été disposé devant la chaise qui servait de trône au Duc de Bourbon et le vieil agha avait souri en arrivant devant la tente luxueuse, comme s'il n'était pas dupe de ce décor, et qu'il voyait bien que le seigneur de haut rang tenait à mettre ses visiteurs dans une position inférieure à la sienne, en jouant sur le fait que la coutume des musulmans voulait qu'ils s'assoient les jambes croisées à terre, même si cela était sur un beau tapis.

Riou avait été chercher son valet arménien, qui se tenait lui aussi assis à la mode orientale au pied du trône du Duc de Bourbon, lequel était flanqué du Comte d'Eu, du Comte de Fougères auprès duquel se tenait à cheval sur sa selle Lord Beaufort de Weinsgate, du Comte de Koudekerque régnant sur les Flamands au nom du Comte Baudouin, et du Sire Milon d'Amiens de Viersville, seigneur de la chevalerie picarde.

— Dis-leur qu'ils peuvent s'asseoir, ordonna le Duc d'un ton bref.

— Le seigneur Duc vous souhaite la bienvenue et vous prie de bien vouloir accepter de prendre place devant lui sur ce tapis..., traduisit Douriane. Il s'excuse de vous recevoir si simplement, mais des soldats en campagne disposent de peu de confort...

Riou nota un nouveau sourire discret du vieil officier au turban, tandis que le Duc regardait son interprète arménien avec des yeux irrités.

— Que leur racontes-tu avec ces détours, moricaud ! lança-t-il. Je ne t'ai point dit de leur faire des politesses !

— La langue arabe s'exprime longuement là où nous parlons peu, Messire, protesta le traducteur. Cet officier porte cheveux blancs et il est d'usage chez eux de respecter l'âge...

— La belle raison ! jeta le Duc. Quand ils massacrent une ville entière, est-ce qu'ils épargnent les vieillards ! Ne m'a-t-on pas assez corné aux oreilles que ton père et ta mère avaient été égorgés par eux ?

Douriane devint blanc comme un linge.

— Messire... Jusqu'aujourd'hui ceux-ci n'ont fait que combattre loyalement !

— Il suffit ! trancha le Duc avec un geste d'impatience. Que veulent-ils ?

Riou vit que l'agha caressait sa barbe blanche en guettant d'un regard attentif le manège du Duc et de son interprète. Au moment où celui-ci se retournait vers les musulmans pour obéir au Duc et leur demander la raison de leur démarche sous le drapeau blanc, le vieil officier tira son sabre courbe de son étui précieux et le tendit vers le duc.

— Dis à ton seigneur que, si ce sabre a coupé une fois le cheveu d'une femme, d'un enfant ou d'un homme qui n'était pas armé en guerre, qu'il appelle son bourreau, et que celui-ci en use pour me trancher la tête sur le champ...

— Tu comprends la langue franque ? s'étonna Douriane.

— J'ai été dix années prisonnier des seigneurs normands des

Deux-Siciles et ils m'ont fait instruire dans leur langue jusqu'à ce que le Sultan bien-aimé Haffaz el Azziz me rachète à eux. Mais le temps a passé et j'ai oublié beaucoup de ce que j'avais appris. Toutefois je me souviens que ces seigneurs m'ont traité avec honneur et si un de mes hommes se conduisait mal avec un chrétien vaincu il serait fouetté. S'il le mettait à mort, il aurait la main coupée...

— Que dit-il ? s'impatienta le Duc. Quelle est cette comédie avec son sabre ? Parle donc, à la fin !

— Il entend à demi notre parler, Messire, et me demande de vous dire qu'il est prêt à mourir s'il a jamais tiré son sabre contre une femme ou un enfant, ou un homme désarmé...

Rendu prudent par la connaissance de la langue franque qu'avait son interlocuteur, le duc maugréa quelque chose que Douriane ne comprit pas, et l'Arménien enchaîna à l'adresse de l'Agha :

— Le seigneur Duc vous demande de nous faire connaître maintenant le but de votre venue à notre camp...

— Tout d'abord, commença l'agha, notre raïs Si Abbou el Abbas s'excuse de ne pas venir en personne, mais son devoir de commandant de la place le lui interdisait, comme des soldats peuvent le comprendre. Il nous a donc chargé, à la demande même du Sultan de Tunis Ahmed, qui nous a envoyé un courrier à ce sujet, nous qui sommes en face de vous depuis votre arrivée ici, de vous demander pourquoi vous nous faites la guerre. Pourquoi ces navires par dizaines, ces milliers de chevaux, tout cet or dépensé, si loin de votre pays ?

Douriane traduisit. Le Comte d'Eu fit une mimique méprisante, le Duc sourit et plusieurs chevaliers rirent à leur tour. Le mahométan se moquait d'eux !

— Vous attaquez en mer les navires génois ! répliqua le Duc avec humeur. Vous réduisez en esclavage ceux qui sont à bord et les vendez comme bêtes de somme ! Vous pillez les cargaisons génoises, ruinant ainsi le commerce de cette République ! Et vous nous demandez pourquoi nous sommes venus ? Nous sommes venus détruire ce repaire de pirates ! termina le Duc en désignant de son index tendu la forteresse que le soleil éclairait maintenant d'une lumière rasante.

Après avoir écouté la traduction de Douriane, l'agha répondit posément :

— Tout cela est vrai. Nous faisons la guerre aux Génois depuis plus de quarante ans. Mais qui peut dire lesquels, d'eux ou de nous, ont commencé à attaquer et à piller les autres ?... Nous prenons leurs cargaisons, mais ils prennent les nôtres. Nous mettons leurs jeunes filles dans nos harems, mais les Génois enferment nos femmes, quand ils en prennent, dans leurs bordels, et c'est bien pire ! J'en ai vu à Naples, et j'ai supplié le Roi Tancrède, dont j'étais le captif, de les en ôter, ce qu'il m'a accordé, par la miséricorde de Dieu, qu'elle s'étende à lui-même, qui est mort depuis en homme juste ! Nos marins capturés eux aussi vont ramer enchaînés sur les galères génoises, ou d'autres navires chrétiens, à qui on les revend jusqu'à Constantinople. Tel est l'état des choses avec les Génois...

L'envoyé d'Abbou el Abbas marqua un temps et reprit avec force en fixant Douriane :

— Mais les seigneurs francs, eux, pourquoi sont-ils venus nous combattre ? Voilà ce que veut savoir notre Sultan, avant que la guerre ne devienne sanglante entre vous et nous...

— Les coquins veulent nous séparer des Génois ! lança le Comte d'Eu dès que l'interprète eut achevé sa traduction. Leur armée de secours n'est qu'un faux-semblant et ils ne sont venus que pour nous tromper par de bonnes paroles jusqu'à ce que les Génois s'en inquiètent !

— Il est bon toutefois qu'ils se soient engagés à traiter dignement les prisonniers, intervint le Comte Guéthenoc.

— Le Comte de Fougères ne pense qu'à sa captivité, à ce que je vois, ironisa le suzerain des Normands. C'est curieuse façon de combattre que s'avouer vaincu et prisonnier à l'avance !

Guéthenoc rougit de colère.

— Le Comte d'Eu se prend si fortement pour saint Georges pressé de terrasser le Dragon qu'il ne sait penser à rien d'autre, coupa Lord Beaufort de Weinsgate venant à la rescousse du seigneur breton. Il aura tout le temps de réfléchir quand il tournera son moulin à huile accouplé à un chameau, comme le Sire de Montfort, à la voix duquel nous avons pris la Croix à Bruxelles !

— Regrettez-vous de l'avoir prise ? lança Jehan d'Eu.

— Paix entre vous, de grâce, Messires ! intervint le Duc de Bourbon. Le Mahométan nous comprend et fait son profit de nos querelles. Faites silence, que je lui réponde. Arménien ! Dis-leur que vous avons traversé la mer avec de nombreux vaisseaux, en avant-garde d'une armée encore plus puissante qui s'assemble en ce moment dans toute la chrétienté, parce qu'à la honte de tout le genre humain ils ne croient point en Dieu, mais dans leur idole Mahomet, et parce que leurs ancêtres ont mis à mort Notre-Seigneur Jésus-Christ à Jérusalem !

Le visage de l'envoyé d'Abbou el Abbas exprimait une surprise de plus en plus grande à mesure que l'interprète traduisait et les autres officiers fronçaient les sourcils, comme s'ils ne comprenaient pas. Ils demandèrent à l'Arménien de répéter une seconde fois la traduction et quand ce fut fait, ils éclatèrent de rire.

L'agha, lui, souriait.

— Dis à ton seigneur que nous croyons dans le même Dieu que vous, répondit-il, quand bien même nous ne le prions de la même façon ! Quant à Jésus que vous appelez le Christ, et dont le nom est respecté dans notre livre sacré comme un prophète de Dieu venu avant le prophète Mahomet, ce sont les Juifs qui l'ont mis à mort à Jérusalem, et non pas nos pères, qui n'étaient point dans cette ville à l'époque !

L'agha ajouta en hochant la tête :

— Se peut-il qu'un si puissant seigneur soit ignorant à ce point de notre foi, et de la sienne, et que le sang des guerriers coule pour le prix de telles erreurs ?

10.

Un médecin hongrois

La mauvaise fièvre qui alanguissait sur leur lit de camp de nombreux chevaliers et hommes d'armes, sans que les chirurgiens de l'ost y puissent rien faire, s'abattit de nouveau sur Riou peu après que la grande armée du Sultan de Tunis, grossie des contingents fournis par les émirs, ses vassaux, fut arrivée à proche distance du camp des Francs.

Le vent brûlant des déserts qui soufflait sur celui-ci depuis plusieurs jours, jetant du sable aux yeux et épaississant les langues des chevaux dans leurs bouches désséchées, apporta un soir aux chrétiens le nuage de poussière que soulevaient les milliers de sabots de la cavalerie musulmane en marche, en même temps que la mélopée des étranges musiques qui l'accompagnaient.

Les chevaliers avaient revêtu leurs armures et les valets harnaché en hâte les destriers pour le combat, mais à la fin de longues heures d'attente épuisante, l'attaque n'était pas venue. Les guetteurs qui s'étaient approchés à la faveur de la nuit des bivouacs de l'armée mahométane revinrent dire qu'elle s'installait elle aussi comme pour un siège, édifiant sans répit à la clarté de la lune un fossé et une barricade faite d'arbres épineux que des centaines de chameaux ne cessaient d'amener sur leur dos par lourdes charges et que des milliers d'hommes œuvrant comme des fourmis dressaient pour que s'y brisent les assauts de la cavalerie chrétienne. Un des guetteurs, plus audacieux que les autres, avait rampé jusqu'à cette barrière pour en arracher des épines et les ramener au camp, où elles avaient suscité l'étonnement. Longues et dures, comme en métal, c'étaient celles-là même qui avaient servi à couronner le Christ dans sa Passion...

Etait-ce le commencement d'une agonie semblable à celle du Sauveur, pour l'avant-garde de la Croisade désormais prisonnière dans cet isthme au bout duquel se dressait la forteresse et sa garnison de six mille hommes à qui rien ne semblait manquer, alors que la nourriture se faisait rare dans le camp chrétien lorsque les vaisseaux de Gênes chargés de le ravitailler tardaient à toucher terre ?

L'armée mahométane, que commandait le Sultan en personne assisté de ses deux fils, selon ce qu'avait appris Douriane, interdisait maintenant l'arrière-pays où l'ost chrétien avait jusqu'ici tiré la plupart de ses ressources en eau potable. Soldats génois et valets francs s'étaient battus autour des puits qui restaient accessibles dans l'isthme et notamment dans le grand verger abandonné où Douriane, le premier jour, avait enterré le vieux jardinier martyrisé par les soudards. Le Conseil de guerre, après entente avec le Condottiere, avait décidé que chaque puits serait gardé par des hommes en armes, et l'eau rationnée. Brûlée de soleil, tourmentée de soif, misérablement agitée par les fièvres, l'armée franque souffrait pour le Christ ainsi qu'elle l'avait souhaité le jour où elle avait fixé cette croix couleur de sang sur ses poitrines...

Puis, en nuées criardes et virevoletantes la cavalerie musulmane du Sultan commença de franchir la barricade derrière laquelle elle s'était enfermée, venant défier d'injures, comme l'avaient fait jusque-là ceux de la forteresse, l'orgueilleuse chevalerie cuirassée, l'obligeant au combat pour son honneur et la fidélité à son serment sur le Paon, prélevant à chaque fois une lourde dîme de sueur et de sang sur les cohortes de seigneurs venus de leurs châteaux de Flandre, de Normandie, d'Angleterre, de Bretagne, du Bourbonnais, de Picardie, terres de prairies vertes et de rivières fraîches, terres ombreuses sur lesquelles le soleil ne parvient qu'à grand peine à régner quelques semaines l'an, juste le temps de faire mûrir une moisson...

Douriane galopait en compagnie des compagnons bretons de Riou, combattant en cotte de mailles au milieu d'eux à la mode musulmane avec un sabre courbe qu'il avait pris dans la main crispée d'un mort. Les Mahométans le connaissaient maintenant et savaient qu'il parlait leur langue. Ils se dérobaient à ses coups de toute la vitesse de leurs chevaux en lui criant : *El Armini, el Armini !* [1] et ils l'épargnaient, de crainte d'être privés d'un ennemi avec lequel on pouvait parler...

Ce fut un de ces jours de combat, le jour où Douriane désignait au jeune chevalier enfermé dans son armure le plus jeune fils du Sultan

1. L'Arménien, l'Arménien !

qui venait de paraître dans la ligne de bataille entouré de sa garde de cavaliers d'élite montés sur des chevaux andalous et armés de masses d'armes hérissées de pointes, que Riou vaincu par la chaleur et la fièvre s'abattit de son cheval, emportant dans l'éblouissement de sa chute la vision, à travers la fente de son heaume, d'un adolescent de seize ans peut-être, au fin visage et aux yeux ardents sous le casque surmonté d'un croissant étincelant.

Riou émergea de l'écœurante fièvre qui bourdonnait à ses oreilles en voyant la silhouette de Douriane paraître à l'entrée de sa tente. Un homme au teint basané, à la moustache tombante, vêtu d'une robe à l'orientale, se tenait derrière le valet d'armes.

— Messire, annonça l'Arménien, j'amène avec moi ce mire qui a de vrais remèdes contre votre mal.

Le jeune chevalier se dressa à demi sur son lit de camp.

— S'il était un élixir contre les fièvres d'Afrique, nous le saurions déjà, dit-il d'un ton maussade.

— Celui-ci sait des drogues que personne ne connaît, Messire. Lui aussi a rencontré Mordoch le Juif sur la route de Constantinople, et il est venu aussitôt lorsque je lui ai dit que vous étiez son ami.

— L'amitié de Mordoch nous a jusqu'ici surtout apporté beaucoup d'ennemis dans cet ost, murmura Riou d'un ton las en se laissant aller en arrière sur le rude coussin de crin qui lui servait d'oreiller.

L'homme en robe s'approcha du lit de camp. Avec un sourire, il ouvrit le sac de cuir qu'il tenait à la main.

— C'est le propre de ces fièvres que porter à voir tout en sombre, Messire ! Buvez de ceci, qui vous soulagera bientôt, dit-il en montrant un flacon au jeune homme.

Riou s'était redressé de nouveau, et le médecin avait débouché la fiole.

— Prenez-en une gorgée toutes les heures, jusqu'à l'épuiser, et vous vous sentirez mieux. Il y a de vastes marais dans mon pays natal, qui nourrissent des fièvres analogues à celles dont vous souffrez. Ceci, que j'ai préparé après de longues recherches, en a toujours eu raison...

— De quel pays es-tu ? demanda Riou après avoir bu du liquide brun et refermé le flacon.

— De la Hongrie, Messire... Le fleuve Danube s'y noie dans la mer par un immense marécage, qui est le paradis des moustiques. Ce sont eux qui transportent les fièvres...

— Comment l'as-tu deviné, faiseur de miracles ? ironisa le jeune homme.

— Dès mon enfance, j'ai vécu dans ces marécages avec des pêcheurs qui s'enduisaient le visage et les membres d'un onguent qui répugnait aux insectes. Les femmes en couvraient le corps des enfants dès le berceau, pour leur épargner les morsures. Aucun d'eux n'était atteint par les fièvres... J'ai préparé cet onguent, poursuivit le mire en tirant cette fois un pot d'albâtre de sa sacoche, et suis parti vers un autre village où il n'était pas connu. J'ai obtenu des mères qu'elles en oignent leurs nouveau-nés avec soin dès que venait la saison chaude et suis revenu pendant sept années dans ce village renouveler l'onguent. Aucun de ces enfants n'a jamais été atteints, alors que beaucoup d'autres sont morts des fièvres dans leur jeune âge.

— Et tu n'es pas resté en Hongrie jouir de la fortune que ton remède pouvait t'apporter ? continua Riou sur le même ton d'ironie.

Le mire hongrois secoua la tête.

— Non, Messire... Ceux dont les enfants étaient morts faute d'avoir usé de l'onguent m'ont accusé de sorcellerie, de sorte que j'ai été emprisonné et condamné à être brûlé vif sur la place de la ville de Dukkadar, où j'avais mon officine.

Le Hongrois s'interrompit, s'inquiétant des confidences qu'il était en train de faire.

— Votre valet m'a assuré que je pouvais vous parler sans crainte, Messire..., dit-il avec un nouveau sourire qui découvrait des dents éclatantes de blancheur sous sa moustache noire.

Riou haussa les épaules.

— Ne suis-je pas moi-même accusé de magie pour avoir écouté Judith, la fille de Mordoch, me dire ce qu'elle voit dans les pierres... La connais-tu ?

— Certes, dit le mire. C'est une belle jeune femme, pleine de foi et de feu, qui rendra heureux de tous côtés celui qui sera son amant. Elle n'est pas plus magicienne que je suis sorcier, mais elle a le don de deviner l'avenir, comme j'ai moi-même, peut-être, par la grâce de Dieu, celui de trouver dans les plantes les ingrédients qui guérissent...

— Et comment n'as-tu pas été brûlé sur la place de ta ville ? coupa Riou.

— Grâce à un peu de bagout et de beaucoup d'or, Messire, dit le mire en souriant. J'avais un trésor, enterré dans la cave de ma maison. J'en ai convaincu les deux gardiens de ma prison, qui venaient bavarder avec moi à travers les barreaux de ma cage... On ne devait me brûler qu'à la Sainte-Elisabeth, en compagnie de onze autres sorciers, car il fallait faire la douzaine, pour que le spectacle soit édifiant, et propre à faire réfléchir le Diable. Ces gardiens étaient de pauvres hères en vérité, chargés d'enfants en bas âge, vivant d'une maigre solde, et mon or les avaient convaincus de l'injustice qui m'était faite... L'un d'eux m'a accompagné dans ma maison par une nuit bien sombre, après que j'ai revêtu l'habit de l'autre pour sortir de la geôle. Nous avons déterré la cruche où était l'or, qu'il est parti mettre en sûreté, pendant que l'autre installait, selon l'idée que je leur avais enseignée, un chat noir dans le grabat de ma cage, en lieu et place de moi-même, afin que les gardiens qui prendraient leur tour de service le découvrent au matin. C'est ce chat qu'on a brûlé sur la grand'place sur le bûcher qui portait mon nom, en donnant beaucoup de joie aux inquisiteurs, qui n'avaient jamais eu une si bonne preuve de la culpabilité d'un suppôt de Satan, depuis qu'ils en envoyaient des fournées à la mort.

Riou riait franchement cette fois-ci.

— Voyez que ma potion commence de vous guérir, Messire ! fit l'homme qui avait échappé au bûcher.

— Ce n'est point ta potion, mais ton histoire ! Cependant, que fais-tu ici, à la guerre ? As-tu pris la Croix toi aussi, pour expier tes péchés ?

— Non pas, dit le mire en secouant la tête, mais vous comprendrez que je tiens à vivre loin de la Hongrie. C'est aussi que je vais là où sont les soldats à la bataille, afin de pouvoir faire l'usage d'une drogue contre les blessures que je crois avoir trouvée. Elle s'oppose à la pourriture qui vient gangrener les plaies. Si vous êtes atteint, Messire, et me faites l'honneur de m'accorder confiance, je viendrai aussitôt vous soigner...

— Tu ne manqueras pas de patients d'un jour à l'autre, lorsque l'armée du Sultan va nous attaquer avec sa grande force ! Auras-tu alors assez bien de drogue pour tout le monde ?

Le Hongrois fit une moue.

— Cela ne se verra pas, sans doute. Ce Sultan, qui est prudent comme un renard, craint d'affronter la cavalerie franque en bataille rangée. Il la sait invincible de cette façon, soutenue par l'infanterie des archers génois. Leurs arbalètes à détente d'acier et leur discipline de manœuvre sont mortelles à des troupes comme les siennes, qui ne sont bonnes que dans le harcèlement et la surprise. La panique a tôt fait de se répandre dans une armée nombreuse, venue de divers côtés, et ce Mahométan a compté qu'il demeure cinq mille chevaliers comme vous en état de combattre, et que l'archerie génoise est toujours intacte. Car leurs vaisseaux les ravitaillent mieux qu'ils ne le font pour vous, et ils sont moins sensibles aux fièvres, y étant accoutumés dans leur Italie même où elles existent aussi bien qu'en Afrique. Aussi, le Sultan va sagement se confier à ses amis fidèles...

L'homme en robe s'interrompit pour lever la main vers l'étoffe de la tente brûlante de soleil :

— ...qui sont chaleur, Messire, et cette fièvre qui vous prive de votre vigueur, et peut-être aussi, hélas ! la peste qui a déjà aidé son ancêtre à vaincre le Roi Louis le Saint sur ce même rivage...

Des cris retentissaient au-dehors. Riou distingua des appels adressés à Douriane.

— Hé, l'Arménien ! L'Arménien, es-tu là ?

Des valets d'armes s'approchaient et l'un d'eux se montra à l'entrée de la tente.

— Pardonnez-nous, Messire ! Des Infidèles sont venus avec une bannière blanche et nous ne comprenons point ce qu'ils veulent...

Douriane sortit au milieu des valets. Un concours de chevaliers et d'hommes d'armes s'attroupait autour de deux mahométans montés sur des mules bellement harnachées, vêtus d'étoffes coûteuses, avec leurs longs sabres courbes dont les poignées étaient cette fois ornées de pierres précieuses. Un homme d'armes plus simplement habillé d'une cotte de mailles en acier fin et d'un casque de cuir surmonté d'un croissant, sur une mule lui aussi, tenait la bannière blanche qui leur avait ouvert la voie depuis les positions de l'armée du Sultan jusqu'au campement de la cavalerie franque.

— Salut à toi, lança d'un ton plein de noblesse l'un des deux guerriers, aussitôt que Douriane fut devant lui.

Grand et mince, avec une fine moustache, une courte barbe et un regard altier, il montrait en selle l'aisance d'un athlète.

— Es-tu l'Arménien qui a entendu l'agha et les officiers de Si Abbou el Abbas en présence du seigneur des Francs, lorsqu'ils sont venus à ce camp même ? s'enquit le mahométan.

Douriane dit que c'était lui en effet.

— On nous a rapporté les paroles étranges dites par ce seigneur, selon lesquelles nous autres musulmans adorerions une idole et non pas le vrai Dieu, le Dieu unique qui règne sur le monde d'ici et d'au-delà depuis le commencement des siècles... Nous sommes venus de Kairouan, à l'appel du Sultan, pour repousser ceux qui ont envahi notre pays et nous avons été choqués d'apprendre de telles paroles. Aussi, en compagnie de huit autres chevaliers comme nous, qui avons fait serment de combattre pour la Foi en Dieu et de ne jamais souiller nos épées d'aucune injustice, avons-nous résolu de proposer à dix chevaliers francs un combat loyal, devant les armées musulmanes et franques assemblées, afin que Dieu, en donnant la victoire à l'une ou à l'autre phalange, décide souverainement laquelle des deux religions l'honore et le sert le mieux...

— Que dit le Sarrasin ? Que dit-il ? criaient de tous côtés les valets et même les chevaliers qui entouraient l'Arménien et ses interlocuteurs.

L'attroupement devenait foule, le bruit s'étant répandu d'une tente ou d'une écurie à l'autre dans l'inaction du camp livré à l'ennui et à la chaleur que des mahométans avaient eu l'audace de venir jusqu'au milieu de l'ost.

— Ce combat doit être décidé par le seigneur de Bourbon et le Conseil des Comtes, dit enfin Douriane au cavalier qui conservait son allure altière en dépit du tumulte qui entourait maintenant les deux musulmans. Je vais porter la nouvelle de votre offre sans tarder. Mais, ajouta Douriane en regardant autour de lui, il serait bon que vous retourniez à votre camp en attente de la réponse...

— Que veulent-ils ? lançait-on autour de l'Arménien.

— Place ! Place ! cria Douriane. Laissez-les aller en paix ! Ils offrent un combat loyal de dix guerriers sarrasins contre dix chevaliers !

Faite des exclamations qui jaillissaient en même temps de toutes les bouches, les unes de surprise, les autres injurieuses, une clameur retentit comme un vent furieux qui frappait les visages impassibles des deux cavaliers.

— Messires ! dit Douriane aux chevaliers normands et anglais qui étaient proches de lui, par la grâce de Dieu, allez tous demander aussitôt l'assemblée du Conseil à notre Seigneur Duc, afin que ceux-ci, qui sont venus de bonne foi sous la bannière blanche, se puissent retirer sans dommage...

— Le Conseil ! Le Conseil ! réclamèrent de nombreuses voix, tandis que la foule se déplaçait vers la tente du Duc de Bourbon qui resplendissait de ses broderies d'or dans le soleil.

Une étrange fièvre, celle-là d'impatience et d'exaltation, semblait s'emparer du camp tout entier, et non pas seulement des valets prompts à la naïveté, mais bien des chevaliers eux-mêmes, comme si les attentes et les épreuves qu'ils avaient subies depuis sept semaines sur ce sable d'Afrique d'où montaient miasmes, poussière, insectes et coliques qu'aucun remède ne pouvait vaincre devaient se terminer aujourd'hui par miracle, comme si la victoire inévitable sous le signe de la Croix des dix chevaliers chrétiens que le duc désignerait pour combattre les dix Infidèles allait faire s'écrouler sous leurs yeux les murailles de la forteresse qui les narguait depuis le matin où les navires de la flotte de Gênes avaient jeté leurs ancres devant cette plage devenue prison pour des milliers d'hommes et de chevaux.

Les Comtes et les Barons avaient quitté leurs tentes et prenaient leurs places autour du Duc, assis sur son trône derrière lequel se tenait son page dont le beau visage aux yeux cernés par la fièvre et rougis par le vent de sable était celui de la lassitude et de la déception qui régnaient aujourd'hui sur l'ost entier.

Inquiet du désordre qu'il sentait dans tous les esprits, le Duc annonça la proposition du combat sur un ton maussade, et répugnant à la présenter lui-même dans tous ses détails, il ordonna à Douriane de la répéter dans les termes employés par les deux visiteurs.

— Deux chevaliers mahométans, commença l'Arménien, sont venus jusqu'à nous sous la bannière blanche...

Des exclamations l'interrompirent aussitôt.

— Des chevaliers ! Que dis-tu, l'Arménien ? Il n'y a point de chevalerie chez les Infidèles ! criait-on du côté des Normands dans le voisinage de la haute taille et du visage rougeaud de Foulque de Macé, l'ennemi de Riou de la Villerouhault. Tu te moques de nous !

— Que vas-tu mêler la noblesse de notre chevalerie aux roueries de ces mécréants ! lança le duc à l'interprète. Cesseras-tu de faire leur éloge à chaque fois que l'un d'eux montre sa vilaine tête de singe ?

— Messire, pardonnez-moi, dit Douriane, mais il existe chez eux, à l'exemple d'Ali, le gendre de Mahomet, un ordre qui adoube des chevaliers après qu'ils ont juré de combattre avec générosité autant qu'avec bravoure. Ceux qui sont venus s'en réclament...

Un énorme éclat de rire sortit de la foule des guerriers francs qui se pressaient debout derrière les rangées de seigneurs assis au Conseil, couvrant les derniers mots prononcés par Douriane.

— Le gendre de Mahomet ! s'esclaffa un écuyer flamand. Dis-nous, l'Arménien, s'il fallait coucher avec la fille du Roi des Mécréants pour être reçu chevalier ?

— Ces chevaliers-là, déclara le comte d'Eu lorsque les quolibets se furent apaisés, ne méritent pas de se mesurer à nous nombre pour nombre ! A la tête de dix hommes à moi, portant les couleurs de Normandie, je veux bien en affronter vingt ce jour d'hui même, Sire Duc, si vous y consentez...

— J'en veux être, j'en veux être ! crièrent de nombreux chevaliers normands, qui se levaient avec feu.

Le duc de Bourbon se retourna vers la foule des guerriers qu'il avait voulu conduire sur cette terre africaine, vit leurs visages exaltés, leurs yeux fiévreux, et regretta soudain d'avoir intrigué pour mener la croisade. Il se leva de son trône et fit face à la rumeur.

— Paix, vous tous ! Il appartient seul au Conseil de décider.

— Qui sait si ce défi ne cache pas un piège, déclara Guéthenoc de Fougères, saisissant l'occasion que lui donnait l'hésitation du duc, dont il devinait les sentiments. L'Armée du Sultan ne fondra-t-elle point sur nous par surprise, en même temps qu'une sortie de la forteresse, tandis que tous nous serons assemblés pour assister au combat ?

Le comte d'Eu se leva en colère.

— Par tous les saints de la chrétienté ! s'écria-t-il, faudra-t-il écouter toujours les avis de ceux qui sont venus ici pour ne pas se battre ? Allons sus aux mécréants, qu'ils soient dix, vingt, ou vingt milliers plutôt qu'endurer maladie et soif sous nos tentes !

Les Normands se mirent tous sur leurs pieds ensemble tandis qu'une clameur s'élevait de la foule derrière eux.

— En armes ! En armes !

Les valets se précipitaient aux écuries, les destriers hennissaient, les chevaliers couraient vers leurs armures rangées devant leurs tentes. Comme un orage qui éclate après une journée d'attente étouffante, la longue patience subie par l'ost pendant des semaines d'impuissance se déchaînait en une furie guerrière.

Pâle, le Duc de Bourbon regardait le camp se hérisser de lances et de bannières dans le cliquetis des aciers.

— C'est folie, Messire, grogna Lord Beaufort de Weinsgate, d'agir ainsi, sans réflexion ni entente avec l'archerie génoise...

— Il vous sied bien de parler des Génois, Beaufort ! jeta le Duc, laissant éclater sur l'Anglais la colère qui s'élevait en lui pour ce désordre qu'il n'avait su ni prévoir ni maîtriser. Vous craignez toujours qu'ils nous lâchent parce que nous n'attaquons pas, et maintenant vous tirez argument d'eux pour ne pas attaquer ! Est-ce pour rester assis sur vos gros culs poilus que vous avez fait serment à Bruxelles ?

Beaufort se mit à rire.

— Tudieu, Messire, laissez nos culs tranquilles et me parlez plutôt de celui de votre gentil page, qui doit n'avoir pas plus de poil que les joues d'une donzelle, si j'en crois le goût que vous avez pour lui !

L'Anglais fit un pas vers le Duc pour se trouver face à face avec lui, sa barbe rouge et son ventre de buveur de bière en avant, les sourcils froncés cette fois, la parole dure.

— Que Dieu me pardonne de jurer alors même que je porte Sa croix sur ma poitrine, mais par Son sacré Nom nous allons vous montrer comment les Anglais donnent aux Infidèles les coups de lance et d'épée qu'ils auraient bonne envie de donner plutôt aux sots fieffés qui viennent faire la guerre avec des tentes brodées, de l'argenterie fine et une tête sans cervelle !

La clameur de la cavalerie en armes déferla sur eux, mêlée aux sons énervés des cors, nourrie des cris de guerre que chaque cohorte répétait, tandis que le rude lord ajoutait :

— Si les Sarrasins vous font prisonnier aujourd'hui, Messire, que votre dame ne vienne pas quêter chez moi à Weinsgate pour votre rançon, car je pisserai plutôt dans la sébile !

Beaufort tourna le dos au Duc pour rejoindre ses vassaux qui marchaient déjà vers leurs destriers.

11.

Le fils chéri du Sultan de Tunis

Riou ne savait si sa fièvre l'avait quitté parce que la rumeur de la bataille parvenait jusqu'à sa tente, lui faisant honte de son inaction, ou parce que la potion du médecin hongrois rencontré au camp des Génois par son valet arménien avait commencé d'avoir raison de son mal. Mais le jeune chevalier s'était levé et s'apprêtait à se mettre en armes. A ce moment, un palefrenier qui menait une mule s'arrêta devant la tente. En travers de la mule était couché Douriane, avec une flèche brisée plantée dans la cuisse. En attendant le chirurgien que le palefrenier courait chercher aussitôt, Riou assit son valet sur un tabouret.

— C'est grande bataille de tous côtés, Messire, dit l'Arménien. L'ost est comme possédé par la colère d'avoir eu tant de misère, et les mahométans ont fort à faire. Beaucoup de chevaliers sont tombés, et les Anglais font merveille... Le Sire de Weinsgate est parvenu deux fois bien près des fils du Sultan, en bousculant leur garde qui a perdu une bonne vingtaine de ses sabreurs embrochés par les lances anglaises. Mais le médecin hongrois a dit vrai. Le Sultan se retient d'user de toute sa force. Car s'il attaquait ce camp maintenant...

L'Arménien jeta les yeux sur les tentes vides, au milieu desquelles n'étaient demeurés que les malades et une trentaine de chevaliers du Comte Guéthenoc, à qui le Duc de Bourbon avait demandé de rester à la garde des blessés, puisqu'il n'avait trouvé bon qu'on aille forcer les mahométans au combat.

— S'il envoyait ici par surprise une partie de sa cavalerie, poursuivit Douriane, elle aurait vite fait de tuer nos chevaux de réserve et brûler nos fourrages...

Le chirurgien était arrivé avec sa trousse et commençait d'ouvrir la plaie de l'Arménien pour en tirer la flèche. Tandis que le valet serrait les dents sur son tabouret, une litière portant un nouveau blessé surgit à la trouée de la barricade qui protégeait l'entrée du camp, où veillait le Comte Guéthenoc avec le chevalier de Lorgeril et un parti d'écuyers en armes.

Le seigneur de Fougères ayant refusé d'aller à l'assaut pour les raisons qu'il avait dites, le duc l'avait prié de prendre la garde avec ses gens.

Riou tourna son regard vers le blessé dont on avait ôté le heaume à demi fracassé par un coup de masse et reconnut à son écu les couleurs d'Angleterre. Les muletiers de la litière firent halte en voyant le chirurgien penché sur l'Arménien.

— Tu n'as plus qu'à retourner là-bas, si tu en as encore envie, déclara l'homme de l'art en tendant à Douriane la pointe de flèche qu'il venait d'ôter. Si la maudite pourriture ne s'y met point, avec un bon pansement, tu peux remonter sur ton cheval...

Le chirurgien se dirigea vers le chevalier étendu sur la litière. Riou le rejoignit.

— Sire Riou, dit péniblement l'Anglais par sa bouche tuméfiée du coup qui l'avait frappé, trois des nôtres ont été pris vivants. Les mahométans m'ont cru mort, sinon j'aurais été pris avec eux. Des gens de pied étaient dissimulés au milieu des cavaliers de la garde du Sultan que nous avions entourés. Ils ont surgi entre nos chevaux, les attaquant par-dessous le caparaçon avec des épieux. Trois destriers sont tombés ainsi, outre le mien, et les cavaliers sont revenus aussitôt en nuée nous entourer... Ma brave bête était tombée à genoux, perdant ses entrailles, quand j'ai reçu ce coup. Lorsque je suis revenu à moi, j'entendais le seigneur de Beaufort jurer avec colère qu'il avait perdu trois de ses bons vassaux par la ruse des mécréants...

— Qu'en penses-tu, l'Arménien ? intervint le Comte Guéthenoc qui s'était approché lui aussi pour entendre le récit du blessé. Pourra-t-on racheter ces trois-là au Sultan ? Irais-tu lui demander son prix avec une bannière blanche après la bataille, si elle n'est pas trop perdue ?

Douriane fit la grimace.

— Le Sultan répondra que leur sort sera réglé avec le reste quand le moment sera venu de traiter...

— Qui te parle de traiter ? fit le comte.

— En vous respectant, Messire, pour vos bontés et votre courage, tout ceci finira par un traité entre les Génois et les mahométans qui donneront de l'eau pour les chevaux, des poulets pour faire du bouillon aux blessés, et des manants pour aider à pousser les charrettes au moment de tout embarquer... Les Génois ne voudront pas payer pour les prisonniers de l'ost franc. Ils diront qu'il n'a pas fait le travail convenu puisque Mahdia n'a pas été prise et le Seigneur de Beaufort devra fondre la vaisselle d'or qu'il a dans son château d'Angleterre pour faire face à la rançon, ou emprunter encore à sa dame juive...

— A moins que nous n'ayons des prisonniers sarrasins nous aussi, remarqua Riou.

— Et qu'ils soient chevaliers à la façon de ceux de ce matin, qui ont mis la folie à ce camp pour notre malheur, ajouta le Comte de Fougères avec humeur. Car je gage que ce roué de Sultan n'ira pas changer des squires avec écu et bannière contre du menu fretin de sa piétaille qui combat les pieds et le cul nus avec une méchante pique ! Par saint Yves ! Nous ne servons à rien ici, à garder les malades et les chevaux fourbus ! Que n'allons-nous dans la bataille chercher les deux nobles bien vêtus qui sont venus nous provoquer ce matin, et les prendre au piège ? Riou ! Toi qui as coupé la tête de Tire-Frogne, seul contre vingt plus sournois que des vipères, n'auras-tu point idée de ce que nous pourrions faire pour aider notre ami Beaufort ?

Riou réfléchissait.

— Tu nous dis que le seigneur anglais a durement pressé une fois la garde des fils du Sultan ? demanda le jeune homme à son valet.

— Oui, Messire. Et c'est ce qui les a piqués sans doute, pour qu'ils lui montent le coup de faire venir en ruse ces hommes à pied qui n'ont peur de rien et vont entre les jambes des destriers en espérant être envoyés tout droit au paradis de Mahomet par un coup de lance...

— Comment sont les deux princes ? poursuivit le jeune chevalier.

— L'un est fort comme un Turc, courtaud et roulant des yeux noirs tandis qu'il frappe de gauche ou de droite, âgé de trente années à peine, l'autre un joli jeune homme de seize ans fin et vif, comme vous l'avez pu voir le jour où vous êtes tombé de fièvre. Il est d'une autre mère sans doute que le premier, car il ne lui ressemble en rien. Il est fort impétueux et s'engage maintes fois avec feu, entraînant ses gardes qui sont en grappe autour de lui et crient comme des diables parce qu'il ne se soucie point du danger. Je gage qu'il fait ses premières armes ces jours-ci, avec son sabre courbe qui étincelle au soleil, et que son Sultan de père a dû lui remettre en lui faisant jurer de servir Mahomet de tout son courage...

— Messire Comte, dit Riou à son suzerain, prenons le plus jeune prince dans la confusion de la bataille, et son père nous renverra en échange les trois chevaliers anglais en outre de leur poids d'or...

— Par sainte Anne d'Auray, s'écria le Comte Guéthenoc, Riou a raison ! Courons sus à ce jeune prince ! Holà, les gens de Fougères ! Qu'on se mette en armure !

— Non pas, Messire, si vous me le permettez, dit Riou. Nous irons mieux en cotte de maille et avec des épées légères...

— Que dis-tu là ? Comme les mahométans ?

— Oui, Messire, pour ce qui est de nous... Les Anglais de Lord Beaufort nous prêteront la main dans leur cuirasse tels qu'ils sont là-bas en ce moment, mais nous aurons meilleure chance d'enlever le petit seigneur à son frère et à ses mamelouks en galopant comme eux pour pouvoir leur jouer un tour...

Le Comte de Fougères regardait son jeune vassal avec attention.

— Riou, dit-il, je crois bien que tu ne resteras pas toujours dans le rang de notre ost. Tu finiras connétable si tes folies ne t'envoient pas en paradis trop vite...

— Il reste deux heures de jour, maugréa le Comte Guéthenoc en arrivant au milieu des chevaliers anglais qui se reformaient autour de leur seigneur de Beaufort. Que fait ton Arménien ? Jamais nous ne pourrons prendre le petit renard aujourd'hui !

— Patience, Messire ! répondit le jeune chevalier. Voyez le nord du carré des Génois. Quand il se mettra à bouger, c'est que Douriane aura réussi à entraîner le condottiere des archers dans notre entreprise.

Le Comte mit sa main au-dessus de ses yeux pour se protéger du soleil. L'immense rectangle des Génois barrait toujours l'accès à la partie de l'isthme où étaient entassés tous les vivres et les matériels de l'expédition, comme une forteresse sur laquelle les assauts des mahométans s'étaient brisés depuis le commencement de la journée, quand l'attaque furieuse des Francs en plusieurs points de la barricade qui enfermait leur immense campement les avait obligés au combat. En proie au délire qui avait saisi l'ost entier après le défi des deux chevaliers musulmans des chrétiens s'étaient précipités pour mettre le feu en plusieurs endroits à l'enceinte d'épines en y lançant de l'étoupe enflammée d'alcool, avant de périr cloués par des flèches tirées par les défenseurs. Les musulmans avaient dû se mettre en branle pour faire face à la masse des chevaliers bardés de fer qui s'avançait vers eux avec ses bannières multicolores, sa forêt de lances, ses chevaux plus grands et plus gros que les leurs, et cette clameur qui montait de ses rangs formidables comme les remparts d'une forteresse de chair et d'acier qui se serait mise en marche à l'appel des trompes de guerre, dont certaines étaient faites dans les cornes des grands aurochs qui vivaient encore dans les forêts de Bretagne et du Bourbonnais...

Le Condottiere Orlandini qui se faisait parer la barbe devant sa tente au moment où la cavalerie franque était sortie de son camp comme un torrent de son lit avait envoyé un de ses lieutenants à la rencontre du Duc de Bourbon pour lui demander pourquoi les nobles seigneurs francs faisaient soudain la guerre sans avoir la politesse de prévenir leur allié. Le Duc avait répondu que sa chevalerie avait décidé de se battre contre les mécréants plutôt que la colique et la fièvre, et que le condottiere de la République ne devait pas s'en plaindre, lui qui ne cessait de réclamer qu'on prenne la forteresse comme il avait été dit. On allait mettre l'armée du Sultan en déroute et on assemblerait le lendemain la grande tour de siège qui venait d'arriver de Marseille par un transport, pour se retourner contre les murailles de la place, qu'on prendrait une bonne fois. Ainsi avait parlé le Duc, sur le ton impatient qui lui était d'usage.

Guido Orlandini avait haussé les épaules et lancé l'ordre qu'on se mette sur pied de combat. Lui-même pour l'instant avait laissé ses doigts aux mains de la manucure qui était occupée à les soigner après avoir passé la nuit avec lui sous sa tente, en compagnie d'une autre jeune femme qui approvisionnait les officiers de l'ost génois en cosmétiques et en eaux de senteur. Archers et arbalétriers, ainsi que les piquiers suisses, s'étaient donc mis en branle, les deux fils du Sultan étaient apparus à la tête de la cavalerie mahométane, au milieu de leur garde de mamelouks montés sur leurs excellents andalous, et la bataille avait commencé sous un soleil de feu, avec la même foi des deux côtés. Car les musulmans eux aussi s'étaient enflammés dès le matin au retour des deux nobles guerriers sortis de leurs rangs pour aller porter leur défi aux chrétiens. La nouvelle de leur démarche s'était répandue parmi les tribus en armes, rappelant à tous que le Seigneur suzerain de l'ost chrétien avait gravement insulté les Musulmans dans leur foi en Dieu, en les traitant d'idolâtres et en niant grossièrement la qualité du prophète Mahomet, comme si celui-ci n'avait pas reçu de la bouche de l'Archange Gabriel en personne, au nom de Dieu, la révélation des sourates du Koran. Et chacun, qu'il combatte à pied avec son arc et son javelot, ou à cheval avec son sabre ou sa masse d'armes, portait dans son cœur l'exigeant souvenir de ces injures blasphématoires en marchant vers les cohortes chrétiennes.

Le Comte Guéthenoc observait tout cela du haut de son cheval aux côtés de Riou, les chevaliers flamands et normands revenant à la charge contre la cavalerie musulmane pour la vingtième fois, les nuées de flèches qui cinglaient depuis les rangs des Génois comme des rafales de grêle, la piétaille mahométane qui venait se jeter en gesticulant sur les piques tendues des montagnards suisses, les chevaliers francs à terre prisonniers de leurs lourdes cuirasses qui devenaient parfois leur cercueil, dans l'infernale chaleur du champ de bataille, les blessés qui gémissaient en regardant avec terreur leur vie s'en aller avec leur sang, les chevaux mahométans que les arbalètes avaient criblés, raidissant leurs pattes dans les soubresauts d'agonie, et enfin les valets de chirurgie qui allaient impassibles au milieu du tumulte, conduisant les mules des litières sur lesquelles ils juchaient les blessés, croisant parfois les valets mahométans qui remplissaient la même tâche au moyen de brancards traînés par des ânes.

Le Comte Guéthenoc voyait donc ce spectacle de la bataille fatiguée d'elle-même qui semblait s'essouffler à l'approche du soir, quand le Marquis Beaufort de Weinsgate émergea d'un grand nuage de poussière au milieu de ses chevaliers qui revenaient de charger. L'Anglais arrêta son cheval tout contre celui du Comte de Fougères et s'écria en relevant la visière de son heaume.

— Vous voilà, Guéthenoc ! Les mécréants se battent comme des diables et nous éventrent nos chevaux par en dessous ! Ils m'ont pris trois de mes jeunes gens ! Riou, ajouta-t-il en reconnaissant le jeune Breton aux côtés de son suzerain, sais-tu que ce sont les trois avec qui tu avais combattu comme un enragé le premier jour ?

— Nous le savons, Messire, et sommes venus chercher de la monnaie pour payer leur rançon...

Tout en parlant, Riou ne quittait pas des yeux les lignes génoises.

— Que nous contes-tu avec ta monnaie ? s'étonna Beaufort.

— Les Génois ! s'écria le jeune chevalier. Ils bougent ! Kecelj a réussi à les embaucher dans notre affaire ! Nous allons prendre les fils du Sultan, Messire, si vous voulez nous y aider, au moins l'un des deux, que nous revendrons à son père contre vos trois chevaliers.

— Tu es fou, mon garçon ! Ils courent comme des lièvres sur leurs andalous, sans ferraille sur le dos, et nous ne sommes pas faits pour prendre des gens comme cela...

Riou montra la cotte de mailles qu'il portait.

— Nous n'avons guère de ferraille non plus, Messire, le voyez-vous ? Nous courrons encore plus vite qu'eux. Donnez-nous la main selon ce que le Sire Comte de Fougères vous commandera, sauf le respect que je vous dois, et laissez-nous mener le jeu. Les Génois sont de la partie... Regardez leur ligne à l'ouest qui se déforme pour pousser entre le camp sarrasin et la garde des fils du Sultan !

— C'est ma foi vrai, ils se mettent à défaire leur ligne ! s'écria Lord Beaufort qui regardait comme Riou et son suzerain à travers le nuage de poussière où s'agitaient des milliers de cavaliers et de piétons selon une mêlée qui paraissait confuse, mais dont le sens ne pouvait échapper au regard du donneur de coups d'épée qu'était le Marquis de Weinsgate. Comment as-tu comploté avec ces menteurs d'Italiens ? Ils ne font rien que pour de l'argent ou des filles. Leur as-tu promis un navire de putains de Marseille ?

— Non pas Messire, mais ceux-là qui reviennent vers nous les ont convaincus de vous venir en aide, dit le chevalier de la Villerouhault en désignant du bras tendu deux cavaliers qui s'approchaient au galop.

Douriane et le mire hongrois, celui-ci monté sur une grande mule qui allait aussi vite que le cheval de l'Arménien, arrivaient au rendez-vous que Riou leur avait donné après leur ambassade chez le condottiere.

— Comment as-tu décidé le condottiere ? demanda Riou au médecin qui arrivait près de lui.

— Par la queue, Messire, fit le Hongrois, comme on attrape un singe. Je l'avais guéri huit jours plus tôt d'une fort vilaine pisse chaude qui sortait de son membre en fontaine depuis trois mois et qu'il désespérait de voir jamais se tarir. Il mènerait maintenant toute son archerie aux Indes pour moi, tant il est aise de voir tous les matins son braquemar rose et propre comme à vingt ans. Votre idée de prendre le petit sultan ou son gros frère l'a enchanté et il ne demande qu'un quart de la rançon qui nous sera payée si nous réussissons.

— Dieu du ciel, Guéthenoc ! Vous êtes heureux d'avoir des gens comme ceux-là avec vous, dit Beaufort en portant son regard sur le chevalier, son valet d'armes et le médecin hongrois. Vous pourriez aller au bout du monde avec eux...

— Nous irons à Jérusalem, si Dieu le veut, fit le Comte de Fougères. Quels sont tes ordres, Riou ? ajouta-t-il en se tournant avec un sourire vers son jeune vassal.

— Ne vous moquez point, de grâce, Messire, protesta le jeune chevalier... Voyez ce jardin là-bas, entouré de murs et de figuiers de Barbarie, où se sont installés les chirurgiens et leurs aides pour être au plus près de la bataille et parce qu'il y a de l'eau d'un puits très profond que nous gardons avec soin depuis que l'armée du Sultan est venue nous barrer le chemin. Nous allons y entrer, et nous tenir cachés dans le grand fondouk[1] qui le borde au sud, du côté qui regarde notre camp... Les Génois en continuant le mouvement qu'ils ont commencé découvriront le jardin et le fils aîné du Sultan, qui commande la bataille, le verra bien. Il pensera avantageux de venir s'adosser à ce jardin, et qui sait, d'y faire combler le puits qui nous est fort utile... Lorsque les mahométans s'avanceront, les chirurgiens de chez nous le quitteront en hâte en emportant les blessés, et les mahométans les laisseront faire... Ils enverront des éclaireurs dans le jardin pour s'assurer qu'il n'y reste plus de Francs, et n'en verront point puisque nous serons cachés dans le fondouk où nous demeurerons avec nos chevaux dans le plus grand silence. Puis, lorsque les chevaliers d'Angleterre et de Flandre donneront la charge contre la cavalerie du sultan, nous sortirons en surprise du jardin et entourerons les deux princes, qui ne se méfieront point de ce côté-là. Nous tuerons leurs chevaux et ceux de leurs gardes les plus proches avec des traits d'arbalète, et nous nous saisirons d'eux lorsqu'ils seront démontés...

Le Comte Guéthenoc hocha la tête.

— C'est un beau plan, sourit-il. Si ta bonne amie juive l'a vu dans ses tarots, je veux bien y croire, et c'est mieux faire en tout cas que rester sous nos tentes à endurer la fièvre...

La bataille semblait être apaisée tout à coup, comme le vent qui tombe au milieu d'une tempête. Le Duc de Bourbon qui s'était trouvé avec le Comte d'Eu et d'autres sires de haut rang entouré par la cavalerie musulmane et de forts contingents de piétaille avait été dégagé de justesse grâce à la charge des Flamands et des Anglais, et tous s'étaient retirés en arrière pour se reformer et changer leurs destriers épuisés par la chaleur. On comptait dans les rangs de la cavalerie franque plus de soixante-dix chevaliers morts dans leurs armures fracassées, et bien des valets d'armes victimes de leur dévouement pour leurs seigneurs, cherchant à les secourir au plus fort de la mêlée alors qu'ils étaient déjà condamnés... Mais les Mahomé-

1. Fondouk : un caravansérail, un entrepôt.

tans s'essoufflaient eux aussi. Plus d'un millier de leurs hommes de pied étaient tombés criblés de flèches ou de carreaux d'arbalète dans les épuisants assauts que cette infanterie trop légère et fort désordonnée avait menés contre la machine de guerre des Génois. Et si la journée qui allait s'achever n'avait pas permis aux Chrétiens de forcer le camp des Infidèles, elle montrait au Sultan, qui se tenait devant sa grande tente entouré de ses conseillers assis les jambes croisées sur des tapis de Kairouan, écoutant les relations que lui apportaient de temps à autre les officiers que les deux fils envoyaient à leur père, que ses calculs de prudence étaient justes, et qu'il n'avait pas le pouvoir, en dépit du nombre qui était de son côté, de détruire la cavalerie des Francs ni l'archerie génoise en ligne de bataille.

Hadj el Haffaz, émir de Kairouan, qui avait combattu jusqu'au milieu de la journée avant de voir sa cuirasse perforée d'un carreau d'arbalète était revenu s'asseoir avec les autres sur le tapis devant la tente, blanc comme un linge dans les vêtements de soie dont il s'était revêtu après avoir été pansé par les chirurgiens andalous, des chrétiens renégats au service du Sultan de Tunis depuis de longues années. Grand, le crâne rasé à l'exception d'une touffe de cheveux finement tressée, le nez aplati par un coup de sabre ancien, l'émir qui avait conduit jusqu'aujourd'hui le parti de ceux qui pressaient le Sultan d'attaquer avec toute sa force pour détruire l'ost chrétien se taisait maintenant, épuisé par le sang qu'il avait perdu, humilié aussi par le souvenir des paroles véhémentes qu'il avait prononcées à plusieurs reprises au cours des journées précédentes pour réclamer la guerre totale contre les envahisseurs francs. Il avait abusé, dans les divans qu'avait tenus le Sultan, du poids des contingents qu'il avait amenés du Sud derrière son cheval noir et qui constituaient à eux seuls un tiers de l'armée de son suzerain. Mais à l'heure où le soleil déclinait sur le champ de bataille jonché de morts, celui ci avait raison.

Des serviteurs vêtus de pantalons de soie et de gilets brodés apportèrent des sorbets d'orgeat et de citron qui avaient été confectionnés avec la glace qu'on faisait venir d'Algérie pendant l'hiver et qu'on enfouissait dans le sol sous des peaux de mouton et des couvertures de paille tressée afin de la conserver au cours des chaleurs de l'été.

Le Sultan porta la cuillère d'argent à long manche dans son sorbet, donnant à tous le signal de manger leur rafraîchissement à leur tour, et les autres cuillères attaquèrent les autres sorbets.

— Si Hadj est courageux comme un lion, dit-il posément. Plutôt que se reposer sous sa tente après le sang qu'il a perdu dans la bataille, il vient s'asseoir avec nous dans l'espoir d'apprendre sans retard que cette journée tourne à la confusion des Francs, qui se sont lancés inutilement à l'assaut de nos forces...

Les regards de tous se tournèrent vers l'Emir de Kairouan, accompagnés de murmures d'approbation. Si Hadj, en effet, n'avait pas ménagé sa peine ni son courage pour prouver que ses vues sur la manière de mener la guerre contre l'invasion franque étaient justes. Mais elles ne l'étaient pas. L'Emir inclina la tête pour remercier du compliment qui lui était fait.

Le Sultan poursuivit :

— Mais les nôtres sont fatigués maintenant, et beaucoup de croyants sont tombés pour leur foi. Il est juste et bon de prier pour qu'ils soient reçus dans la paix de l'autre monde...

Le Sultan étendit la main droite vers le serviteur qui ne le quittait jamais, tenant à sa disposition le Koran précieusement enluminé qui lui avait été offert par le Sultan de Perse alors qu'il était encore un jeune homme, au cours de son premier pèlerinage à La Mecque. Ayant reçu le livre sacré, dont il connaissait de mémoire tous les versets, il l'ouvrit à la sourate 2 527 et lut lentement.

— Que ceux qui vont au combat pour la Foi ne craignent point l'étincelle des épées ni la furie des flèches tirées par les archers. Car si elles abrègent la vie terrestre des plus intrépides, elles agrandissent le temps qu'ils passeront dans la contemplation du Dieu Tout-Puissant. Celui-ci a décidé au commencement de l'univers ce qui doit être, faisant ainsi de la mort au combat pour la foi un commencement plutôt qu'une fin, un éblouissement plutôt qu'une ténèbre...

» *Que Son Saint Nom soit béni,* conclut le Sultan en refermant le livre que son serviteur lui ôta des mains après qu'il l'eut baisé, tandis que les émirs et les officiers présents répétaient d'une voix grave : *Que Son Saint Nom soit béni...*

En relevant les yeux vers ses vassaux, le Sultan vit derrière eux, descendant de son cheval, l'agha Mokrane, celui-là même qui avait été envoyé quelques jours plus tôt par Abbou el Abbas, gouverneur de la forteresse, auprès du Duc de Bourbon pour demander aux seigneurs francs les raisons qui les avaient poussés à venir porter la guerre chez les musulmans.

L'agha s'était approché pendant la lecture de la sourate à l'intention des morts de la bataille, dont il revenait, ayant été chargé par le Sultan de conseiller ses deux fils au combat et de modérer leurs ardeurs, s'ils se montraient imprudents, surtout le plus jeune, Mégid, que ses seize ans, ainsi que tous les récits guerriers qu'on lui avait faits pendant son enfance pour le préparer à la carrière des armes, portaient à l'impétuosité. Surtout celui-là, que le Sultan chérissait autant pour sa droiture que pour la vivacité de son intelligence...

— Mokrane, dit le Sultan à celui qui venait d'arriver, ne demeure point ! Retourne dire à mes fils qu'ils ont assez prouvé leur courage aujourd'hui... Prends le commandement toi-même après leur avoir ordonné de revenir auprès de moi aussitôt... Ne me dis pas que les Francs sont épuisés, mais qu'ils repartent à l'assaut sans cesse, parce que je le sais ! Ces hommes sont plus courageux que nous, parce que la chaleur les tue et qu'ils refusent d'en mourir. Fais retraiter les nôtres vers le camp dès que tu verras que les Chrétiens sont près de faiblir, afin que personne, ni d'eux ni de nous, ne puisse penser qu'il a gagné la bataille...

L'agha sourit et mit son pied à l'étrier, aidé par l'un des trois cavaliers qui l'accompagnaient, avec leurs longues queues de cheval flottant derrière leurs casques et leurs armures faites de fines plaques d'acier assemblées comme des écailles de poisson, leurs javelots en faisceau attachés à leur dos, et leurs masses d'armes hérissées de pointes qui se révélaient être les meilleurs instruments du combat contre les Francs cuirassés, lorsqu'on pouvait frapper le heaume de l'adversaire, après avoir évité sa terrible lance.

Du haut de sa selle, l'agha dit les nouvelles de la bataille avant d'obéir à son maître :

— Les Génois cèdent le terrain, Grandeur, et le Prince Ali s'est porté vers le jardin et le fondouk qui sont entre le camp des Génois et celui des Francs, afin d'y faire combler les puits qui sont précieux aux Chrétiens...

Le Sultan eut un geste de contrariété et d'impatience.

— Dis à Ali que c'en est fini de manœuvrer comme si le soleil allait s'arrêter au-dessus de l'horizon pour lui offrir un autre jour de bataille, et renvoie-le ! Toi qui décideras de tout aussitôt après, laisse ces puits tels qu'ils sont et commence à retirer nos gens lentement vers l'enceinte de ce camp. Va ! Ne tentez pas le sort en lui demandant plus que ce qu'il vous a donné aujourd'hui...

Les chevaux de l'agha et de ses cavaliers d'escorte partirent comme des flèches à travers les tentes pour porter aux deux princes les ordres de leur père. Tous autour de celui-ci avaient senti en l'écoutant qu'ils étaient empreints d'inquiétude.

— Certains d'entre vous m'ont pressé ces jours-ci d'écraser l'armée des Francs, reprit d'une voix calme le Sultan aussitôt après le départ de l'agha, et ma répugnance à le faire a pu leur paraître le fruit de la faiblesse. Mais un courrier reçu hier encore de Marseille me répète que la cavalerie qui menace notre ville de Mahdia n'est qu'une avant-garde d'une armée plus considérable, qui s'organise pour marcher jusqu'à Constantinople où elle s'embarquera pour la Palestine. J'ai craint que si nous détruisions la force d'avant-garde venue nous chercher querelle ici le Roi d'Angleterre et l'Empereur d'Allemagne, qui ont fait serment de reconquérir la Palestine, ne décident de venger les vaincus en s'attaquant à Tunis avec toute leur puissance, qui est celle de contrées peuplées d'un grand nombre d'hommes, arrosées par la pluie, et riches en blé et en troupeaux. Deux fois des rois Francs sont venus mettre le siège devant Tunis et deux fois les maladies et les fièvres sont venus à notre aide pour qu'ils soient repoussés. Mais qu'adviendrait-il d'une troisième fois ? Voilà pourquoi je souhaite que ceux qui sont venus repartent après avoir signé avec nous un traité par lequel personne n'aura vaincu l'autre...

— Nous admirons ta sagesse, dit l'Emir de Kairouan qui sentait la tête lui tourner.

C'était autant par la faiblesse venue de sa blessure que de l'inquiétude qu'il avait ressentie quand le Sultan avait commencé un discours qui eût pu être une accusation sans ménagement contre les propos quasi injurieux qu'il avait tenus en dehors de la présence de son suzerain pour critiquer sa façon de mener la guerre. Hadj craignait fort qu'on les lui ait rapportés...

— N'est-il pas mauvais, tout de même, Grandeur, intervint l'émir de Kasserine, que les Chrétiens prennent Jérusalem aux Croyants ?

Le Sultan de Tunis haussa les épaules.

— Jérusalem n'est pas La Mecque. Et si les violents qui cherchent leur profit à brandir l'épée de l'Islam n'avaient pas persécuté les Chrétiens qui y vont en pèlerinage, les Rois francs n'auraient pas le prétexte qui leur permet de s'allier pour se lancer à la conquête de nos possessions de Palestine. Qui sème le vent récolte la tempête, et celle-ci est sur nous...

12.
Le Haschachinn pendu

Suivis du sergent qui commandait les douze arbalétriers génois que le condottiere leur avait prêtés, Riou et Douriane se glissèrent en silence par la porte du fondouk où tous les chevaliers bretons et leurs écuyers attendaient en silence sous le commandement du Comte Guéthenoc le moment de jaillir à travers le jardin pour prendre à revers la garde des deux princes de Tunis.

Marchant sans bruit d'un arbre à l'autre, le chevalier de la Villerouhault et son valet, armés eux aussi de puissantes arbalètes anglaises, le carquois sur le dos rempli de traits aux pointes d'acier, cherchaient des yeux les silhouettes des cavaliers musulmans qui étaient entrés quelques instants plus tôt pour s'assurer que les Francs n'y avaient pas laissé d'hommes en armes après la fuite des chirurgiens et de leurs aides emportant les blessés.

La plupart de ces éclaireurs avaient repassé la porte qui servait d'entrée au grand verger où Douriane n'avait pu, le premier jour, sauver la vie du vieil homme trop attaché à ses arbres, mais quelques-uns entouraient le grand bassin dans lequel ils puisaient de l'eau pour se rafraîchir, tandis que des fantassins, sur l'instruction du Prince Ali, commençaient à démanteler la maçonnerie du puits pour le combler.

Riou chuchota à l'oreille du sergent génois l'ordre de s'approcher du puits avec ses hommes. Ceux-ci disparurent entre les arbres tandis que le chevalier et son valet se dirigeaient vers le porche d'entrée du jardin, afin de s'embusquer pour frapper tous ceux qui voudraient le franchir s'ils avaient échappé aux traits dont les Génois allaient les cribler par surprise.

Aux oreilles de Riou et de Douriane venaient de l'autre côté du mur du jardin les bruits des galops et des hennissements des chevaux de la garde des deux princes, les ordres gutturaux lancés par les officiers d'ordonnance d'Ali, et les cris plus lointains de la bataille.

Le sergent des Génois aperçut à quelques pas devant lui accroupi sous un figuier un des cavaliers musulmans qui avait abaissé son pantalon pour satisfaire un besoin. Son cheval broutait l'herbe à quelques mètres, la bride sur son encolure. Le sergent fit signe à l'archer qui marchait non loin de lui, l'homme ajusta son arme et lâcha son trait au moment où le musulman, qui venait de sentir une présence proche, tournait la tête en découvrant avec une expression d'effroi l'arme braquée sur lui.

Rejeté en arrière par la violence du choc qu'il recevait, l'homme tomba en poussant un cri rauque qui fit bondir son cheval, surpris lui aussi dans sa quiétude. L'animal hennit fortement, faisant se tourner dans sa direction les têtes de ceux qui étaient autour du puits et du bassin. Les uns cherchaient à saisir leurs armes, les autres voulaient se mettre en selle à la hâte, mais les Génois avaient fait en un instant les quelques pas qui les séparaient des mahométans et leurs traits frappaient avec une sûreté impitoyable à cette courte distance ceux-ci ou ceux-là qui roulaient à terre dans un silence mortel ou gémissant au contraire en cherchant à arracher de leur poitrine l'horrible fer qui s'y était enfoncé.

Un carreau planté dans son flanc, qu'il avait reçu au moment où il s'était mis en selle à la hâte, un cavalier fonçait vers le porche du jardin en dépit de la douleur pour échapper à l'embuscade et donner l'alarme. Il eut devant lui le chevalier de la Villerouhault se détachant soudain d'un arbre et un second trait s'enfonça dans sa poitrine cette fois-ci, le jetant à bas de son cheval pour toujours.

Riou se planta les bras écartés devant l'animal pour lui barrer la porte, tandis que Douriane surgissait à son tour pour l'aider à s'en saisir.

Le Duc de Bourbon, épuisé par la chaleur, était allongé sous un dais que ses valets d'armes avaient tendu au-dessus de lui afin qu'il puisse reprendre haleine pendant qu'on lui amenait un destrier frais des écuries du camp en remplacement de celui qui était tombé foudroyé sous lui par un coup de sang une demi-heure plus tôt, alors que la cavalerie franque se reformait pour compter ses pertes en profitant de l'accalmie soudain étendue sur le champ de bataille. Les musulmans eux-mêmes semblaient être parvenus à la limite de leurs forces, en raison surtout des pertes terribles de leur infanterie.

Le Duc but à longs traits à la cruche d'eau tiède que lui tendait son domestique puis se redressa et, courbant la tête pour sortir de l'abri de toile qui l'avait tant bien que mal protégé de l'ardeur du soleil, porta son regard sur le champ de bataille éclairé maintenant par une lumière oblique qui jaunissait rapidement.

Dans ce qui restait du nuage de poussière nourri depuis le matin du piétinement furieux des chevaux et des hommes, il vit avec étonnement le mouvement qui s'était fait pendant qu'il s'abandonnait au repos.

Les Génois avaient déplacé leur dispositif, et en conséquence la garde des deux fils du Sultan s'était rendue maîtresse du verger entouré de ses hauts murs le long desquels elle s'appuyait maintenant.

La colère s'empara du Duc.

— Alforzi ! lança-t-il à l'adresse du *capitano* génois qui se tenait depuis le matin dans son entourage en tant que représentant du condottiere. *Cosa fa quello stronzo de tuo padrone ? E pagato doi miscredenti adesso*[1] ?

Le Duc qui avait passé les années de son adolescence à la cour du Podestat de Milan parlait l'italien à la perfection.

— Il a fait mouvement sans prévenir ! Et toi, à quoi sers-tu ? A me passer le pissoir quand j'en ai envie ?

— Je ne sais, Messire..., hasarda Alforzi, qui avait reçu du condottiere tout à l'heure un message lui ordonnant d'étouffer les protestations du Duc comme il le pourrait. Le signor condottiere aura été contraint de céder du terrain pour ne pas se trouver en mauvaise posture. Les hommes sont très éprouvés par la chaleur eux aussi...

— C'est une de ses catins qui a soufflé à ton patron cette belle manœuvre ? Et le puits qui est là-bas ? Ils vont l'empoisonner avec des charognes avant de s'en retirer, si toutefois ils veulent bien le faire avant la nuit !

Les comtes présents et plusieurs chevaliers s'approchaient au bruit de l'algarade.

— Où sont les Anglais de Beaufort ? demanda le Duc.

— Par là, Messire, dit un chevalier normand en désignant une nombreuse cohorte de cavalerie franque, qui s'était reformée et s'ébranlait en bon ordre, lance au poing, bannières en tête.

— Mais que font-ils, Grands Dieux ! s'écria le Duc. Qui commande tout ce désordre ?

1. Que fait ton couillon de patron ? Il est payé par les mécréants, maintenant ?

— Ils vont charger vers le jardin, lança le Comte d'Eu.

Un second escadron de chevaliers bardés de fer se mettait en marche à son tour à plusieurs centaines de mètres des Anglais, derrière les lions d'or sur fond d'azur peints à leurs bannières.

— Les Flamands ! jeta le duc avec dépit en se retournant vers le comte de Koudekerque, qui faisait auprès de lui la liaison avec le comte de Malines, seigneur de l'ost flamand. Ils se joignent aux Anglais sans que vous me fassiez la grâce de m'en aviser ! A moins que vous ne sachiez rien vous non plus sans doute, comme à l'habitude !

Le comte flamand rougit sous la moquerie.

— Non plus, en effet, Messire, dit-il, piqué.

Le Duc de Bourbon jeta à terre d'un geste rageur le gant de cuir que lui tendait le valet qui l'aidait à se remettre en armure.

— C'est une journée de folie, s'écria-t-il, qui s'achèvera comme elle a commencé !

L'agha Mokrane venait de transmettre au Prince Ali l'ordre formel de son père de regagner le camp avec son frère cadet lorsque les cohortes franques qui s'étaient mises en mouvement sous ses yeux montrèrent sans doute possible, par la direction qu'elles prenaient, quel était leur but : repousser la garde du Sultan et toute la cavalerie de la proximité du verger.

— Par le Prophète, presse-toi de partir avec ton frère, répéta l'agha d'un ton sévère.

— La honte est sur moi si je m'en vais alors que ces chiens de Chrétiens reviennent à la charge ! s'écria le Prince dont les yeux étaient injectés de sang par la fatigue accumulée tout au long du jour. Veux-tu que tous ceux qui sont là autour de moi racontent qu'Ali est allé se mettre à l'abri au moment de l'assaut décisif ?

Partageant maintenant l'inquiétude exprimée par le Sultan, Mokrane éleva la voix.

— Veux-tu que l'on dise qu'Ali fils du Sultan de Tunis refuse d'obéir à son père sur le champ de bataille et expose la vie de son frère par sa vanité ? Veux-tu que j'ordonne que ceux-ci se saisissent de toi et t'emmènent de force les mains attachées derrière le dos ! ajouta l'agha en désignant les officiers de la garde qui se taisaient sous leur casque au croissant, prêts à obéir à l'ordre que leur donnerait le vieux soldat qui avait la confiance du Sultan depuis toujours, visages tannés par le soleil, marqués de cicatrices, luisants de la sueur qui coulait dans leurs barbes noires, tandis que se rapprochait le bruit du galop de la cavalerie chrétienne.

Tremblant d'émotion, soudain dégrisé, le Prince Ali jeta son sabre à terre avec un juron. Un homme de pied se précipita pour le ramasser, quand des cris retentirent, arrachant l'état-major des princes à la scène dramatique qui avait dressé Ali contre l'agha.

Une foule de cavaliers en cotte de mailles surgissait au galop sans qu'on ait pu les voir ou entendre venir, se dirigeant vers le jeune prince Mégid qui se tenait à quelque distance au milieu d'un groupe de cavaliers.

— Mégid ! hurla de toute la force de sa voix l'agha qui voyait les arbalètes dont certains des assaillants étaient armés, et reconnaissait en eux un parti de Francs équipé d'une manière insolite.

Déjà les chevaux des gardes du jeune prince se cabraient en recevant les carreaux tirés par les arbalètes, déjà le choc des épées que brandissaient d'autres cavaliers francs résonnait contre celui des sabres courbes, tandis que l'agha se ruait au galop, entraînant les officiers au secours du jeune homme...

L'agha Mokrane vit le cheval noir du Prince plier comme si un poids s'était abattu sur lui, et s'abattre sur le sol, entraînant son cavalier dans sa chute au milieu d'une nuée d'ennemis.

Puis le sourd piétinement de la cavalerie lourde des Francs s'ajouta à tout ce malheur qui s'abattait sur les épaules du vieil officier. Longeant le mur du verger, surgis eux aussi par surprise, une masse compacte de chevaliers en armure, lances en avant, fonçait à son tour vers la confusion qui entourait le Prince abattu.

Les Normands avec leur haine, et le léopard sur leurs boucliers ! Un froid mortel s'empara du cœur de l'agha Mokrane, qui était arrivé trop tard pour apporter l'ordre prophétique du Sultan. Le malheur était au bout de cette journée. L'agha tourna ses regards vers Ali qui, son sabre au poing de nouveau, hurlait pour rallier la garde qui pliait devant le mur d'acier des cohortes normandes chargeant de front.

Puis l'agha ne vit plus rien, frappé par le trait qui s'enfonçait dans sa poitrine.

— Que fait Ali, pourquoi ne revient-il pas ? s'exclama le Sultan en paraissant sur le seuil de sa tente.

L'impression de malaise qu'il avait éprouvée tout à l'heure en présence de l'agha Mokrane grandissait alors que déclinait la lumière.

Dans quelques minutes la nuit serait là, comme un rideau noir qu'on tire, ainsi qu'il en était en Afrique, et cette journée s'achèverait dans la confusion, dans l'inutile.

— Nassr ! Va aux nouvelles ! lança-t-il à un des courriers qui attendaient auprès de leurs chevaux. Dis-moi où en est Mokrane !

Le courrier avait bondi en selle. Hors de vue du Sultan il manqua se heurter à deux cavaliers de la garde qui surgissaient au galop en contournant la grande tente brune de l'émir de Kasserine. Couverts de sang, l'un d'eux sans son casque, ceux-là revenaient du combat... Le courrier arrêta brutalement son cheval, et les trois hommes se trouvèrent face à face. Aux yeux exorbités des deux cavaliers, à leur voix angoissée, le courrier comprit aussitôt qu'ils portaient une mauvaise nouvelle.

— Le Prince Mégid ! Le Prince Mégid ! crièrent-ils.

— Quoi ? s'écria le courrier en pensant avec effroi à la tâche impossible que serait celle d'apprendre au Sultan qu'un malheur était arrivé au jeune prince. Quoi ? Parle !

— Par Dieu le Tout-Puissant ! Il est tombé sous les coups des chrétiens.

Le médecin andalou pénétra dans la tente du Sultan entre les gardes qui se tenaient impassibles sous le dais de l'entrée. Le Sultan était assis sur son tapis de prière, les yeux tournés vers l'est, vers La Mecque. Le chapelet remuait régulièrement dans ses doigts, bruit minuscule seul à rompre le terrible silence qui régnait autour du souverain depuis que la mort de son fils dans la bataille lui était connue. L'énorme campement pourtant grouillant d'hommes et d'animaux se taisait dans la nuit qui l'enveloppait, atterré par cette affreuse défaite qu'était pour un père la fin de son fils préféré. Pas un chant, pas un cri, pas un battement de tambour, parfois le dérisoire braiement d'un âne s'élevant d'un des enclos où ils étaient parqués par centaines.

Le secrétaire porteur du Koran était debout à son écritoire, sur lequel le livre était ouvert, et ses lèvres remuaient silencieusement, elles aussi, à la lecture de la sourate des morts.

Le médecin s'avança sur les tapis. Le Sultan leva son regard jusque-là perdu dans la prière.

— L'agha Mokrane a repris conscience, Grandeur... Il désire ardemment vous parler.

— Vivra-t-il ? demanda le Sultan après s'être mis debout.

— On ne peut l'espérer, Grandeur... Il n'a plus qu'un souffle.

Le masque amer du souverain se creusa encore. La mort lui prendrait aussi ce bon soldat qu'il avait envoyé sur le champ de bataille pour tenter de contrarier le destin après avoir compris trop tard que cette journée était vouée au malheur.

Ils marchèrent entre les tentes jusqu'à celle où on avait transporté l'agha frappé de deux traits d'arbalète l'un dans la poitrine, l'autre dans le ventre, et piétiné par les chevaux de la cavalerie franque, retrouvé par des gardes que le Sultan avait renvoyés à l'endroit fatal lorsqu'il lui avait été affirmé par les survivants de l'escorte de Mégid que l'agha n'avait pas été capturé.

Les yeux du mourant guettaient le retour du médecin, avec dans leur regard la crainte que le Sultan ne vienne pas.

— Grandeur, murmura l'agha lorsque son maître se fut arrêté à son chevet, aurai-je ton pardon ?

Le Sultan secoua la tête.

— Qu'ai-je à te pardonner, Mokrane ? Nul ne peut rien contre ce qui est décidé. Les flèches qui t'ont frappé par-devant montrent bien comment tu as affronté l'ennemi pour porter secours à Mégid.

Les larmes jaillirent des yeux du Sultan après qu'il eut prononcé le nom du jeune prince.

— Tu avais raison, Grandeur, reprit l'agha. C'était un piège.

— Qu'as-tu vu exactement ? Certains m'ont dit que Mégid est tombé parce qu'ils avaient abattu son cheval, mais que lui-même n'avait rien à ce moment-là...

— Je l'ai vu aussi, Grandeur. Ces chrétiens n'étaient pas en armure. Ils s'étaient cachés dans le fondouk proche du jardin et des Génois étaient avec eux. Ils ont entouré le jeune prince et voulaient s'en emparer sans doute aucun...

Le vieil officier s'interrompit, haletant.

— Ne parle plus, Mokrane, ordonna le Sultan en posant sa main sur le bras musclé du gisant.

— Ils voulaient un gage contre toi, reprit celui-ci dans un souffle.

Le Sultan se tut un moment.

— Ce sont les Génois, alors, murmura-t-il. Et c'est qu'ils veulent négocier bientôt...

Les Chrétiens avaient reçu leur tour d'assaut, arrivée deux jours plus tôt sur un navire, selon ce que les espions mahométans introduits dans le camp génois avaient vu, car la machine avait été débarquée de nuit. Si la forteresse n'était pas prise, les Génois proposeraient un traité. La capture du jeune prince leur aurait donné le moyen d'en façonner les termes à leur avantage.

— Mais quelque chose s'est produit, pour que Mégid meure, dit le Sultan achevant sa réflexion à voix haute.

— J'ai vu des chevaliers en armure surgir eux aussi au moment où j'étais frappé, dans une charge furieuse, venant le long du mur du jardin. Si le Prince est mort, c'est des lances de ceux-là...

Le regard exténué du vieux soldat s'anima, et il reprit :

— Certains nous haïssent de toute leur âme, je l'ai su lorsque Abbou el Abbas m'a envoyé chez eux... Ils ne voient en nous que des chiens enragés. Mais Mégid n'est peut-être que blessé, aux mains de leurs chirurgiens. Il faut espérer, il faut prier...

Le Sultan devina que cette fébrilité qui s'emparait du soldat foudroyé était celle qui annonce la fin de l'agonie.

L'agha dit encore :

— Je vais mourir en paix, puisque tu ne m'as pas fait de reproche, Grandeur...

La main du Sultan serra de nouveau le bras de son vieux serviteur.

— Je t'ordonne de vivre, Mokrane, dit-il fermement en fronçant les sourcils. Comment me laisserais-tu seul dans cette douleur ?

Le souverain se leva.

— Repose-toi, et fais-moi appeler quand tu le désireras...

Le Sultan sortit de la tente. Il trouva, qui l'attendaient, deux officiers de sa garde, le visage défait, inondés de larmes qui coulaient sur leurs moustaches. Ils se précipitèrent pour lui baiser la main en répétant : Grandeur ! Grandeur ! avec des sanglots.

— Paix, paix ! dit le Sultan. Par Dieu, conduisez-vous en soldats !

Les deux officiers reculèrent sous l'admonestation de leur souverain. Elle ajoutait au trouble qui était en eux pour ce qu'ils avaient à dire.

— Grandeur ! balbutia l'un d'eux. Le Prince... Deux chrétiens ramènent au camp le Prince ! Notre douleur... Où faut-il ordonner qu'il soit transporté ?

A la lueur des torches, le Sultan vit les mules et la fatale litière, le jeune mort allongé sur celle-ci, les yeux fermés, le charmant visage désormais figé dans la souffrance, les gardes pétrifiés de crainte à la vue de leur souverain s'avançant vers eux pour cet impitoyable face à face, la foule silencieuse des soldats sortis de leurs tentes à l'arrivée de la dépouille du jeune Prince et enfin les deux chrétiens qui avaient amené celle-ci, immobiles entre les gardes qui les encadraient de leurs sabres nus sans qu'on sache si c'était pour les menacer ou les protéger.

Le silence s'épaissit à l'approche du Sultan, augmentant le crépitement des torches.

— Par Dieu, retirez-vous, dit le souverain en se tournant vers la foule des soldats. Allez vous reposer de vos fatigues et laissez le père avec son fils !

Les soldats s'éloignèrent dans l'obscurité. Ne demeuraient que les gardes qui portaient les torches, ceux qui entouraient les deux Chrétiens, et les officiers qui étaient allés à la rencontre du Sultan lorsqu'il était sorti de la tente où l'agha Mokrane se mourait.

Accompagné du capitano Diego Alforzi, le condottiere Orlandini arriva à cheval sur le terre-plein qui s'étendait devant la tente du Duc de Bourbon où tous les Comtes dans la lumière des photophores, environnés d'une danse tourbillonnante d'insectes, étaient assemblés dans le but de tirer la leçon de l'affrontement de la journée. Il entendit des éclats de voix. Le comte de Fougères debout faisait face au Comte Jehan d'Eu, assis sur sa selle d'armes.

— Le petit sultan était notre prisonnier, et vos gens l'ont méchamment mis à mort au mépris des lois de chevalerie. Et de cela, j'entends demander et obtenir justice sur-le-champ, sous peine de retirer notre ost de Fougères du combat aujourd'hui même !

— C'est parler justement, et nous tous de Bretagne nous retirerons aussi avec ceux de Fougères si le serment que nous avons fait à la Très Sainte Vierge de combattre avec générosité n'est point satisfait chaque jour ! s'écria le Comte Emery de Vannes en se levant à son tour.

Le Comte d'Eu haussa les épaules sans quitter son siège.

— Nobles paroles qui sortent de vos bouches, messeigneurs, dit-il avec un sourire méprisant. Mais bien sottes car mes gens d'Eu qui ont chargé les mécréants dans toute leur force n'ont pu voir que vous teniez à merci celui-là plutôt qu'un autre. A quoi servent les lances de chevaliers lancés au galop dans la furie du combat si ce n'est à pourfendre les Infidèles ?

Le duc de Bourbon, pâle des fatigues de la journée, leva la main à la vue du condottiere qui s'approchait en faisant sonner ses éperons de fantaisie tout en or.

— De grâce, Messires, ne nous querellons point devant le Génois, jeta le duc avant de se lever de sa belle chaise pour accueillir l'homme de confiance de la République.

Deux semaines plus tôt le Duc n'aurait pas fait tant d'honneur à ce soudard, mais la crainte de voir les Génois se rembarquer avait fait du chemin dans son esprit lassé par les misères de la campagne. Les Bretons menaçaient d'abandonner le siège, les Anglais n'en pensaient pas moins. L'épisode de la mort du fils cadet du Sultan et ce mouvement inexpliqué qu'avaient fait les Génois révélaient-ils une connivence entre les uns et les autres, qui ruinait les ambitions du duc de garder le commandement de la croisade ?

— Prenez place parmi nous, Orlandini, fit le Duc alors que ses valets sortaient de la tente aux allures royales un tabouret garni de tapisserie destiné à l'Italien.

— La tour sera prête à l'aube, déclara celui-ci après s'être assis auprès du Duc. Les charpentiers des navires y sont au travail, et malgré les fatigues de la journée, j'ai donné ordre à mon monde de se tenir prêt à combattre pour couvrir face au camp du Sultan vos assauts contre les murailles...

Plusieurs Comtes protestèrent. Leurs chevaliers étaient épuisés par les combats qui n'avaient pris fin qu'au coucher du soleil. Les chirurgiens étaient exténués, continuant de soigner les blessés alors même que se réunissait ce conseil.

— Ne pouvons-nous attendre une journée ou deux, Orlandini ? s'enquit le Duc.

Le condottiere fit une grimace.

— Je ne tiendrai pas ici mes gens plus longtemps, si vous n'attaquez la forteresse. Rappelez-vous que les miens ne combattent pas pour le Christ, Messires, mais pour la double paie qui leur a été promise si la place est prise. Ils pensent qu'ils sont en train de faire une mauvaise affaire à attendre sur ce sable où il y a trop de coliques et pas assez de filles, et je n'ai pas la ressource de les menacer de l'enfer s'ils abandonnent la Croisade : ils sont de toute façon décidés à y aller pour deux ducats l'an, plus la nourriture...

Le condottiere accompagna sa plaisanterie d'un sourire qui découvrait de grandes dents dont la blancheur était entretenue avec un mélange de cendre de bois et de poudre d'émeri fourni par la marchande de cosmétiques.

Le Duc pétrissait son menton.

— Irez-vous à l'assaut avec la tour, Fougères ? demanda-t-il au comte Guéthenoc.

Celui-ci secoua la tête.

— Nous n'irons point, si justice n'est pas rendue de ce qui a été fait aujourd'hui, lorsque mon bon vassal le chevalier de la Villerouhault a mis à sa merci le fils du Sultan, et que le Sire de Macé a frappé à mort celui qui allait être son prisonnier...

— Par Dieu nous n'irons pas non plus, déclara de sa voix forte Lord Beaufort de Weinsgate, si nous n'avons pas raison de cela ! Le Sire de Macé a fait bon marché des règles du combat, et de la rançon que nous eussions pu avoir du jeune prince, en échange de mes prisonniers à moi qui sont en ce moment avec je ne sais quels fers aux pieds dans la geôle du Sultan. Dieu veuille qu'il ne se venge point sur eux de la mort de son fils !

— Ne m'a-t-on point dit qu'à Bruxelles, s'enquit le Duc, le Sire de la Villerouhault et le Sire de Macé avaient demandé l'un contre l'autre le jugement de Dieu, qui leur a été interdit par le fait qu'ils ont pris la Croix le jour avant d'avoir à se mesurer ? N'est-ce point cette querelle qui se poursuit parmi nous jusque sur le champ de bataille ?

Le Comte Guéthenoc haussa les épaules.

— Pour moi ce n'est point querelle, mais crime de l'un qui ne cesse de poursuivre l'autre, par injurieuse conduite et brutale persécution !

— Le zèle que montre mon vassal de Macé à poursuivre l'Infidèle ne peut être injurieux qu'à ceux qui songent à ménager celui-ci plutôt qu'à le combattre jusqu'à mort, jeta le Comte d'Eu.

— Accepterez-vous ma justice, au moins, si elle est rendue, fit le Duc sur un ton désabusé à l'adresse des Bretons et des Anglais, ou bien ne cherchez-vous qu'une raison pour quitter cette guerre ?

Beaufort se mit à rire.

— Il y a si grand plaisir à suivre vos plans de campagne, Messire Duc, que nous ne comptons pas nous en priver tout de suite. Et nous n'avons point, comme le Signor Orlandini, des soldats pressés d'aller bander leurs arcs à Gênes...

Il y eut quelques rires, dont celui du condottiere, mais la voix du Duc se fit solennelle :

— En mon droit suzerain je dis en toute justice que, si le jugement de Dieu demandé par le sire de Macé et le sire de la Villerouhault ne peut être rendu l'un contre l'autre sous le signe de la Croix, il se fera pourtant demain selon que l'un et l'autre de ces deux chevaliers occuperont les deux places les plus exposées aux deux redoutes avant de la tour d'assaut et que le premier qui périra sous le fer des Infidèles sera proclamé vaincu contre l'autre, qui se retirera du combat aussitôt et n'y pourra revenir avant le lendemain et à une autre place qu'en la tour... Outre cela, le Sire de Macé et l'ost d'Eu paieront quoi qu'il advienne au Sire de la Villerouhault et à l'ost de Fougères la somme de dix ducats d'or pour la perte de rançon due à la mort du prince des Infidèles que le Sire de Macé a frappé dans sa charge sans s'assurer si le prince avait déjà demandé merci au Sire de la Villerouhault.

— *Ben detto !*[1] complimenta le condottiere en tournant vers le duc son sourire de bellâtre.

Venus veiller le mort, les émirs étaient assis de part et d'autre du brancard de bois précieux où reposait le jeune prince les mains croisées sur sa poitrine enserrée dans les bandelettes dont s'étaient servi les chirurgiens chrétiens pour tenter de réparer la terrible blessure.

L'encens fumait dans des cassolettes. Les noctuelles venaient se brûler les ailes aux lampes à huile qui laissaient la tente mortuaire dans une demi-pénombre.

Le Sultan, après la douleur qui l'avait frappé par surprise, montrait de nouveau un visage de fermeté.

— Où sont les deux chrétiens ? demanda-t-il aux officiers de la garde qui se tenaient à l'entrée.

— Ils attendent à côté, Grandeur.

— Fais-les venir !

Le Sultan se tourna vers l'homme au Koran.

— Va chercher une bourse d'or dans mon coffre.

Le serviteur se dirigea vers la tente voisine pendant que l'on amenait Kecelj et Douriane.

— Tu parles l'arabe ? demanda le Sultan à Douriane.

— Oui, Grandeur, dit l'Arménien.

— Une récompense va vous être donnée, pour ce que vous avez fait.

Douriane ne dit rien. Le Sultan reprit.

— Etais-tu au combat lorsque mon fils a été frappé ?

— Non, mentit l'Arménien.

Douriane avait vu tomber l'agha, et l'agha connaissait Douriane. Mais l'agha avait-il survécu ?

— On m'a dit que mon fils avait demandé merci, après que son

1. Voilà qui est bien dit !

cheval eut été abattu. Est-ce cela que tu as entendu raconter, même si tu n'y étais point ?

— Des chevaliers ne refusent pas merci, Grandeur. Ce ne peut être cela qui est arrivé !

— Ne sont-ce pas des chevaliers qui ont frappé mon fils de leur lance, ainsi qu'on les a vus venir à la charge ?

— S'ils l'ont fait, c'est dans l'ardeur de la bataille, et n'ayant pas compris que certains qui n'étaient pas en armure et montaient des chevaux pris à votre cavalerie avaient déjà mis le prince à leur merci...

Douriane sentait la sueur mouiller ses tempes, du mensonge qu'il faisait. Il défendait ces Normands détestables, qui l'avaient accusé de traîtrise...

— Devrai-je te croire, reprit le Sultan, ou ceux de mon entourage qui me disent que les plus cruels des chevaliers francs ont voulu me percer le cœur à travers la poitrine de mon héritier ?

Douriane se tut, faisant comme si la question posée par le Sultan était un réflexion adressée à lui-même, et l'entrée du porteur du Koran revenant avec une bourse d'étoffe remplie de pièces d'or aida l'Arménien à ne pas répondre à la question du Sultan. Celui-ci prit la bourse pour la tendre à Douriane, qui la refusa d'un geste.

— Ce que nous faisons, Grandeur, nous ne le faisons pas pour de l'or. Merci de ta générosité.

Le Sultan avança de nouveau la bourse.

— Un chirurgien a tenté de soigner mon fils. Au moins lui donneras-tu ceci en mon nom...

Douriane désigna Kecelj qui l'avait accompagné avec la litière, après avoir pansé le jeune prince affreusement déchiré par la lance.

— Celui-ci est le chirurgien qui a pris soin du blessé. Il est savant, et eût pu le sauver si le jeune prince n'avait pas été si gravement atteint. Mais tu l'offenserais en voulant le payer.

Le Sultan renonça à la bourse et s'adressa à Douriane.

— Demande-lui si mon fils a souffert, et s'il avait sa conscience lorsqu'on lui a amené pour qu'il le soigne. A-t-il prononcé des paroles ?

Douriane traduisit. Le visage de Kecelj demeura sans expression pendant qu'il répondait :

— Dis-lui que le jeune homme était inanimé, et que son cœur a cessé de battre alors que je... que je l'opérais.

Le Sultan resta silencieux, puis les regarda tous les deux avec un pli d'amertume.

— Si vous ne voulez pas d'or, acceptez au moins les remerciements d'un père pour vos mensonges, dit-il. On me ment souvent. Mais cette fois je ne peux m'en fâcher.

Il fit signe à un des officiers de la garde, qui s'approcha.

— Vos mules sont maigres, et usées par la chaleur, dit le Sultan aux deux chrétiens. Ce ne sont pas des bêtes d'Afrique. Cet officier va vous conduire à mes écuries, où il vous donnera les deux que vous choisirez. Entends-tu, Hamza ? Donne-leur tout ce qu'ils te demanderont, et reconduis-les hors du camp en veillant sur eux !

Le Sultan leur tourna le dos et marcha vers la tente où reposait son fils.

Douriane et Kecelj, accompagnés par l'officier de la garde et deux palefreniers qui tenaient en longe deux mules robustes, sortirent de l'écurie du Sultan. Le camp était tout à fait endormi maintenant à l'exception des tentes sous lesquelles on soignait les blessés à la lueur des lampes et du va-et-vient des brancards qui emmenaient les morts vers leur sépulture.

Le cortège de l'Arménien et du Hongrois parvint en vue d'une sinistre construction qui détachait sur le ciel de la nuit les silhouettes d'une dizaine de pendus. Des hommes dont certains étaient montés sur la poutre horizontale qui soutenait les suppliciés s'occupaient à détacher ceux-ci pour aller les enfouir dans une fosse commune. Douriane remarqua la forme d'un corps qui se balançait la tête en bas.

— Pourquoi celui-ci a-t-il été pendu ainsi ? demanda-t-il à l'officier de la garde.

— C'est un Ismaélien. Un *haschachinn*. Il a été découvert au milieu des cuisiniers du Sultan.

L'Arménien entendit une sorte de râle qui venait de l'homme encore en agonie.

— Il n'est pas mort, dit Kecelj. Pourquoi l'ont-ils condamné à une telle souffrance ?

— Ils ont pensé qu'il était là pour empoisonner le Sultan.

Douriane avança vers l'échafaud, jusqu'à venir près de la tête du malheureux.

La langue gonflée par la soif lui sortait de la bouche. Dans les sons qu'il percevait, l'Arménien distingua les paroles d'une prière du rite ismaélien et le nom du *Vieux de la Montagne*, le maître tout-puissant de la société secrète qui envoie dans tout le monde musulman, et même chez les princes chrétiens, ses membres fanatisés, prêts au meurtre sur un ordre reçu d'un des châteaux où réside le Vieux, comme un aigle en haut de son rocher.

— A-t-il reconnu qu'il voulait nuire au Sultan ? demanda Douriane à l'officier.

— Non. Il a été mis à la question, mais il n'a pas avoué. Ce sont des fanatiques. Ils ont beaucoup de courage.

— Je sais, dit l'Arménien.

Il se tourna vers Kecelj.

— Peux-tu le soigner, et qu'il ne meure pas ?

— Peut-être, fit le Hongrois.

— Donne-le-nous, dit Douriane à l'officier.

Celui-ci eut un rire.

— Que voulez-vous en faire ? Ces hommes-là sont des serpents cachés entre les pierres. Si on en trouve un, il faut l'écraser avant qu'il ne morde.

— Le Sultan n'a-t-il pas dit que tu nous donnes ce que nous demanderons ? Ce misérable va mourir. Mon ami est médecin, et il souhaite examiner les viscères d'un homme qui a péri la tête en bas.

L'officier de la garde haussa les épaules.

— Comme tu voudras...

Il appela les fossoyeurs qui entassaient les pendus dans leur charrette.

— Vous ! Décrochez l'Ismaélien...

La haute tour de siège se dressait déjà au centre du camp de la cavalerie franque lorsque Douriane et Kecelj y revinrent, à l'aube. Les valets, les forgerons les bourreliers et bien d'autres gens de service s'affairaient à la recouvrir de plaques de métal, de peaux de vache, de palissades de bois destinées à protéger les chevaliers et hommes d'armes qui combattraient à son bord comme sur un navire, et à monter dans ses étages les projectiles que lanceraient sur les défenseurs de la forteresse les balistes et les mangonneaux dont elle était munie. Bientôt les attelages de chevaux, et les hommes qui pousseraient derrière pour les aider, la rouleraient vers les murailles, tandis que piétineraient à ses côtés ceux qui porteraient les interminables échelles d'assaut qu'on appliquerait partout où cela serait possible afin d'obliger les mahométans à se défendre à vingt endroits et soulager ainsi la tâche des assaillants attaquant depuis la tour. A la lueur des chandelles le Duc de Bourbon tenait conseil sous sa tente avec les Comtes devant un modèle en bois et en plâtre de la forteresse mahométane, avec ses tours, ses créneaux, son fossé et sa grande poterne d'entrée que des menuisiers habiles avaient imités dans tous leurs détails et selon les mesures réduites calculées par un géomètre.

Devant la tente de Riou, Douriane et Kecelj arrêtèrent leur litière où gisait l'Ismaélien qu'ils avaient arraché au gibet. Revenu des étuves, où les chevaliers se pressaient pour se baigner, le jeune homme, nu sur son lit de camp, était entre les mains d'un valet qui le massait. A l'aube Riou de la Villerouhault prendrait place au sommet de la tour à l'endroit le plus dangereux, sur la plate-forme qui débordait en avant de façon à pouvoir surplomber le sommet de la muraille... Avec ceux qu'il commanderait, tous chevaliers anglais ou bretons qui s'étaient portés volontaires aussitôt connue la décision du Duc à son égard, il serait le premier à mettre le pied sur le rempart ennemi, et il aurait en face de lui, sans doute, les plus durs soldats de la garnison de Mahdia, ceux qu'Abbou el Abbas gardait en réserve pour les opposer aux combattants chrétiens le jour de la bataille décisive.

A quelques coudées de lui dans l'autre avancée de la tour combattraient Foulque de Macé et les chevaliers normands, ceux-là même qui la veille avaient tué le fils du Sultan et renversé dans leur charge les Bretons qui venaient de le faire prisonnier.

Portant l'Ismaélien, l'un par les jambes, l'autre sous les épaules, l'Arménien et le médecin hongrois pénétrèrent dans la tente. Riou se redressa sur ses coudes.

— Qu'est-ce que celui-ci ? demanda-t-il.

— C'est un de ceux qu'on appelle les *Assassins*, Messire. Les officiers du Sultan nous l'ont laissé emmener alors qu'il était condamné à mort, et prêt de périr de soif.

— Et qu'en veux-tu faire ?

— Messire, je vous ai conté une autre fois que, lorsque mes parents furent massacrés à la fin du siège de la ville d'Edesse, j'échappai à la mort par un mahométan qui me prit en pitié, et empêcha les soldats de me tuer... C'était, je l'ai su plus tard de la bouche de ceux qui m'ont élevé, un Ismaélien...

— Il n'assassinait pas ce jour-là, remarqua Riou.

— Messire, les gens de cette secte mesurent tout ce qu'ils font, et ne tuent que des hommes puissants, lorsqu'ils les accusent de trahir les intérêts de la religion islamique. Hors cela, ils sont fort pieux, et font régner chez eux un ordre admirable. Leur seigneur, qu'ils nomment le Vieux de la Montagne, a maintenant plus de trente châteaux forts, et des terres nombreuses entre l'Egypte et la Perse où il vise à édifier une puissance au nom de la foi mahométane...

Riou regarda son valet d'armes. Ces yeux en amande, ce teint basané, cette moustache noire, ce nez légèrement courbé... La secte envoyait des espions jusqu'en Occident, avec la mission d'observer l'entourage des princes et d'en faire le rapport régulier au gouvernement du Vieux de la Montagne. Douriane était-il de ceux-là ? Mordoch lui-même pouvait ignorer que cet Arménien qu'il avait recommandé au chevalier de la Villerouhault partant pour l'Orient était en réalité un membre de la secte des *Haschachinns* cherchant à s'introduire auprès de l'état-major de la croisade. Cette nuit le hasard a voulu qu'il rencontre un homme de sa secte que les gens du Sultan avaient démasqué et il l'avait secouru, au risque de se compromettre...

— N'en serais-tu pas un toi-même, Douriane ? interrogea le jeune homme sur un ton faussement plaisant.

— Messire ! protesta l'Arménien. Ne vous moquez point... Ne pensez-vous pas que j'ai une dette envers ces hommes-là ?

L'Arménien se tourna vers le malheureux allongé sur les peaux de mouton qui jonchaient le sol de la tente et à qui le médecin hongrois donnait à boire. Les yeux du supplicié ne regardaient déjà plus dans le vague. Ils fixèrent le chevalier nu sur son lit de camp, allèrent aux objets guerriers qui garnissaient la tente, les pièces d'armure, les dagues et les épées, et à l'image de la Vierge tenant l'enfant Jésus dans ses bras peinte sur une plaque de bois posée sur le coffre où l'on rangeait les vêtements du chevalier. Ceux qui l'avaient sauvé de la mort étaient des chrétiens...

— Que tu sois ou non de la secte m'importe peu ce soir, reprit Riou sur le ton ironique qu'il avait employé tout à l'heure tout en se retournant sur son lit à la demande de son masseur. Sais-tu que je vais être en tête de l'assaut sur le devant de la tour, par ordre du Duc, en même temps que notre ennemi Foulque ? Si le Normand ne périt pas avant moi, j'ai peu de chances de survivre jusqu'au soir...

— Vous ne périrez point tout à l'heure, Messire, dit fermement l'Arménien. Ni plus tard dans ce pays où nous sommes...

— Est-ce ton Vieux de la Montagne qui te l'a fait savoir par une communication secrète au-dessus des déserts ? plaisanta Riou.

L'Arménien secoua la tête.

— Je ne devrai pas vous le dire, Messire, mais il est vrai que la journée qui va commencer sera pleine de dangers pour nous tous. Or, de vous le dire me tourmente depuis longtemps...

Surpris, Riou à plat ventre sur son lit tourna son visage vers son étrange valet d'armes, pareil à aucun autre de ceux qui servaient dans l'ost franc...

— Qu'est-ce donc qui te tourmente ?

— Si nous venions à être séparés, parce que je serai frappé avant vous — et c'est là chose à laquelle je pense souvent —, je ne vous aurai pas dit la prédiction que Judith a faite...

— Et tu ne la diras pas ! lança soudain la voix de Kecelj.

L'Arménien et le chevalier regardèrent le Hongrois.

— Si la fille de Mordoch ne l'a pas dite au chevalier, poursuivit Kecelj, il ne t'appartient pas de le faire. Ceux qui vont au combat sont embarrassés d'y emmener leur avenir...

13.
Les outres de naphte

Entouré des Emirs, tous sur des chevaux magnifiques, le Sultan monté, lui, sur une des grandes mules de son écurie prit place derrière les premiers rangs de la ligne de bataille qui s'était formée dès l'aube en face de celle des Génois, et de toute la cavalerie franque qui restait disponible après qu'une partie de ses forces eut fourni des hommes à la tour d'assaut. L'émir de Kairouan se tenait en selle à droite du Sultan, amaigri par sa blessure, incapable de combattre avant plusieurs mois.

Il voyait comme son suzerain la forteresse au loin, avec la tour de siège collée à sa muraille tout près de la grande poterne d'entrée, et l'agitation qui se faisait là-bas, sous un ciel lourd, chargé de nuages, un ciel d'orage que le jour avait dévoilé en se levant. Les Francs avaient pris pied sur le rempart depuis plusieurs heures. Ils combattaient avec furie et avec habileté en maîtres de l'art du siège des places fortes qu'ils étaient. Ils avaient maintenant de nombreux guerriers à l'intérieur de la place, à proximité de la grande poterne d'entrée, qu'ils attaquaient en même temps de l'extérieur au moyen d'un pont roulant qu'ils avaient avancé au-dessus du fossé, avec un courage admirable. Une trentaine de leurs hommes avaient pris pied au-devant la poterne elle-même, contre laquelle ils entassaient des fagots. Ils allaient y mettre le feu. La poterne s'enflammerait, perdrait de sa force, et ils l'enfonceraient ensuite avec l'énorme bélier qui attendait en arrière de leur pont roulant.

L'Emir de Kairouan voyait tout cela, mais se taisait, réprimant l'envie qu'il avait de dire au Sultan qu'il n'était que temps d'attaquer pour tenter d'enfoncer la ligne ennemie afin de prendre les assaillants à revers. Depuis que le Sultan avait perdu son fils Mégid, que le prince Ali, dévoré par la pensée qu'il avait été la cause de la mort de son jeune frère, s'était retiré, le crâne rasé, pour une année de jeûne et de prière au marabout de Sidi Okba, aucun des émirs n'osait plus intervenir pour pousser le Sultan à faire ce qu'il ne souhaitait pas faire.

Le souverain, lui, regardait le ciel, comme s'il en attendait un signe.

Le signe vint en effet, sous la forme du vol d'un pigeon qui tournoya, sortant des nuages bas, et vint s'abattre sur un des pigeonniers qui se dressaient non loin de la zériba protégeant le camp. Un coureur se hâtait déjà vers le Sultan en tenant dans ses doigts le petit rouleau de peau fine écrit de la main du secrétaire d'Abbou el Abbas qui venait de s'échapper de la place assiégée sous les ailes du pigeon.

Le visage inondé de sueur, le coureur tendit le message au porteur du Koran, qui se tenait aux côtés de la mule de son maître. Le porteur du Koran déroula la petite pièce de peau d'agneau et lut pour le Sultan, qui se penchait en tendant l'oreille :

— *Abbou el Abbas à Sa Grandeur Ahmed... Les Francs sont près de trois cents à l'intérieur de notre place, et ils vont incendier la poterne. J'attends ton ordre pour ce qui a été décidé.*

Le Sultan se redressa sur sa selle.

— Ecris ! ordonna-t-il au secrétaire.

Celui-ci saisit son écritoire de bois verni que lui tendait le jeune garçon qui l'accompagnait et prit un petit tube de métal où étaient les peaux servant aux messages des pigeons. Il trempa dans l'encrier la plume extrêmement fine qui permettait d'écrire les messages en peu d'espace.

— *Ahmed, à son serviteur fidèle Abbou el Abbas,* dicta le Sultan. *Avec l'aide de Dieu, fais ce que tu dois faire.*

Le porteur du Koran, qui écrivait avec une dextérité admirable, ne mit que quelques secondes à transcrire les paroles de son maître. Il roula la petite peau dans un tube fait d'une vessie de poisson et le tendit au coureur, qui repartit de toute la vitesse de ses jambes vers les pigeonniers.

— Hadj ! dit le Sultan en se tournant vers l'émir de Kairouan. Surveille les choses, et envoie-moi un officier si jamais les Francs attaquaient notre ligne...

Puis Ahmed, fils d'Hocine, Sultan de Tunis, fit avancer sa mule pour s'en retourner au camp sous sa tente, suivi de l'homme qui portait le Livre sacré, et des trois officiers de la garde qui étaient venus avec lui, laissant les émirs un peu plus déconcertés.

Lancée par le bras d'une baliste juchée au sommet du donjon de la forteresse, la première outre décrivit dans le ciel au-dessus des murailles une courte trajectoire avant de retomber près de la tour des Francs, la frôlant de près. Elle s'abattit au milieu de ceux qui étaient au bas de la grande machine de guerre, où elle éclata, répandant un liquide noir, visqueux et malodorant. Certains des Chrétiens en furent souillés, et ils s'efforcèrent aussitôt de frotter leurs vêtements ou leurs cottes de mailles de peur qu'il ne s'agisse d'un liquide empoisonné. Tandis qu'ils s'agitaient autour de la mare noirâtre épandue à terre avec l'outre fendue, d'autres projectiles semblables vinrent frapper la tour de plein fouet, ou s'écraser sur elle après être montés haut dans le ciel. Une autre baliste tirait d'un autre endroit de la muraille, lançant les mêmes outres, et tous les tirs portaient juste. Le bizarre liquide à la forte odeur inconnue des Francs engluait maintenant les escaliers de la tour et les pieds et les mains de tous ceux qui allaient et venaient entre les superstructures de l'édifice. Il s'écoulait sur la carapace de métal et de cuir bouilli qui faisait bouclier aux combattants, et sur laquelle rebondissaient vainement les flèches des défenseurs. Des chevaliers éclaboussés par l'explosion des dégoûtants projectiles suffoquaient, ayant respiré les vapeurs qui s'élevaient de tous côtés des flaques gluantes. Des valets d'armes tendaient le poing vers les mahométans qui riaient aux créneaux de voir les Chrétiens souillés par le cadeau puant que leur faisait Abbou el Abbas, *Raïs* de la place de Mahdia. D'autres combattants juraient en tombant avec un grand fracas d'armes choquées sur les planchers rendus glissants par le liquide maudit.

Mais si puant qu'il fût, le liquide ne semblait faire mourir personne, et le combat était en passe de tourner à l'avantage des assaillants, qui avaient fortement pris pied dans plusieurs salles de la forteresse et tenaient les deux couloirs qui menaient aux défenses intérieures de la grande poterne. Le Sire de Sommeville, qui commandait la manœuvre de la tour depuis que le Comte d'Eu avait été jeté à bas, une jambe brisée, par une pierre venue du rempart, gourmanda ceux qui pestaient contre la nouvelle ruse des Infidèles.

— Par Dieu, cria-t-il au milieu de la presse qui se faisait autour de lui, qu'allez-vous craindre de ce jus dont les mécréants nous abreuvent ? C'est la merde de Mahomet, elle porte bonheur aux chrétiens qui font la guerre en Terre sainte ! N'allons-nous pas prendre cette forteresse aujourd'hui, puisque nous avons déjà presque pris la poterne ?

Il revint vers une des meurtrières pratiquées dans la carapace de la tour pour observer où en était le tas de fagots qu'on amoncelait contre la poterne et pour décider si le moment était venu d'y mettre le feu, quand des cris retentirent à l'étage supérieur de la tour. Ceux qui y étaient à ciel découvert voyaient s'élever en sifflant au-dessus des murailles, d'où elles venaient d'être lancées, de grandes flèches dont l'empennage enflammé brûlait en dégageant une fumée noire. La première de ces flèches s'abattit au milieu d'eux, se plantant dans le plancher de chêne. Certains se précipitèrent pour l'arracher et l'éteindre, mais il en arrivait bien d'autres et tout à coup le feu prit. Il bondit de poutre en poutre, d'une mare visqueuse à une autre, rugissant bientôt en grandes colonnes rouges, et les hommes d'armes eux-mêmes prenaient feu, pour ce que leurs vêtements avaient été touchés par le liquide puant, la merde de Mahomet...

Abbou el Abbas avait sorti de son arsenal son arme secrète, le naphte venu de Perse qu'il avait accumulé dans des réservoirs de pierre creusés dans le sous-sol de la forteresse, le terrible naphte dont les chrétiens ignoraient l'existence, et dont le Sultan Ahmed avait négocié longuement l'achat au Sultan de Perse, qui en avait le monopole.

Du haut de son cheval, au milieu des autres seigneurs de Tunisie, Hadj el Haffaz hochait la tête en regardant de loin brûler la tour de siège des chrétiens dans un crépitement horrible, avec les hurlements de ceux qui étaient dévorés par le feu, si fort qu'on les entendait distinctement en dépit de la distance.

Pareille à une de ces trombes qu'on voit s'élever au milieu du désert quand les éléments sont en colère, la haute flamme rouge nourrie du chêne de la tour venu des forêts d'Italie et des chairs des chevaliers venus mourir ici pour leur foi se prolongeait d'une colonne de fumée épaisse qui montait s'unir aux nuages sombres chargés de l'orage menaçant depuis le matin.

Autour d'Hadj el Haffaz, certains des émirs riaient de contentement de la déconfiture et du supplice que Dieu Tout-Puissant infligeait aux envahisseurs. Certains autres se taisaient, le visage grave devant cette horreur qu'ils avaient sous les yeux pour la première fois, et qui était une injure aux lois de la chevalerie. Mais les chrétiens n'avaient-ils pas, selon ce qu'on savait maintenant dans l'entourage du Sultan, tué le jeune prince Mégid alors qu'il était déjà entre leurs mains ? Peut-être la fierté du jeune homme l'avait-elle empêché de crier merci alors qu'il était tombé de son cheval, mais on ne savait pas exactement ce qui s'était passé, et quoi qu'il en soit les chevaliers francs auraient dû, à la vue de son visage juvénile, retenir leurs coups alors qu'il ne pouvait plus rien contre leurs armures et leurs longues lances...

Le Sultan, ulcéré par la mort de son fils, avait donné l'ordre à Abbou el Abbas d'employer son arme secrète, et il était rentré sous sa tente pour ne pas voir le brasier puant dans lequel il punissait ses ennemis...

Maintenant, la tour étant en cendres, les trois cents hommes d'armes chrétiens qui avaient réussi à pénétrer dans la forteresse étaient prisonniers d'Abbou el Abbas, et Mahdia ne serait pas prise.

Fra Borromeo, chapelain des arbalétriers génois, avait eu le temps d'apprendre à s'asseoir les jambes croisées à la façon des mahométans. Il avait été leur captif dans les prisons d'Alger pendant huit années. Aussi était-il à l'aise devant le Sultan et les deux émirs qui assistaient leur souverain dans la palabre qui allait se terminer par la signature d'un traité entre le condottiere, représentant la République de Gênes, et le Sultan de Tunis. Celui-ci égrenait toujours son chapelet d'une main, de l'autre s'éventant à petits coups d'un chasse-mouches fait de crins soyeux. L'émir de Kairouan Hadj el Haffaz était à sa droite, et Moktar, celui de Béja, à sa gauche.

Tandis que le moine italien parlait, le visage du Sultan gardait ce pli amer qu'il avait depuis la mort de Mégid et son regard partait souvent dans le vague, songeant à l'agha Mokrane qui eût été à ses côtés aujourd'hui, s'il n'avait pas péri, puisqu'il comprenait la langue des Francs et ce qui se passait dans leurs têtes, lui qui avait été captif aussi, à Naples. Mais ce moine connaissait bien l'arabe, encore que ce soit celui d'Alger, un peu différent de celui qu'on parlait à Tunis et familier aux oreilles de Moktar, l'émir de Béjà, dont la province était frontière des terres algériennes.

Fra Borromeo était gros, luisant de sueur. Il n'avait pas de chasse-mouches, mais il s'épongeait le front avec un mouchoir, qu'il agitait ensuite devant son visage pour s'éventer. Lorsqu'il était dans les prisons d'Alger, il était maigre. Quelques jours après sa capture à bord d'un navire génois pris en mer par des pirates, ceux-ci, pour s'amuser de lui, parce qu'il était un moine voué à la chasteté, l'avaient attaché tout nu entre deux filles d'un lupanar. Le jeune moine qu'il était avait cédé à la tentation et il était devenu un moine paillard, à qui les Algériens avaient laissé pendant toute sa captivité la pratique des ribaudes du port. Racheté par la République à l'occasion d'un traité d'échange comme il s'en faisait de temps à autre entre les Génois et leurs ennemis musulmans, quand il y avait quelques captifs de marque en jeu, Fra Borromeo était revenu à Gênes avec les habitudes qu'il avait prises là-bas, gros mangeur, bon buveur, et avait obtenu du prieur de son ordre la permission de se faire le chapelain des troupes mercenaires de la République, au milieu desquelles ses habitudes ne détonaient pas. Le condottiere l'aimait bien, et sa connaissance de la langue des mahométans faisait de lui un homme précieux dans les affaires comme celle qu'il avait à traiter aujourd'hui.

L'émir de Kairouan s'était mis en colère quand Fra Borromeo avait tranquillement demandé un tribut de douze mille ducats d'or, au nom de la République, en réparation de tous les dommages causés par la piraterie tunisienne au commerce génois depuis le dernier traité, qui remontait à quatre années déjà et que les gens de Tunis, avait répété le moine, n'avaient cessé de violer. Hadj el Haffaz était devenu blanc comme un linge en entendant le moine proférer de si abjectes paroles, après que le fils de Sa Grandeur eut été tué d'une manière indigne sur le champ de bataille, et il avait craché dans la direction de Fra Borromeo en tendant son poing vers lui.

Mais le Sultan avait ri. Ri, pour la première fois depuis les heures tragiques qu'il venait de vivre après que le malheur eut débarqué sur le rivage de Mahdia avec l'ost des seigneurs francs assoiffés de bataille et de coups d'épée ! Il avait appuyé sa main sur le bras d'Hadj el Haffaz et il avait dit :

— Laisse donc... Tu vas rouvrir ta blessure ! Ne vois-tu pas que lorsqu'on parle d'or, et non plus de combat, c'est que le malheur va bientôt s'éloigner de nous...

Le départ des Génois, seuls capables de transporter d'importantes armées sur leurs navires, éloignait pour longtemps la menace de la Croisade des rivages de la Tunisie. Cela ne valait-il pas six mille ducats d'or, la somme que le Sultan avait résolu de donner pour désintéresser les Génois avant de recevoir l'envoyé du condottiere ? La moitié de ce que le condottiere demandait aujourd'hui par la bouche gourmande du moine.

Puis le visage du Sultan était redevenu grave.

— Es-tu pour la mort, la haine et le combat sans merci, toi, Borromeo ?

— Non pas, Grandeur, avait répondu vivement le frère, je prêche toujours des paroles de paix, et le seigneur condottiere ne fait la guerre avec ses hommes que pour gagner sa vie de chaque jour. C'est le dur pain des soldats de fortune, qui n'ont que la solde et le butin pour subsister, au péril de leur mort ou de leurs membres coupés par les chirurgiens...

— Alors diminue ta demande de moitié, poursuivit le Sultan, si c'est la paix que tu veux !

Le moine fronça les sourcils pour montrer de la contrariété.

— Ce sera trop peu, dit-il en secouant la tête. Les soldats sont déçus que la place n'ait pu être prise par les seigneurs francs. Il faut donner quelque chose à chacun d'eux pour qu'ils soient satisfaits de repartir sans avoir vaincu.

— J'ajouterai mille ducats de ma cassette personnelle, que vous distribuerez aux soldats, en mon nom, pour ce qu'ils ont combattu contre nous sans perversité, dit le Sultan Ahmed.

Il voyait bien que Fra Borromeo restait renfrogné et il savait pourquoi. Il ajouta alors :

— Nous mettrons cinq mille ducats sur l'écriture du traité, mais je te verserai les six, en plus des mille que je viens de dire... Et seuls mes fidèles seigneurs de Kairouan et de Béja, qui sont là, le sauront, Borromeo !

Le visage du moine s'éclaira. Il y aurait donc mille ducats pour le condottiere et ses officiers, dont lui-même, Borromeo, aurait sa petite part.

— Le seigneur condottiere signera, dit le moine, s'il est bien dit dans le traité que les navires de Tunis n'attaqueront plus les navires de Gênes pendant une période de sept années, à l'issue de laquelle nous nous rencontrerons de nouveau afin de renouveler ce bon traité...

— Je signerai s'il est bien dit dans le traité que les navires de Gênes n'accepteront plus jamais de transporter vers nos rivages des hommes armés et leur équipage de guerre..., rétorqua le Sultan avec la même fermeté.

— Il en sera ainsi, affirma l'envoyé du condottiere.

— C'est bien, conclut le Sultan. Que la paix prenne le pas sur la discorde...

Il fit un signe vers l'entrée de la tente, où on voyait des officiers en faction. L'un d'eux entra et il lui dit de faire venir le Porteur du Koran. Celui-ci parut aussitôt, accompagné de l'enfant qui transportait son écritoire.

— Tu conduiras ce religieux chrétien sous ta tente et vous écrirez ensemble, en langue franque d'Italie et en langue arabe, le traité que nous venons d'établir.

Le Porteur du Koran s'inclina.

— Il reste à parler des prisonniers, Grandeur, fit Borromeo qui était resté assis.

— C'est juste, dit le Sultan. Mais nous n'allons pas marchander là-dessus. Nous rendrons ceux que nous avons, et vous nous rendrez les vôtres...

— Tu es généreux, Grandeur, déclara le moine avec un sourire, en épongeant son front ruisselant.

— Généreux ? s'étonna le Sultan. C'est vous qui le serez, car nous n'avons presque pas des tiens, alors que vous tenez deux bonnes centaines des miens ! Combien y a-t-il de Génois, Hadj ? demanda-t-il en se tournant vers l'émir de Kairouan.

— Pas plus que onze, Grandeur..., fit l'émir d'un ton maussade.

Ces archers mercenaires étaient des mécaniques admirables, qui manœuvraient d'une manière efficace et ne se laissaient pas prendre. Il fallait les anéantir tous ou bien subir leurs coups mortellement, ainsi qu'il en était advenu à chacun des combats qui avaient eu lieu. A cette pensée, Hadj el Haffaz crut sentir à nouveau la morsure de la flèche qui l'avait abattu de son cheval, et il porta la main à son flanc avec une grimace, tandis que la sueur perlait à son front.

— Mais, Grandeur, reprit le moine, maintenant déconcerté, il y a les trois cent trente-neuf hommes qui ont été pris dans l'assaut de la forteresse après l'incendie de la tour...

— Comment ! fit le Sultan en fronçant les sourcils. Y aurait-il des Génois parmi eux ? Hadj ! poursuivit-il en s'adressant à l'Emir de Kairouan. Y en avait-il ? Abbou el Abbas m'a bien fait dire que non.

Hadj el Haffaz secoua la tête.

— En effet, Grandeur. Seulement des Francs étaient dans la tour.

— Eh bien, moine ! s'exclama le Sultan. Les captifs francs sont une autre affaire. Serais-tu venu pour eux aussi ? Pourquoi l'Arménien n'est-il pas avec toi au nom des seigneurs francs ? Je l'aurais écouté. C'est un homme juste. Il a pris soin de mon fils et me l'a ramené, sans vouloir d'or.

— L'Arménien a péri dans l'assaut de la forteresse, Grandeur, intervint l'Emir de Kairouan. Les nôtres l'ont trouvé parmi les morts.

— Cela est malheureux, comme tout ce qui vient de la guerre, dit le Sultan. Mais le condottiere s'intéresse donc aux prisonniers francs ?

demanda-t-il au négociateur. Les seigneurs l'ont-ils chargé de les racheter en leur nom ? Parle !

Le Sultan sentait l'embarras du moine, qui n'entendait pas compromettre l'avantageux accord conclu au nom de la République pour le souci des chevaliers francs et de leurs hommes d'armes maintenant enfermés entre les murailles d'Abbou el Abbas. Après l'anéantissement de la tour de siège par le feu, la confusion et l'abattement régnaient sous les tentes des orgueilleux seigneurs chrétiens qui savaient leur sort dans les mains du condottiere et des marins génois. La cavalerie franque, en échouant à prendre la forteresse, n'avait pas rempli sa part du contrat. Les rois qui décidaient de la Croisade en Europe étaient loin et se souciaient peu du sort de cette avant-garde venue se perdre dans les sables et les fièvres de Mahdia.

Hadj el Haffaz lisait maintenant sur les traits détendus de son suzerain le plaisir que le Sultan de Tunis éprouvait à voir ses calculs tomber juste. Impuissant à vaincre l'ost chrétien dans une bataille rangée que lui, l'émir de Kairouan, avait réclamée à tort, le Sultan avait eu raison de la chevalerie franque en se servant de l'ardeur du soleil, de la malignité des insectes, du cruel pouvoir du naphte venu de Perse et de l'or versé aux soldats de fortune de la République de Gênes dans la main de ce moine au visage porcin. Oui, tout ce que le Sultan avait souhaité s'était produit. Excepté la mort de son fils, bien sûr...

Il n'en tire pas vengeance, pensa Hadj el Haffaz, scrutant toujours le visage de son suzerain. Le regard de l'Emir rencontra le Koran posé sur son lutrin. Il obéit aux paroles du Prophète qui enjoignent le pardon des offenses et commandent aux puissants de sacrifier leurs ressentiments aux intérêts de leur peuple, songea l'Emir, poursuivant sa réflexion.

Mais le moine répondait enfin à la question du Sultan.

— Les seigneurs francs m'ont chargé en effet de te demander quelle rançon tu veux pour les chevaliers et leurs valets qui ont été capturés dans la forteresse, Grandeur...

Cette fois Hadj el Haffaz vit les traits du souverain se durcir. Il y lut en même temps une sorte d'ironie.

— Les valets ? fit le Sultan. Leurs seigneurs sont les premiers à penser qu'ils ne valent pas grand-chose ! Je les rendrai sans rançon.

— Merci de ta générosité, Grandeur ! s'exclama Borromeo qui, ayant vu lui aussi passer cette ombre dure dans le regard de son interlocuteur, se sentait mal à l'aise. Et pour les autres, Grandeur ? hasarda-t-il.

Le Sultan secoua la tête.

— Il n'y aura pas de rachat pour les autres.

Borromeo s'agita sur son séant.

— Mais, grandeur... Tous ces chevaliers ont des familles souvent fort riches, et des suzerains qui sont tenus de leur prêter assistance dans tous les hasards de la guerre... Tu peux en obtenir de bonnes sommes d'or ! Il n'est pas de ton intérêt d'en décider ainsi, si tu veux bien pardonner mes imprudentes paroles...

Le Sultan fit de nouveau un signe négatif.

— Ils iront aux galères, laissa-t-il tomber après un temps de silence.

Hadj el Haffaz eut un sursaut. Il se venge ! s'exclama-t-il en lui-même. Il n'a pas pardonné...

— Ils rameront vingt années, après quoi, s'ils sont encore en vie, et si moi n'y suis plus, mon fils Ali les renverra dans leur pays dire qu'ils ont payé le juste prix de n'avoir pas fait merci au jeune prince Mégid alors qu'il était déjà vaincu. Ceux qui agissent ainsi ne sont pas des chevaliers et ne peuvent être traités comme tels.

Borromeo cherchait ce qu'il pouvait encore dire, pour tenter de fléchir le Sultan, mais celui-ci leva la main pour arrêter toute parole qui pourrait venir à la bouche du moine.

— Va maintenant ! Ecris ce traité avec mon secrétaire. Je souhaite la paix avec la République. La paix est chose juste et bonne, la guerre fontaine de malheur...

Le moine se mit debout et s'inclina devant le souverain, en mettant une main sur son cœur, à la mode d'Alger qu'il avait apprise là-bas. Puis il sortit, sous le regard méprisant d'Hadj el Haffaz, émir de Kairouan. Le Sultan, lui, fixait quelque chose au loin en égrenant de nouveau son chapelet.

Les deux émirs se levèrent à leur tour pour se retirer, s'inclinant devant leur suzerain qui leur rendit leur salut d'un signe de tête. Au moment où Hadj el Haffaz allait franchir le seuil de la tente, la voix du Sultan le rappela.

— Hadj ! Tu as amené avec ton armée des filles pour tes soldats, n'est-ce pas ?

— Oui, Grandeur..., dit d'un ton surpris l'Emir de Kairouan qui s'était retourné.

— Prends une danseuse et donne-la pour une heure sous une tente à ce moine, afin qu'il parte content de nous. Il aime les femmes et il est bon que nous ayons à Gênes un homme avec qui nos envoyés pourront parler quand les difficultés reviendront...

— Mais, Grandeur... une danseuse de Kairouan ne voudra pas forniquer avec un chrétien. Elle dira que c'est péché !

Le Sultan haussa les épaules.

— Tu lui donneras une pièce d'or, et elle changera d'avis.

Hadj el Haffaz s'inclina en souriant et sortit.

QUATRIÈME PARTIE

LE GALÉRIEN DE SUBEYBIÉ

14.
Un chemin bordé de noisetiers

Le notaire Mohandiau agita encore une fois la clochette destinée à appeler Giraude, sa bonne Giraude, qui régentait pour lui depuis de longues années les chambrières et les filles de cuisine de sa maison, et Giraude monta encore une fois l'escalier pour obéir à son maître. Elle ouvrit la porte de la chambre du haut, où le notaire se tenait dans son fauteuil, et il lui demanda pour la cinquième ou la sixième fois si Romaric était rentré, et s'il avait la chance de savoir, lui le palefrenier, où était partie Méheude avec la charrette à deux chevaux. Giraude lui dit que Romaric n'était toujours pas là, et qu'elle était lasse de monter et de descendre les marches de l'escalier étroit pour s'entendre dire la même chose. Que sa Méheude ne s'était pas envolée et qu'elle reviendrait de toute façon et enfin qu'il ne servait de rien de s'énerver et de gourmander tout le monde. Il lui dit alors qu'elle devenait de plus en plus insolente avec lui, et qu'elle prenait de plus en plus souvent le parti de Méheude, qui n'en faisait qu'à sa tête de plus en plus également, de telle sorte que lui, Mohandiau, qui donnait à vivre à tout le monde ici, lui, sans qui elles, les pécores, ne seraient rien que des mendiantes en haillons, était en train de devenir un toton entre leurs mains, un toton qu'on faisait tournicoter au fouet. Il devenait de plus en plus rouge en s'emportant, et elle lui dit qu'il allait avoir un coup de sang, et qu'il serait bien avancé. Qu'il était de plus en plus difficile à vivre à mesure qu'il devenait de plus en plus riche, et qu'elle pouvait se demander par moments, elle, Giraude, s'il ne valait pas mieux être une mendiante en haillons que subir ses caprices et son humeur. Il se mit alors à tousser en s'étouffant, et elle alla lui taper dans le dos en lui disant :

— Là, là, vous voyez que vous vous faites du mal dans le même temps que vous m'en donnez en m'obligeant à monter et descendre cet escalier comme un écureuil qui fait tourner sa cage...

A ce moment ils entendirent le bruit des roues cerclées de fer de la charrette à deux chevaux sur le pavé de la rue, puis la charrette qui passait le portail de la cour, et le roulement qu'elle faisait dans cette cour. Enfin il y eut une rumeur de voix en bas, Méheude accueillie par les exclamations des filles de cuisine, ces bruits familiers de la maison qui berçaient le bonheur de Mohandiau adorateur de sa Méheude belle comme une jeune fille de condition, vêtue comme si elle en était une, et fille de tête par surcroît, avec toutes les qualités héritées de son père qui avait fait sa fortune tout seul, en partant de rien et peut-être de moins que rien. Méheude, elle, serait quelque chose. En elle, le plomb vil dont Mohandiau avait été fait serait changé en or...

Les servantes d'en bas avaient dû dire à Méheude que son père avait fait sauter et danser tout le monde depuis l'heure de midi parce qu'il ne l'avait pas trouvée céans lorsqu'il était lui-même rentré, car le pas décidé de la jeune fille se fit entendre aussitôt dans l'escalier. La porte s'ouvrit pour lui livrer passage.

Méheude était rose d'avoir passé la journée au-dehors et Mohandiau sourit d'aise car vraiment elle était jolie, sa Méheude, en dépit de son air volontaire et têtu. Il renonça à gronder.

La jeune fille marcha jusqu'au fauteuil pour embrasser son père sur le front. Il lui prit la main tandis qu'elle voulait se retirer après son baiser.

— Mon Dieu, Méheude, j'étais impatient car j'ai de grandes nouvelles pour toi... Mais me diras-tu d'abord ce que tu as été faire tout le jour ?

— J'ai été à mes affaires, mon père, dit-elle en ôtant sa main de celle du notaire après l'y avoir laissé un instant.

— Assieds-toi tout près de moi pour me les conter, tes affaires ! Moi aussi j'ai été aux tiennes ce jourd'hui. Giraude ! approche-lui une chaise...

Mais Giraude s'était éclipsée, peu chaude d'entendre la conversation entre le père et la fille, dont elle savait sans doute qu'elle ne serait pas facile. Les servantes de chambre et de cuisine avaient daubé toute la journée sur ce que manigançaient le Mohandiau de son côté et sa fille de l'autre, enfilant bout à bout les rumeurs qui couraient de maisons en échoppes, alimentées par les cochers et les palefreniers, qui savaient bien où ils conduisaient le père, et la fille. Qui donc aurait pu garder un secret dans le bourg ?

— Elle s'est sauvée, la coquine, lança le notaire en constatant le départ de Giraude. Elle est fine ! Elle sait ce que j'ai à te dire, et ne veut point être de trop. Allons donc, ma belle, secret pour secret. Je vais te dire le mien, et tu me livreras le tien ensuite...

— Comme vous voudrez, mon père, fit Méheude de sa voix résolue.

— Voilà, voilà ! commença le bonhomme, qui se sentait soudain moins sûr de lui. Sais-tu que j'ai été à Québriac ce matin, alors que tu te sauvais aussitôt après avec la charrette ?

— Non pas, mais je puis m'en douter, car vous allez souventes fois à Québriac...

— C'est vrai, c'est vrai ! Eh bien, j'y ai été encore et c'était pour ton service...

Le notaire sortit son mouchoir de sa poche, pour tousser un peu dedans, et surtout pour gagner du temps avant de dire ce qu'il avait à dire, dont il avait peur maintenant que Méheude était assise devant lui, bien droite sur sa chaise avec sa petite poitrine en avant dans sa belle robe sombre, ce col blanc qui faisait petite fille. Où avait-elle pu aller, avec cette robe si sage ? Voir des religieuses ? C'est ça ! Elle était allée à Dol, au couvent des Clarisses, où était son amie la petite Yann Le Bihan, la fille du drapier de Quintin qui y était entrée l'année dernière...

— Où en étais-je ? fit le gros homme. Je te disais que j'avais été à Québriac pour ton service. Oui ! C'est ça ! Je devais revoir le Sire de Saint-Gilliac, qui devait me donner une réponse pour... pour ce que nous avions dit déjà, te concernant, ma belle...

Mohandiau s'embarrassait dans ce qu'il n'osait pas dire. Sa fille fronça les sourcils.

— En quoi le Sire de Saint-Gilliac me concernait-il, mon père ? lança-t-elle.

— Je t'avais dit, je t'avais dit une fois que le Sire, ce seigneur, ce veuf, qui a une très belle et grande terre et un nom respecté songeait à prendre femme après son long veuvage et que... Tu t'en souviens, tu t'en souviens, n'est-ce pas, ma petite ?

Méheude rougit de colère.

— Mon père ! Je me souviens que je vous ai dit que je ne voulais rien entendre de cette bêtise ! Le Sire Saint-Gilliac a plus d'une cinquantaine d'années, et, s'il vous plaît, je ne veux acheter ni son nom, ni le droit de m'appeler Comtesse de Saint-Gilliac, ni non plus celui de coucher dans son lit !

La jeune fille frappait de la main sur son genou en disant ces mots, ou plutôt en les criant.

— Tais-toi pour l'amour du Christ, ma petite, on t'entend d'en bas ! dit Mohandiau effrayé en se tournant vers la porte de la chambre.

— Peu me soucie qu'on m'entende en bas, pourvu que vous m'entendiez bien, vous mon père ! s'écria-t-elle avec un regard fulgurant. Je ne suis pas à l'encan et je resterai fille plutôt que partager la couche d'un vieillard perdu de dettes !

— Sotte ! Sotte que tu es ! s'exclama le notaire s'emportant à son tour. Lé Sire de Saint-Gilliac n'est pas un vieillard et il n'aura plus de dettes lorsque nous les aurons payées ! Et tu seras une dame de la noblesse de Bretagne, et tu auras des enfants qui seront seigneurs... Ne sais-tu pas que nous ne sommes rien, ici, tant que nous ne sommes pas de ces gens-là ? Ne peux-tu pas voir plus loin que le bout de ton nez ?

— Si fait, mon père. C'est ce que j'ai fait aujourd'hui, pendant que vous couriez à Québriac racheter les dettes du seigneur de Saint-Gilliac, trancha Méheude qui avait retrouvé son calme. J'ai été à Dol, continua-t-elle, à la Commanderie des Templiers, lorsque j'ai appris comme tout le monde dans le bourg que le Sire Riou de la Villerouhault était captif des Mahométans...

— Hein ? Quoi ? s'écria le notaire. Comment sait-on cela ?

— Par une lettre du chevalier de Lorgeril, compagnon du Sire de la Villerouhault, à sa mère Dame Mathilde, une lettre dont le bruit est arrivé au bourg par Collin le Du, le valet du Sire venu avant-hier vendre un poulain à la foire aux chevaux de Merdrignac...

Mohandiau haussa les épaules.

— Mon Dieu ! Sotte, tu l'es plus encore qu'on ne croit à te soucier du Sire de la Villerouhault, qui a quitté le service et vasselage de notre seigneur de Québriac pour ne pas avoir à te prendre pour femme !

— C'est bien vrai, mon père, mais c'est parce que le jeune chevalier est fier qu'il n'a pas voulu de ce que vous lui avez offert, et je ne veux l'en blâmer...

Mohandiau se mit à rire.

— Belle âme que tu es ! Te voilà dans un roman de chevalerie, jetant de ta fenêtre des fleurs au prince charmant qui s'en va sur son cheval de bataille, mais sans daigner lever les yeux vers toi, parce que c'est depuis la fenêtre de Mohandiau le notaire...

— Il se peut. Mais moi aussi je sais calculer, et c'est de vous sans doute que je le tiens, mon père...

— Et qu'aurais-tu savamment calculé ? demanda le notaire sur le ton de l'ironie.

— J'ai calculé, avec le Frère Bérenger de la Commanderie du Temple à Dol, que le chevalier de la Villerouhault ne pourrait être rendu à la Chrétienté que contre une grande et forte rançon, et que, si personne ne la versait, il resterait toute sa vie durant dans les prisons des Infidèles.

Mohandiau agrandit les yeux.

— Par saint Yves ! Tu veux payer la rançon du chevalier de la Villerouhault ? Mais tu as perdu toute raison !

Le notaire agitait son mouchoir, tamponnant son front trempé de sueur. Cette Méheude ! Elle n'avait cessé de rêver à son chevalier, et elle ne s'avouait pas vaincue.

— Savez-vous bien où est la raison, mon père ? Je ne fais rien d'autre que ce que vous avez voulu faire vous-même déjà une fois. Le chevalier a refusé la rançon des dettes de Messire son père, que vous vouliez payer, parce qu'il en a reçu l'or nécessaire en s'engageant dans l'ost du Comte de Fougères. Mais maintenant qu'il est enchaîné dans une geôle des Mahométans, et qu'il a ainsi tout perdu, qui vous dit qu'il refusera son rachat de prisonnier que j'irai lui apporter ?

— Comment ! s'écria le notaire abasourdi. Que tu iras lui apporter ?

— Certes oui, mon père, dit-elle. J'irai là-bas, avec un sauf-conduit que me donneront les Templiers qui font affaires et commerce à longueur d'année avec les Mahométans, ainsi que m'a bien dit le Frère Bérenger, qui n'est à la Commanderie de Dol que pour avoir perdu une jambe en guerroyant dans ces pays et avoir trop eu les fièvres d'Afrique et de Palestine... Je rachèterai le chevalier, lui dirait mon amour et il me prendra pour femme...

Mohandiau leva les bras au ciel.

— Insensée ! Je te croyais fille de tête, et voyant loin. Tu n'es qu'une rêveuse comme toutes les écouteuses de contes. Tu n'iras même pas jusqu'à Rennes. D'ailleurs, le seigneur de Fougères, qui est désormais le suzerain du Sire de la Villerouhault, rachètera peut-être son vassal avant toi. Même quand cela ne serait pas, que feras-tu si le chevalier, entêté dans sa fierté comme sont ces jeunes gens-là, refuse ton or et le reste que tu veux lui offrir ?

— Je l'offrirai à un autre, et je me marierai là-bas.

— Par saint Yves ! Sais-tu ce que sont ces contrées ?

— Certes oui, selon ce que m'a dit le Frère Bérenger, et d'autres frères du Temple de Dol, qui y ont vécu. Les villes que gouvernent les chrétiens en Orient sont belles, et toujours au soleil. On y mène la vie la plus douce et on y espère des jeunes filles franques, car tous les sires de là-bas n'en ont point et ne peuvent se marier à leur convenance. Il suffit d'y arriver, et on devient épouse d'un jeune seigneur de là-bas même sans dot. Or, j'en ai une, n'est-ce pas, mon père ? Nous la donnerons aux Templiers, et ils la feront parvenir dans la Commanderie de Palestine que nous voudrons, où je me rendrai ensuite. Le Sire de la Villerouhault est captif du Sultan de Tunis. Les Templiers lui écriront, et j'irai si le Sultan y consent. Cela se fait tous les jours, selon ce que m'ont dit les Frères de Dol...

Cette fois, Mohandiau avait pâli. Méheude n'était pas qu'une rêveuse. Elle était la Méheude qu'il connaissait, volontaire. Elle allait partir.

— Et moi ? s'exclama-t-il douloureusement. As-tu pensé que je ne te verrai plus, à deux mille lieues de cette maison, dans ces pays d'où on ne revient jamais ?

Méheude regarda son père dans les yeux.

— Vous n'êtes point seul, mon père. Vous avez Giraude.

— Giraude ! s'écria le gros homme. Ce n'est pas la même chose. C'est ma domestique...

— Allons, mon Père, dit-elle d'un ton plus doux, sentant soudain qu'elle faisait souffrir cet homme qui s'échinait depuis des années pour la faire sortir de leur condition, croyez-vous que je ne sache point ce que Giraude est pour vous, et qu'elle vient vous rejoindre dans votre chambre toutes les nuits, et qu'elle vous donne tous les soins d'une épouse ?

— Qu'oses-tu dire là !

— La vérité, toute simple. Et ne voyez-vous pas que, si je m'en vais dans les royaumes de Palestine, vous pourrez l'épouser, ce que vous n'osiez décider jusqu'à maintenant pour ne pas ruiner votre projet de me faire une dame de la noblesse ? Giraude ne vous presse-t-elle point à cela depuis longtemps ?

— Est-ce à dire que tu espionnes nos propos ?

— Elle crie assez haut quelquefois pour que je l'entende, sans l'avoir voulu, quand vous êtes retiré avec elle. Elle a raison après tout. Vous lui répondez que cela ne peut être que lorsque je serai mariée ! Eh bien, ce sera dès que je serai partie pour là-bas, et ainsi nous serons trois à être aises. Elle, d'avoir la bague au doigt, vous, d'avoir la paix chez vous et moi de respirer un autre air que celui-ci, et peut-être de devenir enfin ce que vous souhaitiez que je sois...

Elle soupira, avant de reprendre :

— N'êtes-vous point fatigué de ce bourg où nous vivons, et de ce ciel qui est gris si souvent, et de cette pluie qui ne cesse de tomber ?

— Hein ? fit Mohandiau qui ne comprenait pas. Qu'est-ce que la pluie vient faire là-dedans ? Est-ce qu'on change sa vie, et son pays, parce qu'il pleut ?

— Je ne serai pas la seule, en tout cas, car bien d'autres vont partir en même temps que moi, de ce bourg aussi bien que de toute la Bretagne. Savez-vous qu'on a prêché la croisade à Vannes, à Sainte-Anne-d'Auray et à Kemper, et que des milliers de petites gens ont juré de partir vers la Terre sainte ?

— Je le sais. Et ce sont des fous. Ce sont gens qui n'ont rien à perdre, et qui courent après un rêve. Toi, tu as tout ici.

Méheude secoua doucement la tête.

— Pardonnez-moi, sourit-elle en posant sa main sur celle du gros homme encore rouge de toutes les émotions qu'il venait d'éprouver, le sire de Saint-Gilliac, qui s'est ruiné au jeu et à boire, n'est pas tout pour moi, même si vous, mon père, m'êtes quelque chose...

La journée était douce, et l'eau du lavoir pas trop fraîche. Couette avait fini de tout laver, les chemises de Dame Mathilde aussi bien que les siennes, et tous les draps de lin que l'une et l'autre utilisaient. Il y avait Sidoine qui aurait pu laver tout cela avec le reste du linge de la maison, mais Sidoine devenait vieille, et par respect pour Dame Mathilde, et pour l'affection qu'elle lui portait, Couette tenait à laver de ses mains ce qui était à elle.

Couette qui était à genoux dans la bordure de bois du lavoir regarda ses mains dans l'eau claire de la petite rivière qui traversait tout le fief de la Villerouhault, ses mains qui étaient maintenant tristes, des mains qui n'étreignaient plus de chair amie, des mains qui n'avaient plus rien à aimer depuis que Riou était parti. Ses chemises, ses caleçons de toile fine imprégnée de l'odeur de sa peau, et qu'elle portait à son visage pour la sentir, cette odeur de son amour qui lui remuait le ventre aussi bien que l'âme, quand elle lavait son linge à lui et qu'elle était seule au lavoir... Les chemises de Riou n'étaient plus là. Couette ouvrit et ferma ses mains sous l'eau qui passait lentement en léchant la bordure de chêne usée par les lavandières. Les larmes de Riou, qui avaient coulé sur sa joue, quelquefois. Le rire de Riou, quand ils étaient seuls dans la chaleur du lit. Les larmes vinrent aux yeux de Couette. Elle les laissa venir et les regarda tomber dans l'eau de la rivière au-dessus de ses mains, comme une pluie d'amour...

Est-ce que cela voulait dire que Riou n'aimait pas Couette, s'il était parti ? Serait-il resté s'il avait aimé Couette ? Mais non, bien sûr, cela n'avait pas de sens. Riou était un seigneur, et non pas un paysan qui demeure avec ses bœufs et sa femme dans sa chaumière, afin que la terre soit cultivée et nourrisse tout le monde, pendant que le maître s'en va faire la guerre sur son cheval. Oui, bien sûr, Riou serait parti de toute façon. Cela ne prouvait pas qu'il n'aimait pas Couette. Cela prouvait qu'il était Sire, adoubé chevalier comme son père. De toute façon elle aurait perdu Riou, qui se serait marié avec une fille d'un autre château. Mais non, justement ! Riou était parti pour n'avoir pas à se marier avec une fille qui avait une dot. Par conséquent Riou aimait Couette... Oui, Riou l'aimait. Il reviendrait, comme son père était revenu après avoir fait la guerre plusieurs fois aux Normands et aux Anglais, et il l'aimerait de nouveau. Couette se sentit soulevée de bonheur à la pensée du retour de Riou, du pas de son cheval dans la cour, du regard de ses yeux quand ils se trouveraient l'un en face de l'autre, de l'assaut brûlant qu'ils se donneraient lorsque la porte de la chambre se refermerait sur eux après si longtemps. Neuf mois déjà. Neuf mois que leurs corps avaient été privés de cette ivresse à laquelle ils étaient habitués depuis des années. Combien d'années ? Couette réfléchit, comptant sur ses doigts sans retirer ses mains de l'eau claire. Elle avait treize ans quand Riou l'avait embrassée pour la première fois, treize ans et demi quand il l'avait prise au bord de la rivière, au mois d'août, ce jour où ils étaient partis pêcher les écrevisses. Cela faisait donc sept années... Sept années d'amour. Sept !

Un mauvais chiffre, pensa Couette. Les choses qui finissent vont par sept, comme les sept jours de la semaine, et les sept femmes de Barbe-Bleue...

Est-ce que cela voulait dire que leur amour était fini avec ce chiffre sept ! Sept. Neuf... Elle aurait pu être enceinte, et si elle l'avait été, elle mettrait au monde leur enfant aujourd'hui, puisque cela faisait neuf mois. Qu'aurait fait et qu'aurait dit Dame Mathilde ? Sûrement que c'était l'enfant de Riou, et qu'il fallait l'aimer. Dame Mathilde était incapable de ne pas être bonne, et juste. Elle devait souffrir aussi, comme Couette, et craindre que Riou ne revienne pas, et elle n'aurait rien dit contre cet enfant, qui aurait été pour elle aussi quelque chose de Riou, la chair de Riou, vivante au château.

Mais elle n'avait pas été enceinte, en dépit des folies qu'ils avaient faites parce que c'était son départ, et qu'ils s'étaient acharnés dans le plaisir d'amour. Oui, il l'aimait, et on ne pouvait rien changer à cela, à ces sept années-là.

Mais la Croisade ? De la guerre ils revenaient au bout de quelques semaines ou de quelques mois, les seigneurs, mais de la Croisade c'était quelques années. Sept années ?

Riou allait-il rester là-bas sept années ? Pourquoi avait-il pris la Croix à Bruxelles ? Mais tous les autres l'avaient fait, tous ceux qui étaient les vassaux du seigneur de Fougères. Riou ne pouvait pas faire autrement.

Un jour une lettre arriverait, une lettre de Riou à Dame Mathilde donnant des nouvelles. Peut-être une lettre pour elle aussi, pour Couette, qui savait lire un peu, qui avait appris à lire exprès pour ne pas être trop inférieure à Riou, pour être presque comme les filles de la noblesse avec lesquelles il était destiné à se marier. Si Riou l'aimait, il lui écrirait une petite lettre. Oui, c'est cela, c'est cela qui serait une preuve de ce qu'il l'aimait. Couette haussa les épaules. Folle ! Folle que je suis ! Ai-je besoin d'une lettre pour savoir qu'il m'aime ? Est-ce que tous ces souvenirs dans mon ventre ne le prouvent pas, pendant sept années ? Sept ! Quel bon chiffre ! Quel merveilleux chiffre...

Couette retira ses mains de l'eau en entendant qu'on marchait derrière le lavoir. Elle tourna la tête et la silhouette de Collin le Du s'interposa devant la lumière.

— Tiens, Collin, dit gaiement Couette. Tu arrives bien. Tu vas m'aider à tordre mes draps.

Les draps étaient longs, pour les tordre, mais les chemises de Dame Mathilde, pliées en deux, ne l'étaient pas et à la première qu'ils tordirent tous les deux, Collin et elle, Couette, face à face dans l'ombre ensoleillée des noisetiers qui étaient touffus autour du lavoir, leurs mains se touchèrent et Collin devint tout rouge.

— Couette, de par Dieu, il faut que je te parle. J'étais venu te trouver ici pour cela...

— Tu peux me parler tous les jours, Collin, dit la jeune fille, vite sur ses gardes.

— Je peux mais je n'ose point, bien que tu saches ce que je vais te dire.

— Ça, c'est moins sûr ! Je ne suis point devineresse, trancha-t-elle en prenant une autre chemise de Dame Mathilde.

Elle en présenta l'extrémité au valet, en prenant soin de ne pas risquer cette fois que leurs doigts se rencontrent.

Collin commença à tordre la chemise en sens contraire du mouvement que faisait Couette. L'eau coulait du linge à terre et Collin la regardait bêtement tomber sans plus rien dire.

— Eh bien ! lança Couette, fronçant les sourcils. Tu as perdu ta langue. Je n'ai rien à te dire, moi. C'est à toi de parler, puisque tu es venu pour cela !

— Voilà, dit le jeune homme, se jetant à l'eau. Je me marierai à la Saint-Michel, et ce sera avec toi, ainsi que tu sais bien que je le pense depuis longtemps, n'est-ce pas ?

— Holà ! s'écria Couette mécontente. Tu te marieras peut-être mais ce sera avec une autre, oui-da, pour la vérité de la vérité de Dieu ! Qu'ai-je jamais fait, ou jamais dit, depuis que tu m'as parlé de cela, pour que tu puisses encore y penser ?

— Tiens-tu tellement à rester fille ! lança le jeune homme, rouge de désarroi et de dépit.

Elle lui arracha la chemise essorée qu'ils tenaient à quatre mains.

— C'est mon affaire, et pas la tienne, que je reste fille ou non. Ne m'entretiens plus jamais de cela, Collin le Du, si tu ne veux pas que nous soyons en guerre, et pour de bon cette fois !

Elle remit tous les draps et les linges essorés dans la hotte d'osier avec laquelle elle était venue au lavoir et se déhancha d'un geste gracieux de tout son corps pour la placer sur son dos. Collin s'était avancé comme pour l'y aider mais elle fit un pas en arrière.

— Ne me touche pas, dit-elle vivement. Je n'ai pas besoin d'aide, ni pour mettre ma hotte ni pour ne pas rester fille.

Le dépit et le désir emportèrent en même temps le jeune valet. Il se jeta sur elle, l'enlaçant au moment où elle ajustait la hotte sur son dos, les mains embarrassées.

Mais bien que surprise, la drue fille qu'elle était se défit d'un seul geste de son fardeau et de son agresseur. Détournant la tête pour éviter la bouche qui pressait la sienne, elle chercha les yeux du jeune homme avec ses mains, griffant le visage de toutes ses forces agrandies par la colère.

Le valet poussa un cri, abandonnant son étreinte pour porter les mains sur celles de la jeune fille qui continuait à le meurtrir. Le sang lui coulait sur le visage. Elle le sentait chaud sous ses doigts et elle criait à voix éperdue :

— Chien ! Chien maudit que tu es !

Enfin elle le lâcha et ils étaient face à face, lui avec son sang sur les joues, elle tremblante de l'outrage qu'il lui avait fait au moment même où elle rêvait de Riou.

— Et toi ! ricana-t-il. Est-ce que tu n'es pas chienne, avec le Maître !

— Quoi ! s'écria-t-elle, indignée. Qu'est-ce que tu dis ?

— Oui, avec le Maître ! Est-ce que tu crois que je ne le sais pas ! Tout le monde le sait ici et au bourg, et on se rit de toi...

Cette fois Couette était pâle. Jamais personne, à la Villerouhault ou au bourg, n'avait osé lui parler de cette chose-là. Collin ! Collin qui avait servi Riou depuis des années, vivant au milieu des armes du Maître, allant aux tournois avec lui, prenant parti pour son Maître comme font tous les valets fiers de servir sous les couleurs de leurs seigneurs. Couette sentit toute la fragilité de son amour. Elle était bien seule à y croire. Riou était parti, et tous avaient des calculs. Collin savait qu'un jour le Maître se marierait avec une fille d'un château, et il avait calculé qu'il aurait Couette. Avec quelques écus d'or que donnerait le Maître ou Dame Mathilde pour qu'ils s'établissent, et qu'ils continuent à servir, comme cela était l'usage dans les cas de ce genre. Couette avait servi dans le lit du jeune Maître, Collin dans les écuries et aux tournois. Ils serviraient maintenant tous les deux à cultiver la terre, à élever des oies, des moutons, et même des enfants qu'ils feraient, et qui seraient des bras en plus pour le domaine. Rien n'était jamais perdu pour les seigneurs...

Bien sûr, tout le monde le savait, qu'elle allait dans le lit du Maître. Mais personne n'en avait jamais rien dit devant elle, comme il se doit. Collin !

Elle avait mis sa hotte sur son dos, de ses mains qui tremblaient maintenant de honte et de rage de l'injure subie. Collin avait dû remâcher son dépit de n'avoir pas été emmené par Riou dans l'ost de la Croisade, et il ne le respectait plus.

— Laisse-moi, par l'amour de la Sainte Vierge Notre-Dame, lui dit-elle d'une voix sourde en se retournant une dernière fois avant de reprendre le chemin du château. Tu as perdu ta raison ! Le Maître reviendra, et quel visage feras-tu devant lui ?

Cette fois Collin, qui tenait encore ses mains à ses joues labourées par les ongles de la jeune fille, eut une sorte de rire.

— Le Maître ne reviendra pas de vingt années au moins ! Les mécréants l'ont pris captif, et mis aux galères pour ce temps-là pour des déloyautés que les seigneurs de l'ost ont faites dans les combats !

Il avait lancé ces mots terribles derrière elle sur le chemin envahi des deux côtés par les noisetiers qui devenaient de plus en plus touffus d'année en année. Le soleil faisait des taches autour d'eux. Couette les vit tournoyer, et sa gorge se serra de douleur. Dans ce chemin elle avait maintes fois marché avec Riou qui venait la chercher au lavoir, et ils s'y embrassaient après avoir regardé si on ne venait pas. Maintenant, c'était un endroit affreux, un endroit de malheur.

Le malheur ! Il avait fait son chemin doucement, depuis le jour où Mohandiau était venu dire à Riou qu'il lui fallait vendre le château ou épouser Méheude, et maintenant il s'emparait de tout, du château, de Dame Mathilde, de Couette, du chemin entre les noisetiers... Il s'était emparé de Collin, lui soufflant dans sa tête la mauvaiseté qui sortait maintenant par sa bouche.

Collin ricanait de nouveau pour venger ses griffures sanglantes :

— C'est Norbert, le valet du Sire de Kermoléon, qui nous l'a dit à la foire aux chevaux. Le Sire a écrit à son père que les seigneurs n'avaient point gagné contre les Infidèles en Afrique et qu'ils étaient repartis en laissant des captifs, dont le Maître. Si tu ne me crois point, demande à Dame Mathilde. Elle aussi a reçu une lettre de l'ost...

Couette sentait que la hotte n'avait plus son poids, tandis que les sanglots l'oppressaient, à la faire vomir.

Dame Mathilde savait et elle n'avait pas appelé Couette pour le lui dire. Couette n'était qu'une fille qui lave le linge, n'est-ce pas, et vient dans le lit du jeune Maître pour qu'il n'aille pas avec n'importe quelle ribaude.

La tête lui tournait et Couette serra les dents pour ne pas tomber sur le chemin devant Collin et être par terre évanouie à sa merci.

Couette arriva en haut des marches de pierre qui menaient à l'appartement de Dame Mathilde. Le petit lumignon de suif de mouton qui éclairait l'escalier faisait de la jeune fille une ombre gigantesque sur le mur blanchi à la chaux, avec ses couettes comme les élytres d'un insecte géant quand elle tournait la tête. En haut sur le palier était la porte de la chambre de Dame Mathilde. Et aussi, en face, celle de la chambre de Riou... La peine lui mordit le cœur, la grande peine de la prison dans laquelle Couette se sentait enfermée, la prison de son amour étouffé par le temps, la peine de la séparation d'avec Riou, du grand lointain de la croisade où il était parti, de l'injuste méchanceté des autres. La maison dans laquelle elle avait été heureuse, avec Riou, sans même le savoir, allait faire souffrir Couette désormais tous les jours, de toutes ses portes qu'elle avait ouvertes pour le rejoindre, de tous les murs derrière lesquels elle s'était enfermée entre ses bras, de toutes les fenêtres par lesquelles elle l'avait regardé s'éloigner sur Martroi ou sur Vaillant...

Et Dame Mathilde ? Elle aussi, allait-elle faire souffrir Couette ? Couette était devant la porte. Il fallait qu'elle sache pourquoi Dame Mathilde ne lui avait rien dit de Riou alors qu'elle savait. Est-ce que Collin le Du mentait, pour la faire enrager, et parce qu'il avait perdu le sens, du désir et du besoin qu'il avait de Couette jour après jour, à vivre auprès d'elle, sans femme, alors qu'il était maintenant, c'est sûr, en grand âge de se marier, d'en avoir une chaque nuit dans son lit, pour se satisfaire ? Comme Riou...

Les doigts de Couette hésitèrent encore, puis frappèrent. La voix calme lui dit d'entrer.

Dame Mathilde était assise devant sa tapisserie, entre les deux chandelles à réflecteur de cuivre qui l'éclairaient pour qu'elle puisse y travailler. Elle avait déjà levé la tête vers la porte qui s'ouvrait et Couette vit tout de suite que c'était vrai que Riou était pris pour longtemps par les Infidèles parce que Dame Mathilde était blanche et son visage creusé.

Mais ce visage lui sourit bientôt.

— Entre, ma Couette ! Viens t'asseoir auprès de moi, dit la mère de Riou en désignant le tabouret bas, recouvert d'une étoffe qu'elle avait brodée, et sur lequel elle reposait parfois ses pieds.

Couette obéit et aussitôt qu'elle fut assise les larmes jaillirent en fontaine de ses yeux, comme si la vue de la maman de Riou et les mains de celle-ci qui prenaient les siennes autorisaient sa douleur.

— Tu sais donc déjà pour Riou ! Qui te l'a appris, ma bonne petite ?

— Collin le Du, not' Dame, balbutia Couette entre ses larmes.

La châtelaine de la Villerouhault secoua la tête.

— La lettre m'est venue voilà deux jours. Je n'avais pas le courage de te faire de la peine. C'est pourquoi je ne t'ai pas encore parlé, ma Couette...

Dame Mathilde gardait les mains de la jeune fille dans les siennes. Couette, au regard qui pesait sur elle, comprenait que Dame Mathilde voyait sa servante d'une nouvelle façon. Il dort avec elle, pensaient les yeux de Dame Mathilde fixés sur la jeune fille. Il baise cette bouche, pose sa tête sur cette poitrine...

Dans la solitude du petit château perdu dans la campagne bretonne, dans l'hiver qui avait commencé et qui allait pleurer pendant de longs mois ses larmes de pluie, elles seraient seules, la châtelaine et la petite servante, à conserver l'espoir du retour de Riou comme un désir dans leurs ventres, elle son ventre de mère, la petite compagne de lit son ventre d'amante...

Est-ce qu'il l'aime, cette petite paysanne jolie et tendre ? se demanda Dame Mathilde. Il ne la trompe pas beaucoup. Il la garde depuis des années. Il ne parle jamais de se marier. Elle imagina Riou dans sa geôle africaine. La nuit, sur son grabat, il devait penser à elle, et à sa mère tour à tour. Elles étaient les seuls êtres par qui de la douceur lui était venue...

— Je veux que tu restes près de moi, ma petite Couette, dit-elle. Tu dormiras dans la chambre à côté, où tu ranges le linge. Je me sentirai moins seule...

— Not' Dame, annonça Couette, intimidée de ce qu'elle avait à dire. Je... je ne vais pas rester au château, si vous n'en avez pas de colère...

— Comment, ma Couette ? Tu ne peux me quitter, désormais que je suis si seule. Où irais-tu ? C'est ta maison ici, ma bonne petite...

Dame Mathilde cherchait ses mots, comme pour dire à la petite servante maîtresse qu'elle avait acquis des droits, à partager la couche du jeune seigneur après tant d'années.

Mais la voix de Couette reprit.

— Je ne puis attendre ici le Maître si longtemps, not' Dame, sans rien faire que d'avoir espérance...

La jeune fille ne pleurait plus.

— Je ne veux rester au long de vingt années sans rien faire pour aider le Maître, not' Dame, répéta-t-elle.

La châtelaine de la Villerouhault fronça les sourcils.

— Il ne faut point penser à tant d'années, Couette ! Les chevaliers prisonniers des Infidèles peuvent être rachetés, et beaucoup sont revenus ainsi, après qu'on eut payé leur rançon aux seigneurs mahométans. Le Seigneur de Fougères se doit de donner assistance à ses vassaux et le fera sans doute pour notre Riou. Les plus riches Comtes de la Croisade donneront aussi de l'or pour ceux qui sont captifs.

Elle avait dit *notre* Riou, et c'est ce qu'elle avait trouvé pour faire comprendre à la petite le prix qu'elle attachait à ce qu'elle avait donné à son fils.

— Le Maître peut revenir bientôt, reprit-elle pour encourager la petite, et il sera aise de te retrouver ici après ses peines chez les Mahométans...

— Mais, reprit la jeune fille, est-ce menterie que m'a faite Collin, quand il m'a dit aujourd'hui que le Maître ne reviendrait pas de vingt années, pour ce que le Sultan des Infidèles l'a envoyé aux galères au long de ce temps-là sans qu'il puisse être racheté par rançon ?

Dame Mathilde, dont les joues avaient rosi de l'affection qu'elle portait à Couette, et de la pensée du bien que la jeune fille avait toujours fait à son Riou, redevint pâle comme au moment où la petite l'avait vue en entrant dans la chambre.

— Que dis-tu là ? La lettre que j'ai du chevalier de Lorgeril ne parle point d'une chose pareille ! Qu'as-tu entendu de Collin ! Parle, pour l'amour de Dieu, ma petite fille...

Couette avait follement espéré pendant un instant que Collin lui eût menti pour la méchanceté de ce qu'il voulait obtenir d'elle, mais maintenant elle comprenait que le sire de Lorgeril, pour ne pas faire de peine à la dame de la Villerouhault, n'avait pas voulu lui écrire tout ce qu'il savait du sort de Riou. Sans doute le Seigneur de Fougères enverrait quelqu'un un jour à la Villerouhault pour prévenir, avec des ménagements, du sort véritable que les mahométans avaient fait au jeune seigneur croisé. Mais il serait trop tard, puisque Couette avait tout dit...

— C'est pourquoi je veux partir là-bas, not' Dame, dit-elle effrayée du mal qu'elle avait fait. J'irai dans le pays des Infidèles, jusqu'à ce que je sache où est le Maître. S'il le faut, je prendrai leur religion, pour qu'ils me laissent l'approcher, et le soigner. J'irai chez leur Sultan. Ils ne le garderont peut-être point toujours aux galères. Ils le mettront à travailler la terre, peut-être. Leur Sultan, si j'ai pris leur religion, me permettra de le rejoindre dans la seigneurie où il sera...

Elle avait parlé tout d'une traite. C'est à tout cela qu'elle avait pensé, avant de monter l'escalier qui menait à la chambre de Dame Mathilde, après le désespoir qui lui avait serré le cœur sur le chemin qui menait du lavoir au château. Oui, elle irait là-bas, et elle retrouverait Riou. Vingt années ! Elle avait vingt années devant elle pour le retrouver... Non, elle ne resterait certes pas vingt années à se dessécher ici.

Dame Mathilde regardait Couette, les yeux agrandis par l'étonnement, oubliant la douleur qui lui était venue de ce que la petite lui avait appris.

Ce qu'elle avait sous les yeux, c'était l'amour, l'amour d'une femme pour un homme. Une force qui soulevait les montagnes, traversait les mers, renversait les murs qu'on élève entre ceux qui sont épris.

Dame Mathilde se sentit apaisée tout d'un coup. Cette petite, avec sa foi au cœur, était capable de retrouver Riou et d'arriver jusqu'à sa prison.

Elle sourit à Couette à travers ses larmes.

15.
Sur la route de Constantinople

Tisch, le valet, avait ôté la grille de fer qui protégeait la porte de la boutique de Mordoch pendant la nuit, et Mordoch l'entendait qui ouvrait la porte de l'écurie au fond de la cour, et qui parlait aux mules avec des exclamations naïves dans son flamand traînant. Mordoch s'était assis derrière son comptoir. Il ouvrait le premier tiroir, où étaient les pièces d'argent neuves que le Comte Baudouin avait fait frapper, et qui étaient arrivées la veille de la Monnaie de Bruxelles. Le Comte Baudouin était parti pour Constantinople, avec son ost, pour tenir sa promesse, avec bien d'autres seigneurs des Flandres, quand il avait été bien sûr que les Anglais partaient pour de bon, après avoir échangé force lettres à ce sujet avec Gloucester, et D'Harcourt, et même avec le Roi Richard, ainsi que l'avait raconté à Mordoch Cohn Chouchann, le joaillier de Londres qui vendait des bijoux à Sa Majesté d'Angleterre, et qui le tenait de la bouche de Gloucester lui-même. Cohn Chouchann était venu à Anvers la semaine dernière pour acheter des diamants, et il était passé, comme il le faisait toujours lorsqu'il venait sur le continent, chez Mordoch, pour échanger des nouvelles ; par amitié pour Mordoch aussi, parce que Cohn était quelqu'un sur qui on pouvait compter, un de ces hommes heureux qui le sont assez pour prendre plaisir à être généreux. Enfin Cohn était passé parce qu'il avait toujours eu des vues sur Judith, bien que Judith ait refusé toutes ses avances jusque-là. Cohn était un bel homme, pas du tout le juif sentant le renfermé de sa boutique et de ses grimoires, ainsi que les chrétiens en font moquerie, avec le dos rond et le nez courbé, mais un bel homme à la barbe noire, aux yeux sombres brûlants de ceux qui s'intéressent beaucoup aux femmes, de belles dents blanches toutes à lui à quarante-huit ans passés, et veuf, avec quatre enfants déjà grands. Pour Judith, qui ne pouvait avoir d'enfant,

Cohn, avec sa fortune, la vie large qu'il menait à Londres où il était devenu le premier de tous ceux qui fournissaient les princes en bijoux, Cohn Chouchann était un parti, et Mordoch n'était pas contre ce projet-là. Il en avait parlé à Judith la première fois que Chouchann lui avait fait ses ouvertures, c'est-à-dire l'année dernière. Car que ferait Judith si lui, Mordoch, mourait ? Elle serait seule ici à Bruxelles, n'ayant que son oncle Ellaïmm à Constantinople, incapable de mener l'affaire de son père sans un mâle à ses côtés, obligée donc de partir à Constantinople, une ville qu'elle avait quittée quand elle avait cinq ans, qu'elle ne connaissait donc pas.

C'est pourquoi Mordoch lui avait dit que Chouchann était sans aucun doute celui qui saurait le mieux lui faire une vie agréable, et solide, une vraie vie de femme parce que Chouchann était un homme ardent, qui ne la négligerait pas, ainsi que tout le monde le savait bien.

Judith l'avait vu avant-hier, quand il était venu, et c'est justement ce qu'elle lui avait répondu en riant, quand il avait dit qu'il était toujours désireux de l'emmener à Londres, et d'en faire sa femme pour la vie : qu'il aimait trop les femmes, qu'il ne saurait pas se contenter d'une seule et qu'elle porterait des cornes plus que personne n'en avait jamais porté en Angleterre ou ailleurs. Ce à quoi Cohn avait juré gravement qu'elle se trompait, qu'il avait longuement réfléchi là-dessus et que, s'il se remariait avec elle, il n'y en aurait plus d'autre. Mais Judith avait continué à faire non de la tête en souriant. Elle n'avait pas dit pourquoi, bien sûr.

Mordoch avait pris une petite peau de daim et il faisait briller l'une après l'autre les belles pièces d'argent toutes neuves sur lesquelles la silhouette du Comte Baudouin sur son cheval, la grande épée droite à la main, marchait vers la Terre sainte, ainsi que le graveur l'avait représenté, avec la Croix de la croisade sur la poitrine... Etait-ce cette image du chevalier l'épée à la main qui avait séduit Judith, quand le jeune seigneur breton sans le sou était entré dans la boutique pour mettre son émeraude en gage ? Mordoch soupira. Judith ! Pauvre cœur de jeune femme qui rêvait d'amour, et qui le cherchait dans une union impossible avec un Chrétien qui n'était même pas là, alors que tout serait déjà difficile pour eux deux s'il n'était pas parti à l'autre bout du monde. Pauvre Judith, prisonnière de la passion qu'elle avait pour ses pierres, et de leur envoûtement... Elle portait l'émeraude du jeune chevalier sur sa gorge, sous sa robe fermée au cou, elle devait lorsqu'elle était seule l'en tirer pour plonger son regard dans son eau verte, et tenter d'y lire ce que faisait son chevalier au milieu de la rumeur des batailles, entre la vie et la mort. Les pierres au milieu desquelles elle avait grandi et au milieu desquelles elle vivait avaient mangé Judith. Leurs eaux profondes et leurs éclats quand le soleil venait les frapper à travers les fenêtres à petits carreaux étaient entrés dans le cœur de Judith par la porte ouverte de ses yeux, et elles y régnaient maintenant, au nom de leurs caprices mystérieux. Etaient-ce elles qui avaient tari en Judith le sein où se font les enfants, afin que la jeune femme reste en leur pouvoir, tandis que son mari se détournait d'elle pour ce qu'elle ne lui donnait pas de progéniture ? Puis elles avaient appelé à l'aide cette émeraude grosse et belle qui était entrée un jour au cou de ce chevalier, afin qu'elle prenne possession tout à fait de Judith, en lui inspirant un amour impossible qui l'écartait de la vie véritable qu'elle pourrait avoir avec Cohn Chouchann.

Combien de nuits Judith avait-elle passées avec son chevalier ? Sept ou huit, tout au plus... Lui, Mordoch, était resté à Anvers plus longtemps qu'il ne lui était nécessaire afin qu'elle puisse être seule à Bruxelles, sachant bien que son amant viendrait la rejoindre, pour qu'elle ait un peu de ce bonheur dont elle avait grand besoin et dont le père avait lu l'attente dans les yeux de sa fille, lorsque le jeune homme était entré dans l'échoppe pour la première fois. Sept ou huit soirées avec celui qu'elle aimait, après des années de solitude, et maintenant ces mois qui s'étaient écoulés depuis qu'il avait pris la Croix avec les autres...

Mordoch fit une moue amère. C'était sa faute à lui si Judith avait été élevée au milieu de l'or et des pierres. Les chrétiens avaient sans doute raison d'y voir une malédiction, à laquelle ils vouaient les Juifs, enfermés dans ce commerce qu'ils leur réservaient... Mordoch leva les yeux vers la porte et son vitrage à petits carreaux encadrés de plomb, au-delà de laquelle une silhouette se montrait.

Un homme qui s'était approché sembla se reculer un instant pour bien voir la vitrine de l'échoppe, comme s'il s'assurait qu'il ne se trompait pas, puis il pesa sur le bec de cane pour entrer. Il était coiffé d'un bonnet de taupe comme on en porte en Hongrie et en Roumanie, l'air d'un juif de là-bas, avec une sorte de sacoche de voyage en cuir ouvragé, et il dit *Shalom,* aussitôt entré. Puis, continuant à parler hébreu, il demanda s'il était bien dans le magasin de Mordoch.

— Je suis Shamir, de la ville de Buda, et je viens de la part de Kecelj, dit-il.

Puis il baissa le ton, levant les yeux vers l'escalier qui menait à l'étage à travers le plafond bas de l'échoppe, comme s'il devinait qu'il y avait quelqu'un dans la pièce au-dessus qui ne devait pas entendre ce qu'il allait dire.

— N'avez-vous point une fille du nom de Judith, avec tout mon respect, Mordoch ?

— En vérité j'en ai une de ce nom, sourit Mordoch. Elle est là-haut présentement, ajouta-t-il en levant son regard à son tour vers l'escalier.

— C'est que votre ami Kecelj, en me chargeant du message que je vous apporte, poursuivit l'homme à voix contenue, m'a recommandé de ne pas être entendu d'elle, mais de vous seulement...

— Et pourquoi donc ? fit Mordoch qui avait déjà compris que l'homme apportait une mauvaise nouvelle.

— Ce message n'est pas agréable à entendre, et il vous appartiendra de le faire savoir à votre fille dans les façons que vous déciderez vous-même...

Mordoch s'était levé, et il avait refermé le tiroir où étaient les pièces d'argent du Comte Baudouin. Il alla au pied de l'escalier.

— Judith ! appela-t-il. Je vais à l'atelier quelques minutes avec un visiteur. Veux-tu descendre pendant ce temps ?

Il entendit la voix de Judith lui répondre, et il entraîna l'envoyé de Kecelj vers la petite porte qui donnait directement sur la cour, au fond de laquelle se trouvait l'atelier où un ouvrier venait plusieurs jours par semaine réparer des bijoux ou monter des pierres.

— J'ai rencontré votre ami Kecelj à Gênes, au retour de la guerre de Mahdia, qu'il a faite avec l'ost chrétien impuissant à prendre cette forteresse, dit l'homme aussitôt qu'ils se furent isolés. Je connais Kecelj de Hongrie, où nous avons séjourné dans la même prison, pour ce que le Sire Evêque de là-bas nous soupçonnait l'un et l'autre d'avoir connivence avec le diable, moi parce que j'étais juif, lui parce qu'il guérissait trop bien les gens... Comme je partais pour les Flandres, Kecelj m'a demandé de vous aller voir et vous dire que le jeune chevalier breton du nom de Riou, avec qui vous avez fait affaire, a été pris par les Mahométans dans le siège de Mahdia...

— Grand Dieu, murmura Mordoch en pensant à Judith.

— Kecelj tient en outre à ce que je vous dise bien qu'il ne peut être question de racheter le chevalier, le Sultan de ce pays étant fort en colère contre les Francs qui ont tué son fils en combat, de telle sorte qu'il a envoyé tous les seigneurs captifs aux galères pour vingt années, en vengeance de la perte de son héritier qu'il aimait au-delà de toutes choses...

L'homme ouvrit sa sacoche et en tira une lettre pliée et cachetée.

— Kecelj vous a écrit ceci, où il y a notamment le nom de l'homme qui possède les galères où le chevalier est enchaîné. Cet homme fait commerce avec Constantinople, et il a même, bien que Mahométan, des lettres patentes de l'Empereur chrétien. Peut-être y aura-t-il quelque chose à faire de ce côté. Avec beaucoup d'or, bien entendu, conclut-il sur une moue ironique.

Au moment où Mordoch prenait la lettre de Kecelj des mains de l'homme, la porte s'ouvrit pour laisser entrer Judith. L'homme au bonnet de taupe ne douta pas que ce fût elle et il voulut donner le change.

— Je dois vous quitter, Mordoch, dit-il. Je vous remercie des renseignements que vous m'avez donnés.

Il s'inclina devant la jeune fille et fit mouvement pour sortir, mais Judith l'arrêta :

— Sait-on où se trouve Kecelj ? demanda-t-elle.

Surpris d'avoir été deviné, le Hongrois regarda la lettre que Mordoch avait à la main, se demandant si la jeune fille avait reconnu l'écriture de Kecelj sur l'enveloppe où étaient tracés le nom et l'adresse de son père. Hésitant à répondre, il consulta Mordoch d'un regard. Le joaillier, lui, voyait les yeux brillants de Judith et sa main crispée sur quelque chose qu'elle y enfermait.

— Je pense que vous pouvez répondre à Judith, dit-il.

Le Hongrois s'éxécuta.

— Kecelj le Mire est en route pour Constantinople sur une nef du Seigneur Prince de Bourbon. Je dois me retirer maintenant, avec votre permission...

Il s'inclina encore devant Judith et sortit après lui avoir adressé un petit sourire d'adieu qui exprimait sa gêne.

— Judith ! s'exclama Mordoch en recevant sa fille dans ses bras aussitôt que l'homme eut fermé la porte derrière lui.

Les doigts de Mordoch s'emparèrent de la main de sa fille, pour l'obliger à l'ouvrir et s'assurer qu'il avait bien deviné ce qu'elle serrait ainsi : l'émeraude. L'émeraude du chevalier breton, qu'elle portait sur sa poitrine jour et nuit depuis que le jeune homme la leur avait donnée en gage. Elle avait fait parler la pierre, avant même que le messager de Kecelj ne franchisse les grilles de la rue aux Juifs, et elle savait.

Mordoch referma ses bras sur les épaules de sa fille.

Pauvre Judith qui s'était condamnée à souffrir en se vouant à ce chevalier chrétien à la barbe blonde, au sourire juvénile...

— Ce matin très tôt j'ai vu que l'émeraude était sombre, presque noire, et j'ai su que le malheur allait entrer, dit-elle. J'ai vu cet inconnu qui allait venir, coiffé de ce bonnet, et une église de Hongrie avec ses dômes dorés. J'ai aussitôt pensé à Kecelj. Quand tu es allé avec lui ici pour que je ne puisse vous entendre, je savais qu'il apportait la nouvelle, et cette lettre...

— La nouvelle n'est pas si mauvaise, ma chérie. Le chevalier aurait pu périr. Il n'est que captif. Un captif se rachète.

— Je sais, dit-elle. Je sais qu'il est sur sa voie. Je sais qu'il ne mourra pas. Je sais que je le sauverai. Je veux aller le rejoindre. Mon père, il faut que nous partions pour Constantinople, où nous trouverons ceux qui font commerce avec les Musulmans...

Mordoch resta silencieux. Il pensa à Cohn Chouchann. Cohn accepterait probablement de gérer les affaires de son ami Mordoch à Bruxelles, en y mettant un de ses hommes à lui. Judith avait raison. C'est de Constantinople qu'on pourrait œuvrer au rachat du chevalier. Pendant tout le temps de la Croisade, à laquelle se joignait maintenant le souverain d'Angleterre, la capitale des Empereurs d'Orient serait le centre des grandes affaires qui accompagnaient les armées chrétiennes. Chouchann lui-même approuverait Mordoch d'aller là-bas et il entrerait sans doute dans les transactions que son ami y voudrait faire. De toute la chrétienté occidentale, des dizaines de milliers d'hommes et de femmes s'étaient mis en marche vers la ville des Empereurs. L'énorme convoi de piétons, de chevaux et de mules marchait au bruit du roulement de ses chariots chargés des impedimenta d'un peuple entier enivré de fatigue, de cantiques et de rêves de Terre Promise. Il allait traverser la Hongrie et ses plaines riches de blé et de maïs puis franchir les monts roumains de Transylvanie, et enfin venir, à travers les vallées Bulgares, se répandre au pied des murailles de Constantinople, la forteresse des Chrétiens qui barrait la route aux invasions d'Asie.

L'Occident de la Croix marchait vers son destin à la rencontre des Turcs et des Arabes, et Judith se laissait emporter par ce flot, pour l'amour d'un chevalier blond et par la magie d'une pierre. Mordoch soupira.

— Qu'il soit fait selon ce que tu désires, ma Judith, dit-il doucement, et que Dieu vous réunisse tous les deux.

— Que tu es bon, mon Père, dit-elle en relevant la tête pour rencontrer le regard du joaillier.

— Une fille juive, et un jeune seigneur de Bretagne..., sourit-il.

Crois-tu vraiment qu'il soit possible à Mordoch de monter ce bijou-là ?

Judith ouvrit sa main, montrant l'émeraude :

— La pierre le dit, murmura-t-elle.

16.

La galère du Raïs Maqsar

Riou écoutait le froissement de l'eau sur la coque, suivi de l'éclatement d'une vague sur l'étrave quand le navire plongeait son avant dans la houle, le grincement des poulies au-dessus de lui sur le pont et il sentait, au-delà du plafond bas de la chambre de nage, la force du vent qui s'était levé à l'aube et régnait sur la mer maintenant sans partage... Le vent ! Souverain de la mer, éternellement libre, il redonnait la vie aux galériens à chaque fois qu'il recommençait à souffler et que l'ordre était donné de rentrer les rames devenues inutiles. Ivresse de la liberté... Le vent s'en grisait depuis la création du monde, soulevant les vagues aussi haut que les collines, s'amusant des navires comme de jouets avant d'aller plier les branches feuillues des chênes dans les forêts ou faire onduler les moissons lourdes d'épis, là-bas, loin, très loin, en Bretagne, près des murs du château où Riou était né, où il avait ri avec Couette petite fille, et où il l'avait tenue prisonnière dans ses bras et dans son amour. Couette, le château, la Bretagne... Tout cela avait-il existé, ou bien était-ce un rêve de l'esclave enchaîné à son banc de nage auprès de l'énorme rame impitoyable à ses paumes calleuses, un rêve dans lequel il se réfugiait pour ne pas devenir fou à la vue des dos courbés de ses compagnons de chiourme, les misérables dos aux muscles empuantis de sueur plongeant d'avant en arrière et d'arrière en avant de ce mouvement stupide qui faisait d'eux tous, pendant d'interminables jours, les rouages de chair d'une machine inhumaine...

Venant de dessous le banc où Riou était allongé monta de nouveau le claquement des dents de Geoffrey, son compagnon anglais. La fièvre secouait le pauvre malade. Riou se pencha vers le chevalier qui avait été pris à ses côtés dans la forteresse après l'incendie de la tour. Slimane, le chef de nage, avait déferré les chevilles de Geoffrey depuis deux jours, pour que le jeune Anglais puisse se coucher sous le banc. C'était le sombre signe qui ne trompe pas les autres galériens. Le chef de nage savait quand un de ses rameurs allait mourir, et il se trompait rarement. Riou abaissa sa main pour saisir celle du jeune homme. Elle était froide et sans vie, en dépit de cette fièvre. Riou quitta le banc pour se pencher sur le visage de son compagnon. Celui-ci ouvrit des yeux brillants qui fixaient leur regard dans celui du Breton.

— Sire Riou, murmura-t-il, voici venu le moment de nous quitter. Dites avec moi la prière à Notre Très Sainte Vierge, s'il vous plaît...

Geoffrey levait les yeux vers le ciel, mais ne voyait que le bois du banc au-dessus de lui.

— Mon Dieu, reprit-il avec une douloureuse tristesse, je vais parler au ciel sans même le voir, et ne l'aurai point revu ni la nuit ni le jour de si longtemps que sommes enchaînés ici...

Des larmes de désespoir jaillirent des yeux du jeune homme qui avait fait serment au milieu de tant d'autres de mourir pour la Croix mais qui, à l'heure venue de sa passion, connaissait le désespoir que le Christ lui-même avait connu au Golgotha...

Riou serra la main de Geoffrey.

— Ne lamentez point, Sire Geoffrey. Je vais vous mener sur le pont, où vous aurez meilleure respiration, et reprendrez force...

Riou se redressa, cherchant des yeux le chef de nage qui somnolait sur la haute chaire d'où il surveillait les rameurs. Le chevalier éleva ses bras et claqua des mains pour attirer son attention, selon ce qui était voulu par la discipline de la chiourme. Le maître tout-puissant des rameurs redressa la tête et quitta son trône pour aller vers Riou. Il s'arrêta auprès du banc où Riou s'était penché de nouveau vers son compagnon dont la respiration était devenue plus courte. Riou tenait le chevalier anglais par les épaules pour lui soulever la tête.

— *Tot*[1] *?* demanda le chef de nage.

Riou secoua négativement la tête, puis désigna du doigt l'échelle qui traversait le plafond bas sous lequel vivaient les rameurs et permettait d'accéder au pont.

— *Al fouk*[2] *!* déclara Riou qui, après six mois de chiourme, commençait à parler et à comprendre l'arabe.

Un Turc d'une cinquantaine d'années fait comme un lutteur, le crâne rasé, trapu, le ventre en avant ceint d'un fouet de cuir tressé, qui

1. Mort ?
2. Là-haut !

avait été lui-même rameur sur une galère chrétienne pendant dix ans, Slimane le chef de nage avait vu le jeune chevalier franc subir pendant des mois toutes les épreuves du galérien sans y succomber ni perdre courage. Sous ses yeux Riou avait enduré la dysenterie qui souille le banc où on est enchaîné, la fièvre qui vous retire toute force et vous vaut les injures de vos compagnons de rame contraints de travailler plus dur pour réparer la défaillance, les coups de fouet qui ponctuent le moindre manquement à la discipline, et le Turc avait appris à admirer son esclave.

Il comprit que le Franc voulait que son compagnon puisse aller mourir au grand air et il marcha entre les rangées pour venir ouvrir l'anneau de fer qui retenait la cheville de Riou à la barre boulonnée sous le banc.

Le chevalier breton chargea son compagnon sur son épaule et s'éloigna dans l'allée centrale qui divisait la chambre de nage en deux parties égales. Sur les bancs les galériens dormaient, les uns affalés sur l'énorme rame, immobile maintenant parce que le vent soufflait, les autres allongés à même le plancher de bois usé par l'eau de mer, foudroyés par le bonheur de dormir.

Riou prit pied sur le pont, où son compagnon, giflé par le vent, rouvrit les yeux pour découvrir un ciel criblé d'étoiles où couraient quelques nuages rapides.

Riou eut un éblouissement et il tomba à genoux en déposant son fardeau. Ni lui ni Geoffrey n'étaient sortis de la chiourme depuis de longs mois.

— Seigneur Dieu, murmura le chevalier anglais, ayez pitié de Dame ma mère, qui voit peut-être ces mêmes étoiles dans le moment où la vie va me quitter...

— N'ayez point de désespérance, Geoffrey, dit Riou. Et ne dites pas que vous allez mourir. Nous serons à terre demain... Les mahométans vous donneront des soins et du repos. Ils nous savent chevaliers et peuvent songer à nous revendre un jour contre une belle rançon... S'ils voient que vous ne pouvez plus servir sur la galère, ils vous enverront sans doute chez un jardinier travailler à des fruits ou des légumes, comme ils font des plus faibles. Ainsi vous reverrez Dame votre mère, si ne perdez point confiance et courage...

Tristement, Geoffrey fit non de la tête en fermant ses paupières. Riou contempla avec peine le visage encore adolescent devenu osseux, ce masque que les mensonges qu'il venait de dire n'empêcheraient point de devenir bientôt celui de la mort.

Puis il regarda la mer où suivaient à quelques encablures les deux autres galères qui faisaient voile de conserve avec celle du raïs vers la côte de Syrie, la mer étrangère où on allait jeter tout à l'heure Geoffrey, sire de Hillcomb, vassal du Marquis Beaufort de Weinsgate, dont le corps ne reposerait même pas en Terre sainte en dépit des vœux qu'avait fait le jeune chevalier anglais...

Deux marins qui venaient de resserrer l'amarrage des écoutes tendues par la puissance du vent gonflant la grande voile de la galère s'approchèrent de Riou et du mourant. La scène qu'ils avaient sous les yeux leur était familière. Les galériens mouraient à leur banc, quand les quelques remèdes rudimentaires dont disposait Slimane n'avaient pu venir à bout de leur dysenterie ou de leur fièvre. Après qu'ils eurent été embarqués à Tunis, beaucoup dans les premiers mois avaient été jetés à la mer de cette façon. Puis ceux qui avaient survécu s'étaient accoutumés à leur existence de machines et les morts s'étaient faits plus rares. Ce Franc-là n'atteindrait pas Lattaquieh, le port de Syrie vers lequel se dirigeaient les trois navires du Raïs Maqsar. Un troisième marin rejoignit les deux autres. Riou vit avec dégoût qu'il apportait déjà la lourde pièce de fonte rouillée qui allait être attachée à l'anneau de cheville du cadavre afin que celui-ci coule à fond aussitôt jeté par-dessus bord. Le marin laissa tomber sans ménagement la ferraille auprès du chevalier breton.

— Attache-la ! ordonna-t-il.

Riou leva vers l'homme des yeux brillants de haine et de colère. Ces brutes ne voulaient pas laisser Geoffrey mourir en paix. Riou se sentait fort de son corps musclé par les heures passées à la rame, de l'air vif de la mer qui gonflait ses poumons, fort aussi du devoir de protection qu'il avait à l'égard de son malheureux compagnon en chevalerie, et de la prière qu'il avait récitée avec lui... Si le moment était venu de mourir, eh bien qu'il vienne ! Il mourrait avec Geoffrey plutôt qu'accepter que soit jeté à la mer le mourant avant même qu'il n'ait rendu l'âme.

Soutenant le regard du marin, Riou secoua la tête.

— *Stanna !* jeta-t-il. *Mai Tot* [1] *!*

Le marin eut un ricanement.

— Attache ça, et flanque-le à l'eau tout de suite, sinon tu vas y aller aussi ! cria-t-il en donnant un coup de pied dans les jambes du jeune chevalier.

1. Attends ! Il n'est pas mort !

Riou regarda les deux autres. Ils se taisaient. Le jeune homme jugea qu'ils n'approuvaient probablement pas la conduite de leur camarade. Il ne bougea pas.

Geoffrey ouvrit les yeux avec un gémissement. Il vit les faces des marins au-dessus de lui, il vit aussi la pièce de ferraille auprès de ses jambes, et les larmes jaillirent de nouveau de ses yeux.

Puis le marin décocha un violent coup de pied dans la poitrine de Riou. Le chevalier tomba à la renverse, abandonnant la tête de Geoffrey qui vint sonner sur le bois du pont. Mais Riou bondit sur ses jambes et revint frapper à la volée la brute en plein visage de son poing fermé, son poing que la rame avait fortifié, durcissant les muscles déjà entraînés depuis des années à manier la lourde épée et la longue lance des guerriers francs. Le marin s'abattit en arrière à son tour, le visage en sang. Il resta immobile, aveuglé par la douleur, puis se mit à genoux, tentant de se relever. Mais il retomba assis en se tenant la mâchoire. Prêt à frapper de nouveau, Riou guettait son adversaire, et les deux autres. Son regard rencontra une longue gaffe allongée sur le pont entre deux rouleaux de filin en prévision de l'accostage du navire dans le port vers lequel il se dirigeait. Riou courut jusqu'à la gaffe, la saisit, et se retourna vers les trois marins, son arme prête. Avant qu'ils ne le tuent, il fracasserait plusieurs têtes. La furie des combats s'emparait maintenant du jeune chevalier dressé à tuer depuis le commencement de son adolescence avec le fléau et la masse d'armes dont les vieux écuyers du Comte de Québriac lui avaient appris le maniement, avec l'épieu qui servait à arrêter le sanglier dans sa charge, au péril de la vie du sire qui mettait pied à terre sous les yeux de ses valets pour affronter la bête en colère...

Les deux marins qui n'avaient pas pris parti contre Riou jusque-là lurent la lueur guerrière qui était dans les yeux du galérien. L'un d'eux se dirigea vers l'échelle qui descendait dans l'entrepont.

— Hé, Slimane ! cria-t-il. Viens chercher ton chien, il veut mordre.

Le jour se levait à l'est, découvrant au loin la silhouette bleue des montagnes syriennes couronnées de blanc par la neige hivernale.

La tête rasée et les puissantes épaules du chef de nage parurent en haut de l'échelle. Son regard embrassa en un instant la scène, Riou debout, sa dangereuse arme en main, le marin qui se relevait maintenant avec du sang sur son visage et sur sa blouse, l'agonisant qui s'était retourné sur le flanc et gémissait, et enfin la sinistre ferraille proche de ses chevilles. Ils avaient voulu jeter le mourant à l'eau et son compagnon s'était rebellé. Slimane vit lui aussi le feu qui brûlait dans les yeux du Franc, les muscles saillants de sa poitrine nue, l'image de l'athlète et du guerrier, et il frissonna d'un plaisir viril et étrange. Oui, celui-là était un fils de seigneur, pas un esclave... Slimane se souvint des heures où il avait ramé lui-même sous le fouet sur le banc de la galère chrétienne, avant d'être libéré de ses fers... Beau comme un dieu des combats, ce jeune Franc, le meilleur de ses rameurs, qui n'avait jamais faibli depuis qu'on l'avait enchaîné au banc, était prêt à mourir pour qu'on respecte l'agonie de son compagnon.

Slimane s'avança vers le marin à la mâchoire ensanglantée.

— Ceux-là sont mes hommes, dit-il, et tu n'as pas à les frapper !

— Des hommes ? ricana le marin. Des chiens de chrétiens, bons à nourrir les crabes. Tu veux que cette charogne crève à bord, pour qu'elle nous donne la peste ? poursuivit-il en désignant le mourant.

— Ce n'est pas à toi d'en décider, dit soudain une voix derrière Slimane.

Le chef de nage se retourna. Le Raïs Maqsar, dans la gandoura de soie qu'il revêtait lorsque son navire allait mouiller dans un port, s'avançait vers eux. Le jour était tout à fait levé. Les oiseaux de mer tournoyaient au-dessus du grand mât de la galère en criant, avant de plonger dans le sillage du navire où sautaient des poissons qu'ils perçaient de leur bec et ramenaient en l'air à grands coups d'aile.

— Ceux-ci ont été condamnés à ramer pour vingt années, pas à la mort, continua le Raïs qui s'était arrêté devant le chevalier anglais étendu à ses pieds. Leur mort appartient à Dieu, pas à nous. Veux-tu te substituer à Dieu Tout-Puissant ? Quel orgueil est dans ta tête ? Va plutôt reprendre ta place pour la manœuvre...

Le Raïs se retourna vers Riou qui tenait toujours la gaffe dans ses mains. Son regard soutint celui du chevalier. Puis il interrogea Slimane.

— Est-il un bon rameur ? demanda-t-il.

— Le meilleur, Raïs ! dit le Chef de Nage avec empressement.

Quels fauves que ces fils de seigneurs francs qui venaient faire la guerre loin de leurs femmes et de leurs terres d'Europe ! Tout à sa vengeance, le Sultan de Tunis avait préféré perdre l'or qu'il aurait pu obtenir de ces seigneurs prisonniers, pour leur infliger vingt années de souffrance. Celui-ci devait avoir vingt-cinq ans. Il ramait bien parce qu'il voulait vivre, sachant qu'il n'aurait que quarante-cinq ans au terme de sa peine s'il traversait tout ce qui pouvait attendre un homme enchaîné à la barre d'acier qui court sous son banc. Ce n'était pas que les fièvres. C'était aussi les naufrages, et les combats au cours desquels la galère prenait feu. S'il survivait à tout cela, en effet, il vivrait vieux...

— Sais-tu que je puis te faire mourir pour ce que tu as frappé un de mes marins ? lança Maqsar au galérien qui demeurait campé avec la gaffe en mains, une moue de défi à la bouche.

Puis le Raïs haussa les épaules. Le Franc ne pouvait même pas comprendre les paroles qui lui étaient adressées. A quoi bon tout cela... Le Raïs tourna la tête vers la côte qui se précisait, avec son phare, petit trait blanc au-dessus des sombres rochers qui défendaient l'entrée du port.

— Laissons-le, jeta-t-il au chef de nage. Si je veux lui prendre son arme maintenant, il peut me tuer avec, et tu devras le tuer ensuite. Tu perdrais le même jour le meilleur capitaine et le meilleur rameur que tu aies jamais eu... Il va rester auprès de son compagnon, qui n'a plus beaucoup à vivre. Avant d'entrer au port, tu viendras le chercher pour le remettre à son banc. Il te suivra alors comme un mouton son berger.

Le Raïs s'éloigna vers son appartement du château arrière de la galère, d'où il était sorti tout à l'heure à l'aube après avoir fait sa première prière du jour, quand il avait vu des hommes qui se battaient à bord. Dans deux heures ses navires seraient à Lattaquieh, où ils déchargeraient leur cargaison d'huile d'olive, de caroubes, et d'amandes séchées. Chaque escale agrandissait la fortune de Maqsar. Outre ces trois galères qu'il commandait lui-même, six autres naviguaient pour lui dans le nord de la Méditerranée, avec un sauf-conduit de l'Empereur chrétien de Constantinople. Maqsar savait que les hommes, comme le vent, comme les vagues de la mer, étaient sujets à des colères soudaines, et à des violences cruelles. Seuls survivaient les marins qui savaient discerner le moment où il fallait plier du moment où il fallait faire tête...

Riou regarda le Raïs dans sa gandoura d'étoffe précieuse qui tournait la tête vers la poupe, jouissant du plaisir de voir ses deux autres navires pareillement penchés sous le vent qui pesait dans leurs voiles. Slimane avait regagné l'entrepont. Les marins s'étaient éloignés à l'ordre de leur maître.

Riou jeta la gaffe sur les cordages et revint vers Geoffrey.

Maintenant Riou voyait clairement le goulet étroit qui fermait le port de Lattaquieh entre les récifs sortant de l'eau bleu foncé, le fort crénelé qui les dominait à droite, et à gauche, du côté où finissait la ville et ses entrepôts, la tour blanche au sommet de laquelle un feu s'allumait dès la nuit tombée.

— Le phare... le phare de Yarmouth ! murmura Geoffrey, les yeux en extase. Merci, Mon Dieu, de m'avoir permis de revoir ma patrie...

La tête sur les genoux de Riou, le jeune chevalier anglais voyait lui aussi la maçonnerie blanchie à la chaux du phare syrien et son délire de mourant lui faisait croire au paysage que ses yeux avaient contemplé le jour où un navire avait emporté le Marquis de Beaufort et ses vassaux sur les eaux grises de la Manche, vers le golfe de Gascogne et Bordeaux, première étape de la croisade anglaise sur le chemin de Jérusalem...

— Sire Riou, vous serez mon hôte au château, continua le jeune Anglais, et vous verrez quelles belles jeunes filles nous avons, à Hillcomb et à Somerset, blondes au teint de lait, qui vous feront fête et ne sauront rien refuser à un chevalier de France comme vous...

Autour d'eux les marins allaient et venaient sans leur prêter attention, tandis que le bruit sourd et régulier des rames faisait de nouveau résonner le pont sous les pieds des deux esclaves dispensés par la Mort de leur peine pour quelques minutes encore. Le Raïs Maqsar avait ordonné d'abattre la voile à deux milles de l'étroite entrée du port et, rythmée par les cris issus du torse puissant de Slimane, la nage avait repris sur les trois galères, les deux autres imitant celle où Maqsar commandait en personne.

Celui-ci était passé près de Riou et du mourant sans même leur jeter un regard et il se tournait maintenant pour observer le goulet que le troisième de ses navires venait de franchir. A peine était-il passé entre les deux tours trapues, construites sur les récifs encadrant la passe, que s'était fait entendre le bruit des cabestans qui permettaient de sortir de l'eau et de tendre l'énorme chaîne destinée à la fermer.

Le Raïs Maqsar voyait émerger les pesants maillons ruisselants au lent mouvement des esclaves qui manœuvraient les cabestans et il fronçait les sourcils. Pourquoi fermait-on le port en plein jour derrière ses navires ?

Il reporta ses regards sur les quais qui se rapprochaient à la cadence de la nage de la galère et il aperçut, dans le va-et-vient bariolé des hommes, des chameaux et des charrettes, des soldats en robes rouges couleur de sang. Le regard de marin de Maqsar distingua les turbans blancs portés par ceux qui étaient revêtus de ces robes, ainsi que leurs visages émaciés brunis par le soleil qui semblaient coulés dans le même moule et, tout à coup, il comprit. Ces hommes-là étaient des Ismaéliens.

Il vit qu'ils portaient tous une courte lance à la main, et leur long poignard droit à la ceinture. Les Ismaéliens de Rachid Ed Dine, le Vieux de la Montagne, celui qui ordonnait à ses fidèles de sauter du haut de la plus haute tour de son château d'Alamout pour montrer à ses visiteurs de marque qu'il était obéi en toutes choses dans le mépris total de la mort. Les Haschachinns... Ils avaient mis la main sur Lattaquieh.

Le maître du Port et le médecin accompagné d'un de ses aides montèrent à bord de la galère du Raïs maintenant amarrée à quai, mais ils étaient encadrés par deux Haschachinns en gandoura rouge. Tous s'arrêtèrent devant un marin occupé à coudre un cadavre dans un sac de toile et le médecin demanda de qui il s'agissait. Le marin répondit que c'était un Franc, un rameur, qui était mort au moment où la galère était arrivée au port tout à l'heure. Le médecin demanda alors s'il avait péri d'un accident et comme le marin répondit que non, que l'homme agonisait depuis plusieurs jours, le médecin rétorqua qu'il aurait fallu le jeter à la mer bien plus tôt, en raison de la maladie qu'il pouvait amener à terre avec lui. Le marin répondit que le Raïs en avait décidé ainsi. Le médecin haussa les épaules et ordonna à son acolyte d'appeler aussitôt la carriole des morts et de veiller personnellement à ce que le corps soit brûlé le plus vite possible. Puis ils se dirigèrent tous vers le château arrière, où était la cabine du Raïs Maqsar.

Celui-ci en sortait pour venir au-devant des visiteurs. Le Maître du Port lui demanda quelle était sa cargaison, et reçut des mains de Maqsar la liste des marchandises et leur quantité, afin que puissent être établies les taxes que le port allait percevoir sur elles. Puis il partit vers les cales afin de vérifier si la liste n'était pas mensongère.

Les deux Haschachinns au visage émacié et aux yeux profonds avaient jusque-là gardé le silence, se contentant de jeter des regards au gréement de la galère, au bois qui recouvrait son pont, comme s'ils s'intéressaient à l'état du navire. Les trois galères du Raïs n'étaient pas neuves, mais elles étaient d'une construction excellente et parfaitement entretenues.

Ils montrèrent de l'intérêt quand le médecin demanda à Maqsar quel était l'état de santé de son équipage et de ses rameurs.

— Les premiers sont mes marins depuis de longues années, dit

Maqsar. Ce sont des hommes qui sont accoutumés à la mer. Ils ne sont jamais malades.

— Et tes rameurs ? L'un d'eux est mort tout à l'heure, dit le médecin. Y a-t-il de la maladie parmi eux ?

Maqsar fit non de la tête, avec un certain dédain qui n'échappa pas aux deux hommes en rouge.

— Ceux qui devaient mourir pour n'être pas assez robustes sont morts déjà, et celui-ci dont tu parles est le dernier. Il était parmi les Francs que j'ai pris sous contrat pour vingt années au Sultan de Tunis, qui les a fait prisonniers à la guerre qu'ils sont venus lui faire en vain à Mahdia l'été dernier...

— Les Francs apportent souvent la peste avec eux, déclara le médecin, pour ce que leurs villes sont malpropres et leur médecine rudimentaire. Je vais aller visiter tes rameurs aussitôt.

Il s'éloigna vers l'échelle qui donnait accès à l'entrepont. Le plus grand des Ismaéliens, qui portait une fine moustache au-dessus de ses lèvres minces, planta alors un regard perçant dans les yeux du Raïs Maqsar.

— Je te parle au nom de Rachid Ed Dine, qui gouverne désormais Lattaquieh et la Côte des Ombres jusqu'à Hafize, déclara-t-il. Sa puissance est grande. Le sais-tu ?

Maqsar fit une moue.

— Je ne l'ignore point, admit-il en jetant un regard à la chaîne qui barrait maintenant l'entrée du port.

— Le Vieux de la Montagne arme une flotte tout au long de la Côte des Ombres pour s'en servir à la punition de ceux qui trahissent l'Islam et évitent la Vraie Foi. Le savais-tu ?

— Cela, je l'ignorais, dit le Raïs avec un sourire signifiant qu'il n'aurait certainement pas relâché à Lattaquieh s'il avait su le port aux mains des Haschachinns.

— Il construit dans la montagne, à Subeybié, le plus grand château qui ait jamais été fait en Orient, et qui s'ajoute à tous ceux que les Haschachinns ont bâti comme des forteresses de la Vraie Foi d'où jailliront les armées qui iront porter la crainte chez les ennemis de Dieu. Le sais-tu ?

— Je n'en doute pas, dit le Raïs Maqsar avec de l'impatience dans la voix.

— Pour bâtir ce château le Vieux de la Montagne a besoin des bras de tes galériens et pour grossir sa flotte de tes galères. Le comprends-tu ?

— Je l'ai compris, ironisa Maqsar, quand j'ai vu la chaîne se refermer derrière mon troisième navire.

Il y eut un silence. Les deux Ismaéliens observaient le visage de leur interlocuteur. Le plus grand reprit.

— Tes galères iront au carénage, elles seront calfatées et repeintes pendant que tes rameurs partiront travailler à l'ouvrage de la forteresse, dans la montagne. Nous pouvons t'offrir cinq mille ducats d'argent pour le tout.

— C'est peu, observa le Raïs. Ce n'est pas le quart de ce que valent les unes, et les autres.

Le second des hommes en rouge, le petit, qui n'avait pas encore ouvert la bouche, intervint :

— Tu es un homme riche, Maqsar... Il est juste que tu contribues à l'édification du royaume de la Foi. Ce royaume s'étendra sans cesse, jusqu'à englober tous les États des puissants de la terre, et ceux qui font obstacle à son triomphe seront punis au nom de Dieu...

Le Raïs ne répondit rien.

— Entrons dans ta cabine, reprit le plus petit, et nous rédigerons le contrat de vente de tes navires et de tes esclaves.

Maqsar marcha vers la porte de son appartement qui ouvrait dans le château arrière et fit entrer ses visiteurs.

Ils s'assirent sur le tapis les jambes croisées et le Raïs leur désigna son écritoire, avec l'encrier d'encre noire, faite de l'humeur des seiches, et la plume d'un oiseau de mer. Le plus petit des deux Ismaéliens le plaça sur ses genoux et commença à rédiger le contrat.

Tandis que la plume grinçait sur le papyrus d'Egypte, Maqsar prit la parole.

— Les rameurs francs ne peuvent être inclus dans l'acte de vente, car ils appartiennent au Sultan de Tunis, à qui je les ai loués.

— Le Sultan de Tunis ne peut vouloir faire obstacle à l'édification du Royaume de la Foi, répliqua le Haschachinn grand et mince, sans encourir la juste colère de Rachid Ed Dine...

L'autre continua d'écrire, puis tendit la plume au Raïs Maqsar afin qu'il signe au bas du contrat. Le Raïs, avec une moue de dégoût, comprenant qu'il lui fallait signer ou périr, calligraphia lentement sa signature au bas de l'acte par lequel il disait avoir vendu ses trois galères et ses rameurs pour la somme de cinq mille ducats d'argent. Il ne vit pas que le plus grand des Haschachinns assis à côté de lui avait tiré un poignard caché dans sa gandoura à même sa poitrine, et au moment où il se redressait, la plume à la main, la lame s'enfonça entre ses deux côtes exactement à l'endroit du cœur.

Le corps de Maqsar bascula en avant sur le tapis, où le sang commença à couler d'abondance, tandis que les deux Haschachinns quittaient la cabine avec le contrat afin de prendre possession des navires et de leurs équipages.

17.
Le souterrain de Subeybié

Les prisonniers sortaient de l'étroit tunnel avec sur les épaules un panier de chanvre tressé lourd de soixante-quinze livres de terre. Pour un panier insuffisamment rempli, la peine était de six coups de fouet. Après avoir traversé la grotte au fond de laquelle le souterrain aboutissait, ils débouchaient au soleil. A l'issue de leur longue marche dans l'obscurité, l'aveuglante lumière, à chaque fois, les éblouissait. Leurs pieds nus marchaient sur le sentier qui menait au bord de la falaise abrupte, haute de plus de trois cents mètres, au bas de laquelle ils précipitaient la terre qu'ils avaient portée jusque-là. Au bord de la falaise, ils n'étaient plus à la vue des gardiens. Ceux-ci se tenaient à distance depuis qu'un des galériens, frappé par l'un d'eux parce qu'il s'était assis à terre un instant, avait entraîné son tortionnaire dans une chute mortelle au fond de l'abîme, vengeant ainsi ses souffrances tout en y mettant fin.

Ce promontoire abrupt à l'extrémité duquel ils vidaient leurs charges prenait la forme d'un balcon donnant sur l'immense et farouche paysage de rochers et de broussailles qui se perdait à l'horizon montagneux, tout cela brûlé par le soleil, bruissant de cigales dont la chanson lancinante s'enflait par moments en une stridente clameur que Riou entendait alors comme la plainte désespérée des forçats eux-mêmes.

Le jeune chevalier se pencha en avant pour faire basculer son panier par-dessus son épaule. Comme aux yeux des autres qui accomplissaient ce geste cent fois dans la journée, se montrèrent aux yeux de Riou les cages de fer suspendues au-dessus du vide le long de la falaise, à quelques mètres plus bas que le rebord où les captifs jetaient leur fardeau de terre. Nées de l'imagination cruelle de Sayed Es Sayounn, l'homme des secrets et des intrigues de Rachid ed Dine, elles étaient là pour inspirer la terreur aux captifs.

Les Haschachinns qui surveillaient le creusement du souterrain y enfermaient les prisonniers punis. Dénudés, sans nourriture, sans eau pour plusieurs jours et plusieurs nuits, brûlés par le soleil, assaillis à la tombée du jour par les moustiques, tremblant de froid aux dernières heures de la nuit, avant l'aube, quand une brume quasi glacée se levait de la montagne, l'effrayante solitude qu'ils vivaient dans la faim et la soif au-dessus de l'abîme leur faisait regretter comme un bonheur l'abjecte existence de la chiourme, et après plusieurs jours leurs plaintes s'élevaient vers les gardiens, suppliantes...

Riou se redressa, secouant son panier vide. Il n'avait jamais été condamné aux cages. Comme sur la galère, il accomplissait sa tâche de toute sa force et sa patience. Le jeune chevalier emplit ses poumons d'air et de lumière avant de repartir à la grotte, et à travers elle, vers le tunnel. L'angoissante oppression du travail de sape au fond du souterrain n'avait pas eu raison de sa volonté, pas plus que le poids de la rame au milieu des odeurs d'écurie qui s'élevaient du troupeau des rameurs suant à la tâche dans l'entrepont sans air...

Le jeune chevalier pensa à Slimane, le chef de nage de la galère, et se souvint du dernier regard que le Turc lui avait jeté, quand les galériens avaient quitté le bord pour descendre sur les quais du port de Lattaquieh, encadrés par les hommes vêtus de blanc et de rouge, les hommes du Vieux de la Montagne, qui tuaient sans remords et sans crainte, et mouraient de même, après avoir mâché ou fumé leur drogue. Où étaient-ils aujourd'hui, Slimane le Turc et le Raïs Maqsar qui avaient agi envers leur captif en hommes justes ?

Riou remit son panier vide aux épaules. Le formidable château en construction se dressait à près d'une lieue de la falaise, prolongeant par ses murailles gigantesques le socle rocheux tout en longueur sur lequel on le bâtissait, hérissé des palans qui servaient à monter à pied d'œuvre les pierres taillées par les fourmis qui besognaient du lever au coucher du soleil en haut et en bas de la gigantesque maçonnerie destinée à incarner la puissance de Rachid Ed Dine. Riou revint vers l'entrée de la grotte au fond de laquelle aboutissait le souterrain creusé par les cent vingt galériens du Raïs Maqsar à l'insu des milliers d'autres travailleurs employés à la construction du château.

Les galériens vivaient dans la grotte, dont ils n'étaient jamais sortis depuis que les Haschachinns les avaient conduits là pour commencer à creuser en direction du chantier de la forteresse. Tâche épuisante quand le parcours du souterrain rencontrait dans les profondeurs de la montagne la roche pure qu'il fallait entamer longuement au moyen des barres de fer qui s'émoussaient, ou la faire éclater à coups de masse...

A la fin de la matinée, les gardiens criaient le moment de la pause, la seule dont pourraient bénéficier les captifs avant la nuit. Chacun recevait une galette d'orge, quelques olives, un morceau de poisson séché et liberté leur était donnée d'accéder aux jarres d'eau de source dans lesquelles ils allaient puiser pour se désaltérer, ainsi qu'aux latrines qu'ils avaient aménagées eux-mêmes dans les premiers jours de leur arrivée et qui surplombaient la falaise, afin que les excréments tombent naturellement en bas, où les desséchait le brûlant soleil de Syrie.

Les cris des Haschachinns, que Riou avait attendus, retentirent et l'entrée du tunnel vomit les captifs qui étaient dans sa profondeur, et se hâtaient vers la nourriture et la lumière, comme des bêtes domestiques qu'on lâche vers l'abreuvoir. Le jeune homme se rangea dans une des files qui se formaient devant les couffins et les jarres remplis de galettes et d'olives, et reçut sa pitance. Il se rendit jusqu'au bord de la falaise pour la manger. L'attention des Haschachinns se relâchait à cette heure-là. Eux-mêmes levés avant le jour avaient faim et sentaient la fatigue. Certains s'allongeaient pour somnoler, laissant d'autres veiller à leur place. Mais les prisonniers ne pouvaient s'échapper de cet espace suspendu entre ciel et terre qu'en tombant de la falaise pour aller s'écraser en bas... Ils n'étaient parvenus là que par le souterrain lui-même, après l'avoir creusé, en partant d'un puits foré dans le sommet de la montagne. Le fond de ce puits était maintenant fermé par une lourde herse que les Haschachinns étaient seuls à pouvoir ouvrir. C'était un piège sans issue, déjà un tombeau.

De la profondeur du puits partaient les deux galeries que les prisonniers avaient percées, l'une allant vers les soubassements de l'énorme château, l'autre vers les grottes et le balcon surplombant le paysage désolé que le chevalier avait sous les yeux.

Pour la centième fois Riou remuait tout cela dans sa tête, cherchant par quel moyen un captif pourrait s'enfuit de ce lieu digne des enfers. Assis au bord de l'abîme, le jeune homme concluait que seule une corde descendant le long de la falaise permettrait à un forçat de Subeybié de retrouver la liberté. Mais une corde de cette longueur aurait un volume considérable. Les prisonniers ne pourraient la fabriquer ni la dissimuler aux yeux de leurs gardiens. Et que vaudrait cette liberté que les évadés trouveraient au bout de leur corde ? Celle d'errer dans un pays hostile, dont ils ne parlaient pas la langue, où leur qualité d'esclave fugitif serait bientôt reconnue. Riou admit qu'il ne pourrait s'échapper ni de cette falaise ni de ce souterrain. Il lui fallait se perfectionner dans la langue arabe, faire preuve de patience, être employé peut-être à d'autres travaux.

L'idée lui vint alors que le souterrain de Subeybié, comme celui de maints châteaux forts, était un passage secret, dont l'existence ne devait être connue que du maître de la forteresse, voire de quelques-uns de ses hommes de confiance. Il était arrivé que des seigneurs cruels, même au sein de la chrétienté, aient mis à mort ou enterré pour toujours dans un cachot ceux qui avaient travaillé à de tels ouvrages. Le meurtre froidement décidé et exécuté sans faiblesse était l'instrument de la crainte que le maître de la secte des Haschachinns inspirait à tout l'Islam. Riou comprit alors que les Haschachinns ne laisseraient jamais les galériens sortir vivants d'un tel lieu, et le désespoir, auquel il n'avait jamais cédé tant qu'il avait ramé sur la galère, lui entra dans le cœur au moment où les cris des gardiens vêtus de blanc et de rouge retentissaient de nouveau, rappelant aux esclaves leur servitude...

Comme la nuit allait bientôt tomber, Slimane fit un grand geste de la main, et tous, hommes et femmes, qui étaient courbés depuis le matin vers le sol, leur coupe-coupe à la main, se redressèrent avec des rires. Leur dure journée était finie. Ils ôtèrent les chiffons qui enveloppaient leurs doigts pour les protéger des coupures du dyss, la plante rêche qu'ils fauchaient en touffes, qu'on liait ensuite en bottes et qu'on entassait en meules avant qu'elles ne s'en aillent vers les entrepôts sur le dos des chameaux, d'où elles seraient vendues pour faire les toitures des maisons dans toute la Syrie. Des femmes allèrent vers leur bagage, que les ânes portaient à mesure que la troupe des ouvriers se déplaçait d'une journée à l'autre, et elles en sortirent le charbon de bois, dont elles garnirent les canouns, qu'elles allumèrent, pour cuire le repas du soir. Les hommes dressèrent les abris, faits d'une étoffe de poil de chèvre, qu'on tendait du côté du nord sur deux piquets quand la nuit était belle ou dont on faisait une vraie tente, toute fermée, si la pluie menaçait. Mais la pluie menaçait rarement à cette saison sur le vaste plateau au fond duquel se dressait la silhouette massive de Subeybié, le château en construction.

Tandis que les fumées des canouns s'élevaient dans la tranquillité du soir, Slimane, la main sur ses yeux pour les protéger des rayons du soleil couchant, contemplait avec haine cette silhouette à l'horizon, le château construit par les fous de Rachid Ed Dine, le château des assassins du Raïs Maqsar, son bienfaiteur, qui l'avait tiré de l'esclavage du galérien, dix années plus tôt.

Le jour fatal de l'arrivée à Lattaquieh, le chef de nage était dans sa cabine située dans l'entrepont en dessous de celle du Raïs pendant que les deux Haschachinns en robe rouge se livraient à l'inventaire de tout ce que contenait la galère qu'ils venaient d'acheter. Une goutte d'un liquide rouge était tombée devant lui sur le plancher. Il avait levé la tête vers le plafond bas. Une autre goutte s'y formait. Il avait mis son doigt dedans et compris avec horreur que c'était du sang, le sang de Raïs que les deux fanatiques venaient d'exécuter sur l'ordre du Vieux de la Montagne, qui s'arrogeait un droit de vie ou de mort au nom de la Foi sur tous les musulmans.

Slimane était monté sur le château arrière de la galère par le petit escalier qui lui permettait d'accéder rapidement à l'appartement du Raïs, afin de porter secours à celui-ci coûte que coûte s'il était encore temps. Mais, ayant poussé la porte de la cabine, il avait trouvé le corps de son maître sans vie, et ses yeux figés dans le regard aveugle des morts. Il avait quitté le bord aussitôt pour se mêler à la foule qui déambulait sur les quais du port, sans rien emporter d'autre que le petit sac où il gardait les pièces d'argent et d'or qui constituaient toute sa fortune amassée au service de Maqsar.

C'est de là qu'il avait vu un peu plus tard les rameurs descendre de la galère menés par des Haschachinns qui les avaient attachés quatre par quatre à une longue corde.

Il avait cherché au milieu d'eux le visage du chevalier franc qu'il préférait aux autres et son cœur s'était serré en le voyant s'éloigner dans le bruit des fers que tous avaient aux chevilles, et qui sonnaient sur les pavés du quai. Sans la galère et ses rameurs, qui étaient toute sa vie depuis de longues années, Slimane le Turc n'était plus rien qu'une âme en peine.

Portant de temps à autre la main à son trésor caché sous sa blouse à même la peau de son torse de lutteur, le chef de nage avait marché entre les entrepôts et les cales du port où on radoubait les coques, cherchant ce qu'il allait faire. Ses pas l'avaient amené à un rassemblement d'hommes et de femmes pauvrement vêtus, groupés sous les arcades du marché d'embauche de la ville, là où les marchands louaient à la journée les portefaix qui chargeaient ou déchargeaient les navires. Slimane avait parlé à quelques-uns de ces gens. Ils lui avaient dit qu'ils travaillaient habituellement à couper du dyss dans la montagne, mais qu'aucun entrepreneur ne s'était présenté depuis plusieurs jours pour acheter la concession de la récolte de ce végétal, en raison du trouble qu'avait apporté à Lattaquieh et dans la région la venue de l'armée des Ismaéliens. Le cadi qui organisait la mise à l'encan des zones de la montagne était reparti à son bureau, aucun adjudicataire ne s'étant présenté.

— Nous n'avons plus d'argent ni de provisions, avait ajouté l'un des interlocuteurs de Slimane, et la plupart d'entre nous ne pourront manger demain.

Et comme il avait compris que Slimane était un Turc, il avait conclu en baissant la voix que ces Haschachinns étaient des fous dangereux, qui apportaient le malheur avec eux.

Slimane avait pensé aux deniers d'argent et aux quelques pièces d'or qu'il avait sous sa blouse. Le dyss était une marchandise qui se vendait toujours. Dans la montagne, avec ces hommes et ces femmes qu'il pouvait engager à bas prix, dans la nécessité où ils étaient maintenant, il serait libre. Parmi ces filles qui se louaient pour couper la plante rêche croissant en touffes épaisses entre les rochers et les pierrailles, il y en aurait une qui accepterait de venir la nuit dans la couche du maître. Celui-ci, grâce à des chameaux qu'il louerait, ferait porter la récolte hors des limites dans lesquelles s'étendait le pouvoir des Haschachinns, et il la vendrait à un autre endroit de la côte, du côté d'Homs par exemple.

Slimane s'était rendu au bureau du cadi, qui lui avait vendu la concession d'une zone considérable pour un prix exceptionnel, dû aux circonstances. Les Haschachinns n'avaient jamais autorisé la récolte du dyss sur leurs terres. Ils venaient de le faire depuis quelques jours. Slimane avait tout acheté et le cadi l'en avait complimenté, lui disant que bien de gros marchands avaient commencé leur fortune en faisant le trafic du dyss, pourvu qu'ils aient eu le courage d'aller eux-mêmes dans la montagne, afin de surveiller leurs coupeurs, qu'ils ne le volent pas et travaillent sans relâche. C'est bien ce que Slimane voulait faire : vivre dans la montagne, comme un marin sur la mer. Avec, en outre, ce que les marins n'avaient pas : une femme sous sa tente après tant d'années de solitude sur le bat-flanc de sa cabine à bord de la galère...

De la silhouette du château en construction qui se dorait des derniers feux du jour, le regard de Slimane revint vers les femmes et les jeunes filles qui s'affairaient autour des feux. Il chercha des yeux l'une d'elles qu'il avait remarquée depuis plusieurs jours, plus grande que les autres, avec de belles formes, et dont le vieux Mourad, le doyen des coupeurs lui avait dit qu'elle était veuve, et disponible. Il ne la vit pas et jugea qu'elle devait être partie avec plusieurs chercher de l'eau à la source que les coupeurs avaient repérée avant d'installer leur bivouac.

Slimane se dirigea vers le sentier qui y menait afin de parler à cette femme. Si elle avait compris les regards que le maître lui avait adressés avec insistance depuis plusieurs jours, elle s'arrangerait, lorsqu'elle le verrait de loin, pour retarder sa marche et se détacher du groupe de ses compagnes, de manière qu'il puisse lui parler sans que les autres n'entendent. Les autres ne seraient pas dupes. Mais les apparences seraient sauves. Slimane marcha sur le sentier où son ombre s'allongeait maintenant. Le soleil était près de disparaître au-dessous des monts qui surplombaient la mer lointaine, qu'on ne pouvait voir d'ici, mais que pourraient contempler ceux qui monteraient sur les plus hautes tours du château du Subeybié quand celui-ci serait achevé.

Slimane aperçut les femmes qui s'en revenaient courbées sous leur charge d'amphores humides. Elles virent la silhouette du maître qui se dressait sur leur chemin. Ainsi qu'il l'avait imaginé, celle qu'il convoitait, et qui allait dans les dernières, commença à ralentir le pas, signifiant ainsi qu'elle ne se refuserait pas à entendre les paroles qu'il allait lui dire. Slimane reprit sa marche à leur rencontre. Bientôt, il dut s'écarter du chemin pour laisser passer les premières, menées par une vieille dont les seins flétris étaient visibles dans sa robe entrouverte. Elle lui adressa un sourire édenté, sachant bien qu'il était en peine d'une femelle, et à quelle source l'amenait sa soif... Elles hâtaient le pas maintenant, pour satisfaire, sur le sentier de ses désirs, l'homme dont leur sort dépendait.

Celle qu'il attendait fut toute proche de lui et il ne s'écarta pas du sentier, cette fois, afin de l'obliger à faire halte. Elle déposa l'amphore qu'elle retenait sur son dos, plié par une corde qui barrait son front. Ce mouvement montra toutes les formes de son corps à Slimane, qui ne l'avait jamais vu de si près, et qui sentit monter dans son ventre un puissant désir. Ses seins à elle aussi se voyaient dans l'échancrure de sa robe bédouine mais ils n'étaient point flétris. Ils étaient pleins et fermes, brunis par le soleil lorsqu'elle restait penchée en avant de longues heures pour manier le couteau qui tranchait le dyss. Et elle lui sourit, le front perlé de sueur, découvrant ses dents blanches, dont ne manquait aucune.

— Viens jusqu'à chez moi quand il fera nuit, dit Slimane. Lorsque le dyss sera coupé, je te ferai un cadeau, que tu puisses acheter plusieurs robes, et tout ce qu'il te faudra pour l'année entière...

Elle ne répondit rien et se prépara à remettre l'amphore sur son dos, en rassemblant la corde. Il saisit le récipient pour l'aider. Ce faisant il toucha ses hanches, qu'il caressa lentement. Elle le laissa faire, puis se retourna pour lui sourire avant de s'en aller. Slimane voulut la posséder tout de suite par terre au bord de ce chemin, après tant de jours et de nuits de privation sur le navire, mais les autres n'étaient pas loin sur le sentier. Il ferait honte à cette femme en l'exposant ainsi aux moqueries de tous et de toutes, et il se maîtrisa.

— Viendras-tu ? reprit Slimane sans pouvoir cacher le trouble qui paraissait dans sa voix.

Elle dit oui sur un ton grave et s'en alla sans hâte en tendant vers lui sa croupe chargée du poids de l'amphore qui mouillait sa robe.

Slimane regarda ses mains. Elles tremblaient. Puis il entendit du bruit derrière lui, dans la direction de la source, d'où les porteuses d'eau étaient venues. S'étant retourné, il aperçut dans la demi-obscurité du crépuscule la forme d'un homme disparaissant derrière un rocher. Il avait fait rouler des pierres en se déplaçant. Slimane pensa tout de suite qu'il avait guetté les femmes à la source et commencé à les suivre sur le sentier, avant de se cacher quand il avait vu qu'elles n'étaient pas seules.

— Hé ! lança Slimane. Qu'est-ce que tu veux ?

Il se dirigea vers l'homme qui se montrait maintenant. Il eut devant lui un personnage jeune et maigre, qui ne portait pas la robe rouge des Haschachinns, mais qui avait leur visage, avec des yeux agrandis par l'usage de la drogue qu'on leur donnait. Son vêtement blanc était celui que portaient les autres sous leur gandoura rouge. Il avait ôté la sienne pour s'approcher des femmes.

Il examinait Slimane, jaugeant sans doute la carrure et l'air résolu de l'ancien galérien.

— Et toi-même, dit l'homme. Es-tu celui qui fait couper le dyss ?

— Oui. Tu es de là-bas ? ajouta le Turc en montrant le château fort en construction au loin.

— Il se pourrait, répliqua l'autre avec une sorte de sourire.

— C'est parce que tu avais trop chaud que tu as enlevé ta robe rouge ? interrogea Slimane avec ironie. Ce sont les femmes qui t'ont donné chaud ?

Le Haschachinn eut un rictus complice.

— On en manque beaucoup là-bas, fit-il.

La nuit était tombée pendant qu'ils échangeaient ces mots. Les feux allumés par les femmes étaient maintenant des points rouges au milieu de la pierraille au pied des silhouettes tourmentées des arbustes qui se détachaient en sombre sur le ciel bleu foncé.

Slimane reporta ses regards dans la direction de la forteresse qui se confondait maintenant avec l'horizon, visible seulement par les feux que les bâtisseurs avaient allumés eux aussi en son sommet où ils campaient pour la nuit au milieu des blocs de pierre et des palans. Il pensa au jeune chevalier franc qui était là-bas, ses fers aux pieds. Que faisait-il en ce moment même ? Couché à même le sol au milieu des autres, rêvait-il d'évasion, les yeux tournés vers le ciel sombre où les étoiles commençaient à percer, et qui avait remplacé pour lui le plafond bas de l'entrepont de la galère ?

Slimane revint au Haschachinn.

— Viens sous ma tente, lui dit-il posément. On peut parler de tout cela.

Slimane avait dit à l'homme de revenir dans trois jours. C'était le délai qu'avait demandé le vieux Mourad pour faire venir du haschisch de Lattaquieh, où on pouvait en trouver au prix fort, si on savait à qui s'adresser.

Le Turc avait vu tout de suite que l'homme, affamé de drogue, était à bout.

Les Haschachinns avaient organisé sur leur territoire le monopole de l'herbe magique, punissant de mort ceux qui en détenaient sans leur autorisation. Le Vieux de la Montagne ne le distribuait à ses hommes que comme une récompense, ou pour les mettre en condition de commettre les crimes qu'il leur ordonnait. La privation de la drogue, au contraire, était une punition. Elle était le moyen de maintenir son empire sur ses fidèles, convaincus que la plante enivrante venait de Dieu. Elle était sur terre l'avant-goût du Paradis que la croyance dans la Vraie Foi leur ouvrirait un jour, quand le Vieux de la Montagne en aurait décidé pour eux, leur faisant cadeau de leur mort comme le dernier de ses bienfaits.

C'est ce que l'homme avait raconté à Slimane, quand le Turc l'avait fait venir sous sa tente le soir où il l'avait surpris sur le sentier de la source. Les mains de l'homme s'agitaient nerveusement tandis qu'il expliquait tout cela, révélant les secrets de la secte, avouant qu'il n'avait pas reçu de haschisch depuis plus d'un mois, pour son indiscipline et son manque de ferveur à la prière.

Incapable de supporter plus longtemps la règle à laquelle lui-même et ses compagnons étaient soumis, il était prêt à trahir si on lui donnait les moyens de s'enfuir hors du territoire de la secte. Seul, il échouerait. Il serait repris par les guerriers vêtus de rouge et de blanc qui surveillaient les limites de l'empire du Vieux, avec leurs chiens dressés à flairer les traces des fugitifs.

Mais aidé par Slimane et dissimulé parmi ses coupeurs de dyss, il pourrait gagner Homs avec eux, conduisant un des chameaux chargés de la récolte, par exemple.

Pour le moment, il fallait donner à l'homme ce dont il avait désespérément besoin. Son haschisch, et une femme. Et Slimane avait envoyé Mourad à Lattaquieh.

Aussitôt après le départ de l'homme, cette nuit-là, Slimane avait commencé à craindre qu'il ne soit qu'un espion de Sayed Es Sayounn, celui qui dirigeait la terrible police secrète des Haschachinns, et dont le nom était connu loin du territoire de la secte à l'égal de celui de Rachid lui-même.

Mais la résolution de Slimane était prise. Il ferait tout ce qui était possible pour entrer en contact avec le jeune chevalier franc qui peinait à la construction de la forteresse, et lui dire de garder espoir. Cette idée était apparue dans l'esprit du chef de nage sur le sentier de la source, au moment où il avait compris que l'homme était un Haschachinn. S'il était bien ce qu'il semblait être, c'est-à-dire un déserteur en puissance à la recherche d'une fille pour assouvir son besoin, par lui on pourrait faire parvenir une parole de réconfort au prisonnier, et peut-être plus. A tout cela, Slimane n'avait aucunement songé le jour où il avait acheté la concession de la récolte du dyss. Mais puisque le destin l'avait amené de cette façon sur le plateau désolé où se dressait le château en construction sur son socle vertigineux, c'est que le destin avait choisi ce chemin-là.

Si l'homme était un espion, il ne se révélerait pas tout de suite. Il laisserait Slimane nouer des relations avec lui et le bras armé de Sayed Es Sayounn ne s'abattrait que plus tard, quand Slimane aurait révélé son projet de faire évader le prisonnier.

Slimane éveilla doucement la jeune veuve qui s'était endormie profondément tout à l'heure, après qu'il l'eut prise longuement, l'amenant à gémir de plaisir à plusieurs reprises. Elle venait le rejoindre chaque soir, depuis trois jours, et Slimane n'était pas encore rassasié de son corps.

La jeune femme ouvrit les yeux et Slimane lui dit à voix basse de retourner dormir avec les autres femmes, car il attendait un homme qui devait venir. Elle renoua sa robe et se leva pour quitter la tente. Après quelques minutes, Slimane sortit lui aussi, écoutant le silence de la nuit.

Puis l'homme avait surgi presque aussitôt.

Maintenant, il aspirait longuement la fumée du haschisch, les yeux clos, jouissant du bonheur de sentir la drogue délicieuse reprendre possession de ses poumons, de son sang, de l'humidité de sa bouche... Ses mains ne tremblaient plus. Il fuma tout ce qu'il avait introduit dans le tube de roseau qui servait à cet usage, sans dire un mot.

Puis, apaisé, il demanda :

— La femme ? La feras-tu venir ce soir ?

Slimane acquiesça.

— Elle sera dans la petite tente, derrière celle-ci, où je garde mes provisions.

Le maître des coupeurs de dyss avait chargé sa concubine de s'entendre avec une des ouvrières sans mari pour qu'elle vienne s'accoupler avec cet homme en échange d'une petite somme d'argent.

Le Haschachinn rit, tout à fait détendu désormais.

— N'est-elle pas trop vieille, au moins ? Si elle l'est, ne me donne pas de chandelle !

— De combien de temps n'as-tu pas eu de femme ? demanda Slimane.

— De plus de deux ans, s'exclama le fumeur de haschisch. J'avais été envoyé à Lattaquieh avec six autres de là-haut. Nous étions deux qui nous étions promis de forniquer. Nous avons été chaque nuit chez des filles qui se vendaient. Pendant un mois...

— Pourquoi restes-tu dans leur armée, dit brusquement l'ancien galérien, puisque tu veux avoir des femmes ?

L'homme hocha la tête.

— J'ai fait les serments qu'ont faits tous les autres, et s'ils me reprennent, je serai égorgé sur une pierre de l'abattoir.

Slimane ne dit rien. L'Ismaélien poursuivit.

— Où irai-je ? Je n'ai pas de métier. Je suis entré chez eux alors que je n'avais que douze ans d'âge, étant sans famille. Et que me fera-t-on, ailleurs, lorsqu'on découvrira que je suis l'un d'eux ?

A nouveau, Slimane ne répondit pas, et demanda :

— Pourquoi n'as-tu pas reçu de haschisch depuis longtemps ?

— Parce que je n'ai pas voulu aller surveiller les hommes qui travaillent au souterrain...

— Au souterrain ? s'étonna Slimane. De quel souterrain parles-tu ?

— Je te dis trop de choses, fit l'homme soudain inquiet en dépit de l'euphorie qu'il avait tirée de la drogue. Qui me dit que tu ne vas pas me trahir, si d'autres de là-bas viennent te parler ? Sais-tu qu'ils te tueront toi-même, s'ils savent que tu fais ce commerce avec moi, et me donne du haschisch...

— Je le sais, dit Slimane.

— Pourquoi me viens-tu en aide, alors ?

— J'ai mes raisons. Mais réponds-moi d'abord, si tu veux revenir ici, et avoir ce que tu attends.

— M'emmènerais-tu avec tes ouvriers, quand tu auras fini ta récolte ? Je me cacherai au milieu d'eux. Je travaillerai pour toi de longues années sans salaire pour pouvoir t'accompagner hors d'ici...

— C'est possible, dit posément Slimane, si tu m'aides toi aussi à ce qui me préoccupe...

— En quoi t'aiderai-je ?

— Réponds-moi. Tu as parlé d'un souterrain.

— Il s'agit d'un secret mortel. Sayed Es Sayounn fait creuser un passage qui part dessous le château et viendra, une lieue plus loin, aboutir dans les grottes des falaises. Ainsi lorsque le château sera assiégé, on pourra le quitter en secret sans que l'ennemi ne le sache, ou y introduire des messagers...

— Et tu n'as pas voulu y aller ?

— Non, dit le Haschachinn en baissant le ton. Parce que tous ceux qui y travaillent seront mis à mort lorsqu'il sera achevé, afin que le secret demeure...

— Même les Haschachinns qui surveillent les prisonniers à ce travail seraient mis à mort ?

— C'est ainsi que cela se passe chez nous. Lorsque le souterrain sera achevé, le Vieux de la Montagne viendra dans les grottes et on égorgera devant lui tous les captifs qui auront creusé le souterrain, après leur avoir donné de la drogue pour leur faire tourner la tête. Pendant que cela se passera, des derviches danseront au son des tambours, d'autres marcheront sur des braises. Puis le Vieux de la Montagne prendra la parole et dira à ceux des Haschachinns qui ont dirigé le travail et gardé les prisonniers qu'ils doivent eux aussi donner leur vie pour que le secret dont dépendent la sûreté de la forteresse et le triomphe de la Vraie Foi ne reste connu que de Sayed Es Sayounn et de lui-même, Rachid Ed Dine. Ils seront déjà ivres de haschisch à ce moment-là, et ils crieront avec enthousiasme qu'ils sont prêts à mourir pour la Vérité... Sautez en bas de la falaise ! ordonnera le Vieux de la Montagne. Ils courront jusqu'au vide pour s'y précipiter.

— Est-ce possible, en vérité ? s'étonna Slimane.

— Je l'ai vu de mes yeux déjà, répondit le Haschachinn. Lorsque j'étais beaucoup plus jeune, et chez eux depuis trois années, un roi franc dont j'ai oublié le nom est venu au château de Beit-ed Dine, invité par le Vieux de la Montagne à lui rendre visite. Avec d'autres de mon âge, on nous a appelés à monter sur la plus haute tour, où étaient déjà le Vieux de la Montagne et le roi franc, assis sur des trônes. Nous avions fumé beaucoup depuis la veille, et c'est comme dans un rêve que nous avons gravi l'escalier de pierre qui menait là-haut.

— Ceux-là sont prêts à tout moment à périr pour la Foi à l'appel du Prophète, a dit Rachid Ed Dine au roi Franc. Il a commandé à l'un de nous de donner sa vie aujourd'hui même, où il serait reçu en Paradis. Saute du haut de cette tour, a-t-il crié, tu iras directement vers le Ciel ! Notre compagnon a sauté, et il s'est écrasé en bas. Le Vieux de la Montagne a ordonné à un autre de faire la même chose et il a été aussitôt obéi. Le roi franc s'est levé alors de son trône et a demandé au Vieux de la Montagne de cesser. Il était effrayé. Et s'il n'avait pas agi ainsi, c'est à moi que l'ordre aurait été donné. C'était mon tour...

— Aurais-tu sauté ? demanda Slimane.

— Oui. J'étais comme les autres. Maintenant je ne le veux plus. Je veux m'enfuir d'ici... Que demandes-tu pour m'emmener avec toi et tes ouvriers ?

— Que tu amènes avec toi un des captifs qui sont là-bas...

— Comment ? fit le Haschachinn étonné. N'importe lequel ?

— Non pas. C'est un Franc, qui a été acheté par tes maîtres dans le port de Lattaquieh, avec des navires qui y étaient entrés. Il ramait avec d'autres galériens. Saurais-tu le trouver parmi ceux qui travaillent à la forteresse ?

L'autre hocha la tête.

— Pas dans la forteresse... S'il est un des galériens comme tu le dis, il est au souterrain. Ce sont eux qui le creusent, et ils périront tous.

— Par le prophète Mohammed ! s'exclama Slimane, bouleversé. Je n'y avais pas pensé... Le souterrain est-il proche d'être achevé ?

— Je ne sais, dit le Haschachinn.

— Il faut que tu le saches, et que tu demandes à aller travailler là-bas ! N'y a-t-il pas parmi les gardiens un homme comme toi, qui choisirait de s'enfuir, plutôt que de mourir quand le travail sera fini ?

— Peut-être. Je chercherai. Laisse-moi du temps.

Il ajouta avec un regard brillant :

— La femme est-elle sous la tente maintenant ?

18.

Les coupeurs de dyss de Slimane le Turc

Une nouvelle fois, Riou sentit peser sur lui le regard d'un des Haschachinns qui semblait le surveiller depuis plusieurs jours. On approchait du moment de la pause. Le chevalier attaquait la roche dans la profondeur du souterrain avec la barre de fer, l'ouvrage le plus dur, qui enfermait pour la journée entière à l'extrémité de l'étroit boyau les captifs les plus forts et les plus habiles et leur valait en échange une ration supplémentaire de poisson séché et un peu de considération. Puis un des Haschachinns, celui-là justement qui suivait des yeux Riou de plus en plus souvent, était venu, accompagné d'un autre, tous les deux très jeunes, maigres, les yeux brillants, les joues creuses, et ils avaient félicité Riou à l'endroit même où se faisait la taille du souterrain, admirant les muscles de ses bras et de son torse, qu'ils avaient touchés, avant de lui prendre des mains le pesant outil et lui dire qu'il regagne la lumière, qu'il avait fait ce dur travail assez longtemps. Riou y avait été désigné en effet depuis plus de trois semaines.

Le chevalier était parti vers la grotte en éprouvant une sensation de malaise, après le contact de leurs doigts brûlants sur sa peau mouillée de sueur et les sourires admiratifs, pleins d'équivoque, qu'ils avaient eus pour lui lorsqu'ils l'avaient complimenté de sa force dans leur langue gutturale que Riou comprenait chaque jour un peu plus.

Tandis qu'il avait repris le travail des paniers, qui permet d'aller constamment au jour, le regard du plus jeune des deux n'avait cessé de suivre Riou et plusieurs fois, pendant les pauses, celui-là avait cherché à s'approcher de lui.

Il était arrivé que des Haschachinns aient emmené des captifs à l'écart des autres pendant la nuit après les avoir réveillés en silence, et qu'ils les aient obligés à se soumettre, dans l'obscurité du fond de la grotte, à leur désir bestial. La chose s'était répétée plusieurs fois, jusqu'à ce qu'ils aient été surpris par un espion de Sayed Es Sayounn, venu visiter le chantier du souterrain en pleine nuit. Le captif, qui avait accepté sans se défendre le caprice de ces gardiens, privés de femmes comme tous l'étaient au sein de la secte, avait reçu trente-six coups de fouet, peine terrible, dont il était mort après plusieurs jours d'agonie.

Les Haschachinns convaincus d'impureté avaient été ramenés sur le chantier du château où ils avaient été émasculés par un boucher en présence d'un grand nombre de leurs compagnons, ainsi que l'avaient annoncé, au moment de la mort du captif fouetté, les gardiens qui avaient harangué les prisonniers réunis sur le terre-plein de la falaise.

Comme les cris donnant le signal de la pause retentissaient, le jeune Haschachinn qui avait délivré Riou du travail souterrain s'approcha des paniers de nourriture. Le chevalier avait pris place dans une des files qui s'avançaient vers chacune des corbeilles. Le Haschachinn se déplaça alors vers cette corbeille-là, s'arrêtant auprès du prisonnier qui en avait la charge et puisait dedans pour donner à chacun de ceux qui attendaient la part de galette et de poisson qui leur revenait.

Riou s'avança en tendant la main. Le pourvoyeur y déposa rapidement une part de pitance, mais le Haschachinn étendit le bras pour ordonner :

— Donne-lui une autre part ! Il a travaillé longtemps au rocher !

Etonné, Riou s'éloigna avec une double ration de nourriture vers l'endroit au bord de la falaise où il aimait à se tenir pour rêver pendant la pause. Là, ses yeux découvraient l'horizon des montagnes et aussi, cent mètres plus bas, une vaste esplanade rocheuse limitée également, comme celle où se tenaient les forçats, par la falaise abrupte. Pour un prisonnier qui disposerait d'une corde de cette longueur la seconde plate-forme taillée dans la falaise pourrait être la première étape de la liberté...

Riou porta sa galette à sa bouche et se pencha au-dessus du vide. A sa grande surprise, l'esplanade n'était pas déserte, au contraire de ce qui avait toujours été jusqu'à ce jour. Plusieurs Haschachinns dans leur uniforme couleur de sang s'y trouvaient en compagnie d'un important personnage immobile sur un cheval richement harnaché. Il ne pouvait s'agir que d'un potentat, car il était vêtu d'une gandoura d'étoffe précieuse et coiffé d'un imposant turban à aigrette.

Le jeune chevalier vit aussi des hommes qui ne portaient pas l'uniforme rouge et blanc, mais un vêtement qui ne permettait pas de reconnaître en eux des membres de la secte fanatique. Et ces hommes-là tenaient sur leur poing ce que Riou reconnut tout de suite pour être des oiseaux de proie encapuchonnés, tels qu'on en utilise à la chasse dans la Chrétienté aussi bien qu'en Orient. Un des hommes lâcha son oiseau, qui prit son vol. Riou le suivit des yeux, cherchant dans le ciel sur quelle cible il avait été lancé. Aucun gibier ailé n'apparaissait à proximité de cette esplanade où ce seigneur s'était curieusement posté avec ses fauconniers. Le rapace monta haut dans le ciel, décrivant des cercles, puis se décida à revenir vers ses maîtres. Riou le vit se rapprocher rapidement, perdant de la hauteur, puis soudainement, alors qu'il était parvenu au-dessus du terre-plein, plonger vers le puissant personnage qui n'avait pas bougé de sa selle depuis que Riou avait découvert ce spectacle insolite.

Stupéfait, Riou vit le rapace qui tombait comme une pierre rouvrir ses ailes alors qu'il était tout proche du magnifique turban dont le Sultan était coiffé, et dont l'aigrette sortait d'une pierre précieuse qui étincelait au soleil.

Ayant ainsi freiné son vol, l'oiseau se jeta au visage du potentat, enfonçant ses serres dans sa barbe et son bec dans les yeux, qu'il creva à coups féroces et répétés.

Voyant le Sultan garder sous l'horrible attaque dont il était l'objet la même parfaite immobilité, le chevalier comprit qu'il n'était qu'un mannequin représentant dans tous les détails de son costume et même de son visage, sans doute fait d'une sorte de cire, un prince auquel les Haschachinns destinaient une mutilation affreuse. De toutes les façons de tuer qu'ils employaient sur l'ordre du Vieux de la Montagne, celle-ci était sans doute la plus nouvelle, sortie de l'imagination de Sayed es Sayounn ou de celle de Rachid Ed Dine lui-même.

Le poisson séché que Riou avait mis dans sa bouche à l'instant lui souleva le cœur. Le désespoir qu'il avait ressenti l'autre jour en comprenant que les forçats voués au souterrain étaient en même temps condamnés à la mort s'empara de lui de nouveau. C'est parce qu'ils savaient que les forçats du tunnel ne survivraient pas que les tueurs de Rachid Ed Din venaient dresser leurs rapaces à cet endroit-là, loin de la forteresse, hors de la vue des autres ouvriers.

L'annonce de la reprise du travail retentit bientôt. Riou se détacha du bord de la falaise. Il n'avait pu manger toute la nourriture qui lui avait été remise. Il dissimula sous sa chemise la portion de galette et de poisson séché qu'il avait reçue. Il trouverait demain, ou cette nuit, l'occasion de les manger. La faim venait au cours de la nuit aux prisonniers que leur angoisse empêchait de dormir, en dépit de la fatigue de leur corps. Riou s'en alla prendre place dans la longue théorie des forçats qui marchaient de nouveau vers l'entrée du souterrain.

Remuant les sombres pensées que lui avait inspirées le spectacle des fauconniers de la Mort, le chevalier peina jusqu'à la tombée du jour. Il songea que les hommes qu'il avait vus exerçant leurs oiseaux contre l'effigie de cet émir dont le Vieux de la Montagne avait décidé la perte devaient sans doute tremper les serres de leurs rapaces dans un poison quelconque, de manière que la blessure qu'elles infligeraient fut irrémédiablement mortelle. Ou alors le Vieux de la Montagne faisait-il dresser ces oiseaux à rendre aveugle un prince qu'il avait condamné ?

La nuit vint, et Riou, comme les autres prisonniers, défila devant ses gardiens pour entrer dans la grotte sur le sol de laquelle les prisonniers s'étendaient avec pour seul couchage une litière de dyss, la plante récoltée dans la montagne.

Les captifs étaient maintenant un morne troupeau pressé de retrouver son étable. Riou sentait ses jambes lourdes du poids de son désespoir autant que de la masse de terre qu'il avait déplacée sur ses épaules depuis le lever du soleil. Parmi les Haschachinns postés à l'entrée de la grotte pour examiner un à un les prisonniers qui y pénétraient, le chevalier remarqua la présence des deux hommes qui s'étaient intéressés à lui dans la journée, celui qui l'avait délivré du travail au fond du tunnel, et celui qui avait voulu le gratifier d'une double portion de nourriture.

Le premier semblait s'intéresser à Riou de nouveau, car il le suivait des yeux déjà. Et lorsque le chevalier fut proche de lui, il lui barra le passage.

Il ne souriait pas cette fois et son visage était dur. Il cria dans sa langue.

— Toi ! Qu'est-ce que tu caches sous ta chemise ?

Sous les yeux des autres Haschachinns qui tenaient leurs fouets de cuir à la main, il tâta la poitrine du jeune chevalier à travers son vêtement. Sa main rencontra la nourriture que Riou y avait dissimulée.

— De quoi manger ! s'écria-t-il comme s'il prenait les autres gardiens à témoin. Il a de la nourriture !

Interdit, Riou chercha des yeux celui qui lui avait donné double ration à midi, et qui pouvait intervenir en sa faveur. Il était interdit toutefois de conserver des provisions qui auraient pu servir à une évasion.

Mais son bienfaiteur aux regards équivoques gardait cette fois le visage fermé. Riou songea qu'il était tombé dans un piège que ces deux-là lui avaient tendu.

Les doigts du Haschachinn, à même la peau de Riou, arrachèrent la galette et le misérable morceau de poisson séché, et les jetèrent à terre.

— Douze jours de cage !

L'homme criait ces mots avec une bouche déformée par la haine et les regards des autres autour de lui s'allumaient d'une lueur meurtrière. L'énervante réclusion dans laquelle vivaient ces fanatiques eux-mêmes faisaient d'eux des chiens enragés qui n'avaient d'autre plaisir que mordre.

Allant comme un automate, Riou marcha devant les deux Haschachinns qui le poussaient à travers le terre-plein maintenant désert, vers les cages suspendues au-dessus de la nuit criblée d'étoiles.

A la vue de la cage qu'un des deux gardiens venait de remonter en manœuvrant la corde qui la soutenait au-dessus du vide par une poulie et un palan scellé dans le roc, Riou eut un sursaut. L'infâme instrument de supplice qui ravalait les captifs au rang des bêtes arracha le chevalier à l'apathie de sa résignation. La mort était préférable aux honteuses souffrances qu'il allait endurer entre ces barreaux de fer pendant douze jours et douze nuits. Soulevé par la colère, Riou frappa du poing celui des deux gardiens qui était le plus proche de lui tandis que de l'autre il arrachait de sa gaine le poignard que le Haschachinn portait à sa ceinture. La lame nue brilla au poing du chevalier dans la lumière de la lune. Campé sur ses jarrets musclés par les innombrables trajets accomplis entre le souterrain et la falaise sous le poids des paniers de terre, Riou se prépara à bondir sur l'un ou l'autre des deux Haschachinns. Leurs appels allaient attirer d'autres gardiens. Riou se retrancherait au bord de l'abîme, et frapperait à mort tous ceux qui s'approcheraient de lui. Quand il serait pressé de trop près, il se lancerait dans le vide, mettant fin à tout. N'était-ce pas la mort qui attendait tous les captifs condamnés au souterrain ?

Tout à sa colère et à sa résolution, Riou ne s'aperçut point que ni l'un ni l'autre de ses adversaires ne criaient pour donner l'alerte et demander de l'aide. Celui qu'il avait frappé se relevait sans mot dire, et son compagnon s'était reculé. Mais il brandissait le fouet qu'il avait détaché rapidement de sa ceinture. Avec une terrible précision, la mèche du fouet s'abattit en sifflant en travers du visage du jeune chevalier, l'aveuglant d'une douleur insoutenable. Les deux Haschachinns se jetèrent sur lui. L'un d'eux serrait Riou à la gorge. Le second écrasait la poitrine du chevalier sous son genou.

— Slimane ! souffla-t-il dans la bouche du captif. Slimane ! répéta-t-il. Cette nuit Slimane t'attend !

— Va dans la cage ! lança l'autre à voix contenue. Vite !

Celui-là se retournait vers la grotte, craignant d'en voir sortir un autre vêtu de rouge et de blanc comme lui. Anxieux d'être compris du galérien qui ne savait que quelques mots d'arabe, il répéta encore, en tendant sa main vers l'immense paysage noyé dans la nuit :

— Slimane, ton ami ! Il est là-bas !

Stupéfait, Riou comprit enfin.

La nuit était devenue sombre. De gros nuages passaient, cachant la lune pour de longs moments. Riou accroupi dans la cage entendit qu'on se penchait au-dessus du vide. La corde qui allait remonter la cage se raidit, et Riou sentit qu'il s'élevait. Le chevalier remarqua que la poulie ne grinçait aucunement, au contraire de ce qu'il avait entendu lorsque des prisonniers avaient été descendus ou remontés de l'abîme en sa présence. Les deux Haschachinns avaient dû la graisser plusieurs jours avant. Slimane ! Le chef de nage était venu rôder autour du château de la forteresse où son galérien était captif et il avait trouvé le moyen de l'arracher à son sort...

La cage s'arrêta à la hauteur du rebord de la falaise et les deux Haschachinns l'attirèrent au moyen de la gaffe destinée à cet usage. Ils la maintinrent à la hauteur de la falaise. Celui des deux qui avaient enfermé Riou au début de la nuit ouvrit la porte et vint rejoindre le prisonnier. L'autre lui tendit quelque chose que Riou reconnut aussitôt pour être une longue corde. Avec des gestes rapides, dans la crainte que tous les trois éprouvaient maintenant de voir un autre gardien surgir de la nuit, le Haschachinn qui était dans la cage commença à la dérouler en direction du sol.

Riou vit qu'elle était en soie. L'homme qui se pressait contre lui sans dire un mot la faisait descendre de telle manière qu'elle pende en deux longueurs égales. Arrivés en bas, les évadés pourraient l'ôter de la cage en tirant sur une des extrémités, ne laissant aucune trace de leur fuite. Riou calcula que la corde devait mesurer six cents toises pour couvrir doublement la distance qui séparait le terre-plein du fond de l'abîme et il reconnut là l'industrie de Slimane, l'homme des galères, qui avait fait faire une telle corde dans ce matériau solide et précieux, sans doute à prix d'or.

Le second Haschachinn était monté sur le sommet de la cage, et à l'aide de la gaffe, il fit descendre celle-ci de la longueur de corde qui était habituelle lorsqu'un galérien y était enfermé. Au matin, les autres gardiens trouveraient la cage dans sa position normale, mais vide de son occupant, et la porte ouverte. Ils pourraient penser que le galérien qu'on y avait mal enfermé était tombé sur les rochers, ou qu'il s'y était précipité volontairement après avoir réussi à ouvrir sa prison. Les hyènes venaient la nuit rôder au pied de la falaise. Elles avaient traîné son cadavre quelque part pour le dévorer. Tout cela se bousculait dans la tête de Riou, quand le Haschachinn lui fit signe de saisir les deux cordes paralléles pour commencer à descendre. Le chevalier se mit à plat ventre à travers la porte de la cage, et s'enfonça dans le vide qui était déjà la liberté.

Ils marchèrent trois heures. Le plus jeune des Haschachinns était en tête. Au cours de la marche, il avait tendu le bras dans la direction où il conduisait Riou et son compagnon, et il avait déclaré encore :

— Slimane ! Là-bas.

L'autre restait en arrière, marchant de plus en plus difficilement. Vivant l'existence déprimante du souterrain et de la grotte, abusant sans doute de la drogue qu'on donnait à ceux qui s'étaient enfermés avec les galériens, il n'avait pas de souffle. Riou l'entendait peiner. Le plus jeune, au contraire, avançait d'un pas rapide, soutenu sans doute par la volonté de fuir à tout prix l'univers détestable dont il s'était échappé. A Riou, vers qui il se retournait pour lui parler avec une grande excitation, il avait fait comprendre, avec des gestes, que tous ceux qui avaient vécu dans le souterrain seraient égorgés, sans exception.

Riou qui guettait sans cesse les mouvements du traînard se retourna une nouvelle fois, ne l'entendant plus derrière lui. Il revint sur ses pas et le trouva assis à terre, haletant.

Riou l'obligea à se relever, et lorsqu'il fut debout le chargea sur son épaule comme on transporte un blessé. Puis une ombre se dressa sur le sentier où tous les trois s'avançaient maintenant. A sa forme trapue, Riou devina Slimane, et la joie envahit son cœur. Ainsi, il y avait des hommes justes et bons parmi ceux qu'on appelait les Infidèles.

Dans la lueur de la lune, Slimane le Turc, campé sur ses jambes solides, la tête ceinte d'un turban, tenant à la main cette sorte de sabre qui servait à couper le dyss, qui était aussi une arme dangereuse, souriait à Riou, sire de la Villerouhault, son rameur qu'il avait arraché au bagne des Haschachinns et à la mort à laquelle il était promis... Riou vit qu'autour de lui de chaque côté du sentier se levaient d'autres silhouettes, armées elles aussi des mêmes longues lames. Slimane avait recruté une cohorte parmi ses ouvriers.

Slimane marcha jusqu'au jeune chevalier tandis que celui-ci déposait à terre le Haschachinn épuisé qu'il avait porté jusque-là. Puis il posa ses mains sur les épaules du jeune homme et l'embrassa à plusieurs reprises, comme Riou avait vu que faisaient les Mahométans, quand ils retrouvaient un ami ou un parent. Et le Turc éclata de rire, en secouant les épaules de son rameur.

— *Ija, Ija*[1] *!* dit-il en entraînant Riou.

Auprès de la tente de Slimane, une dizaine de chameaux étaient baraqués, chargés chacun d'une montagne végétale, leurs conducteurs attendant auprès d'eux les ordres de Slimane. Celui-ci ordonna à l'un d'eux, qui avait la taille du plus jeune des Haschachinns fugitifs, de lui céder ses vêtements. Le chamelier se déshabilla et le fugitif s'en affubla. Puis Slimane interrogea l'autre, qui était assis à terre, épuisé.

— Pourras-tu marcher jusqu'à Homs ?

L'autre fit non de la tête.

— Cachez-le dans le dyss, ordonna le Turc.

Deux chameliers obéirent, pratiquant une ouverture dans la charge d'un des animaux. Ils y glissèrent le Haschachinn, qui disparut entièrement dans l'énorme masse et Slimane donna l'ordre du départ. Les chameliers poussèrent leurs cris qui firent se dresser les dédaigneuses bêtes sur leurs genoux calleux, hésitant sous le poids, aidés des chameliers qui les soutenaient. Ils furent bientôt tous sur leurs jambes et le convoi se mit en route sous un ciel d'aube pâlissante.

Slimane prit Riou par le bras et l'amena jusqu'à sa tente.

— Tu vas dormir, dit-il. Puis tu couperas le dyss avec les autres, habillé en femme. Les Haschachinns viendront ici, quand ils auront

1. Viens ! Viens !

compris que des hommes se sont enfuis, mais ils ne regarderont pas parmi les femmes...

Il éclata de rire.

— Ils ont peur des femmes ! Ils aiment mieux les hommes ! Ils font ça avec les hommes !

Slimane ponctua ses paroles d'un geste obscène, et rit encore. Slimane était heureux. Il vendrait son dyss à Homs, il embarquerait pour Alexandrie où il avait des amis — ceux du Raïs Maqsar — et avec son or, et leur aide, il ferait construire une galère. Et avec le rameur franc, qui était un athlète, un homme fier et courageux, ils feraient tous les deux le commerce maritime. Ils seraient riches, et ils auraient des femmes. Ce Franc était un terrible guerrier, comme tous ses pareils. N'avait-il pas pris ou tué au combat le propre fils du Sultan de Tunis ? Leur galère serait rapide, et les pirates qui l'attaqueraient rencontreraient leur mort.

Mais Riou pensait aux deux autres, qui marchaient vers leur liberté avec les chameaux. Pourquoi Slimane ne l'avait-il pas fait partir avec eux, pour gagner de vitesse les Haschachinns avant que la disparition des trois évadés n'ait pu être découverte ? Le jeune homme posa la question à Slimane, dans son arabe rudimentaire.

Le Turc eut un sourire. Il porta la main à sa gorge, et fit le geste rapide de trancher en se tournant dans la direction que Riou avait indiquée en posant sa question.

— Eux mourir avec ça, maintenant ! déclara-t-il tranquillement en frappant de sa main le sabre à couper le dyss qu'il avait remis dans sa ceinture. Ils n'arriveront pas à Homs ! Quand les Haschachinns arrêteront les chameaux, ils seront déjà dans un trou de la montagne, sous des pierres !

Slimane fronçait les sourcils, le visage dur.

— Haschachinns, hommes très mauvais, comme des hyènes ! lança-t-il. Eux tuer le Raïs Maqsar, sur la galère ! Si ces deux-là morts, toi, ici, habillé en femme, rien à craindre... Entre dans la tente ! poursuivit le Turc avec autorité. Ote tes vêtements ! Les femmes vont les brûler, à cause des chiens...

Riou restait interdit. A l'instant même, ou un peu plus tard, les hommes de Slimane allaient se jeter par surprise sur les deux Haschachinns que leur maître avait promis de conduire à la liberté, et les mettre à mort sur le sentier où marchaient les chameaux. Slimane trahissait la parole donnée à ces malheureux grâce à qui Riou avait pu fuir...

Le chevalier secoua la tête. Pourtant le Turc avait raison. L'univers des Haschachinns était sans pitié, et ce féroce calcul de Slimane assurerait la sécurité de celui qu'il venait d'arracher au souterrain dont personne ne devait sortir. Les Haschachinns lancés à la poursuite des évadés arrêteraient la caravane et n'y trouvant pas ceux qu'ils cherchaient, penseraient qu'ils étaient hors de portée.

Soulevant l'étoffe qui fermait la tente, Riou vit une belle jeune femme brune à genoux auprès d'une bassine d'étain remplie d'eau, et qui lui souriait. Elle avait devant elle une éponge, des linges propres soigneusement pliés et un flacon dont montait jusqu'aux narines de Riou une odeur de myrrhe. Le corsage de la jeune femme était tendue par sa poitrine. Son front était tatoué d'un signe bleu et ses cheveux noués par-derrière tombaient dans son dos jusque sur le tapis qui recouvrait le sol de la tente.

Slimane riait, jouissant de la surprise de l'évadé. Il le poussa dans la tente, dont il rabattit l'étoffe qui servait de porte.

Puis il alla s'asseoir les jambes croisées à quelque distance, son sabre à couper le dyss en travers des genoux pour veiller sur la tranquillité de son ami.

La jeune femme avait aidé Riou à enlever tous ses vêtements puis les avait jetés au-dehors. Elle gardait un sourire aux lèvres alors qu'elle épongeait le torse, puis le ventre du jeune homme, après l'avoir doucement obligé à s'allonger sur le dos. Elle trempait l'éponge dans la bassine, mettait quelques gouttes de l'eau de senteur contenue dans le flacon et répandait cette fraîcheur sur le corps musclé de son patient. Toujours avec la même douceur, elle écarta les mains que Riou tenait pudiquement sur son sexe, pour y passer l'éponge, entre ses cuisses, sur ses jambes... Un puissant désir avait saisi le corps de Riou tout entier. La jeune femme ne pouvait pas l'ignorer maintenant, au spectacle viril qu'il lui donnait. Elle avait cessé de sourire. Ses narines palpitaient tandis qu'elle gardait les yeux fixés sur ce qu'elle voyait. Elle posa l'éponge dans la bassine, éleva ses deux mains derrière son dos pour dégrafer sa robe, et sa poitrine apparut, une poitrine de jeune fille, ferme et pointue. Puis elle se mit à genoux pour ôter sa robe, découvrant aux yeux de Riou un ventre rond et son pubis parfaitement épilé. Les mains du jeune homme tremblaient quand il les lui tendit pour qu'elle les saisisse et vienne s'appuyer sur lui...

Riou sentit dans un éblouissement qu'il s'enfonçait dans la chair brûlante qui lui était offerte et il perdit conscience dans un long cri.

Puis il sombra dans un profond sommeil qui effaçait tant de mois de solitude et de souffrances.

Le silence du plateau rocailleux où Slimane avait placé son campement, et la fraîcheur de la nuit qui amenait ses brises jusque sous la tente où Riou gisait dans les bras de la jeune femme au front tatoué réveillèrent l'évadé. Le corps brûlant de sa compagne était contre le sien, et elle rit de l'ardeur avec laquelle cet amant musclé s'emparait d'elle de nouveau. Puis ce rire avait bientôt fait place au gémissement de son désir. Le jeune Franc la travaillait d'un labour viril et leurs deux ventres luttaient maintenant l'un contre l'autre pour faire venir un second assouvissement, plus précieux que le premier, plus lointain...

Elle cria enfin, lui aussi, et Riou, inondé de sueur, les jambes mêlées à celles de cette fille inconnue, retomba dans un demi-sommeil entre le rêve heureux qu'il croyait vivre et le cauchemar du souterrain et de la chiourme, dont il ne savait plus s'il était vraiment sorti.

Les cris des Haschachinns retentissaient de nouveau, ces cris dont Riou s'était cru délivré. Les cages ! Riou y était enfermé, non plus au-dessus du vide de la falaise, cette fois, mais au-dessus du terre-plein qui s'étendait devant la grotte, et une fade odeur de sang montait des pierres chauffées par le soleil, l'immonde odeur d'un abattoir humain, celui que Riou avait essayé d'imaginer, au temps où il n'espérait pas pouvoir échapper à la mort, quand il s'éveillait en pleine nuit dans la rumeur nocturne de la chiourme, faite du sifflement des respirations de ses compagnons endormis, des toux des uns, des bruits obscènes que lâchaient les autres dans leur inconscience, et parfois le ricanement d'une hyène qui montait du creux de l'abîme après les glapissements lamentables des chacals.

Ces sanglots des chacals, c'était aux oreilles de Riou le chant de sa condition de forçat, la plainte désespérée dans laquelle s'exprimait l'abandon de tout au fond duquel il était parvenu. L'émeraude avait menti à Judith, et Judith s'était trompée en y lisant ses présages. Le destin de Riou de la Villerouhault allait s'achever sous le couteau des bouchers de Rachid Ed Dine...

De la cage de fer où il était de nouveau enfermé, Riou voyait ses compagnons de misère arriver les uns derrière les autres du fond de la grotte et déboucher dans la lumière qui inondait le terre-plein. Ils s'avançaient, ivres du haschisch qu'on les avait obligés à fumer depuis la veille, les yeux fous. Certains tombaient à terre, la tête leur tournant. Un des hommes vêtus de rouge et de blanc qui se tenaient debout sur le passage des condamnés, son fouet à la main, l'aidait alors à se relever, sans brutalité cette fois. N'était-il pas, ce forçat, un frère aujourd'hui, maintenant que tous allaient mourir pour la Vraie Foi, pour le secret de Subeybié, pour le triomphe du Vieux de la Montagne, qui bâtissait les forteresses de Dieu ?

L'étonnement de n'avoir pas reçu de coup s'ajoutait à tout l'étrange que le captif avait vécu depuis la veille, quand les gardiens leur avaient donné le haschisch à fumer, et à manger ces friandises qu'étaient les boules de pâte d'amande pétries de drogue dont l'absorption était suivie d'une délicieuse sensation de bien-être. Les Haschachinns depuis la veille s'étaient groupés par six, assis les jambes croisées à terre et ils chantaient des chants doux et bizarres en balançant le haut de leur corps d'avant en arrière. Ces chants avaient bercé les oreilles de ceux qui les avaient entendus toute la nuit, et qui débouchaient maintenant dans la lumière, sur le terre-plein donnant à perte de vue de l'horizon des montagnes bleuies par le lointain, avec la silhouette précise et inexorable du monstrueux château en construction qui était la raison de leurs souffrances et de leur mort.

Ils voyaient alors la pierre taillée, sorte de table de sacrifice, devant laquelle se tenaient les deux bouchers, leurs couteaux à la main, leurs torses nus, et l'odeur fade du sang des autres s'emparait des narines de celui qui allait être immolé. Les aides des exécuteurs avaient jeté des seaux d'eau sur la pierre à chaque fois que le corps d'un égorgé avait été emmené pour être précipité à l'abîme, et l'eau rougie serpentait encore dans la rigole qu'on avait fait creuser dans la pierre par des galériens les jours précédents, et qui allait jusqu'au rebord de la falaise.

Celui qui découvrait ainsi le lieu de sa mort comprenait à la minute même à quoi elle devait servir. Son propre sang allait y couler maintenant, le sang d'une bête à l'abattoir... Mais l'opium qu'il avait absorbé l'aidait à devenir une bête soumise, heureuse de voir la fin de ses souffrances.

Cent fois la même horreur s'était répétée, les mêmes bouchers avaient plongé leurs couteaux dans la gorge de ces hommes dont Riou connaissait tous les visages, cent fois le sang avait jailli d'un jet affreux et le cauchemar n'avait pas pris fin.

Car ce n'était pas un cauchemar. De la cage de fer où il était enfermé, Riou voyait maintenant Slimane assis les jambes croisées dans la cage voisine. Impassible, le lieutenant du Raïs Maqsar allait lui aussi perdre sa vie dans un infâme supplice pour avoir voulu délivrer Riou, seigneur de la Villerouhault, chevalier franc captif dont il avait fait son ami. Les Haschachinns avaient dépouillé le Turc de ses vêtements, à l'exception d'un linge qui entourait ses reins et passait entre ses jambes, et ils lui avaient rasé le crâne. Il apparaissait ainsi aux yeux de Riou comme au temps de la galère, lorsqu'il dominait du haut de sa chaire de chef de nage les rameurs courbés sur leur peine, et rythmait leur mouvement par ses cris farouches qui les arrachaient à leur fatigue quand il fallait forcer la nage. Etrange pouvoir que celui de Slimane le Turc qui faisait corps avec la galère, qui en incarnait la nécessité, qui convainquait les galériens eux-mêmes de la grandeur d'être les rouages d'une machine, veillait à ce que leur nourriture soit bonne, qu'ils puissent boire à leur soif, comme le bouvier prend soin de son attelage et le regarde avec amour lorsqu'il a peiné pour amener le chariot au sommet d'une colline...

Une moue de mépris aux lèvres, Slimane avait accepté sa mort.

19.
Le Vieux de la Montagne

Dans la montagne écrasée de soleil, sur le chemin ébloui de poussière, Rachid Ed Dine s'avançait sur son cheval blanc. Devant lui courait le héraut qui annonçait partout sa venue, un colosse barbu à la voix de stentor, vêtu de rouge sang, chaussé de sandales auxquelles étaient attachées des clochettes sonnantes, coiffé d'un casque d'or rutilant d'où pendait une queue-de-cheval noire. Il tenait à la main dans sa course la longue hache au manche recouvert d'argent hérissé des couteaux plantés dans son bois qui étaient les instruments du pouvoir de celui qui commandait aux assassins de Dieu : le pouvoir par le meurtre.

Le héraut déboucha de derrière un grand rocher au moment où Sayed Es Sayounn, monté sur sa mule, entouré de ses gardes du corps armés de lances, revenait de la grotte sanglante après que toute vie y avait été anéantie, suivi du chariot sur lequel étaient deux cages de fer, la première enfermant le galérien franc évadé et repris, la seconde le Turc qui l'avait fait enfuir.

Le porteur de la hache symbolique s'arrêta et, campé sur ses jambes nues dont les muscles saillaient, lança de toute sa force la phrase rituelle :

— *Détournez-vous de devant celui qui porte la mort des Rois entre ses mains !*

Le cortège et le chariot s'immobilisèrent et Riou depuis sa cage où il était assis les mains liées derrière le dos vit apparaître le puissant Rachid Ed Dine accompagné de plusieurs autres cavaliers qui lui ressemblaient, vêtus de blanc immaculé comme lui, avec les mêmes yeux noirs, la même barbe noire finement peignée, rapaces entourant l'aigle.

Les gardes de Sayed Es Sayounn se jetèrent à genoux pour se

prosterner devant l'Incomparable, le Parfait, et Sayed lui-même avec son ventre en avant et le sabre courbe passé dans sa ceinture mit pied à terre en hâte pour venir baiser le bas de la robe de celui qu'on appelait le Vieux de la Montagne.

— Relevez-vous, vous que la Vérité illumine ! s'écria le Maître des Haschachinns de sa voix métallique. Ne vous prosternez que devant la Lumière de Dieu et non point devant son indigne serviteur...

Mais le regard étincelant des yeux noirs, le nez en bec d'oiseau de proie, la bouche dure comme un trait sanglant entre la noirceur de la barbe et de la moustache démentaient cette déclaration d'humilité.

— Qui sont ces deux-là, en cage ? demanda-t-il à l'homme de ses secrets après un coup d'œil aux deux captifs sur le chariot.

— L'un est un galérien franc qui a fui du souterrain. L'autre le Turc qui a su le faire échapper par sa ruse.

La bouche dure eut une sorte de sourire.

— Mais tu les as repris... Le souterrain est-il achevé ?

— Oui, pour le Service de Dieu...

— Tout est comme il a été dit, et le secret du passage assuré ?

— Oui, Puissant... Les couteaux ont fermé les bouches. Excepté pour ces deux-là, qui savent.

— Et pourquoi les gardes-tu en vie ?

— Ils n'ont pas dit où sont ceux des nôtres qui ont aidé le Franc à fuir en descendant le long de la falaise avec une corde, et en y descendant avec eux.

Les yeux du Vieux de la Montagne exprimèrent une certaine surprise.

— Deux des nôtres, dis-tu ?

— L'un voulait gagner Homs, et le Turc lui avait donné l'usage d'une femme pour qu'il amène cette corde dans la grotte. Mais l'autre, en serviteur fidèle, m'avait prévenu en secret de ce qu'avec son compagnon il avait accepté de faire. Ainsi avons-nous pu surprendre le Franc au milieu des coupeurs de dyss que le Turc avait loués pour pouvoir s'approcher de Subeybié en nous trompant... Cependant, ni l'un ni l'autre des nôtres n'ont pu être retrouvés. Le Turc dit qu'ils sont partis à pied à travers la montagne aussitôt après avoir gagné son camp, mais il ment.

— Fais avancer le chariot, que je voie ces hommes qui n'ont pas voulu vivre ni mourir comme des moutons, dit le Vieux de la Montagne.

Sayed Es Sayounn fit un signe de la main au conducteur et les deux cages vinrent s'immobiliser devant Rachid Ed Dine et les cavaliers de sa suite.

Le Vieux de la Montagne interpella Slimane.

— Qui es-tu, toi qui attires mes hommes dans le péché des femmes ?

Le Turc soutint le regard de son interlocuteur.

— J'étais au service sur la mer de mon bienfaiteur le Raïs Maqsar, que tes hommes ont tué pour lui voler ses navires et ses rameurs, il y a bientôt six mois. Et celui-là est un seigneur dans son pays, un captif franc, poursuivit Slimane en faisant un geste du menton dans la direction de Riou. Il est mon ami et comme tu l'as dit toi-même, nous ne sommes pas des moutons, même si nous devons mourir de leur mort sous le couteau de tes bouchers...

Le Vieux de la Montagne garda le silence un instant, et Slimane reprit sur le même ton méprisant :

— Et pour ce qui est d'attirer ton fumeur d'herbe dans le péché des femmes, il y est venu lui-même, sentant leur odeur à la trace comme un chien en chaleur.

— Tu as l'insolence de ceux qui savent qu'ils vont périr, remarqua le Vieux de la Montagne. C'est ton droit... Mais faudra-t-il que tu sois écorché vif sous nos yeux ici même et couvert de sel, pour implorer le secours du boucher en échange de l'aveu que tu as fait tuer nos deux hommes par surprise, afin de préserver ton ami franc, sans savoir que l'un des deux nous avait instruits de ce qu'ils avaient convenu avec toi ?

Slimane eut une moue de dégoût.

— Si cela est vrai, remercie-moi plutôt de t'avoir évité la peine de faire mourir ces deux-là. N'est-ce pas ce que tu aurais ordonné de toute manière, même pour celui qui t'a été fidèle ?

— Ne te moque point trop..., dit le Vieux de la Montagne, qui fronçait les sourcils cette fois. Tu ne sais pas les raisons des choses, à la véritable lumière de Dieu... Et si je donne l'ordre d'écorcher vif ton ami le Franc sous tes yeux, me feras-tu cet aveu que tu as refusé à mon serviteur Sayed, et que tu marchandes maintenant comme un juif ?

Slimane ne répondit rien, enfermé dans le mépris qui se lisait sur son visage.

Le Vieux de la Montagne s'adressa aux gardes qui entouraient le chariot :

— Sortez le Franc de sa cage, et ôtez-lui sa peau comme à un renard !

Le garde qui avait la clef de la cage ouvrit la porte, et fit descendre Riou. Le jeune chevalier, les mains attachées derrière le dos, se tenait maintenant debout dans le regard de Rachid Ed Dine.

— Alors, le Turc ! N'as-tu rien à nous dire ? ironisa le Vieux de la Montagne. Laisseras-tu ton ami perdre le vêtement que sa mère lui a donné en le mettant au monde ?

La sueur de mort inondait la poitrine de Riou, tombant de son front, brûlant ses yeux. Le chevalier sentait la fragilité de sa chair nue, voyait les poignards aux ceintures des hommes vêtus de rouge, leurs regards de rapaces. Le vol des faucons crevant les yeux du Sultan de cire, l'autre jour au bas de la falaise, passa dans sa mémoire. Mais la voix de Slimane s'éleva.

— J'ai fait tuer les deux hommes, dit fermement le Turc.

Rachid Ed Dine se mit à rire.

— Voyez ce qu'est l'amitié ! s'exclama-t-il en se tournant vers les cavaliers qui se tenaient près de lui. Elle aussi mène à la connaissance de la vérité. Mon bon serviteur Sayed, ajouta-t-il à l'adresse de son homme de confiance, fais-leur couper la tête avec une épée bien aiguisée, qu'ils meurent dignement, parce que ce sont des hommes courageux, l'un et l'autre. Allons !

Le Vieux de la Montagne pressait déjà les flancs de son cheval pour entraîner son escorte vers la forteresse, mais l'un des cavaliers qui l'entouraient prit la parole.

— Détenteur de la Vérité, puis-je interroger à mon tour ce Turc ?

— Toi, Hamid ? s'étonna le Maître de la Secte en retenant sa monture. Ne crains-tu pas son insolence ? N'as-tu pas vu comment celui-là m'a parlé sans respect, fort de l'orgueil des gens qui savent qu'ils vont mourir de toute façon, et n'ont plus déjà que mépris pour les vivants ?

— Ce Franc ne m'est pas inconnu, dit le Haschachinn en désignant Riou du regard.

— Alors, parle ! ordonna Rachid Ed Dine.

Le Haschachinn s'adressa à Slimane.

— Sais-tu si ce Franc a été fait prisonnier à Mahdia par l'armée du Sultan de Tunis ?

— Il l'a été, affirma le Turc. Et c'est par injustice que tes pareils l'ont enlevé à nos galères, où il devait servir vingt années, par le contrat qu'avait signé mon maître le Raïs Maqsar là-bas.

— C'est lui, par la grâce de Dieu Tout-Puissant ! s'écria le Haschachinn. Il m'a arraché à la mort, couché dans sa tente aux mains de son médecin et de son valet arménien, lequel parlait notre langue en toute excellence !

— Que dis-tu, mon serviteur Hamid ? Est-ce celui-là dont tu nous as appris qu'il t'avait enlevé au gibet du Sultan ?

— Lui-même ! Je reconnais son visage. Je l'ai vu ainsi le torse nu quand son valet le massait avant le combat, avec cette marque de blessure à l'épaule... Au nom de Dieu Miséricordieux, je te demande sa vie.

Rachid Ed Dine regardait Riou pensivement. Le jeune guerrier franc avait échappé aux galères, au souterrain, aux couteaux des tueurs de Sayed Es Sayounn...

— La volonté de Dieu vient à nous au détour du chemin, murmura le Vieux de la Montagne.

Il hocha la tête.

— Une vie rachète une vie, constata-t-il. Hamid ! Tranche toi-même ses liens, et fais-lui donner une gandoura de soie et un cheval.

Arrivait maintenant de derrière les rochers, sur le chemin, le train d'équipage qui suivait le Maître de la Secte des Haschachinns dans son voyage depuis le château de Dar Firuz, son nid d'aigle, jusqu'au chantier de la forteresse géante de Subeybié. Une troupe de chevaux et de mules, les uns portant les hommes d'armes vêtus de rouge et de blanc, archers, lanciers, frondeurs, les autres amenant dans des chars ou des litières les secrétaires, leurs archives, et leurs écritoires et aussi les cassettes remplies de pièces d'argent et d'or dans lesquelles puisaient les intendants sur les ordres de celui qui commandait à soixante mille hommes entraînés au meurtre comme à la guerre dans vingt châteaux dominant les horizons des montagnes.

Rachid Ed Dine fit signe à un des secrétaires qui s'approchait sur un grand âne.

— Toi, Djobaïr, qui connais la langue et l'écriture des Francs, viens ici que je parle à ce chrétien-là, qui a d'abord failli perdre sa peau comme un renard et fini par gagner un manteau de soie...

Le secrétaire descendit en hâte de sa monture et plongea sur le bas de la robe du Puissant pour la baiser.

— Demande-lui pourquoi il a sauvé la vie d'Hamid à Mahdia ! ordonna Rachid Ed Dine.

Ses jambes tremblantes sous lui, Riou venait de comprendre que l'homme à la barbe noire qui avait interrogé Slimane était l'Ismaélien sauvé par Kecelj et Douriane des échafauds du Sultan de Tunis. Vêtu richement comme les autres compagnons du Maître de la secte, avec cette barbe qu'il n'avait pas lorsque l'Arménien l'avait amené au camp de l'ost franc, le misérable pendu de Mahdia était méconnaissable.

Le secrétaire avait traduit la phrase du Puissant.

— Des disciples d'Ismaël avaient nourri et élevé mon valet alors qu'il était enfant, répondit Riou. Il a voulu payer cette dette.

Le Vieux de la Montagne hocha la tête.

— C'est heureux pour toi, dit-il. Regarde le visage contrarié de mon bon serviteur, mon frère Sayed ! Il voulait voir vos deux têtes coupées, celle du Turc et celle du Chrétien, et il n'en a plus qu'une...

Sayed Es Sayounn plaça sa main à l'endroit de son cœur.

— Par la Pierre Noire de La Mecque, protesta l'homme qui administrait les secrets de la secte, j'ai vu assez de gorges coupées aujourd'hui, en vérité de Dieu ! Mais ce Franc sait où aboutit le souterrain, et peut-il échapper au sort des nôtres, qui ont donné leur vie pour cela ?

— C'est juste, admit le Vieux de la Montagne, contrarié à son tour.

Il parut réfléchir, puis s'adressa à Djobaïr.

— As-tu toujours ce livre sacré des Chrétiens dans tes coffres, dont tu m'as lu et traduit maints passages ?

— Certes, ô Puissant !

Le secrétaire courut vers les mules et revint avec une Bible.

— Dis-lui ! ordonna Rachid Ed Dine à Djobaïr en désignant Riou. Ceci est le livre du Christ, écrit en langue latine. La connaît-il ?

— Il dit qu'il peut lire cette langue, qu'il a apprise avec ses maîtres, traduisit Djobaïr, après avoir questionné Riou.

— C'est bien. Demande-lui maintenant s'il est vraiment chevalier, ainsi que l'a dit le Turc, ayant été adoubé par un seigneur, chevalier lui aussi, devant l'image de celle qu'ils appellent par leur erreur la Mère de Dieu chez les Chrétiens, et disent comme nous être la Sainte Vierge, ayant enfanté sans fornication.

— Il l'est, affirma Djobaïr après un colloque avec Riou. Il fut adoubé par son propre père, en présence de son suzerain, et de l'image de Marie très Vénérable, ô Puissant...

— Alors il va jurer sur ce livre du Christ qu'il ne révélera jamais à personne ce qu'il sait du château de Subeybié, et s'éloignera de tout service de guerre qui l'amènerait à en faire le siège dans un ost chrétien ou musulman... Et ainsi nous pourrons le laisser aller librement. Tu rédigeras un firman, que je signerai de ma main, lui donnant sauf-conduit sur nos terres, et protection chez les musulmans jusqu'à son retour au milieu des Chrétiens, sous peine que ceux qui lui feraient du mal connaîtraient notre vengeance par les poignards que nous portons, et les flèches et les lances de nos soldats... Tu écris cela aussitôt, Djobaïr, sur un parchemin à mon sceau.

Le Vieux de la Montagne se tourna vers son homme de confiance.

— Es-tu satisfait, mon serviteur Sayed ?

— Si un chevalier franc peut tenir sa parole, je le serai pour obéir à ta volonté, admit l'homme qui gardait les secrets des Haschachinns.

Rachid Ed Dine eut une moue.

— Si un chevalier ne tient pas sa parole, dit-il, alors le monde des hommes n'est plus que chaos, et Dieu s'en détourne avec mépris...

Un Haschachinn s'approchait maintenant de Sayed, une grande épée droite à la main.

— Qu'est cela ? demanda Rachid Ed Dine.

— Tu as ordonné qu'on coupe la tête aux deux captifs avec une épée bien aiguisée. Cet homme est allé en chercher une, expliqua Sayed Es Sayounn.

— C'est juste, dit le Vieux de la Montagne. C'est une épée franque. Elle irait au chevalier... Nous lui donnerons après que le Turc aura été puni de son double crime.

Il s'interrompit, paraissant réfléchir, puis sourit.

— C'est cela, c'est cela ! répéta-t-il en faisant les quelques pas qui le séparaient de Slimane que les gardes avaient sorti de sa cage pour préparer l'exécution.

— Hé, le Turc ! lança le Vieux de la Montagne. L'épée est là. Puisque ce Franc est ton ami, je t'accorde que tu puisses mourir de sa main, plutôt que d'une des nôtres, si tu le désires... Que choisis-tu ?

— La main de celui qui est noble, dit Slimane avec mépris.

— Djobaïr ! appela Rachid Ed Dine. Dis au Franc que le Turc le prie de lui donner la mort lui-même. Qu'il vienne ici !

La tête bourdonnante sous le soleil de midi, Riou se dirigea vers Slimane, suivi par l'homme à l'épée, et tous les Haschachinns de haut rang se déplacèrent aussi vers eux dans un grand silence pour observer le spectacle. Comme toujours, le Maître de la Secte savait jouer de la Mort avec subtilité. Elle était l'instrument de son pouvoir. Elle enrichissait les terribles spectacles qu'il donnait à ses fidèles ou à ses hôtes. Il s'aventurait jusqu'aux limites où commençait l'au-delà, comme fasciné par elle...

Slimane vit Riou s'approcher de lui. Le Turc ruisselait de sueur sous le soleil. Comme l'huile dont les lutteurs s'enduisent pour aller dans l'arène, elle faisait briller ses muscles noueux...

— Frappe sans crainte, dit le Turc. Tu as partagé ma femme sous ma tente. Nous partagerons ma mort avec la même épée. Ainsi garderas-tu le souvenir de Slimane, marqué avec son sang sur cette lame que tu emporteras avec toi.

Il s'agenouilla alors, baissant la tête pour offrir sa nuque.

Riou avait pris la poignée de l'épée à deux mains. Un sentiment puissant et étrange s'emparait de lui. Après des mois de besognes infâmes, ses doigts étreignaient de nouveau le pommeau d'une épée. Dans l'éblouissement du soleil, le chevalier regarda les hommes détestables et sanguinaires qui attendaient la mort de Slimane. La tentation de se ruer sur Sayed Es Sayounn pour le décapiter à toute volée, avant de frapper les autres autour de lui de toutes ses forces jusqu'à tomber criblé des flèches des archers s'empara de lui. L'envie de combattre une dernière fois, et de mourir. Tous ces mahométans avaient les yeux sur ce Franc levant lentement son arme pour couper la tête du Turc qui avait donné sa vie pour l'arracher à l'esclavage.

Cette épée, puisqu'elle venait de Chrétienté, avait été autrefois bénie et consacrée pour le chevalier à qui elle avait été remise un jour par son suzerain, et Riou espéra follement qu'elle puisse devenir miraculeuse, et disperser tous ces Infidèles comme un nuage de sauterelles, pour le laisser seul avec Slimane...

L'ardent désir du miracle traversa comme un éclair l'âme du jeune homme.

— O Marie, mère de Jésus, à qui cette épée fut autrefois consacrée, délivrez-moi du mal que je ne veux point faire, sauvez-nous de la Mort injuste dont nous ne voulons point !

Murmurant cette prière, Riou suspendait l'épée brandie au-dessus de lui pour retarder encore le moment fatal.

A cet instant un long cri plaintif s'éleva au-dessus des têtes de tous ceux qui guettaient son geste, la plainte que Riou connaissait bien, depuis des mois, pour l'avoir entendue portée par le vent hors des zéribas du camp des armées du Sultan de Tunis ou tombant du haut des tours de la forteresse de Mahdia : la mélopée du muezzin appelant à la prière.

— *Allah akbar*[1] !...

---

1. Dieu est grand.

Debout au loin sur un rocher, l'imam qui accompagnait Rachid Ed Dine dans son voyage lançait les paroles sacrées.

— *Mohammed raçoul Allaaaaaaah*[2] !... poursuivit l'imam dans sa longue robe blanche, les yeux tournés vers l'est.

Le Vieux de la Montagne s'était déjà agenouillé à même le sol du chemin, comme s'il oubliait soudainement ce qui se passait sur terre et tous ses compagnons aux barbes noires et aux robes blanches étaient en train de l'imiter. Les soldats faisaient de même, archers, lanciers, frondeurs se prosternant pour toucher le sol de leur front, et aussi les secrétaires et les intendants au milieu de leurs mules et de leurs coffres.

L'épée de Riou restait en l'air. La nuque de Slimane se penchait elle aussi en avant... Le condamné à mort déjà à genoux pour son supplice obéissait à l'appel de l'imam, en dépit de ses mains liées derrière le dos. Un silence de paix régnait sur tous les dos courbés qui se relevaient les uns après les autres, pour se courber de nouveau.

L'idée de Dieu écrasait tout, comme si elle s'exprimait par le soleil à son zénith.

Rachid Ed Dine, qui s'était prosterné le premier, se releva avant les autres. Dirigeant son regard vers le Franc qui tenait maintenant son épée au repos, la pointe posée sur le sol, le Maître des Haschachinns sourit, tandis que les dignitaires de la Secte se redressaient un à un pour se remettre debout.

— Djobaïr ! ordonna-t-il. Demande au Franc pourquoi il n'a pas encore coupé la tête du Turc.

Le secrétaire traduisit.

— Pendant la prière ? fit Riou. Dieu ne peut vouloir une chose pareille...

— Il croit donc que celui que nous prions est Dieu, et non une idole que nous appelons Mahomet ? lança Rachid Ed Dine au secrétaire qui faisait l'interprète.

Riou haussa les épaules.

— Ne suis-je point parmi les mahométans depuis plus d'une année, pour ignorer votre religion ?

Le sourire rusé du Vieux de la Montagne découvrait ses dents blanches entre ses lèvres couleur de sang, des dents de fauve qui

2. Mohammed est le prophète de Dieu...

voulait jouer avec sa proie. Son regard allait du Turc agenouillé qui avait relevé vers lui un visage dédaigneux et résolu, au faciès émacié du jeune chevalier franc.

— Quels lions vous êtes tous les deux ! Et quelle amitié entre un chrétien et un musulman, née dans la chiourme d'une galère... Par la Pierre Noire de La Mecque, nous allons voir jusqu'où elle peut aller. Djobaïr ! Dis ceci au Franc : Il m'a donné sa parole de ne pas révéler le secret de Subeybié. Qu'il nous promette maintenant de se faire musulman, et nous lui donnerons en échange la vie de son ami le Turc...

Le visage de Slimane luisant de sueur restait impassible, mais ses yeux cherchaient cette fois le regard de Riou. L'espoir de vivre chassait maintenant la résignation méprisante dans laquelle le Turc s'était enfermé depuis que les Haschachinns avaient mis la main sur lui lorsqu'ils avaient encerclé son camp dans la montagne, avec leurs chiens, leurs lances et leurs poignards. Les hommes en blanc et en rouge aux barbes noires qui entouraient le Vieux de la Montagne attendaient eux aussi les mots qui allaient sortir de la bouche du Franc.

Riou avait déjà compris, par ce qu'il connaissait de la langue arabe, et par le sourire féroce de Rachid Ed Dine, quel marché subtil le Vieux de la Montagne lui proposait. Une certitude éblouit le jeune chevalier. C'était là le miracle qu'il avait demandé à la Vierge... L'appel à la prière lancé par l'imam avait été la réponse du Ciel.

Riou ouvrit la bouche.

— Il accepte, traduisit Djobaïr.

Les Haschachinns qui avaient guetté le visage de Riou souriaient ou approuvaient de la tête. Le Vieux de la Montagne avait montré, encore une fois, ses dons de magicien.

Puis, comme si tout avait été changé par la prière et ce qui l'avait suivie, des plats de nourriture apparurent, sortis des coffres convoyés par les cuisiniers. Les valets circulaient entre les dignitaires de la secte avec des aiguières d'eau fraîche et tout le monde s'assit à terre à l'ombre des rochers pour prendre la collation de midi.

Djobaïr se leva du tapis où il s'était accroupi à côté du secrétaire de voyage ôté du dos de la mule qui le portait. Il tenait à la main le firman du Vieux de la Montagne qu'il venait de rédiger et qui donnait au chevalier franc libre passage sur le territoire des Assassins, ainsi qu'une lettre du maître de la secte adressée à l'atabeg de Djabala accréditant auprès de lui ce même chevalier désireux d'embrasser la foi musulmane. Hamid, celui des Haschachinns que Douriane avait sauvé de la mort à Mahdia servait de ses propres mains Riou assis comme les autres et maintenant vêtu, d'une gandoura de soie blanche. Les murailles du château de Subeybié, parvenues à moitié de leur hauteur future, se dressaient à l'horizon du chemin autour duquel les soldats et les secrétaires du Vieux de la Montagne, au milieu des chevaux et des mules immobiles dans l'ombre des rochers, s'étaient répandus pour prendre leur repas. L'odeur du thé montait des petits canouns de terre rouge.

Djobaïr s'approcha de Riou et lui dit de venir avec lui près du Puissant. Rachid Ed Dine se lavait les doigts dans le bassin d'argent que lui présentait son domestique. Il les essuya au moyen du linge blanc qui lui était offert et prit des mains de Djobaïr les parchemins que le secrétaire avait couverts de son écriture impeccable. Il en lut les textes avec des mouvements approbateurs de la tête, puis saisit la plume trempée d'encre et signa fermement le firman et la lettre. Il noua lui-même les rubans qui servaient à clore les deux rouleaux de parchemin et les tendit à Riou.

— Dis-lui qu'il va se rendre maintenant chez l'atabeg de Djabala, où il sera instruit dans notre langue et notre religion. Dis-lui que l'atabeg Al Zahir est un homme raisonnable...

Rachid Ed Dine découvrit à nouveau ses dents dans un sourire en s'adressant à Riou directement cette fois :

— Ce n'est pas comme nous... Tu ne pourrais rester parmi nos robes rouges et blanches, jeune chevalier ! Nous sommes un vin trop fort, qui fait perdre la tête...

Le regard du Maître de la Secte se porta sur Slimane assis un peu plus loin avec des cavaliers dont il partageait le repas.

— Lui, ton ami le Turc, restera avec nous... Je lui donnerai à faire sur les galères que nous allons armer. Un jour, peut-être, le destin te le fera rencontrer de nouveau. Tout est écrit, conclut pensivement le Vieux de la Montagne. Il était écrit que tu quitterais la terre des Francs pour venir au milieu de nos couteaux sanglants trouver la Vérité et la Vie... Va maintenant ! Prends le cheval d'Hamid et pars sans te retourner. Ici s'achève ton passé.

Rachid Ed Dine se mit debout et cela fut comme un signal pour tous les Haschachinns qui se levèrent, tandis que les chevaux tirés de leur torpeur s'ébrouaient.

Hamid offrit les rênes de son cheval à Riou, qui se mit en selle dans sa gandoura blanche, comme dans un rêve.

Comme dans un rêve il entendit le cri que lançait le géant porteur de la hache au manche criblé de poignards, le héraut au casque d'or à la longue queue-de-cheval qui reprenait sa course pour précéder le Vieux de la Montagne sur le chemin de la forteresse.

— *Détournez-vous de devant celui qui porte la mort des Rois entre ses mains !*

CINQUIÈME PARTIE

L'ATABEG DE DJABALA

20.
Au bivouac des Templiers

Les sabots du cheval de Riou sonnaient sur la route qui longeait la mer. Au-delà de la plage blonde qui bordait celle-ci, le soleil faisait miroiter mille escarboucles aux crêtes des vagues de son bleu profond, d'un bleu que les yeux du jeune chevalier n'avaient jamais vu encore. Dans la lagune de Mahdia, la mer était grise des sables que les courants remuaient et depuis la galère où il avait peiné, entrevue par les regards où passaient les rames, elle ne lui avait paru rien d'autre que tourmenteuse. Mais aujourd'hui, dans sa liberté retrouvée, liberté étrange, nouvelle, exaltée par les images étonnantes qui la peuplaient, ce bleu délicieux qui se confondait à l'horizon marin avec celui du ciel donnait à Riou un plaisir intense, dont il se grisait. Cet azur était celui de la vie qui avait recommencé de battre dans ses veines depuis que le Vieux de la Montagne lui avait dit : *Ici s'achève ton passé...*

Des deux côtés de la route s'étendaient, derrière leurs tabias de figuiers de Barbarie enrichis de fleurs rouges et blanches, les jardins qui envoyaient jusqu'à lui leurs senteurs d'amandiers et de jasmins. Au pas du cheval que lui avait donné Hamid le Haschachinn, le jeune Breton découvrait pour la première fois les douceurs de cette terre orientale dont il n'avait connu que les cruautés.

Des enfants rieurs sortaient des jardins en courant sur leurs pieds nus pour lui tendre des fruits, ignorant les secrets bizarres que portait en lui cet homme à la barbe blonde dont la gandoura de soie et le cheval de prix faisaient à leurs yeux un seigneur, sans doute un *fatah*, un chevalier en voyage. Sur cette route que le jeune homme avait prise en quittant au matin Lattaquieh, où il avait dormi dans un fondouk, le croisaient des marchands sur des mules, des arabatiers moustachus conduisant leurs voitures attelées d'un chameau, des femmes enveloppées dans leurs voiles de laine blanche, dont les yeux noirs cherchaient avec curiosité, parfois avec admiration, le regard de cet inconnu aux yeux bleus qu'elles sentaient différent des autres.

Dans la brise venue de la mer pour tempérer l'ardeur du soleil, Riou marchait vers les terres de l'atabeg de Djabala sans pouvoir mettre de l'ordre dans les pensées qui l'assaillaient. Ainsi, il allait être un mahométan comme tous ceux-là qu'il croisait sur sa route. Ainsi il avait demandé un miracle à la Vierge, pour ne pas trancher le cou de Slimane, et le miracle, si miracle il y avait, avait pris la forme déroutante de l'appel du muezzin à la prière...

Dans le fondouk où il était arrivé à la tombée de la nuit auprès des murailles de Lattaquieh, l'appel du muezzin avait retenti une nouvelle fois au moment où l'un des valets le précédait dans la pièce qui venait d'être dévolue au nouvel arrivant. Cette pièce, comme dans tous les fondouks, donnait sur la vaste cour intérieure où l'on entassait les marchandises, et où s'asseyaient à même le sol ceux qui n'étaient pas assez riches pour, comme Riou, louer une chambre à eux, avec une porte qui fermait.

Riou avait vu que la plupart des voyageurs interrompaient aussitôt leurs occupations pour s'agenouiller. Les autres, qui l'observaient, attendaient sans doute de lui qu'il s'agenouille à son tour, après avoir tiré de son bagage le tapis de prière de qualité, qu'un homme si bien mis ne devait pas manquer de transporter avec lui. Riou avait deviné cette pensée dans le regard du valet, et il avait aussitôt défait les brides de son bagage pour en ôter le propre tapis d'Hamid le Haschachinn, que celui-ci lui avait laissé avec tout son nécessaire de voyage. Le chevalier s'était alors agenouillé en faisant mine d'ignorer le valet, et celui-ci était sorti de la petite pièce en laissant la porte entrebâillée. Le chevalier s'était prosterné le front contre le sol dallé, en proie à l'incertitude et à la gêne, sachant bien qu'on pouvait le voir depuis la cour.

Tout en gardant la position et les gestes des mahométans, Riou avait décidé de prier la Vierge, murmurant les paroles de l'Ave Maria, se remettant à Elle de le guider dans l'aventure où sa Foi l'avait engagé...

Un peu plus tard le valet était revenu, précédant deux hommes de la police locale qui inspectaient le fondouk et les marchandises transportées par les voyageurs. Ils avaient frappé à la porte de la chambre de Riou et après que celui-ci leur eut ouvert, lui avaient demandé où il se rendait.

Riou savait assez d'arabe pour comprendre leurs questions mais se savait maladroit à leur répondre. Il avait alors tiré de sa poitrine le firman de Rachid Ed Dine, pour le tendre à celui des deux qui paraissait avoir autorité sur l'autre. Le policier avait lu en exprimant sa déférence par des hochements de tête répétés...

Maintenant, sur la route traversée par les cris joyeux des oiseaux qui peuplaient les jardins de part et d'autre, Riou s'efforçait de ne plus penser qu'à vivre, et à oublier le combat que se livraient en lui deux façons d'adorer Dieu qui restaient cruellement hostiles, même si elles n'apparaissaient plus au jeune chevalier aussi inconciliables aujourd'hui, alors qu'il connaissait mieux l'âme de ceux qu'on appelait les Infidèles dans le camp des Croisés.

Mais, au moment où les jardins prenaient fin, laissant la place aux oliveraies s'étageant à perte de vue au flanc des collines qui dominaient la route et la mer, Riou, dans une émotion violente, vit soudain s'avancer vers lui le signe de la Croix du Christ, qui le ramenait en plein milieu du reniement de sa foi : descendant à travers les oliviers, une troupe de cavaliers vêtus de tuniques blanches marquées de la croix couleur du sang de Jésus s'avançait en direction de la route. Les Templiers !

Pareils à ceux que Riou avait vus quelquefois en Bretagne, troupe impeccable aux chevaux soigneusement peignés et aux armes bien fourbies, des Templiers cheminant paisiblement en terre musulmane... Emporté par une joie immense, Riou enleva son cheval au galop à leur rencontre. Des hommes de sa race ! Des chrétiens comme lui !

Obéissant à un geste du bras de l'un d'eux qui chevauchait en tête, les moines-soldats s'étaient arrêtés. Celui qui avait ordonné la halte échangeait quelques mots avec un autre cavalier beaucoup plus âgé que tous ceux que Riou pouvait voir autour d'eux, visages juvéniles sous le casque de fer débordant sur la nuque, et qui mettaient pied à terre pour mener leurs montures à l'ombre des arbres. La troupe allait se reposer en prenant son repas de midi.

Riou avait mis son cheval au pas. Sa voix tremblait d'émotion au moment où il parvenait auprès des deux cavaliers qui semblaient commander les autres.

— Mes frères ! s'écria le jeune homme. Je suis bien aise de vous rencontrer...

Aucun d'eux n'avait fait attention à lui depuis qu'il avait pris le galop dans leur direction. Cette fois, étonnés d'entendre une voix française sortir de la bouche d'un cavalier vêtu et monté comme un Mahométan, ils tournèrent leurs regards vers l'arrivant.

— Je suis le chevalier de la Villerouhault, mes frères, vassal du Comte de Fougères en Bretagne, poursuivit Riou.

Mais le regard aigu de l'homme âgé, qui avait plus de la cinquantaine, fixait Riou dans les yeux, et le chevalier se sentit troublé. Il était un chrétien qui venait d'abjurer sa religion pour se faire mahométan, et cette pensée s'installa en lui dans toute sa force. Les Templiers qui reniaient leur foi après avoir été faits prisonniers dans des combats contre les Infidèles étaient chassés de l'Ordre à jamais lorsqu'ils revenaient au pouvoir des armées chrétiennes, et ils achevaient leur existence dans l'opprobre. Dans le regard de celui qui commandait les moines-soldats, Riou se heurtait brutalement à une autre réalité, aux murailles d'un autre édifice. On ne pouvait vivre que dans l'un des deux, mais pas dans les deux à la fois... Que Riou eût accepté l'abri de l'un des deux sous la contrainte, cela pouvait être avoué à Dieu dans le secret de la conscience, mais cela ne pouvait être accepté par ces religieux guerriers qui avaient renoncé à tout pour combattre en Terre sainte au nom du Christ, à l'or, aux femmes, à leurs familles délaissées à jamais en Europe. Le firman du Vieux de la Montagne qu'il portait contre sa poitrine sous sa gandoura de soie, s'il donnait à Riou sauf-conduit chez les Mahométans, le brûlait comme un fer d'infamie devant les Templiers.

Le moine-soldat aux cheveux grisonnants lisait sur le visage de Riou le trouble qui l'agitait.

— Où allez-vous, Messire, seul dans ce pays avec cette épée qui a été forgée ailleurs, sans doute, et bien loin ? demanda-t-il avec une lueur d'ironie dans les yeux.

— Je... je me rends chez l'atabeg de Djabala, mon frère, hésita Riou.

Cet homme d'âge devait être un dignitaire de l'Ordre voyageant pour une mission importante. Les Templiers traitaient avec les princes musulmans quand ils ne leur faisaient pas la guerre. Ils avaient des places fortes dans beaucoup d'endroits de Terre sainte, cela Riou le savait. Ils avaient une flotte de guerre, qui allait et venait entre les rivages de Provence et ceux de la Syrie.

Mais de nouveaux cavaliers équipés comme ceux qui avaient pris place sous les oliviers, où ils s'étaient assis les jambes croisées à la mode orientale, descendaient maintenant de la colline. Ceux-là n'avaient pas de croix sur la poitrine, et leurs visages étaient bruns, leurs yeux sombres, leurs barbes noires. Si ce n'était les harnachements de leurs chevaux et l'uniformité parfaite de leur costume, ils auraient été des guerriers sarrasins pareils à ceux que Riou avait combattus sur les rivages de Tunisie.

Le Templier qui se tenait auprès du dignitaire fit un signe du bras à l'adresse de cette nouvelle troupe qui mit pied à terre à son tour.

La voix de l'homme âgé tira Riou de la surprise qu'il éprouvait à la vue de ces Sarrasins obéissant aux chevaliers du Temple.

— Si vous allez vers Djabala, vous pourrez faire route avec nous pendant quelque temps, jeune homme, dit-elle. Nous marchons dans cette direction pour une bonne part de notre voyage.

La cohorte des Templiers auquel Riou s'était joint s'arrêta de nouveau avant la tombée du jour. La halte de midi n'avait duré qu'une heure. Chevaux et mules avaient soutenu un train rapide en dépit de la chaleur. Les Templiers connaissaient leur chemin, et il était visible qu'ils se hâtaient pour arriver avant la nuit à un endroit choisi pour la sûreté qu'ils savaient y trouver. En effet, la colonne de cavaliers cheminant deux par deux devant les mules qui portaient les coffres marqués de la Croix de l'Ordre avait quitté la route au moment où le soleil devenait rouge au-dessus de la mer pour reprendre le chemin des collines. C'était pour camper sur la hauteur afin d'être à l'abri de toute surprise.

Plusieurs cèdres géants couronnaient la colline à l'endroit où était parvenu le grand Templier qui commandait la troupe et marchait en tête aux côtés du gonfalonier, c'est-à-dire le porteur de l'étendard. C'était bien là qu'il entendait qu'on tienne le camp, car il s'écria d'une voix forte :

— Hébergez-vous, seigneurs frères, de par Dieu !

A ce commandement réglementaire, tous mirent pied à terre. On débâta les mules, les écuyers allumèrent les feux de charbon de bois, les chevaux furent nourris de grain et enfin une tente ronde fut dressée, devant laquelle furent entassées les coffres. En voyant le Templier âgé y pénétrer, Riou comprit qu'elle allait abriter ce personnage pour la nuit, les autres, ainsi que les cavaliers mahométans, se contentant de dormir à la belle étoile sous leur couverture.

Riou vit ensuite qu'un Templier sortait des viandes et d'autres nourritures de grandes besaces qu'avaient portées des mules. Il s'écria, tourné vers ceux qui s'affairaient aux préparatifs du bivouac :

— Aux livraisons !

Un à un, les frères s'avancèrent tenant les écuelles de bois toutes semblables qui faisaient partie de leur équipement, et ils reçurent leurs portions en inclinant la tête.

Riou n'avait jamais vu de Templiers en campagne. A plusieurs milliers de kilomètres des Commanderies chrétiennes d'où ils étaient venus, ils gardaient en toutes circonstances au long de la journée l'ordre et le silence qui sont de règle dans un couvent.

A ceux-là, Riou devait avouer qu'il venait de renier la Croix du Christ...

A grandes enjambées, le frère de haute taille qui régnait sur tous ces soldats s'approcha de Riou.

— Mon jeune Sire, dit-il, si vous n'avez pas de provisions avec vous, acceptez ce qui est à notre ordinaire.

Riou balbutia un remerciement et suivit le Templier jusqu'à l'emplacement où se faisaient les livraisons. Il y parvint au moment où les cavaliers sarrasins, à leur tour, s'approchaient deux par deux avec leurs écuelles semblables à celles des frères. L'homme qui les commandait, et qui ne portait pas, lui, la Croix sur la poitrine, se tenait aux côtés du Templier chargé des livraisons. Celui-ci s'apprêtait maintenant à puiser dans d'autres besaces, où était une viande différente de celle qui avait été distribuée aux frères du Temple.

Riou comprit. Les cavaliers mahométans qui servaient chez les Templiers ne mangeaient pas les mêmes choses. La voix du grand moine qui l'avait invité à partager les provisions de la troupe porta la gêne du jeune chevalier à son comble :

— Nos frères ont reçu du porc salé. Cela vous convient-il, Messire, ou bien plutôt la viande des Turcopoles ?

— Des Turcopoles ? interrogea Riou.

— C'est ainsi que nous appelons nos cavaliers mahométans, dit doucement le grand moine. Vous l'ignoriez, Messire ? Je croyais que vous étiez depuis longtemps en ce pays, à vous voir y voyager seul. Ils reçoivent du mouton, ne pouvant manger de porc, selon leur croyance. Le mouton vous agrée-t-il ?

Les cavaliers sarrasins attendaient derrière Riou, qui avait conscience de retarder la distribution. Le moment était venu de faire son aveu, de cette manière inattendue.

— Je... je prendrai du mouton en effet, dit Riou.

La nuit était tombée, très vite, comme toujours en Orient, et Riou avait eu hâte qu'elle vienne l'aider à cacher sa gêne. Des turcopoles, après l'avoir vu accepter la même nourriture qu'eux, l'avaient invité à cuire sa viande sur leurs feux, et le chevalier n'avait pas osé refuser. Ne devait-il pas s'intégrer le plus vite possible à ceux dont il allait devenir le coreligionnaire ? Les turcopoles avaient rapidement compris que leur invité ne connaissait que quelques mots d'arabe, mais ils étaient accoutumés à fréquenter toutes sortes d'hommes qui étaient dans le cas de Riou, aussi n'échangèrent-ils que quelques mots avec ce voyageur que le hasard avait jeté au milieu d'eux. Riou avait redouté qu'il y eût une prière en commun chez les turcopoles, et qu'il ait à s'y donner encore en spectacle, sous les regards des moines-soldats cette fois-ci. Mais tous les turcopoles n'étaient pas musulmans, et beaucoup sans doute, de par le choix qu'ils avaient fait de s'engager dans cette armée consacrée au prophète Jésus, n'étaient pas très fermes dans la religion de Mahomet. Aussi Riou ne vit-il que quelques-uns d'entre eux s'éloigner à quelques pas du bivouac, leur tapis de selle à la main, pour aller s'agenouiller et se prosterner front contre terre, dans la direction supposée de La Mecque, vers la montagne qui dominait la route côtière. Le jeune chevalier découvrait comment, au sein de cette armée du Temple, les deux religions pouvaient vivre sous le même toit qui était, cette nuit, la voûte du Ciel.

Riou leva vers cette voûte sombre des yeux appesantis par la fatigue. La longue chevauchée, pour tous ceux qui y avaient pris part, avait commencé à l'aube, et Riou s'attendait à ce que le couvre-feu soit ordonné bientôt. Mais soudain, dans l'obscurité qui enveloppait le bivouac assombri encore par l'épaisseur du feuillage des grands cèdres qui l'abritaient, s'éleva, clairement et fortement, la prière que la voix de son père et celle de sa mère avaient gravée dans le cœur de Riou depuis son enfance.

— *Pater Noster Qui est in Cœlis...*

Bouleversé, Riou se trouva debout. A la lueur des braises de leurs feux de bivouac, les Templiers à genoux récitaient tous ensemble d'une voix expérimentée par des années d'oraison les paroles fondamentales de la foi catholique. Ils les disaient, et Riou ne pouvait plus les dire avec eux...

Le jeune chevalier était perdu dans un rêve douloureux quand la grande voix des moines-soldats se tut. Il les vit se disperser en silence, les uns pour gagner leur place au bivouac, les autres pour aller monter la garde à quelque distance de celui-ci. Puis une ombre se dressa devant le jeune homme.

— Le frère Everard vous mande à sa tente, s'il vous plaît, mon jeune Sire, dit le grand Templier qui gouvernait la troupe.

— Qui est le Frère Everard ? demanda Riou d'un ton attristé.

— Le frère porte le titre de Sénéchal des Courriers. C'est lui qui nous commande, et vous a offert ce matin de faire route avec nous. Nous escortons le courrier qui vient par mer des commanderies d'Occident vers nos Commanderies de Terre sainte et vers Notre Souverain Maître.

— Les Mahométans ne font point de mal à ces convois ? s'étonna Riou. L'escorte n'est que de trois-vingts cavaliers[1], si j'ai bien compté...

— Aucun prince mahométan ne commettrait devant Dieu le péché d'ouvrir les coffres de l'Ordre et de lire le courrier de nos commandeurs, sourit le grand Templier. Peut-être des brigands oseraient s'emparer de nos convois, pour l'or qu'ils transportent parfois. Mais contre ceux-là, soixante épées suffisent bien...

Le frère Everard était assis sur un siège de toile et de bois quand Riou s'approcha.

— Prenez une chaise semblable à celle-ci et venez vous asseoir près de moi, mon jeune Sire, dit le Sénéchal depuis l'intérieur de la tente, où il était occupé à écrire à la lumière d'une forte chandelle de suif fixée au mât central auprès d'une image de la Vierge tenant l'enfant Jésus dans ses bras. Un meuble pliant supportait tout un écritoire, avec des feuilles de papyrus, des rouleaux de parchemin, et des plumes rangées autour d'un encrier en argent. Sur le lit de camp du Sénéchal reposaient son épée et sa dague.

Riou ayant obéi à l'invite qui lui était faite, le dignitaire du Temple dirigea droit dans les yeux du jeune homme un regard perçant.

— Je ne vous ai point convié à notre prière, mon jeune Sire, pensant que vous en auriez de la gêne. Me suis-je trompé ?

— Non pas, mon Frère, murmura Riou, confus de honte.

— Avez-vous abjuré la foi de vos parents, ainsi qu'il m'a paru quand vous vous êtes approché de notre troupe ce matin vêtu et équipé comme vous l'êtes ?

1. Trois-vingts : trois fois vingt, ancienne façon de compter

— Oui, mon frère, avoua Riou d'une voix blanche. J'ai prononcé le serment de me faire mahométan, trois jours plus tôt qu'aujourd'hui, sur mon honneur de chevalier et sur la Sainte Bible...

Le frère Everard leva ses sourcils avec une mine qui exprimait un grand étonnement.

— Sur la Sainte Bible ! Voilà une bien étrange façon de quitter notre religion pour entrer dans celle qui a été prêchée par Mahomet... A qui avez-vous pu faire un tel jurement ?

— A Rachid Ed Dine, celui qu'on appelle le Vieux de la Montagne, mon frère.

Les sourcils du Sénéchal des Courriers se froncèrent cette fois.

— Rachid Ed Dine ! Ce ne pouvait être que lui ! Comment êtes-vous venu en son pouvoir ? Vous ont-ils donné de leur drogue, afin d'égarer votre raison ?

— Non pas, mon frère. J'étais pour être égorgé sur l'ordre de Sayed Es Sayounn, l'homme qui gouverne ses affaires secrètes...

Riou s'interrompit, effrayé de ce qu'il était en train de faire... Il allait trahir le premier serment qu'il avait fait au Vieux de la Montagne, celui de taire le secret du souterrain de la forteresse de Subeybié. Au prix de ce serment, il avait racheté sa vie. Au prix de celui qui le faisait s'engager à embrasser la religion mahométane, il avait racheté celle de Slimane. Slimane ! Le visage du Turc apparut à Riou. Oui, Slimane qui avait donné lui-même sa vie pour le Franc qu'il était, Slimane valait bien le prix terrible que Riou avait payé. Le jeune chevalier se sentit raffermi et, taisant ce qui avait trait au souterrain pour lequel des dizaines d'hommes étaient morts sous le couteau des bouchers, il reprit d'une voix plus assurée.

— Un Turc, un mahométan, après m'avoir sauvé des galères, avait donné sa vie pour me faire évader de la chiourme qui construit en ce moment la forteresse de Subeybié, où les Haschachinns m'avaient condamné. Il allait être mis à mort pour cette raison. Rachid Ed Dine a voulu que je lui tranche la tête moi-même avec une épée franque qu'on a envoyé chercher...

— Par tous les Saints ! interrompit le Sénéchal des Courriers. Il n'y a que lui pour vouloir des choses pareilles...

— J'ai alors demandé un miracle à la Sainte Vierge, reprit Riou, et soudain le muezzin a appelé les Haschachinns à la prière... Quand ils se sont relevés, le Vieux de la Montagne m'a dit qu'il avait réfléchi, et qu'il me donnerait la vie du Turc si je prenais l'engagement de me faire musulman...

Riou se tut. Le Sénéchal des Courriers ne disait mot, profondément étonné par le récit du jeune chevalier. Puis il se leva de sa chaise de camp et marcha de long en large devant la tente tandis que Riou se mettait debout à son tour par déférence. Frère Everard se retourna vers le jeune homme.

— Avez-vous vraiment en votre âme imploré miracle à la Très Sainte Vierge ? interrogea le Sénéchal.

— Oui, mon frère. Je tenais mon épée levée, prête à l'abattre pour trancher le col de ce Turc et j'ai appelé la Sainte Mère de Dieu pour la prendre à témoin de l'horreur du geste que j'allais accomplir. C'est alors que l'imam qui accompagnait Rachid Ed Dine s'est dressé pour appeler à la prière...

— Cela est troublant, en effet, car la Très Sainte Mère de Jésus est vénérée par les Mahométans comme par nous-mêmes, dit le Sénéchal pensivement. Cependant, vous devez aller chez l'atabeg de Djabala et commencer à vous instruire dans la religion musulmane, afin de ne point manquer de parole à Rachid Ed Dine... Il tient la vie de ce Turc entre ses mains, ainsi que votre honneur de chevalier.

Le sénéchal marqua un temps, avant d'ajouter, en fixant Riou dans les yeux :

— Cet univers d'Orient, où nous affrontons des hommes différents de nous, repose, plus encore que le nôtre, sur la parole donnée... Et d'ailleurs Rachid Ed Dine pourrait vous faire mettre à mort à tout moment choisi par lui, s'il vous jugeait coupable de parjure.

Le Sénéchal demeura un instant perdu dans les pensées qu'avait levées en lui le récit surprenant de son interlocuteur, puis il se retourna à nouveau vers celui-ci.

— Je vais soumettre votre cas à notre Souverain Maître des Commanderies d'Orient, que je verrai dans quelques jours à notre forteresse de Saphet, après avoir acheminé ce courrier-ci. Seul le Vieux de la Montagne peut vous relever de votre jurement. Notre Maître, s'il le juge bon, peut lui demander de le faire.

— Votre Maître le connaît-il ? demanda Riou surpris.

— Le Maître des Haschachinns paie tribut annuellement à notre Ordre de vingt mille ducats d'or, et veut toujours rencontrer notre Maître à cette occasion.

— Se peut-il ? s'écria Riou.

— Mon jeune Sire, nous sommes venus dans la Terre sainte pour conserver Jérusalem au Christ. Nous ne pouvions le faire sans des alliances avec des princes mahométans. Nous avons pris deux forteresses que les Haschachinns prétendaient construire dans des endroits qui menaçaient les nôtres, et Ketboga, le prédécesseur de Rachid Ed Dine à la tête de la Secte, a préféré traiter avec nous. Nous avons choisi d'accepter, en exigeant ce tribut annuel en garantie. Les Haschachinns ont soixante mille guerriers sous les armes, sans compter tous leurs porteurs de couteaux qui vont tuer les princes qui déplaisent au Vieux de la Montagne. Voyez-vous, mon jeune Sire, nous autres Francs ne sommes pas assez nombreux en Orient pour les grandes ambitions que nous avons. Aussi devons nous composer. Le plus grand ennemi des principautés chrétiennes en Palestine est le Sultan de Perse, qui veut étendre sa domination sur toute la Terre sainte jusqu'à l'Egypte. Rachid Ed Dine serait écrasé par lui après que les chrétiens auraient été chassés, et il le sait... Voilà pourquoi vous devez continuer votre route vers Djabala, et tenir vos serments, plutôt que rester avec nous et prendre passage sur un de nos vaisseaux qui repart vers Aigues-Mortes ou La Rochelle...

Le Sénéchal se tut. Riou, la tête entre ses mains, comprenait qu'il était maintenant dans un autre monde. Le petit château de Bretagne, les ruses du seigneur de Québriac, la Dyct du Paon du Comte Baudouin, tout cela était loin, effacé par une réalité puissante et nouvelle.

— Mais votre famille ignore sans doute que vous n'êtes plus prisonnier des Infidèles, mon jeune Sire, puisque vous n'avez été libéré de la chiourme que de quelques jours ? reprit la voix du Sénéchal.

— Oui, en vérité, dit Riou, pensant à sa mère qui devait vivre avec l'annonce, faite par les éclopés revenus en Bretagne, que son fils avait été condamné aux galères par le Sultan de Tunis.

Le Sénéchal demeura silencieux, observant Riou d'un regard amical. Puis il reprit :

— Il faut maintenant instruire les vôtres de votre état. Je resterai quelque temps au-dehors de ma tente. Les gens de mon âge dorment peu. C'est une bonne heure pour la méditation, sous les étoiles. Asseyez-vous à ma place, usez de mes plumes, et faites les lettres que vous voudrez. Elles partiront la semaine prochaine pour la Commanderie la plus voisine de votre terre. La connaissez-vous, mon jeune Sire ? ajouta le Sénéchal en posant sa main sur l'épaule de Riou.

— Certes, mon frère. La Villerouhault est proche de la Commanderie de Dol-de-Bretagne...

— Fort bien, dit le Sénéchal, nous écrirons là !

Le frère Everard sortit après ces mots et le chevalier s'attabla à l'écritoire de voyage. Les larmes tombèrent de ses yeux sur le papyrus tiré de cet écritoire lorsqu'il écrivit en tête : *à ma très chère Mère.*

Le Sénéchal se montra alors de nouveau.

— Pardonnez mon intrusion, mon jeune Sire, dit-il, mais je suppose que vous écrivez à Dame votre Mère ?

— Oui mon frère. Je n'ai plus mon père, que la maladie et les fatigues de guerre ont emporté.

— Puis-je vous conseiller de ne point lui dire encore que vous avez accepté de vous faire mahométan ?

— Je n'en avais pas l'intention, mon frère, dit Riou.

21.

On chasse le lion à Cheïsar

Entre des grands cèdres bleus dont les ombres s'allongeaient au rythme de la fin du jour Riou atteignit le sommet de la colline d'où, selon ce que lui avait indiqué le Templier commandant les Turcopoles, il pourrait apercevoir sur le rivage même la haute silhouette de la forteresse de Djabala, résidence de l'atabeg régnant sur la principauté qui portait ce nom. Elle dressait en effet sa masse déjà sombre sur le fond scintillant de la mer qui venait toucher d'un côté ses soubassements. Silhouette étrange, avec deux énormes tours jumelées détachées en avant du reste de l'édifice qui avait été bâti sur un entassement de rochers.

Au-delà de ceux-ci plongeait dans la mer une autre tour dont la mission était de toute évidence la défense d'un petit port fortifié au milieu duquel on apercevait de loin les formes de plusieurs felouques tirées à sec sur un plan incliné par des treuils dont Riou distingua, à mesure que son cheval descendait de la colline pour rapprocher son cavalier du but de son voyage, les grands bras dressés. Attaquée par terre, la forteresse avait sa porte ouverte sur le large, par où elle pouvait recevoir des secours. Devant les deux tours terrestres s'étendait un espace nu d'une demi-lieue de côté sur lequel la cavalerie casernée dans la place pouvait évoluer sans rencontrer d'obstacle, alors qu'au contraire les assaillants éventuels se trouvaient exposés sans abri aux projectiles partant des murailles. Et Riou, après avoir combattu sous les murs de Mahdia, savait quels tirs meurtriers pouvaient jaillir d'une place tenue par des Mahométans.

A la vue de cette si subtile construction le jeune homme éprouvait une étrange sensation, faite d'admiration pour les architectes qui l'avaient conçue et du sentiment inexplicable que ce paysage qu'il avait sous les yeux s'accordait avec son propre destin. Une brise tiède apportait jusqu'à lui les odeurs des jardins d'orangers et d'oliviers qui s'étendaient à perte de vue au-delà du vaste quadrilatère dont la vacuité était conservée pour des raisons militaires.

Enserrée dans cette verdure, la ville de Djabala, avec ses trois mosquées aux dômes dorés par les derniers rayons du soleil, pressait les unes contre les autres ses maisons blanchies d'une chaux éclatante, enfermée elle aussi dans des murailles que dominait un vieux petit fort construit sans doute pour la défendre quand la forteresse n'existait pas encore. Au moment où il se mettait en route vers la ville, le vent amena au chevalier des lambeaux d'une rumeur qui en venait, colorée de cris d'enfants et soutenue par des battements de tambour d'une fête qu'on y donnait probablement pour un mariage.

Ayant traversé au pas de son cheval tout le terrain occupé par les jardins entourés comme toujours de tabias hérissées de figuiers de Barbarie, Riou parvint dans l'espace nu au fond duquel jaillissaient les deux tours dont la hauteur paraissait maintenant effrayante. Dans leur ombre, des dizaines d'enfants de tous âges, armés d'arcs, s'exerçaient à tirer sur des cibles et des mannequins. D'autres lançaient en l'air sans relâche des sortes de balles que les jeunes archers s'efforçaient d'atteindre de leurs flèches. L'atabeg de Djabala préparait depuis l'enfance ses sujets à devenir des guerriers redoutables.

Ces sagittaires en herbe, dès qu'ils virent venir à eux le cavalier qu'était Riou, se précipitèrent dans sa direction, faisant siffler leurs flèches au-dessus de sa tête avec des rires. Puis ils se disputèrent l'honneur de tenir la bride de son cheval tandis que le voyageur mettait pied à terre devant la poterne d'entrée.

Sous la voûte où des gardes jouaient aux dames et d'autres dormaient sur des tapis, Riou s'avança vers un personnage qui lui parut être un officier. Il lui dit le *salam alik* et, pour éviter toute conversation dans laquelle il eût révélé ses difficultés à s'exprimer en arabe, lui tendit le firman du Vieux de la Montagne qui lui tenait lieu de sauf-conduit. En ayant pris connaissance, l'officier regarda Riou avec curiosité, et lui dit d'attendre dans une petite pièce meublée d'un divan bas et d'une table de bois ouvragé.

Riou s'assit les jambes croisées sur le divan de cette pièce donnant sur la longue voûte qui s'enfonçait dans l'épaisseur des deux hautes tours et communiquait avec la grande cour intérieure de la forteresse. Un garde entra quelques minutes plus tard avec des rafraîchissements et des fruits sur un plateau qu'il posa sur la table basse. Riou but d'un verre qui contenait de l'eau additionnée de sirop d'orgeat. Des chevaux menes à l'abreuvoir défilèrent devant l'embrasure de la porte, faisant résonner les voûtes de leurs hennissements et du bruit de leurs sabots. Tout ce qui s'offrait aux yeux de Riou était propre, les chevaux paraissaient admirablement tenus et les gardes, dans leurs tuniques et pantalons de coton en parfait état, portaient la barbe et les moustaches taillées de la même manière et peignées avec soin. Par moments venaient les cris des enfants archers répercutés par la voûte du grand couloir, puis le silence massif de l'énorme édifice reprenait ses droits, un silence qui exprimait, avec tout le reste du spectacle offert au regard du jeune chevalier, ce que cette forteresse avait de solide et ce que son prince avait de conséquent à ses devoirs.

Puis l'officier reparut, amenant avec lui un homme d'une quarantaine d'années au teint olivâtre et aux yeux en amande qui tenait le firman du Vieux de la Montagne à la main.

— Soyez le bienvenu à Djabala, Sire chevalier, dit l'homme en français avec un sourire. Le seigneur atabeg n'est pas revenu de voyage. Nous attendons d'un jour à l'autre un pigeon annonçant son retour. Cependant vous serez accueilli par le seigneur Mahmoud son fils auprès de qui je vais vous faire conduire aussitôt...

— Comment avez-vous si bien appris notre langue, Messire ? dit Riou étonné.

— J'ai longtemps étudié en Espagne, à Cordoue, et j'ai séjourné aussi à Montpellier.

Riou hocha la tête avec admiration.

— Vous-même, Messire, parlerez bientôt notre langue si vous restez parmi nous...

Il se tourna vers l'officier.

— Qu'on le conduise chez le seigneur Mahmoud, dit-il, en arabe cette fois.

A la suite de deux gardes précédant son cheval, Riou avait repris le chemin des collines qui dominait la plaine côtière au bord de laquelle se dressait la forteresse. Le soleil déclinait rapidement au-dessus de la mer, qui se préparait à engloutir son disque rougeoyant en prenant une couleur mauve. Une escadrille de menus bateaux de pêche quittait le port de Djabala, qui se découvrait maintenant à la vue de Riou au-delà de la ville du haut de ce chemin montant bordé d'oliviers entre lesquels des fèves et d'autres légumes que Riou ne connaissait pas étaient cultivés en longs rectangles régulièrement disposés.

Le sentiment qu'il avait éprouvé à sa découverte de la forteresse tout à l'heure s'empara de nouveau du jeune homme. Tout ici semblait ordonné d'une manière intelligente et sensible pour dessiner un paysage comme dans un rêve que Riou aurait fait ou qu'il aurait vécu dans une existence antérieure.

Le chemin s'étrangla entre de hauts rochers, et, quand ceux-ci furent passés, Riou se trouva devant la masse trapue d'un bâtiment qui ne pouvait être que la résidence du fils de l'atabeg. Ses guides en effet le firent pénétrer dans une puissante maison forte à plusieurs étages entourée de fossés remplis d'une eau qu'un torrent descendu des hauteurs fournissait à longueur d'année, ainsi qu'ils lui expliquèrent avec force gestes. Des flancs de cet édifice, bâti lui aussi pour résister à un siège, partaient des murs qui semblaient enfermer un vaste jardin, selon les flèches sombres des cyprès qui les dépassaient.

Le jeune homme laissa son cheval aux mains de gardes vêtus d'un uniforme différent de celui des cavaliers de la place forte d'en bas, et fut conduit dans une vaste salle qui lui fit croire un instant, à la vue des trophées de chasse, têtes de cerfs et de daims, apposées aux parois, qu'il revenait dans un château de Bretagne ou de quelque autre pays franc. Mais les regards du chevalier s'arrêtèrent sur d'autres têtes ouvrant des mâchoires cruelles : des lions, des panthères et des hyènes...

Au fond de la pièce dallée de pierre blanche plusieurs hommes étaient assis les jambes croisées sur une sorte d'estrade de bois verni, occupés à manger et boire, entourés de serviteurs en livrée, dont certains étaient de race noire.

Ils se turent à l'approche de Riou, le regardant s'avancer vers eux. Les domestiques allumèrent des torches à ce moment-là, car le jour était tout à fait tombé et, dans le crépitement que faisaient les torches en prenant feu, Riou vit qu'ils étaient six, avec toujours ces mêmes barbes noires bien soignées, et des regards durs et hardis de guerriers rompus aux dangereux exercices de la chasse ou de la guerre. Le jeune chevalier éprouva confusément le sentiment qu'ils étaient de la même race que ces fauves dont les mufles grimaçaient aux murs de pierre de la salle.

Riou revit dans sa pensée les enfants archers qui avaient fait voler leurs flèches tout près de sa tête tout à l'heure. Ces jeunes Arabes étaient dressés à combattre plus durement encore que les jeunes seigneurs de la cavalerie franque. Leurs armées avaient conquis Jérusalem, en tout cas, et il faudrait beaucoup de sang versé et de chevaliers percés de coups pour leur reprendre la ville sainte. Ces six-là qui le regardaient curieusement devaient déjà jauger ce que valait le Franc blond qui se tenait devant eux, évaluer la force de ses muscles sous sa gandoura, mesurer sur ses traits son poids de courage et de virilité...

Le garde qui avait conduit Riou jusque-là salua en portant la main à son front puis à ses lèvres et s'approcha pour tendre le mot d'introduction écrit par Oumstal à celui des six hommes qui paraissait présider le repas, avec de larges épaules et un regard particulièrement hardi, et qui ne pouvait être que le maître de maison, Mahmoud, fils et héritier de l'atabeg Al Zahir el Mundiqh de Djabala.

Mahmoud lut le papier qui présentait Riou comme un chevalier franc ayant décidé d'embrasser la foi musulmane et le posa à côté de lui.

— C'est un Franc qui vient se faire musulman, annonça-t-il aux autres.

Ils hochèrent la tête en regardant Riou de nouveau et murmurèrent quelques paroles de commentaire que le chevalier ne comprit pas, puis Mahmoud s'étant levé sans aucun effort en dépit de sa corpulence, grâce à ses muscles puissants entraînés par de longues marches à la chasse, tendit le bras en désignant l'estrade où tous se tenaient.

— Viens prendre place parmi nous, dit-il avec un sourire qui découvrit une rangée de dents d'une blancheur éclatante, avec des canines apparentes qui donnaient à ce sourire un caractère farouche.

— Parles-tu l'arabe ? demanda Mahmoud tandis que Riou s'asseyait, les autres convives s'étant déplacés pour que le nouveau venu puisse être en face du maître de céans.

— Je le comprends et le parle un peu, répondit Riou.

Un serviteur présenta au jeune homme un bassin d'argent rempli d'eau parfumée par des fleurs d'oranger. Un autre attendait avec une serviette de fine étoffe brodée.

— Qu'importe ! reprit l'héritier de Djabala pendant que Riou se lavait les mains. Nous avons ici assez de professeurs pour te l'enseigner. Mon père a un jardin rempli de philosophes qui parlent toutes les langues et jacassent toute la journée, poursuivit-il avec un rire auquel les convives firent écho avec complaisance. Ils serviront pour une fois à quelque chose !

Bien que n'ayant pas saisi tout ce qu'avait dit son interlocuteur, Riou comprit qu'il avait avec ses invités une complicité dans la moquerie à l'égard des savants et des philosophes et il sourit prudemment, tandis que l'arrivée d'un énorme plat d'argent surchargé de viandes grillées faisait diversion.

Alors que les serviteurs s'affairaient à placer le plat entre les convives sur une sorte de trépied, Riou vit que Mahmoud donnait à voix basse un ordre à l'homme qui semblait diriger la domesticité et qui se tenait derrière lui, ayant l'œil à tout. L'homme inclina la tête et sortit aussitôt par une des portes qu'on voyait au fond de la salle.

— Mange et bois ! lança le maître de maison avec un nouveau sourire carnassier en désignant le plat abondamment rempli de toutes sortes de viandes grillées. Nous allons t'apprendre tout ce qu'il faut pour être un bon musulman...

Les invités rirent en approuvant de la tête, tout en prélevant des pièces de viande.

Riou, qui avait faim, n'ayant rien pris de la journée, que de l'eau à des fontaines quand il faisait boire son cheval et quelques fruits que lui avaient donnés des enfants sortis d'un jardin, s'appliqua à obéir à l'invite de son hôte. Un des serviteurs lui tendit un hanap d'argent. Riou le porta à ses lèvres et reconnut l'odeur du vin. Du vin ! Il n'en avait pas bu depuis de longs mois. Il regarda ses voisins, qui tenaient eux aussi des hanaps semblables et s'apprêtaient à boire, ainsi que Mahmoud lui-même. Le fils de l'atabeg et ses compagnons ne s'embarrassaient pas des prescriptions coraniques qui condamnaient l'usage des boissons fermentées...

— Celui-ci est Hassid, celui-ci est Ahmed, celui-ci est Aboubker, celui-ci est Mahjoub ! énuméra Mahmoud en désignant l'un après l'autre ses invités pour les présenter. Tous gens de Cheïsar, et plus encore celui-ci, le beau Nassr, neveu de l'Emir Mactoum, mon ami de toujours, dit Mahmoud en posant son bras sur les épaules du guerrier au visage dur et rusé qui était assis à sa droite. Les gens de Cheïsar sont des lions ! s'écria-t-il enfin avec enthousiasme.

De son hanap au bout de son bras tendu, il montrait maintenant les trophées de fauves aux murs de la salle.

— Tous ces lions que tu vois ici, que nous avons tués, viennent de Cheïsar ! Cheïsar est le paradis des lions. Les lionnes y font tant de petits qu'ils viennent peupler la forêt de Djabala. Avez-vous des lions, au pays des Francs ? interrogea Mahmoud en revenant à Riou.

— Non, dit Riou. Ils ne peuvent vivre dans nos contrées.

A ce moment, une jeune femme voilée entra par la porte à travers laquelle le chef des domestiques était parti tout à l'heure pour aller la chercher sur l'ordre que lui en avait donné Mahmoud, ainsi que Riou le comprit alors.

Mahmoud se retourna vers cette femme, vêtue d'une longue robe de mousseline, avec des colliers d'or au cou et des bagues aux doigts.

— Viens ! Viens ! Ma belle amie, lui lança-t-il. Voici un homme de ton pays qui vient se joindre à nous !

Comme elle était parvenue auprès de lui, il la prit par le bras.

— Ma plus belle femme ! lança-t-il à Riou. Ecarte ton voile, ne crains rien, ma belle, il n'y a ici que mes amis très chers ! Je suis fier qu'ils voient ton beau visage.

La jeune femme ôta le voile qui lui couvrait le visage, qu'elle plaça sur ses épaules d'un geste gracieux, découvrant des cheveux blonds tressés en nattes, des yeux bleus, un nez droit, un très beau visage en effet de jeune femme franque.

— Dis-lui dans ta langue qui tu es, ma belle, ma préférée, et d'où tu viens...

— Je suis Anne, dit la jeune femme. Mon père est mort captif à Cheïsar alors que j'étais une enfant, personne n'ayant encore payé sa rançon. J'ai été élevée par les femmes de l'Emir. Mais mon nom est Maïmouna depuis que je suis musulmane. Venez-vous ici pour rester parmi nous, chevalier ?

— Oui, dit Riou.

— Demande-lui pourquoi il se fait musulman, intervint Mahmoud, et traduis ses paroles, ma belle...

— J'en ai fait le serment à Rachid Ed Dine, celui qu'on appelle le Vieux de la Montagne, déclara le chevalier.

A ce nom les convives de Mahmoud marquèrent de l'étonnement et de l'intérêt.

— Par le Manteau des Califes ! s'écria Mahmoud, lui-même étonné. Tu connais Rachid Ed Dine et tu es encore vivant ! As-tu racheté ta vie par la promesse d'embrasser notre religion ?

— Non pas ma vie, mais celle d'un ami, dit Riou.

— Généreux ! s'écria Mahmoud approuvé par les autres, aussitôt que les paroles du jeune chevalier leur furent traduites. Tu es un homme généreux ! Mais cela ne suffit point pour être un grand guerrier parmi nous ! Es-tu courageux également ? Demande-lui, Maïmouna, ce qu'il a fait pour prouver son courage !

Riou sourit.

— J'ai combattu souventes fois contre les Mahométans...

Tous éclatèrent de rire, appréciant la repartie du jeune Franc.

— Certes ! Il faut beaucoup de courage pour affronter des gens comme nous ! reprit Mahmoud. Mais si tu as été fait prisonnier, c'est que tu ne t'es pas battu jusqu'à la mort ! Regarde ! Aucun de nous n'a jamais été prisonnier et pourtant nous avons souvent combattu.

— C'est vrai, admit Riou.

Le jeune chevalier réfléchit un instant, cherchant une réponse dans le ton des propos moqueurs du fils de l'atabeg. Son regard rencontra les trophées de fauves au mur de la salle.

— Mais je sauverai peut-être ta vie, demain, à la chasse, par exemple, si nous y allons ensemble, lança-t-il, et qu'un lion se jette sur toi... A ce moment, tu seras heureux que je n'aie pas voulu de la mort au siège de la ville de Mahdia le jour où j'ai été pris...

Riou sourit en achevant sa phrase, satisfait de sa trouvaille. Mais cette fois le visage de Maïmouna s'était fermé. La jeune femme semblait ne pas vouloir traduire les paroles du chevalier.

— Messire, lui dit-elle en français, peut-être n'est-il pas séant de parler de cela au seigneur Mahmoud...

— Que dit-il, que dit-il ? répéta Mahmoud avec impatience, voyant que son épouse favorite argumentait avec Riou. Il a parlé de lion, n'est-ce pas ?

— Certes..., fit la jeune femme, gênée.

— Eh bien ! lança Mahmoud avec une violence qui surprit Riou et fit venir des lueurs d'inquiétude dans les yeux des autres convives. Pourquoi ne peux-tu répéter ses paroles. Parle ! Je te l'ordonne, par les neuf épées de Khaled [1] !

Maïmouna prit la parole en arabe avec crainte.

— Le chevalier a dit que tu seras heureux qu'il n'ait pas combattu jusqu'à la mort au siège de Mahdia, s'il va chasser avec toi et qu'il te sauve la vie, après qu'un lion en colère t'aura attaqué...

Elle acheva sa phrase dans un grand silence. Riou vit que tous les convives retenaient leur souffle et que les narines de Mahmoud palpitaient comme si la colère montait en lui. Le jeune homme les regardait les uns après les autres sans comprendre.

— Demande-lui s'il sait ce qui est arrivé, ou s'il a parlé par hasard, laissa tomber enfin le maître de maison d'une voix menaçante, chargée de colère contenue.

— Messire, dit la jeune femme d'un ton peu assuré, le seigneur

1. Khaled, compagnon d'armes du Prophète Mahomet, rompit successivement neuf épées à la bataille de Mouta.

Mahmoud demande que vous lui disiez sur votre honneur si vous avez été instruit de ce qui est malheureusement arrivé à son frère Jaffar à la chasse, ou si les propos de votre réponse vous sont venus naturellement, à la vue des trophées qui sont dans cette salle...

— Comment saurais-je que le seigneur Mahmoud a jamais eu un frère ? s'étonna Riou. Ne suis-je point arrivé ici ce jour même, n'y connaissant quiconque ?

La jeune femme se tourna vers son mari.

— Il ignore que vous avez eu un frère, seigneur, dit-elle.

Le visage de Mahmoud se détendit, ses invités qui n'osaient plus toucher aux mets étalés devant eux se remirent en mouvement, et les domestiques eux-mêmes, qui s'étaient figés sur place au moment où les paroles du Franc traduites par l'épouse du Maître avaient rappelé malencontreusement la mort de son frère, recommencèrent leur va-et-vient.

— Dis-lui ce qui est arrivé, ordonna Mahmoud à la jeune femme, en portant la main à son hanap qu'un domestique venait de remplir.

— Le seigneur Mahmoud me demande de vous instruire que son frère Jaffar a péri dans un accident de chasse sous les dents d'un lion. C'est pourquoi il a cru que vous aviez parlé avec intention en connaissance de la chose, et vous sentant piqué par ses plaisanteries...

— Pourquoi en aurais-je parlé intentionnellement ? demanda Riou en fronçant les sourcils.

— Parce que le fait est reproché au seigneur Mahmoud, qui n'a pu porter secours à son frère à temps. Son cheval, effrayé par le lion, l'a emporté trop loin du lieu où cela s'est produit. Le seigneur Mahmoud s'est jeté à terre et lorsqu'il a pu courir pour tenter de frapper le lion, le seigneur Jaffar était fatalement blessé...

— Et qui en fait le reproche au seigneur Mahmoud ? demanda Riou.

La jeune femme secoua la tête.

— Il n'importe, dit-elle. Ne songez point à cela, Chevalier. Sachez seulement que le reproche est immérité.

Riou regarda à nouveau Mahmoud. Il avait repris son calme, après avoir donné le spectacle d'une colère qui, bien que maîtrisée, n'en révélait pas moins un caractère violent en accord avec le reste de son personnage. Le chevalier s'adressa à la jeune femme.

— Dites au seigneur Mahmoud que je regrette d'avoir parlé comme je l'ai fait, dans mon ignorance de ce tragique souvenir...

La jeune Franque s'exécuta.

— Dis-lui qu'il a fort bien répondu, au contraire, lança Mahmoud qui semblait décidé à renouer avec sa belle humeur. A condition qu'il ne fasse pas à la chasse comme à Mahdia ! Qu'il ne se laisse pas faire prisonnier par le lion !

Il éclata de rire, et tous autour de lui, les rudes guerriers et chasseurs, s'esclaffèrent, pendant que Maïmouna traduisait la plaisanterie que venait de faire son époux. Celui-ci reprit :

— Eh bien, chevalier franc ! Je vais te prendre au mot !

Il se retourna vers son intendant.

— Fais dire qu'on nous prépare des chevaux et des chiens. Qu'on envoie un courrier en avance prévenir les pisteurs. Qu'ils nous trouvent des lions pour demain matin à l'aube ou, sur ma parole, je les enverrai travailler dans les champs, ramasser les olives et traire les chèvres pendant une année entière ! Nous partirons dans deux heures. Fais partir aussi en avance les danseurs ! Qu'ils se mettent en route sans crainte d'abîmer leurs jolis derrières ! Donnez-nous à boire, paresseux, endormis ! s'écria soudain le fils de l'atabeg en montrant ses dents carnassières, apostrophant les domestiques. Maïmouna ! Dis-lui, à ce jeune Franc, ton frère ou ton cousin, qui a les cheveux blonds comme toi, et la peau blanche et tendre ! Dis-lui que nous allons chasser tous ensemble et qu'il devra tuer un lion avant demain midi, s'il veut être à l'aise parmi nous autres. Tuer un lion, boire du bon vin, dépuceler une belle grosse fille ou un joli garçon, dormir sans descendre de son cheval, trancher la tête d'un ennemi d'un seul coup de sabre... Voilà ce qui fait un vrai guerrier arabe !

Le convoi cheminait dans la montagne sous la lumière de la lune. Par moments la forêt refermait sa voûte obscure au-dessus de la longue file des chevaux et des mules portant chasseurs, cavaliers d'escorte et valets, saluant leur passage par les ululements des oiseaux de nuit. A d'autres les arbres devenaient rares, et le chemin nu amenait la troupe à longer des ravins au fond desquels des chacals sanglotaient leurs plaintes douloureuses répercutées par l'écho. En tête allait le seigneur Mahmoud, somnolent sur une grande mule dont le pied était assez sûr pour qu'il n'ait pas à se soucier de la conduire. Nassr, le neveu de l'Emir Mactoum, venait derrière, suivi par les autres invités du fils de l'atabeg. Riou était de ceux qui fermaient la marche, aux côtés de Maïmouna, qui montait une mule à la mode franque, c'est-à-dire en amazone. La grande forêt où se trouvaient les lions s'étendait à la limite qui séparait la principauté de Djabala des terres de l'émir de Cheïsar. Maïmouna, accompagnée de deux de ses servantes, avait saisi l'occasion du départ de cette chasse impromptue pour se rendre à Cheïsar auprès de sa mère adoptive, à qui elle faisait de fréquentes visites.

— Qui est ce petit homme qui marche derrière nous sur sa mule, avec ses valets conduisant deux chameaux chargés ? demanda Riou.

— Le chirurgien, dit Maïmouna. Depuis l'accident qui l'a privé de son fils Jaffar, mon beau-père exige qu'il suive toutes les chasses avec son nécessaire.

— Les chirurgiens d'ici sont-ils si habiles qu'ils auraient pu sauver celui qui fut mis à mal par le lion ?

— Je ne sais, en l'occurrence. Mais il est vrai que les médecins et les chirurgiens de ces pays mahométans sont véritablement savants. Etant jeune fille, j'ai été emmenée à Bagdad dans la suite de l'émir qui m'a élevée. Le sultan Adoud qui régnait là-bas nous a fait visiter ses hôpitaux. Il y en avait quarante-quatre dans la seule ville de Bagdad, tous tenus dans une propreté méticuleuse. On y soigne toutes les maladies. Ceux qu'on opère sont endormis avec une drogue afin qu'ils ne souffrent point lorsque le chirurgien porte son scalpel dans leur chair. Comme on savait évidemment que j'étais une jeune fille franque, on me demandait si on faisait aussi bien chez les chrétiens. Je ne savais quoi répondre, ayant été capturée par les musulmans alors que je n'avais pas atteint l'âge de cinq ans. Je disais donc par fierté que tout était aussi bien chez ceux de ma race et de ma religion. Mais j'ai appris depuis qu'il n'en est rien, et que les médecins de nos contrées sont ignorants en comparaison de ceux d'ici.

— Vous semblez bien conquise par la foi mahométane, dit Riou en souriant.

La jeune femme secoua la tête.

— Ce n'est point affaire de foi. Bien au contraire. J'en ai parlé aux médecins de l'Emir de Cheïsar, qui avaient étudié à Damas, où on trouve aussi de grandes écoles de médecine. Ils m'ont expliqué que l'Eglise chrétienne a rendu impossible le progrès de la médecine en décrétant que la maladie était une punition de Dieu, et que les hôpitaux devaient être pour cela entre les mains des moines et des religieuses. Chez les mahométans, on ne demande pas au malade, devant que d'être mis aux mains des chirurgiens, de se repentir de ses péchés et d'être entendu en confession. Les gens d'ici, quand ils ont vu que cela se passait ainsi à l'hôpital franc de Saint-Jean de Jérusalem, où les blessés graves ne recevaient des soins qu'après avoir accepté la communion, ont été fort étonnés. Chez eux, les médecins étudient le corps humain en découpant les cadavres, afin de connaître la nature des choses intimes de la créature de Dieu, alors que cela est sévèrement défendu dans la chrétienté. J'ai vu dans les hôpitaux de la ville de Bagdad que la médecine est enseignée dans les salles mêmes où sont soignés les patients, et non pas comme chez les chrétiens dans des universités où ceux qui étudient ne le font que dans des livres. Oumstal, le secrétaire de mon beau-père, qui a séjourné à Montpellier en a été fort surpris, lorsqu'il a été témoin de cette chose...

— Oumstal serait-il celui qui m'a reçu à mon arrivée à Djabala ? demanda Riou.

— Sans doute. Lui seule parle la langue franque dans l'entourage de mon beau-père l'atabeg.

Tandis que mules et chevaux allaient sur le chemin constellé des taches que faisait la clarté de la lune à travers les arbres, Riou songeait à l'agha Mokrane, assis devant la belle tente du Duc de Bourbon en compagnie de ses officiers, venu demander aux seigneurs francs pourquoi les chrétiens leur faisaient la guerre, et s'entendant répondre que les musulmans avaient crucifié Notre-Seigneur Jésus... Pour les choses de la religion comme pour le reste, les Mahométans étaient plus instruits et plus justes que les Chrétiens. La foi chrétienne servait à donner aux plus brutaux la confiance en eux-mêmes qui les autorisait à commettre toutes les violences en bonne conscience et satisfaction, ainsi que l'avait fait Foulque de Macé en piétinant le corps du jeune fils du Sultan de Tunis sous les fers des sabots de son destrier... Y avait-il, se demanda le chevalier, chez les Mahométans, des hommes comme Foulque capables de mensonges et de brutalité ? Comment était l'atabeg Al Zahir, ce seigneur inconnu qui tenait entre ses mains le destin de Riou, selon le caprice du Vieux de la Montagne, et selon l'enchaînement étrange qui avait mené Riou de la forêt bretonne où il avait rencontré le Comte de Fougères en poursuivant les bandits de Tire-Frogne pour leur reprendre l'émeraude jusqu'à la forteresse de Djabala, après être passé par les galères du Raïs Maqsar et le souterrain du château de Soubeybié ? L'atabeg était-il comme son fils Mahmoud, guerrier farouche et prompt à la colère, buveur de vin et chasseur de lions ?

Riou regarda l'épouse de Mahmoud qui allait à ses côtés. Etonnante image que le profil de cette jeune fille blonde entre les pans de l'étoffe damasquinée ornée de pièces d'or qui encadrait son visage, l'Occident marié à l'Orient, Anne changée en Maïmouna, les yeux bleus captifs venus se brûler à un soleil trop fort...

Souffrait-elle d'être enracinée chez ceux que son père avait longtemps appelés les Infidèles, et tous ces compliments qu'elle faisait de leurs qualités n'étaient-il que pour s'étourdir, et faire taire au fond de son cœur le regret d'avoir été arrachée à ceux de sa race ?

Elle savait, elle, quel homme était l'atabeg Al Zahir. La jeune femme le lui dirait-elle ? Riou interrogea :

— Le seigneur Al Zahir est en voyage, m'a-t-on appris à ma venue à la forteresse. Sait-on dans quel pays, et la raison de son départ ?

— Je pense que le seigneur mon beau-père est allé en Egypte...

Riou s'attendait à un plus long propos, mais celle qu'on appelait Maïmouna se tut après sa brève réponse.

— N'est-ce pas un long périple ? reprit Riou, pour tenter d'en savoir plus. Le seigneur Atabeg ne reviendra point de sitôt. Aime-t-il tant s'éloigner de ses terres ?

— Cette période de l'année est pleine de vents rapides, et comme d'autre part les felouques arabes naviguent avec une aiguille aimantée qui leur indique jour et nuit leur direction sans risque d'erreur, leurs capitaines n'ont pas à rester en vue des côtes pour faire leur route. Ils peuvent emprunter le chemin le plus court. Aussi le seigneur Atabeg qui est parti depuis trois semaines peut être bientôt de retour maintenant.

— On m'a dit à la forteresse qu'il préviendrait de son arrivée par l'envol d'un pigeon ?

— Certes, dit Maïmouna. Ceux qui vont en voyage emportent des pigeons dans des cages, afin de garder correspondance avec leur forteresse, ce que les Francs n'ont jamais songé à faire, bien qu'ils aient de ces mêmes oiseaux dans leurs colombiers...

Elle disait cela avec un ton d'amertume qui s'accordait tout à fait avec la moue de ses lèvres. Maïmouna n'avait pas vu d'homme de sa race depuis de longues années sans doute. Riou avait-il réveillé en elle ce qui était endormi, enfoui sous les nécessités auxquelles elle avait dû se soumettre pour vivre au milieu de ceux qui l'avaient prise en pitié ?

— Cette aiguille aimantée qui indique le septentrion aux navigateurs est une chose bien précieuse et bien admirable, lança Riou. Je l'ai vue sur un navire où j'ai navigué plusieurs mois avant de devenir captif du Vieux de la Montagne. A quel savant la doit-on ?

— Ce sont les marins du Cathay[1] qui en usent depuis fort longtemps, dit Maïmouna. Les Arabes ont su la leur emprunter, en faisant commerce avec eux à travers les mers des Indes. De même que les chiffres qui permettent aux gens d'ici de compter rapidement et de développer la science mathématique. Ils ont été imaginés par les Indiens, il y a des siècles...

— Connaissez-vous l'usage de ces chiffres ? demanda Riou.

— Certes. Les maîtres qui enseignaient aux enfants de l'émir me les ont appris à Cheïsar. Le seigneur Atabeg a ici dans son grand jardin des savants dans cette science des nombres. Ils vous l'apprendront si vous le voulez.

— Quel est ce jardin, dont le seigneur Mahmoud votre époux a déjà parlé ? demanda Riou intrigué. Est-ce celui qui commence auprès de la résidence où j'ai été reçu par le seigneur Mahmoud ?

— C'est celui-là en effet. Il s'étend sur une demie-lieue en longueur, et contient des milliers d'arbres ordonnés selon des figures symboliques. Neuf pavillons y ont été construits, où logent des lettrés et des savants que l'atabeg protège, leur donnant ainsi le temps nécessaire à leurs ouvrages.

— Est-ce là l'œuvre de votre beau-père ?

— Son père l'atabeg Hussein en avait commencé la plantation, mais mon beau-père l'a beaucoup agrandi, et enrichi des pavillons, en prenant les conseils d'un fameux architecte de Cordoue et en y faisant venir des religieux qui écrivent des commentaires du Koran. Ce sont eux sans doute qui vous instruiront dans la religion...

La forêt de chênes-lièges cessa. Le convoi des chasseurs pénétrait dans une vaste clairière au centre de laquelle était une construction qui avait l'aspect d'un fondouk.

— Nous arrivons, déclara Maïmouna. La limite des terres de l'émir de Cheïsar est à quatre lieues de ce bâtiment, qui sert aux chasseurs et aux officiers des troupes de l'atabeg lorsqu'ils se déplacent dans la forêt.

— Et aux voyageurs qui vont de Djabala à Cheïsar, sans doute ?

La jeune femme fit non de la tête.

— Ils ne doivent l'emprunter. Mon beau-père en fait défense. Il existe une autre route qui longe la côte, par où se fait le passage, bien qu'elle soit plus longue que celle-ci.

— Comment se fait-il ? s'étonna Riou.

1. Nom ancien de la Chine.

Maïmouna haussa les épaules.

— L'atabeg mon beau-père a eu des désaccords avec l'émir. Je ne sais exactement lesquels.

— N'est-ce point fâcheux pour vous qui devez tant à l'émir de Cheïsar, et êtes en même temps l'épouse de l'héritier de l'atabeg, que la discorde prenne place entre l'un et l'autre de ces seigneurs ?

— C'est ainsi que je le ressens, dit Maïmouna en évitant de rencontrer le regard de son interlocuteur, qui scrutait le visage de la jeune femme en prenant conscience de sa gêne à parler de ce sujet-là. Mais nous faisons ce que nous pouvons, Mahmoud et moi, pour que ces différends ne dégénèrent point en querelle...

Les gardes postés devant l'entrée du fondouk avaient reconnu dans les cavaliers qui s'approchaient le seigneur Mahmoud et sa suite. Ils crièrent pour qu'on ouvre de l'intérieur, et Riou put entendre le bruit de la mécanique qui permettait de manœuvrer les vantaux de la porte fortifiée. La lueur des torches qu'on allumait dans la cour intérieure pour accueillir le fils aîné de l'atabeg jaillit par-dessus les hauts murs.

— Les chasseurs passeront le reste de la nuit dans ce fondouk à dormir en attendant l'aube, reprit Maïmouna. Quant à moi, je continuerai ma route vers Cheïsar après le lever du soleil, tandis que vous serez avec le Seigneur Mahmoud et ses amis à l'endroit où les pisteurs auront attiré les lions. Prenez bien garde à vous, car vous savez maintenant combien cette chasse peut être dangereuse...

Pour la première fois elle eut un regard qui s'adressait à son regard à lui, comme si elle s'autorisait enfin à éprouver un sentiment à son propos. Riou fut touché qu'elle sorte de la réserve dont elle avait fait preuve depuis qu'elle était entrée dans la salle où son seigneur et maître recevait ses farouches commensaux. Serait-elle une amie pour lui qui allait devoir se plier à son tour, comme elle avait dû le faire dès son enfance, aux dures contraintes de l'exil ?

Il chercha des mots à lui dire, qui eussent pu lui faire comprendre sa pensée, mais la tête du convoi pénétrait par la poterne ouverte dans la cour intérieure du bâtiment, et Mahmoud sur sa mule, qui n'y était point entré, s'avançait vers le chevalier et la jeune femme.

— Hé là, hé là, chevalier franc ! lança-t-il. Vous vous entendez trop bien avec ma femme ! Heureusement, j'en ai beaucoup d'autres ! Vous aussi, quand vous serez un bon musulman comme moi, vous en aurez un grand nombre ! Mais pour cette nuit encore, laissez-moi Maïmouna !

Il éclata de son grand rire de tyran, et tous les autres gentilshommes de la chasse firent chorus encore une fois.

— Grâce au ciel, seigneur, le chevalier ne comprend pas ce que vous dites, dit Maïmouna.

— Mais si, mais si ! Il comprend très bien ! Il sait assez d'arabe pour cela, n'est-ce pas, Chevalier franc ?

22.
Al Zahir el Mundiqh, atabeg de Djabala

La felouque qui ramenait d'Egypte l'atabeg Al Zahir arriva devant la forteresse de Djabala à la deuxième heure après minuit. Elle s'engagea entre les murailles du bassin que dominait la tour surveillant la mer et se mit à quai. L'atabeg défendit qu'on réveillât personne pour le recevoir et se rendit aux écuries. Il sella lui-même son cheval de promenade Ataman, qui était vieux de quatorze ans, noir de robe, grand et bien fort encore en dépit de son âge, et il quitta la forteresse suivi seulement de deux cavaliers en armes que l'officier de service pour la nuit détacha à l'accompagner.

De temps à autre, la lune sortait des nuages, éclairant le chemin que les cavaliers aussi bien que leurs montures connaissaient assez pour pouvoir le parcourir dans la plus profonde obscurité. C'était le chemin qui menait de la forteresse au jardin admirable qui avait été planté par le défunt père de l'atabeg, Hussein, au pied des collines qui dominaient la mer. Combien de fois l'atabeg Al Zahir n'avait-il pas parcouru ce chemin au pas d'Ataman, en agitant dans ses pensées les soucis qu'il avait reçus de ses pères, avec sa charge de tuteur des populations de Djabala [1] ?

Cette nuit pourtant si douce était encore une nuit de souci. Aux menaces que faisaient peser sur la petite principauté les ambitions du Sultan de Perse rêvant d'étendre l'ombre de son cimeterre jusque sur les coupoles des mosquées du Caire, s'ajoutait maintenant cette folie des chevaliers bardés de fer, aux poitrines signées de la croix du prophète Jésus, qui déferlait sur la terre de Palestine et de Syrie en vagues successives poussées par un vent d'Occident qui ne semblait jamais devoir tomber. Même quand la misère et la peste avaient fait

1. *Atabeg* signifie « tuteur », « protecteur ».

périr leur roi Louis sous les murailles de Tunis, ces chrétiens saisis de la folie de Dieu n'avaient pas jugé que le Créateur de toutes choses avait désavoué leur entreprise. Même quand les cohortes de leur formidable cavalerie de chevaux aux pieds énormes avaient fondu dans les déserts ensoleillés sous les nuées de flèches des rapides archers arabes ! La croisade..., songeait l'atabeg Al Zahir. Elle s'enflait de nouveau, menaçante depuis les rives du Bosphore. Seule pourrait en protéger Djabala l'amitié que son prince avait avec les Templiers, une amitié que l'atabeg avait héritée de son père Ifkir. Les moines-soldats savaient bien que les Francs ne pourraient maintenir des possessions en Terre Sainte qu'en nouant des alliances avec des princes mahométans intéressés comme eux de voir Jérusalem hors des serres des sultans rapaces pour qui la ville sainte n'était qu'une étape jalonnant leur marche vers l'Ouest. Mais combien de temps, ou combien de fois encore, maintenant que Jérusalem avait été prise par Salah Ed Din ? Rendus fous par la perte de la ville où leur Christ avait eu son tombeau, les Chrétiens d'Occident redoublaient de colère. Ceux qui parmi eux inclinaient à la modération n'allaient plus se faire entendre et de nouvelles tempêtes lèveraient de nouvelles armées franques pour une reconquête sans merci. Les sultans arabes n'avaient-ils pas été chassés de cette façon de toute l'Espagne ? Djabala deviendrait-elle le fief d'un seigneur à la barbe blonde après que l'atabeg Al Zahir et son fils Mahmoud auraient été tués dans un combat, percés de ces longues lances qui faisaient, avec les arbalètes de leurs soldats de pied, la force de cette féodalité franque ? Dans les rangs de cette noblesse batailleuse, les chevaliers sans terre avides de se tailler une principauté au soleil d'Asie étaient légion...

L'atabeg songea à Mahmoud, à ce fils si différent de lui. Mahmoud ne saurait pas continuer ce jeu prudent que jouait son père. Mahmoud était trop amoureux de la force brutale, trop influençable aussi, peu soucieux sans doute d'assumer seul et contre tout ce pouvoir qui avait été l'ambition de son aïeul Moudir, le fondateur, avant d'être le plaisir raffiné d'Ifkir fils de Moudir, et qui pesait maintenant si lourd sur les épaules d'Al Zahir.

La perte de Jaffar était irréparable. Oui, en vérité, si Dieu n'avait pas voulu que Jaffar périsse d'un lion, ce fils sensible et curieux de toutes choses aurait eu, lui, la patience et en même temps l'audace d'assumer cette tâche-là. Mais Dieu avait voulu... Dieu ! Où était Dieu ? L'atabeg leva les yeux vers le ciel qui était redevenu tout à fait sombre. Le créateur de toutes choses était-il attentif aux pensées et aux souffrances des hommes comme certains le croyaient, ou au contraire si loin, si divin, si inatteignable, que les hommes ne pouvaient que s'abîmer sur terre dans une adoration ineffable qui devait se contenter d'elle-même, ainsi que le professaient les *soufis* [1] ? Des uns et des autres, qui pensaient cela et le contraire, l'atabeg en logeait dans les pavillons de son jardin. Il allait de l'un à l'autre écouter leurs paroles. Il prêtait la même oreille attentive aux deux docteurs juifs qui cherchaient la vérité de Dieu dans leur Talmud, et qui étaient ses protégés en même temps que les docteurs musulmans. Puis l'atabeg Al Zahir, les ayant entendus dans le chant des oiseaux et le parfum des fleurs, revenait vers le kiosque qu'il avait fait bâtir au centre du jardin, enserré dans les frondaisons des amandiers et des néfliers, où il aimait venir se reposer d'une journée de chevauchée ou d'une nuit d'intrigues démêlées en compagnie d'Oumstal. Et tandis qu'il s'en allait à travers les douceurs de ce jardin la même question se posait à lui. Où était Dieu ? Car les uns et les autres n'y avaient pas répondu. Et l'atabeg se penchait vers une fourmi qui traînait sa brindille plus lourde qu'elle sur le sable de l'allée. L'homme n'était rien de plus que cet insecte peinant pour sa fourmilière. L'atabeg Al Zahir de Djabala était lui-même fourmi traînant son fardeau sur le sable au bord de la mer pour consolider sa forteresse que Dieu condamnait à la fragilité en dépit de toute la maçonnerie qu'on y avait entassée...

Maintenant les hauts murs de son jardin se dressaient devant l'atabeg et la lune se dévoilait de nouveau, peignant de blancheur le sommet des arbres qui en dépassaient le faîte. Les pas d'Ataman avaient amené à son but le cavalier perdu dans ses pensées, et l'odeur délicieuse des orangers en fleur le tirait de sa rêverie. L'atabeg mit pied à terre tandis que les deux cavaliers qui l'avaient suivi à distance afin de respecter le désir du Seigneur d'être seul s'approchaient en hâte pour tenir la bride d'Ataman, qu'ils mèneraient ensuite aux écuries de la maison forte.

Des gardes veillaient à l'entrée de la résidence de Mahmoud endormie dans la nuit silencieuse où ne s'entendait que le bruit de la cascade des eaux qui alimentaient les fossés. Ils s'approchèrent pour demander au seigneur quels ordres il lui plairait de donner, mais celui-ci leur répondit qu'il n'avait besoin de rien que d'aller dans son jardin. Ils s'inclinèrent avec respect et l'atabeg Al Zahir se dirigea le

1. Les « Soufis » veulent un Islam mystique, une religion intérieure, insoucieuse des formes.

long du haut mur jusqu'à la petite porte qu'il avait fait faire, et dont il gardait la clef d'argent sur lui en toutes circonstances, comme un symbole de ce qu'était pour lui ce lieu privilégié.

Ayant refermé cette porte derrière lui, il se trouva seul dans le silence et l'immobilité végétales après le vent de la mer et l'incessant mouvement de la felouque qu'il venait de quitter. Il marcha jusqu'à apercevoir le kiosque qui se dressait au centre du jardin, avec son dôme de tuiles vernissées, les marches qui accédaient à son sol de céramique, et le divan recouvert de cuir qui en faisait le tour à l'intérieur.

Il alla s'y asseoir et éprouva comme toujours lorsqu'il revenait là après une certaine absence le sentiment d'y être parfaitement au centre de tout ce qui l'entourait, mais en même temps irrémédiablement prisonnier de tout ce dont il était le maître absolu.

Puis il s'allongea sur le divan et, en paix avec son fardeau, l'atabeg s'endormit.

L'approche de l'aube, amenant en lui le désir de voir le jour se lever afin d'être encore une fois le témoin de la résurrection matinale de toutes les choses, éveilla l'atabeg endormi sur le divan du kiosque. Il ouvrit les yeux. Rien n'était commencé. Une certaine fraîcheur venait de la mer assez lointaine pour n'être pas entendue, mais assez proche pour qu'elle fasse sentir dans les collines l'aura de son immensité.

Un premier cri d'oiseau viola le silence, étouffé par l'épaisseur des frondaisons, puis d'autres osèrent lui répondre. L'atabeg compta les étoiles qui s'effaçaient, vaincues une à une par la clarté triomphante. Dans tout l'Orient, les villes allaient ranimer leur rumeur, les muezzins gravir les étroits escaliers des minarets en se préparant à chanter le premier appel à la prière, les chevaux frapper du pied dans les immenses écuries où les sultans les entretenaient pour la guerre, les trompettes aigres arracher les soldats à leurs couches de crin dans les camps. Déjà les pigeons s'abattaient sur les colombiers après avoir volé dans la nuit porteurs des nouvelles venues des frontières, que les vizirs écouteraient, lues par leurs secrétaires. Partout les hommes allaient reprendre le harnais de la guerre ou le sourire de la ruse...

L'atabeg Al Zahir s'assit sur le divan. Le chant des oiseaux était maintenant l'habituelle fanfare de joies minuscules autour du kiosque dont la céramique prenait une teinte rose pour s'accorder avec l'aurore. Avec un piaillement moqueur, une mésange passa comme une flèche tout près de la tête de l'atabeg pour aller se poser sur le rebord de la vasque de marbre, au centre du kiosque, où coulait sans bruit le filet d'une source conduite là pour son eau pure. Elle chanta à plein gosier, tournée vers l'homme puissant qui la regardait, puis se plongea dans la vasque en battant des ailes. Elle s'enfuit dès que l'atabeg se leva pour venir boire à son tour.

Un chant de voix mâles monta de l'autre côté des murs du grand jardin, auquel se mêlait le piétinement d'une troupe de chevaux. Les centaures de Mansour, le maître de la cavalerie de Djabala, avaient quitté leurs quartiers de la forteresse pour un exercice. Le sourire que l'atabeg avait eu à la vue du manège de la mésange s'éteignit sur ses lèvres qu'il essuyait de ses doigts après avoir bu à la vasque à la suite de l'oiseau. Les douceurs du jardin ne pouvaient empêcher les réalités du monde d'y faire entendre leur rumeur de fer. Seulement offrir un repos à celui qui devait les affronter jour après jour.

Puis des portes s'ouvrirent et les voix des jardiniers venus faire couler les ruisseaux qui abreuvaient les arbres avant l'ardeur du soleil se firent entendre, ponctuées de rires. L'un d'eux se montra au bout d'une des allées qui menaient au kiosque. Il se figea à la vue de l'atabeg pour saluer aussitôt profondément et disparaître en hâte afin de prévenir ses compagnons que le Seigneur était là. Les voix se turent aussitôt, rendant le jardin au chant des oiseaux et au bruit régulier de l'eau qui se déversait dans les bassins d'où partaient toutes les rigoles d'irrigation. Enfin un serviteur noir de la maison de Mahmoud que les jardiniers avaient alerté parut à son tour, portant un plateau d'argent chargé d'une cafetière ouvragée et d'une tasse de porcelaine transparente.

Le serviteur monta avec son plateau les sept marches qui menaient au sol de céramique du kiosque et versa le café dans la tasse après avoir incliné la tête en portant sa main à son front et à ses lèvres. L'odeur du café, puissante et subtile, parvint aux narines de l'atabeg Al Zahir, parfum de cette Arabie d'où étaient parties un jour les armées rassemblées à la voix du Prophète pour l'immense conquête qui avait peuplé de mosquées toutes les villes assises depuis des siècles au bord de la mer Méditerranée depuis la Turquie jusqu'en Espagne...

Plus tard, le soleil étant déjà haut, d'autres domestiques vinrent dérouler les toiles blanches qui servaient à voiler les côtés du kiosque exposés à ses rayons. Ils trouvèrent l'atabeg méditant devant son échiquier en ivoire qui était demeuré à l'intérieur du tiroir où il l'avait enfermé avant son départ dans l'état de la partie alors interrompue. Oumstal, l'adversaire de son seigneur à ce jeu depuis de longues années, avait fait échec au Roi, mettant son maître dans une situation difficile, privé de ses tours et d'un grand nombre de ses cavaliers. Au cours du voyage de retour sur la felouque, l'atabeg, ayant reconstitué l'ordre de bataille sur l'échiquier du raïs du bord, avait cherché le moyen de se tirer d'affaire, et il l'avait trouvé. Mais Oumstal de son côté avait dû réfléchir lui aussi à ce que l'atabeg pouvait tenter pour échapper au désastre, et il tenait certainement des ripostes prêtes...

Oumstal lui-même arriva peu après les domestiques dérouleurs des stores, venant de la forteresse, accompagné d'un petit garçon porteur de l'habituelle sacoche de cuir où étaient toutes les lettres de quelque importance arrivées à Djabala en l'absence de son maître, et que celui-ci devait voir. Il s'inclina devant l'atabeg tandis que l'enfant, après avoir souri au seigneur, ôtait sans façon la cloche d'argent qui recouvrait, pour la protéger des abeilles nombreuses à fréquenter le jardin, la grande coupe de fruits confits que les domestiques de la maison de Mahmoud avaient apportée à l'intention de l'atabeg en même temps que les keshras [1] et le lait caillé, son premier repas, longtemps après le café qui, lui, devait être pris seul à l'exclusion de tout autre nourriture, pour que soit respecté son arôme quasi magique...

Le petit garçon s'assit par terre pour manger une prune enrobée de sucre glacé. L'atabeg donna sa main à baiser à Oumstal selon l'usage, mais il lui dit, aussitôt ce rite satisfait, de s'asseoir en face de lui. L'atabeg savait son secrétaire, le confident de toutes ses pensées politiques, anxieux de tirer la leçon des conversations que son seigneur avait eues au Caire avec les vizirs du Calife Al Afdal et avec le Calife lui-même.

— Al Afdal peut nous envoyer trois mille hommes, dont mille de cavalerie, commença-t-il aussitôt, sachant les inquiétudes que son secrétaire, comme lui-même, pouvait nourrir à propos de la situation militaire de Djabala. Nous n'avons que la moitié des chevaux nécessaires. Mansour pourra-t-il trouver le reste en peu de temps ?

— Il sait déjà pouvoir les obtenir de la cavalerie de Salah Ed Dine. Le Sultan reçoit un grand nombre de chevaux des Hongrois, par l'entremise de l'Empereur de Constantinople.

1. Des galettes qui tiennent lieu de pain.

L'atabeg ne marqua aucune surprise à apprendre de son secrétaire que les Hongrois, des Chrétiens, vendaient des chevaux à celui qu'ils appelaient *Saladin*. L'Empereur Commène avait su les convaincre de renforcer le Sultan, seul capable de faire pièce aux Turcs. Pour Constantinople, ces va-nu-pieds de l'Asie, impatients de se répandre dans les plaines du Danube après avoir ruiné la ville impératrice d'Orient, étaient le seul vrai danger. Mais pour Djabala, le danger, c'était les convoitises de l'Emir de Cheïsar. C'était à Oumstal d'apprendre à son seigneur où en étaient les choses de ce côté, où il entretenait, bien sûr, des espions.

— L'Emir a obtenu du Sultan de Perse les trois mille hommes qu'il demandait, capables de combattre à cheval comme à pied, pour un service de sept années. A charge pour lui de donner après ce temps à chaque homme une terre de douze arpents...

— Trente-six mille arpents ! s'exclama l'atabeg. Il compte les prendre chez nous, sans doute !

L'Emir de Cheïsar ne possédait qu'un peu de la surface de cette grande plaine fertile étendue au long de la mer à travers laquelle passait la limite entre les deux fiefs, et dont la plus grande part faisait la richesse de Djabala, pour les grains qu'on y pouvait récolter, à la faveur de toute l'eau qui descendait des montagnes couvertes de la grande forêt de chênes-lièges, de chênes verts et de cèdres géants.

— Selon toi, reprit l'atabeg, quand viendront ces Perses ?

— Ils peuvent être là dans cent jours, Seigneur.

L'atabeg réfléchissait.

— La Croisade arrivera sur nous dans six mois, selon ce qu'on pense au Caire, dit-il comme s'il parlait d'une grande tornade annoncée par des astronomes après avoir vu des taches sur le rougeoiement du soleil. Afdal dit que le roi Richard d'Angleterre va s'y joindre. Que sais-tu de lui ?

Oumstal avait vécu trois années chez les Francs, plus encore à la cour des rois normands de Palerme, où le roi Roger parlait l'arabe et s'entourait de conseillers musulmans. Oumstal avait fait ses débuts dans le secrétariat de l'un de ceux-ci. Il connaissait tout des souverains Chrétiens.

— Les Templiers lui diront, s'il vient jusqu'ici, qu'il faut prendre Cheïsar et épargner Djabala, pour ce que nous sommes aidés par Salah Ed Dine avec qui il a toujours espéré s'entendre...

Oumstal regardait maintenant l'échiquier. Mais il ne songeait pas à la partie laissée en suspens. Dans les deux rois, le noir et le blanc, qui dominaient de leurs têtes couronnées les chevaux de la cavalerie d'ivoire et les tours qui n'étaient pas encore prises, il voyait Saladin et Richard, celui qu'on nommait *Cœur de Lion*. Djabala n'était qu'un tout petit pion sur l'échiquier de cette Terre appelée Sainte par les Chrétiens.

— Cœur de Lion a trop d'affaires en Europe, reprit le secrétaire de l'atabeg. La France l'intéresse plus que la Palestine, avec les côtes qui sont en face de son île d'Angleterre, et celles du pays de Gascogne, riches des vignes, chauffées d'un soleil qui manque aux Anglais...

— Selon toi, en dépit de ce serment qu'ils ont fait de reconquérir Jérusalem, les Francs se fatigueront et Salah Ed Dine restera maître du jeu ? interrogea l'atabeg, lui-même plutôt enclin à penser le contraire.

Les yeux en amande d'Oumstal se plissèrent.

— On peut l'espérer, Seigneur, autant que les mauvaises choses ne sont pas plus certaines que les bonnes...

En attendant, la tempête allait passer sur Djabala. Elle s'essoufflerait ensuite, car il est vrai, au-delà de Jérusalem et de Saladin, il y avait les Turcs et les Perses. Les Francs, loin de chez eux, ne pourraient jamais venir à bout de toutes ces forces-là. Usée, la vague se retirerait. Mais dans quel état seraient les murailles de la forteresse de Djabala après son passage, et ce jardin lui-même ? L'atabeg en imagina les murs renversés, les lourds chevaux des Francs piétinant les allées, les soldats aux cheveux roux brisant les portes des gracieux pavillons pour faire du feu, les cris des femmes montant de la ville livrée au viol et au pillage... Maints seigneurs francs à la Croisade avaient fait preuve d'une admirable générosité et chevalerie. D'autres avaient massacré des villes entières, fait égorger tous les petits enfants, ordonné qu'on les fasse rôtir sur des broches. Au nom de Dieu, les hommes s'abandonnaient à tous leurs mauvais plaisirs, leurs plaisirs de bêtes féroces et lubriques.

L'atabeg Al Zahir fit un geste de la main pour chasser ces sombres images.

— N'y a-t-il rien eu d'autre, pendant mon voyage, que tu aies à me dire ? demanda-t-il avec un sourire, pour faire comprendre à son confident qu'il voulait qu'on en vienne aux choses familières qui pourraient faire oublier le souci des affaires.

Oumstal fit signe au petit mangeur de fruits confits de lui donner la sacoche de cuir.

— Vois tes mains, gluantes de sucre ! morigéna-t-il en la recevant de l'enfant qui s'était levé vivement pour la lui tendre. Lave-les dans la vasque ! Un Franc, reprit-il en réponse à son seigneur, un chevalier, est venu avec un firman de Rachid Ed Dine. Il veut se faire musulman, poursuivit le secrétaire en tendant à l'atabeg la lettre du Vieux de la Montagne accréditant le jeune homme à Djabala.

— Rachid Ed Dine ! s'étonna Al Zahir en dépliant la lettre au sceau couleur de sang des Haschachinns. Que n'en fait-il lui-même un musulman à sa manière !

— Sans doute juge-t-il le vin qu'il verse trop fort pour une tête chrétienne, plaisanta le secrétaire.

Ayant lu, l'atabeg rendit la lettre à Oumstal.

— Comment est ce Franc ? demanda-t-il.

— Fort jeune, bien fait, blond, les yeux bleus comme dans les images des romans de chevalerie que lisent les jeunes dames chrétiennes dans leurs châteaux.

— Quelle aventure cherche-t-il ? poursuivit l'atabeg. Ne crois-tu pas qu'il puisse être mis chez nous par Rachid pour nous espionner ?

— Le saint homme qu'est Rachid est capable de toutes les subtilités. Mais vous ne pouvez choisir de le mécontenter en lui renvoyant son protégé, Seigneur...

Le jeune aventurier franc était devenu lui-même un pion sur l'échiquier. Rachid ed Dine, depuis son nid d'aigle parfumé de haschisch, soutiendrait toujours l'atabeg Al Zahir et sa forteresse de Djabala, qui était elle-même une tour contre le jeu du Sultan de Perse. Car si celui-ci mettait la main sur la Syrie et la Palestine tout entière, plus rien ne l'empêcherait de donner l'assaut aux châteaux de Rachid et d'exterminer les Haschachinns jusqu'au dernier.

— C'est juste, admit l'atabeg. Alors nous mettrons le jeune homme à l'épreuve.

— L'épreuve est commencée, Seigneur. Ne sachant combien durerait votre absence, je l'ai adressé au seigneur Mahmoud.

— C'est une bonne idée, sourit l'atabeg. Qu'en a fait Mahmoud ?

— Il l'a fait beaucoup boire, et l'a emmené à la chasse.

Mahmoud ! songea l'atabeg. Il avait voulu voir comment le Franc se tenait à cheval et à table, et s'il était vraiment chevalier, à cette manière à lui dont Mahmoud concevait la chevalerie tout au moins.

— Ils sont allés de nuit dans la forêt pour tuer des lions, poursuivit Oumstal en gardant aux lèvres le sourire qu'il y avait mis en commençant à raconter l'aventure du jeune Franc aux prises avec le truculent Mahmoud, mais en sachant bien qu'il allait réveiller chez l'atabeg, à propos de son fils, des pensées qui ne seraient pas souriantes. Tandis que toute la chasse dormait dans le fondouk de la frontière dans l'attente de l'aube, le jeune homme, craignant qu'on ne le laisse pas approcher les lions seul s'est levé pour gagner l'endroit où les fauves avaient été attirés par les pisteurs. Deux lions étaient à manger le cerf que ceux-ci avaient entravé à un buisson pour servir d'appât. Il les a combattus selon la règle que Mahmoud lui avait dite, avec une flèche, puis un javelot, puis sa dague. Il a tué le premier et a été blessé aux mains et à la poitrine par le second que les pisteurs ont achevé pour lui venir en aide...

L'atabeg se taisait. Mahmoud ne changerait jamais. Cependant, ce Franc, s'il était un chercheur d'aventure, comme tant de ses semblables qui venaient renier leur foi pour tenter fortune chez les princes arabes, ne manquait pas de courage. Il n'avait affronté dans les forêts de son pays que des ours et des loups, bien moins dangereux que les lions ou les panthères d'Asie.

— C'est que le jeune homme s'était senti piqué par les moqueries du seigneur Mahmoud devant les autres invités, commenta le secrétaire, et que sa fierté avait été mise au défi...

Par quels espions Oumstal savait-il tout ce qui s'était passé au cours du repas qui avait précédé la chasse, et de la chasse elle-même ? Des valets et des pisteurs renseignaient Oumstal. Le secrétaire était bien trop fin pour ne pas penser que l'atabeg était en train de se poser cette question. Et par son plaisant récit, il faisait savoir à son maître, sans le dire, qu'il continuait à s'inquiéter de ce que faisaient Mahmoud et Maïmouna. Il était bon que cela ne soit pas dit. Qu'un père se méfiait d'un fils. Qu'un fils pouvait ne pas être loyal à son père. Que Maïmouna regardait trop du côté de Cheïsar, d'où elle venait. Mais il était malheureusement nécessaire que cela soit mis en surveillance, et intégré dans le jeu cruel qui se jouait sur l'échiquier.

— Après la chasse, poursuivit Oumstal sur un ton de parfaite innocence comme si tout était dans l'aspect amusant de son compte rendu, et bien que le Franc dûment pansé par le chirurgien ait tout de même perdu du sang, le seigneur Mahmoud n'en a pas moins continué à l'initiation du jeune homme à nos coutumes arabes. Un guerrier ne doit-il pas continuer à combattre, même couvert de blessures, tant qu'il lui reste un membre valide ? Le seigneur Nassr, qui était de la chasse, avait fait venir au fondouk sa troupe de danseurs qui se produisent habillés et fardés comme des personnes de l'autre sexe, et pour lesquels il a tant de goût, ainsi que vous le savez, Seigneur. Le plus jeune du ballet fut commis à enchanter le jeune Franc par tous les moyens de sa séduction, sans que le Franc, bien entendu, ait été averti de ce que ces danseuses cachent en réalité sous leurs robes. Il est d'une grande beauté, et tous ceux qui l'ont vu s'accordent à dire que sa lascivité est délicieuse. Le neveu de l'Emir en est très fier, l'ayant découvert lui-même au cours d'un voyage en Perse. Le jeune Franc en a été fort ému et il s'est retrouvé avec lui dans sa chambre après que les autres invités lui eurent attribué l'étoile de la troupe par acclamations. Le courage dont il avait fait preuve contre les lions méritait la plus belle récompense, et le blessé, privé de l'usage de ses mains par les pansements dont le chirurgien les avait entourées, n'avait-il pas besoin d'une servante dévouée pour l'aider à sa toilette de la nuit ? C'est ainsi, conclut Oumstal, que notre hôte a été initié à des plaisirs qui sont en principe particulièrement défendus aux Chrétiens...

Oumstal se tut avec un sourire. Il avait rempli sa tâche. Il avait fait savoir à son maître et seigneur qu'au moment même où l'Emir Mactoum négociait la venue de trois mille soldats de renfort, Mahmoud recevait son neveu Nassr, chassait avec lui et lui empruntait ses danseuses qui n'en étaient point.

Le visage de l'atabeg s'était rembruni. Oumstal affecta de ne pas s'en être aperçu.

— Il est possible, d'ailleurs, reprit le secrétaire sur le même ton plaisant, que le chevalier soit resté jusqu'au bout ignorant de la véritable nature de la personne qu'on avait mise dans sa couche. Ces jeunes gens sont capables de si grandes habiletés qu'ils peuvent dans le combat amoureux désarmer leurs compagnons de lit avant que ceux-ci ne parviennent à la dernière redoute qu'ils ont à défendre...

L'atabeg Al Zahir consentit à rire. Après tout Oumstal ne faisait que son devoir, comme à l'habitude. Que deviendrait Oumstal, si l'atabeg venait à disparaître dans un combat, ou par le fait d'une maladie soudaine ? Le secrétaire ne pourrait servir Mahmoud, qui le haïssait. Oumstal ne tenait pas à cheval, et le bruit des combats l'effrayait. Il ne les maîtrisait que sur l'échiquier. Oumstal reprendrait sa route sur sa mule avec le peu d'or qu'il avait épargné au service de celui qui était son maître depuis cinq années. Il irait demander un emploi aux vizirs de Salah Ed Dine, qui l'accueilleraient volontiers pour sa connaissance des langues franques, la bonne réputation de ses services à la cour du Roi de Sicile et son dévouement aux affaires de l'atabeg de Djabala.

— Quoi qu'il en soit, je ferai bon visage à ce jeune Franc après toutes ces épreuves qui lui ont été imposées, conclut l'atabeg Al Zahir. Mais parle-t-il l'arabe ?

— Il s'y efforce, Seigneur. Pour se faire comprendre de lui, le seigneur Mahmoud a eu recours à Maïmouna qui accompagnait la chasse, ayant à se rendre à Cheïsar ce même soir où elle avait lieu. Puis-je me retirer, Seigneur ? demanda le secrétaire, après avoir lancé cette dernière flèche qui apprenait à l'atabeg que la concubine de son fils était allée encore une fois chez l'Emir.

Des rires et des babils d'enfants se faisaient entendre au-delà des néfliers qui enfermaient le kiosque dans leurs feuillages odorants et serrés. Deux petites filles vêtues de robes blanches et de corsages brodés d'or arrivèrent en courant, tout à la joie de retrouver leur père. Les trois filles plus âgées de l'atabeg venaient derrière elles. Elles parurent dans l'allée, faisant Oumstal se lever pour leur laisser la place. Les fillettes abandonnèrent leurs socques de bois peint pour escalader plus vite sur leurs pieds nus les degrés de marbre et se jeter dans les bras de l'atabeg avec des cris.

Autour du kiosque, les servantes et les nourrices qui étaient venues avec leurs maîtresses, les adolescentes de son sang tenant dans leurs mains les fleurs qu'elles venaient de cueillir, le petit Khadoun, l'enfant de Sofana, sa fille, aînée dont les bras de six ans retenaient à grand-peine le lévrier qu'il prétendait mener en laisse, tous et toutes composaient dans les odeurs du jardin le tableau délicieux du bonheur.

L'atabeg Al Zahir oublia un instant que ce jardin et ce bonheur étaient perpétuellement menacés.

SIXIÈME PARTIE

LE SAC DE CONSTANTINOPLE

23.

Jean Commène, empereur chrétien d'Orient

Jean Commène alla aux baies ouvertes sur le ciel et il regarda au loin l'immense campement fait de cahutes désordonnées qui grouillait sur la rive du Bosphore. Puis il haussa les épaules avant de se retourner vers Cantacuzène.

— La racaille ! murmura-t-il. La racaille de Dieu...

La croisade des Pauvres Gens campait aux portes de Constantinople depuis six semaines, et elle avait faim. Plus de cent mille bouches d'hommes et de femmes, et combien de bouches de chevaux, de mules et d'ânes...

Impeccablement alignées, au contraire, à l'Ouest, étaient les tentes des seigneurs anglais, normands, bretons, picards, bourguignons, flamands, *et caetera*... fine fleur de la chevalerie franque venue des contrées où le Seigneur Dieu est avare de son soleil... Tous sots avec leur prétention d'être les meilleurs guerriers du monde, et ne connaissant rien à cet Orient où ils voulaient enfoncer leurs lances, trancher de leurs épées, asséner de grands coups de leurs masses d'armes...

L'Empereur Jean fit signe au Noir sourd-muet qui lui servait ses boissons tout au long du jour après les avoir préparées et goûtées lui-même pour préserver sa propre vie en même temps que celle de son maître. Ainsi que lui avait fait comprendre Rachid Ed Dine, qui en avait fait cadeau à Jean en même temps que la magnifique fontaine à breuvages et à sorbets fabriquée par des orfèvres de Damas devant laquelle il officiait tout le jour, il serait mis à mort dans d'horribles tourments si le Basile était empoisonné.

Le Noir ouvrit le compartiment de bois précieux orné d'argent ciselé où il gardait les jus de fruit dans la glace, interrogeant des yeux son Maître. Levant la main, celui-ci montra trois doigts, ce qui voulait dire *jus de mangue*. Le Noir versa du jus de mangue dans le hanap embué de fraîcheur qu'il avait tiré du coffre, et marcha vers l'Empereur pour le lui apporter.

Jean Commène but à petites gorgées.

— Béliste est-il arrivé ? demanda-t-il à Cantacuzène en rendant le hanap au sourd-muet, qui s'en alla à reculons après avoir incliné la tête.

— Il attend le bon plaisir du Basile, dit le conseiller bien-aimé de Jean.

— Fais-le venir...

Jean Commène revint vers la baie qui donnait sur le Bosphore, ce détroit qui était le fossé entre l'Orient et l'Occident, entre la Croix et le Croissant, comme la douve du château de celui qui occupait le trône impérial voué au Christ par Constantin dix siècles plus tôt. De l'autre côté du fossé étaient les Turcs venus du centre de l'Asie, et qui attendaient, patiemment, depuis trois siècles, le moment de le franchir... L'Empereur Jean rêva encore un peu devant le spectacle de la Corne d'Or brillant au soleil, le va-et-vient des milliers de barques pointues d'une rive à l'autre, les fumées du camp des Pauvres Gens, les oriflammes multicolores qui flottaient en haut des tentes des Ducs et des Barons, puis il entendit que Béliste, le général de son armée de mercenaires, mercenaire lui-même, entrait, et le Basile quitta la baie en se frottant le menton d'une manière qui exprimait la perplexité dans laquelle il était plongé.

— Béliste ! lança-t-il sans regarder celui qui venait d'entrer. Cantacuzène me dit que si la racaille veut entrer en force dans la ville, tu ne pourras l'en empêcher...

— Pas tant que les troupes que tu m'as ordonné d'envoyer en Cilicie ne seront pas revenues, Basile.

Jean Commène, cette fois, leva les yeux vers son général, beau comme le dieu de la guerre, dans sa cuirasse d'argent, avec sa barbe noire bien peignée et son grand nez droit. Derrière lui Cantacuzène paraissait encore plus petit que d'habitude, et plus laid.

— Pour une fois, vous voilà d'accord tous les deux, dit l'Empereur à travers ses lèvres plissées par un sourire ironique. Dommage que ce soit pour une mauvaise nouvelle.

Il marqua un temps pour se frotter le lobe de l'oreille, suivant ce tic qu'il avait.

— Comment transformer une mauvaise nouvelle en une bonne ? demanda-t-il à mi-voix.

Un des secrétaires de Cantacuzène entra alors, avec cet air mystérieux et important qu'ils se donnaient tous, et après un profond signe de tête qu'il exécuta en direction de l'Empereur, vint parler à l'oreille de son maître.

— Celui que nous attendions est au Palais, annonça Cantacuzène en réponse à un regard interrogateur de l'Empereur, tandis que le secrétaire se retirait.

Jean Commène reprit à l'adresse de Béliste :

— Tu as trente mille soldats autour et dedans cette ville, pourtant ?

— Certes, Basile. Mais les piétons de la Croisade sont cent mille, et ce ne sont pas des soldats. Les miens ne savent pas tuer une foule qui pleure, crie, agite des bannières, invoque la Vierge et tous les Saints...

Le Basile Jean haussa les épaules.

— Les Musulmans s'en chargeront bien, quand ils seront débarqués chez eux.

— Tu le dis toi-même, Basile : les Musulmans. Mes hommes sont des chrétiens, ils ne comprendront pas que je leur ordonne de marcher contre ces gens-là...

— Il ne s'agit pas de marcher, mais de défendre les entrées de la ville, dit l'Empereur.

— Les portes et les murailles ne sont pas en état, tu le sais bien, Basile. Si nous avions à craindre des Turcs, ce qui n'est pas le cas, grâce au Ciel et grâce à ta sage politique, nous ferions en hâte des travaux de fortifications afin de renforcer les défenses, et tout le peuple de la ville y prêterait la main. Mais aujourd'hui, cela n'est pas. D'ailleurs cette foule commencera par demander du pain, de la farine, elle cajolera les soldats à leurs postes, elle s'insinuera comme une mer qui monte doucement sans qu'on la voie, puis sa colère prendra comme un feu.

— N'avais-je point dit à celui-ci, poursuivit le général des mercenaires en désignant du regard Cantacuzène qui passait sa main alourdie par les bagues sur son crâne aux cheveux ras, qu'il fallait amasser bien plus de provisions pour cette foule, et aussi ne point les laisser venir camper si près de la Ville ?

Cantacuzène ne s'émut pas de cette flèche lancée par Béliste dans son camp, et d'ailleurs l'Empereur répondait déjà pour son ministre :

— Les Princes francs eux-mêmes me l'ont déconseillé, mais je l'ai laissé faire... Pouvais-je agir autrement ? Les misérables ont fait plus de mille lieues à pied, soutenus par l'espoir de toucher cette muraille que Constantin a fait bâtir après avoir embrassé la religion du Christ.

Ils voulaient me voir, moi qui ne suis que le fantôme de l'Empereur d'Orient d'autrefois...

Jean Commène resta un moment silencieux et la voix de Cantacuzène s'éleva :

— Est-il bon de faire attendre celui qui est venu de loin pour te voir, Basile ?

— Il a raison, jeta l'Empereur. Tu vas nous laisser un instant, Béliste. Je dois recevoir un envoyé de nos amis de là-bas, dit l'Empereur Jean en désignant du doigt la baie ouverte sur l'azur et la rive asiatique au-delà du détroit... Je vais réfléchir à tout cela. Peux-tu au moins, avec tes hommes, empêcher que la foule n'arrive jusqu'au palais ?

— Cela, oui, Basile. Nous pouvons fermer tous les accès à la ville haute. La foule n'y pourra monter, de par l'étroitesse des rues faciles à défendre, et elle s'usera à répandre son flot dans les faubourgs et toutes les parties basses...

— Elle y pillera tout, n'est-ce pas ? demanda l'Empereur.

— Elle pillera et elle violera, au nom de Jésus Miséricordieux, ironisa le général des mercenaires avec un sourire qui découvrit ses dents en or dans l'écrin sombre de sa barbe. Il y a déjà bien peu de jeunes filles vierges à Constantinople. Il n'y en aura plus du tout...

— Je suis heureux d'accueillir sous mon toit l'envoyé et l'ami de mon cousin Saladin, déclara Jean Commène en s'avançant les deux mains tendues vers le gros homme vêtu d'une gandoura de soie beige, enturbanné de même couleur, qui venait d'entrer dans la salle éclairée par ses baies lumineuses.

Le gros Mahométan, dont le regard brillant d'intelligence démentait la bonhomie que des traits arrondis donnaient à son visage, prit les deux mains du Basile chrétien dans les siennes.

— Salah Ed Dine m'a bien recommandé de te dire qu'il ne t'appelait pas son cousin, mais son frère, répondit-il en souriant et en gardant les mains de Jean Commène serrées dans les siennes.

L'Empereur Jean attira à lui son visiteur, et ils s'embrassèrent. Puis ils marchèrent tous les deux vers les baies, le Basile tenant l'Infidèle par le bras.

— Comment se porte mon Frère, dis-moi, Mourad ?

— Comme toujours, Basile. Montant ses chevaux et ses femmes, fatiguant les uns et les autres, généreux avec tout le monde, et simplement soucieux de ce que les Turcs, et surtout les Perses, ont en tête...

Les Perses ! Mourad était entré tout de suite dans le vif du sujet. Le Sultan de Perse, Acheraf, poussait ses pions dans tout l'Orient, décidé à régner jusqu'au Maroc, après avoir pris le contrôle de ce que les Chrétiens appelaient la Terre Sainte, et Salah Ed Dine était le seul à pouvoir l'en empêcher. La Croisade allait s'enfoncer comme un fer brutal dans ce monde agité par ses tumultueuses contradictions, et bousculer le jeu subtil que les princes orientaux chrétiens ou musulmans menaient ensemble pour contenir Acheraf dans sa Perse fanatique. Cette Perse où l'on haïssait les étrangers, où l'on marchait sur des braises, où les derviches tournaient sur eux-mêmes jusqu'à la folie. Là-bas, on faisait du Koran une arme cruelle, alors que le Prophète avait prêché la tolérance.

Le Basile et son visiteur étaient arrivés à la baie. Jean désigna le campement des croisés à perte de vue sur la rive du détroit.

— Pardonne-moi de ne pas t'avoir reçu avec plus d'éclat, Mourad, mais ceux-ci, comme tu le sais, surveillent tous mes gestes. Ils croient que je renie la Croix du Christ à chaque fois qu'un de mes voisins musulmans franchit le seuil de ma porte...

Mourad avait débarqué d'une felouque à dix lieues de la ville, dans l'arsenal Saint-Chrysostome, et il avait été mené au palais du Basile à l'intérieur d'une litière aux rideaux bien tirés pour qu'on ne puisse voir qu'elle contenait un dignitaire mahométan.

L'Empereur chrétien reprit :

— Ce sont des gens braves, prodigues de leur sang et de leur or, mais difficiles à convaincre que toutes choses ne sont pas si simples qu'ils le pensent...

— Ton Frère Salah Ed Dine s'inquiète d'eux, et de ce qu'ils vont faire, dit Mourad en souriant.

— Crois-tu que je ne m'en inquiète pas moi-même ? Regarde cette armée qui monte jusqu'à nos murailles. Ils ont dévoré une année de blé que nous avions en réserve, et ils sont prêts à piller la ville !

— Trente navires de grain ont quitté la Syrie dans les derniers jours. Salah Ed Dine a fait acheter tout ce qu'il y avait à vendre jusqu'en Arménie dès que nous avons reçu ta lettre.

— Je savais que mon Frère m'aiderait, dit Jean.

— Les navires commenceront à aborder ici dans vingt jours sans doute, poursuivit l'envoyé de ce Sultan qui nourrissait ainsi les Croisés en route pour venir porter la guerre chez lui. Combien de temps peux-tu retenir encore l'ost des Princes et le troupeau des Pauvres Gens ?

— Si j'ai du blé, je les garderai deux mois sans peine, en leur donnant à croire qu'ils auront meilleure navigation après l'hiver passé, et en faisant traîner ma flotte que j'ai laissé dispersée entre Rhodes et la Sicile, sous le prétexte que j'avais loué des navires au Roi Normand [1]...

L'envoyé de Saladin regardait la rive asiatique, l'horizon au-delà duquel étaient les Turcs.

— Ne peux-tu pas convaincre ces seigneurs francs d'aller contre les Turcs, plutôt que porter la guerre chez nous ? Ces Turcs sont tes vrais ennemis, Basile. Ils sont venus du centre de l'Asie. Ils nous sont étrangers autant qu'à toi, et ils convoitent ta Ville. L'ayant prise, ils marcheront jusqu'au pays des Francs, chez ceux-là même qui campent au pied de tes murailles...

— Crois-tu que je ne le sais point ? demanda Jean en prenant à nouveau le bras de son visiteur pour témoigner de sa sincérité.

Fixant lui aussi la rive d'Asie, le Basile poursuivit en secouant la tête :

— Je ne les convaincrai pas. Et d'ailleurs, ceux-là qui sont venus de la terre occidentale, dit-il en désignant du menton les tentes des seigneurs francs dont les oriflammes flottaient doucement dans la brise venue de la mer par-dessus les collines, même si je les persuadais d'entrer en campagne contre les Seljukides [2], et même s'ils étaient vainqueurs, ils repartiraient un jour, et ils me laisseraient seul de nouveau face aux Turcs !

Le Basile Jean regarda son visiteur bien en face pour ajouter :

— Saladin entrerait-il en guerre alors contre eux pour m'aider en les frappant dans le dos ?

— Ce pourrait être, dit le Mahométan.

— Ce pourrait être, mais ce ne serait pas sûrement ! risposta l'empereur chrétien.

L'envoyé de Saladin ne protesta pas. Pas plus que Jean ne pouvait entrer en guerre contre les barons chrétiens, Salah Ed Dine ne pouvait aisément lever ses étendards surmontés du Croissant contre d'autres disciples de Mahomet.

Le Basile et son visiteur restèrent un moment en silence. Le

1. Il s'agit de la dynastie normande qui régna trois siècles à Palerme et à Naples.
2. Dynastie turque du nom de son fondateur, Seljuk.

sourd-muet, attentif du fond de la vaste salle aux allées et venues et aux besoins de son maître, mit cette pause à profit pour s'avancer en poussant une sorte d'élégant chariot que deux petits Noirs âgés d'une dizaine d'années avaient amené un instant plus tôt de l'office, et sur lequel étaient disposés des gâteaux de nombreuses sortes ainsi que des fruits découpés en morceaux et réassemblés selon leurs couleurs en dessins gracieux, tout cela dans de la vaisselle de vermeil.

— Les barons francs n'ont qu'une idée en tête, reprit Jean Commène : Jérusalem ! Avec ce nom, en le criant sur les places publiques ou dans les cours des châteaux, les prédicateurs ont jeté sur la route de la croisade tous ces hommes-là...

Il eut de la main un geste excédé désignant le camp de l'ost franc, puis serra le bras de son interlocuteur.

— Dis à mon Frère Salah Ed Dine qu'il n'aura de paix, et moi-même aussi par surcroît, que s'il retire aux prédicateurs ce prétexte à rallumer la guerre sainte !

Mourad regarda le Basile.

— Veux-tu dire que nous devons rendre Jérusalem aux barons ? Est-ce cela que je dois demander en ton nom à mon souverain ? Tu sais bien qu'il ne le peut, le voudrait-il lui-même. Quelle colère déchaînerait-il autour de lui, et quel cadeau ferait-il aux Perses, et à tous les autres qui l'accusent déjà de ne point haïr assez les Chrétiens...

— Je ne sais ! lança Jean Commène. Je n'ai pas dit qu'il faut leur rendre. Ne sommes-nous pas des Orientaux subtils, selon ce que l'on dit ? Alors que mon Frère trouve un moyen subtil de mettre fin à cette guerre qui n'en finira jamais, ne serait-ce que parce que les barons s'ennuient dans leurs châteaux et qu'ils rêvent de soleil, de jardins sentant le jasmin, de concubines au poil noir !

Mourad réfléchissait.

— Tu dis bien, Basile, reprit-il après un temps. Mais regarde : même le Roi Richard d'Angleterre, qu'on disait peu enclin à la Croisade, vient de s'y joindre. Est-ce le moment pour nous de chercher une paix, comme si nous avions peur ?

Jean Commène haussa les épaules.

— Qui sait pourquoi Richard entre dans la Croisade, et quels sont ses calculs ? Et pourquoi ne lui demanderais-tu pas toi-même au nom de mon Frère ?

— Au roi Richard ? fit Mourad sans chercher à cacher son étonnement.

— Certes oui. Je peux faire que tu le voies en secret.

— Dans son Angleterre ? demanda Mourad.

— Non point. Il est en route déjà. Je l'ai fait prévenir que tu le rencontreras. A Chypre, par exemple.

Le Basile et l'envoyé de Saladin quittèrent la baie pour s'approcher du chariot de friandises. Aussitôt, les deux petits Noirs avancèrent une banquette recouverte d'un long coussin brodé d'or, qu'ils placèrent près du chariot. Le Basile et son hôte y prirent place.

Mourad regardait le serviteur noir piquer des bâtonnets dans les morceaux de fruits pour qu'on puisse les prendre aisément. Son visage était impassible, ses gestes précis comme s'il se fût agi d'un automate.

— On m'a dit que ton serviteur était muet et sourd, et qu'il était un cadeau de Rachid Ed Dine ? dit négligemment le musulman en atteignant de ses doigts un des bâtonnets plantés dans un cédrat confit.

— C'est exact. Le Vieux de la Montagne n'ignore pas qu'on a beaucoup empoisonné à Byzance, et il tient à jouir longtemps de mon amitié.

Le Noir versait du jus d'orange dans un des hanaps disposés devant l'hôte de l'Empereur.

— Qu'il soit muet, reprit l'envoyé de Saladin, c'est facile d'en être sûr. Mais t'es-tu assuré qu'il est bien sourd ? N'aurait-il pas été placé près de toi pour espionner tes conseils ?

Jean Commène sourit.

— C'est ce que Cantacuzène m'a dit avant toi, Mourad, bien entendu. Comme son dévouement à mon égard n'a pas de bornes, il l'a fait torturer. On lui a fait entendre aussi des bruits effrayants. Il n'a cessé, dans tout cela, paraît-il, de se conduire en bon sourd-muet.

— Ne crains-tu pas qu'il te trahisse, et te verse un jour un poison s'il en reçoit l'ordre de celui qu'on appelle le Vieux de la Montagne ?

Le Basile Jean fit un geste évasif de la main au-dessus des confiseries qu'il hésitait à choisir.

— J'ai aidé Rachid Ed Dine à s'entendre avec les Templiers, et il m'en a juré reconnaissance éternelle...

Jean Commène porta à sa bouche une prune dont le noyau avait été remplacé par du gingembre.

— Si Rachid Ed Dine veut me faire assassiner, il y parviendra toujours. Je préfère m'endormir en croyant aux serments qu'on m'a faits, plutôt que veiller des nuits entières dans la crainte qu'ils soient violés, dit l'Empereur d'Orient.

L'héritier du trône de Constantin leva trois doigts pour que son sourd-muet lui verse à nouveau du jus de mangue et récita :

Je mets ma confiance dans le Seigneur des hommes,
Afin qu'il me délivre des séductions de Satan
Qui souffle le mal dans les cœurs,
Et qu'il me défende contre les entreprises des génies et des méchants...

— Sais-tu ainsi tout le Koran par cœur ? s'écria l'envoyé de Salah Ed Dine avec admiration.

— Non pas ! fit le Basile en riant. Juste assez pour que tu rapportes à mon frère Salah Ed Dine que je suis toujours plein de sagesse, et craignant Dieu...

Le barbier finissait de raser le Duc de Bourbon sous sa tente quand le Comte d'Eu y entra.

— Notre homme est aux écuries, Messire, annonça le Normand.

— As-tu bientôt fini de m'écorcher vif, Odin ? demanda le Duc à son barbier. J'ai hâte de voir ce Grec qui vient de la ville et qu'on donne comme le meilleur vétérinaire qu'il y ait jamais eu au monde pour soigner les chevaux...

— C'est fait, Messire Duc, dit le barbier en dénouant la serviette qui était autour du cou du puissant seigneur.

Il plaça un miroir encadré d'argent en face de son patient afin que celui-ci puisse juger de la qualité du travail. Le Duc s'y regarda avec complaisance. Après un moment de découragement, le peu de succès qu'il avait remporté devant Mahdia ne lui avait pas ôté l'ambition de diriger l'expédition qui se préparait maintenant à Constantinople contre le Calife d'Egypte, ou directement contre Saladin, on ne le savait pas encore.

Guimauve, l'intendant du Duc pour les écuries et les palefreniers, attendait devant la tente de son maître.

— La jambe de Foudroyant a-t-elle désenflé ce matin ? lui demanda le Duc à voix bien haute pour que tous l'entendent.

Foudroyant était l'un des destriers du Duc, et l'espion qui renseignait le Prince franc sur ce qui se tramait au palais du Basile venait au camp sous l'apparence d'un vétérinaire appelé au chevet de cet animal de grand prix qui avait survécu aux fatigues et aux dangers de l'expédition contre Mahdia.

Le Duc se dirigea vers les écuries de campagne ornées à ses couleurs. Il se trouva bientôt auprès de Foudroyant entre le comte d'Eu et le vétérinaire-espion. Celui-ci palpa longuement la jambe du destrier que le Duc avait tenu à lever lui-même, éloignant son intendant et les autres palefreniers, et déclara à voix contenue comme s'il se fût agit de son diagnostic :

— Un envoyé de Saladin est au palais depuis la nuit dernière. Il y est entré en grand secret et il va conférer avec le Basile ce matin...

— Le misérable ! gronda entre ses dents le Duc de Bourbon. Il complote avec les Mahométans tandis qu'il tergiverse à nous donner des navires et du grain. Que sais-tu d'autre ?

— Les blés n'arriveront pas avant une vingtaine de jours, ajouta le Grec.

Le Comte d'Eu fit une moue.

— Les Pauvres n'attendront pas si longtemps, murmura-t-il.

— Il le faudra bien ! jeta le Duc de Bourbon avec impatience. Que pourraient-ils faire d'autre ?

— Entrer de force dans la ville, et la piller, répliqua le comte avec un sourire.

— Que dites-vous, Eu ? s'exclama le Duc. Ce ne peut être ! La Croisade ne peut entrer de force dans Constantinople et y mettre tout à mal ! Ce serait une tache sur nos blasons.

— Je n'ai point dit que nous y entrerions nous-mêmes, Sire Duc, fit le Normand avec son même sourire entendu. Les Pauvres Gens n'ont pas de blason, seulement des ventres affamés, et ils donneront au Basile la leçon qu'il mérite, comme s'ils se faisaient le bras de la Divine Justice...

— Voyons, Eu ! s'impatienta le Duc. Les mercenaires de l'empereur attaqueront le camp des Pauvres Gens dès que ceux-ci menaceront révolte et ils les tailleront en pièces...

— Pas si nous faisons savoir à Béliste que nous ne le laisserons pas porter la main sur quiconque combat avec la Croisade, Messire...

— Cette ville respire la pourriture, murmura le Duc désenchanté. Nous sommes partis pour combattre au nom de Dieu, et nous voilà complotant contre le Basile qui intrigue avec les mécréants...

Sur la table recouverte du matelas de crin où il était allongé nu comme un nouveau-né, Jean Commène se retourna à la demande de son masseur, lui présentant son gros ventre, au bas duquel son sexe long et mince pendait sur sa cuisse, et des muscles pectoraux qui auraient pu être une poitrine de femme.

Le Basile sortait des étuves, et s'abandonnait aux mains de son masseur aux yeux bridés, qui venait de cette contrée lointaine qu'on appelait le Cathay, et dont l'Empereur une fois avait envoyé une lettre au Basile de Constantinople pour s'enquérir des mystères de la religion des Francs. Ayant placé ses mains derrière sa tête, Jean Commène continuait à réfléchir à ce que lui avait dit l'envoyé de Saladin, à ce qu'il répondrait aux barons francs quand ceux-ci demanderaient à le voir, demain sans doute, pour se plaindre encore que les navires qui devaient transporter l'ost des Croisés vers la Palestine n'arrivaient pas, ni non plus le blé dont tant de bouches étaient avides. Puis tout à coup, le voile d'incertitude et d'hésitation qui pesait sur l'Empereur d'Orient se déchira, comme la brume dissipée par les rayons du soleil. Voilà ce qu'il fallait faire ! Il claqua des doigts pour attirer l'attention des deux gardes qui veillaient sur lui à son bain, mais tournaient pudiquement la tête pour ne pas être gênés par le spectacle de l'auguste nudité.

— Appelle Cantacuzène, vite ! lança le Basile à celui des gardes qui avait tourné la tête le premier.

L'homme marcha jusqu'à la porte qui fermait la vaste salle de bains carrelée et embuée par la chaleur, l'ouvrit et transmit l'ordre impérial aux gardes qui se tenaient dans le couloir. L'ordre ayant couru à travers le palais, Cantacuzène parut quelques minutes plus tard.

L'Empereur était de nouveau sur le ventre à ce moment, présentant ses grosses fesses à son ministre et confident.

— J'ai pensé à une chose, Ignace, dit-il entre deux souffles puissants qu'il exhalait sous la pression des mains du masseur aux yeux bridés écrasant ses côtes. Si le bruit courait chez les Croisés que nous avons reçu en secret quelqu'un venu au nom de Saladin, en même temps que nous tardons de faire venir nos nefs de Sicile et d'ailleurs, la colère pourrait prendre chez eux ?

— Sans doute, Basile. Cette immense foule qui manque de vivres est prompte à s'exalter. Elle criera vite à la trahison...

— N'est-ce pas ? jeta le Basile, enchanté d'être compris de Cantacuzène, qui lui tenait tête souventes fois pour lui démontrer avec un irritant sang-froid qu'il se trompait dans sa manière de voir une affaire. Si en outre elle apprend que les grains n'arriveront que dans vingt jours mais qu'il en reste dans la basse ville, avec bien d'autres vivres, elle sera tentée de se jeter dans le pillage ?

— Absolument, Basile. Ton raisonnement est tout à fait pertinent.
— Tu vois ! s'exclama l'Empereur avec satisfaction. Je crois que c'est là la solution de notre problème. La Croisade sera dans un grand tort à l'égard de Constantinople, en la mettant à feu et à sang, et Constantinople n'aura plus à l'aider dans son projet de conquête en Terre Sainte. Nous voilà en règle avec notre ami Saladin aussi bien qu'avec le Calife d'Egypte, qui n'a cessé de se bien conduire avec nous depuis qu'il règne au Caire !
— C'est exact, Basile, et je ne vois rien à y redire.
— Aïe ! s'écria l'Empereur d'Orient. Ce Mongol est plus fort qu'un Turc, il va me rompre les côtes un de ces jours. Attention, animal, tu vas me faire périr ! poursuivit-il en tournant la tête pour montrer son courroux au masseur.
L'Asiatique courba la tête en souriant, élevant ses mains jointes jusqu'à son front pour se faire pardonner, puis reprit son massage sans perdre contenance.
— Donc, reprit l'Empereur Jean, il suffirait de faire courir cette rumeur d'une rencontre avec un mahométan. Des hommes a toi peuvent sans doute le faire ?
— C'est fait, Basile, dit tranquillement la voix de Cantacuzène. J'ai placé auprès du Duc de Bourbon une sorte d'expert en chevaux et en chiens qui lui vend bien cher nos secrets... Il leur a révélé ce matin que Mourad était en conférence avec nous, et que les blés tarderaient...
L'Empereur d'Orient secoua la tête avec découragement tandis que l'Asiatique s'attaquait à ses fesses.
— Jésus, Marie, Joseph, murmura-t-il. Il n'y a rien à faire avec toi. Tu es irremplaçable.

24.

La racaille de Dieu

Tout autour du dépôt d'ordures l'odeur était puante mais les trois hommes qui étaient assis à l'intérieur de leur cahute ne s'en inquiétaient pas. Les affreux relents qui montaient du terrain où les charrettes du campement venaient déverser dans un nuage de mouches les déchets de la Croisade protégeaient leur domaine. La lie de la foule qui avait quitté l'Europe pour prendre la croix nichait là.

Comme tous ceux qui s'étaient mis en route vers l'Orient, on les avait enrôlés dans les cohortes que les sergents d'armes fournis par l'ost des seigneurs formaient en vue des combats qui auraient lieu contre les Infidèles lorsqu'on aurait débarqué en Terre sainte. Ils allaient à l'exercice à chaque étape avec ponctualité, afin qu'on les laisse être ce qu'ils étaient, des coupeurs de bourse, des voleurs de vaches ou de chevaux, des égorgeurs ou des violeurs, partis avec la Croisade pour chercher l'aventure et surtout pour échapper à la potence ou à la roue auxquelles ils étaient voués. Les sergents d'armes qui en avaient dans leurs escouades savaient à qui ils avaient affaire, et ils s'accommodaient de ces gens-là. Il n'était pas difficile de leur apprendre à tuer. Ils étaient durs à la misère, à la fatigue et à la faim. Ils trouvaient toujours à manger là où il n'y avait rien, à boire même lorsque le vin ou la bière étaient devenus un rêve. N'était-ce pas les qualités qu'on attend des soldats ?

Ces trois-là faisaient cuire l'arrière d'un agneau sur un lit de braise à l'abri de la toile tendue depuis le mur de pierres sèches qu'ils avaient édifié sur la pente qui dominait le dépôt d'ordures et le détroit. Sous leurs yeux passaient et repassaient les caïques et les nefs marchandes. Ils avaient un agneau, alors que l'ost des seigneurs souffrait de la disette, et le reste des Pauvres Gens de la famine !

Ils se versaient de la bière d'une amphore aux formes orientales en observant le manège d'un homme maigre qui s'était posté à une trentaine de toises de leur abri pour guetter les rats qui venaient mordre dans une charogne d'âne couverte de mouches.

De temps à autre, l'homme qui était dissimulé derrière les restes d'un chariot hors d'usage détendait son bras, lançant un caillou contre un rongeur. Le caillou tombait au milieu d'eux, les rats s'enfuyaient, puis revenaient quelques minutes après. Enfin les trois buveurs de bière entendirent les cris stridents d'un rat qui venait d'être touché, et ils s'esclaffèrent. L'homme s'était levé de derrière son mur et il marchait vers la charogne pour ramasser son gibier.

Ils virent que le rat se traînait à terre et que l'homme le frappait pour l'achever avec un bâton ferré qu'il avait à la main. Maintenant, il tenait l'animal par la queue et il le regardait avec satisfaction. Le visage du chasseur était creusé par les privations, mais le rat était gros. Les misères de la Croisade nourrissaient les rats de Constantinople de charognes, pour tous les chevaux et les mules qui crevaient, épuisés par la longue marche qui les avait menés le long du Danube jusqu'aux portes de l'Orient.

Les trois dans leur cahute, rendus gais par leur bière, rirent à la vue du manège de l'homme, qui allait maintenant chercher quelques morceaux de bois pour cuire sa prise entre deux pierres. Ils lui firent un signe de la main.

— C'est bien, l'ami, tu as fait belle chasse ! cria Quentin Longmuseau, le plus grand des trois, et qui régnait sur les autres, avec ses yeux brillants, ses abondants cheveux jaunes couleur de filasse lui tombant aux épaules, et ses longues moustaches.

Le chasseur de rats se retourna vers eux. Il voyait de loin la petite fumée qui s'élevait entre eux, et qui venait d'un feu où ils faisaient rôtir quelque chose, probablement des rats comme celui qu'il venait de prendre. Il esquissa un sourire, puis s'avança vers le campement des trois hommes. Ceux-là allaient bien lui donner un peu de braise, puisqu'ils étaient avenants à son égard.

Longmuseau regardait le chasseur s'approcher avec son bâton ferré d'une main et son rat de l'autre, et il fronçait les sourcils.

— Tudieu ! jura-t-il, alors que l'arrivant n'était plus qu'à quelques pas. J'ai vu cette tête-là en Bretagne avant de la voir ici...

L'homme était à deux toises de la cahute et cette fois-ci son regard pouvait plonger de l'autre côté du muret de pierre que les trois avaient bricolé. Ses yeux s'étaient agrandis d'étonnement. Ces trois-là avaient un joli cul de mouton, les deux jambes, qu'ils étaient en train de cuire !

Longmuseau s'était levé de la pierre de taille où il était assis. Ils avaient mis comme ça bien proprement trois grandes pierres de taille autour de leur foyer et ils s'y asseyaient pour faire leur cuisine tous les jours.

— Ma parole ! s'écria-t-il quand le chasseur fut devant lui. C'est bien toué, Grand-Gouge !

Longmuseau tapa dans ses mains en s'esclaffant.

— Doux Jésus ! Grand-Gouge à la Croisade, parti pour empêcher les Mécréants de prendre Jérusalem !

Grand-Gouge, lui, regardait les trois hommes, leur mouton qui grillait, et l'amphore d'où venait une odeur de bière. Dans ses yeux brillait toute la fatigue des longs mois de marche et de privations.

— Longmuseau ! dit le chasseur de rats avec un sourire éteint.

— Ça, alors ! reprit Longmuseau. J'te croyais pendu pour de bon comme les autres de la coterie de Tire-Frogne !

L'homme aux cheveux longs se tourna vers ses deux compagnons.

— Les enfants ! s'exclama-t-il. Celui-là est un as ! Il était de ceux d'avec Tire-Frogne dans la forêt de Fougères qui ont mené la vie dure à tout le monde pendant cinq années, même aux Ducs et aux Comtes, et à tous les bourgeois de Mur, de Langogne et d'autres villes !

Longmuseau continua, les yeux tournés cette fois sur le rat que le nouveau venu tenait.

— Jette-moi ça, mon gars ! On ne mange pas du rat, icitte, avec nous... C'est bon pour les pauvres !

La voix de l'homme aux cheveux blonds s'interrompit brusquement. Il venait de voir que la queue du rat n'était pas tenue par les doigts de Grand-Gouge, mais par une espèce de pince à ressort qui sortait de la manche de l'ancien compagnon de Tire-Frogne.

— Jarnidieu ! jura-t-il. Qu'est-ce que c'est que la main de fer que t'as là ? T'l'ont coupée ! C'est comme ça qu't'es passé à travers ? T'l'ont coupée pour tes voleries ?

Il s'esclaffa de nouveau.

— Fortuné qu'tu es, mon gars ! T'ont pas compté les ventres que t'as percés, ni les filles d'bourgeois que t'as montées par-devant et par-derrière, seulement tes voleries ? Raconte, raconte, mon Grand-Gouge ! Comment que Tire-Frogne a été pris, et pas toué ?

Mais Grand-Gouge se taisait. Comment il était passé à travers ? En coupant la gorge de son compagnon Roi-Renard, et en lui ouvrant le ventre pour lui prendre l'émeraude, l'émeraude du petit chevalier, l'émeraude qu'il avait cherchée dans le sang et la merde des boyaux de

Roi-Renard, et au prix de laquelle il avait racheté sa vie. L'émeraude et la main gauche... Le valet de chiens du Comte avait lancé la main de Grand-Gouge entre les chênes, après l'avoir tranchée, et la vermine l'avait mangée la nuit même, sans doute, les putois, les fouines, ou même un loup passé par là qui avait senti le sang d'homme dans le sous-bois.

Les yeux éteints de Grand-Gouge exprimaient la crainte. La vision du visage convulsé de Roi-Renard le poursuivait, l'odeur fade du sang et des entrailles lui revenait, l'odeur du remords qu'il traînait avec lui, Grand-Gouge, depuis ce jour-là...

Il se retourna pour jeter le rat au loin. Non, il ne raconterait pas à Longmuseau comment il avait éventré Roi-Renard. Il l'avait raconté à l'évêque Enoch en confession et jamais à personne d'autre. Il n'y avait que le Comte de Fougères dans la Croisade qui le savait, lui qui avait coupé la main avec son couteau à ouvrir les sangliers. Il avait entendu que le Comte de Fougères était revenu de la guerre de Tunis contre les Mahométans, et qu'il était là dans le camp de l'ost des seigneurs, mais il se passerait des années avant que le Comte et lui ne se rencontrent, et d'ailleurs le Comte ne reconnaîtrait même pas le misérable à qui il avait tranché le poignet. Combien de poignets le Comte avait-il coupés ainsi ? Des paniers entiers. Et le petit chevalier, pensa Grand-Gouge, où était-il ? Est-ce qu'il était parti à la Croisade, lui aussi, avec le Comte ? Est-ce qu'il reconnaîtrait Grand-Gouge, s'il se trouvait nez à nez avec lui, ici, à Constantinople, ou ailleurs, quand on serait chez les Infidèles ?

La voix de Longmuseau tira le chasseur de rats de sa rêverie.

— Hé, Grand-Gouge ? T'as perdu ta langue ? T'l'ont pas coupée en même temps qu'la main, Cul de Dieu !

Le compagnon de Tire-Frogne regarda Longmuseau avec effroi.

— N'faut point blasphémer comme ça, mon gars, dit-il.

Longmuseau écarquilla les yeux.

— Qué qu't'as, mon bonhomme ? demanda-t-il doucement en posant sa main sur le bras de l'ancien compagnon de Tire-Frogne.

Grand-Gouge qui ne voulait pas qu'on jure devant lui ! Ça, c'était pas ordinaire...

— Teu n'vois point qu'il a faim, c'te pauv' gars, pour sûrement ? intervint un des deux autres qui avaient jusqu'ici écouté sans rien dire, regardant avec admiration ce grand homme maigre, avec son chapeau de feutre qui lui tombait jusqu'aux yeux, et qui avait été de la bande de Tire-Frogne, que toute la Bretagne avait craint.

Pourquoi qu'il prendrait les rats, alors ? ajouta-t-il sentencieusement.

Longmuseau frappa violemment son poing dans la paume de son autre main.

— Par sainte Anne d'Auray ! s'écria-t-il. Bien sûr que t'as faim, mon pauv'bonhomme ! Viens-t'en avec nous manger de c'te bête. Donne-z-y d'la bière, Pierre-de-Lune ! Jarnid...

Longmuseau s'interrompit au milieu de son juron, en tendant le bras pour aider Grand-Gouge à passer le muret qui fermait leur abri.

— Excuse-moué, mon bonhomme. T'vas nous dire pourquoué qu'teu n'veux plus qu'on jure, quand t'auras ton ventre plein...

Revenant vers le camp des seigneurs avec ses deux mules chargées de tout ce qu'il avait acheté dans le bas de la ville, en compagnie des deux écuyers du Comte d'Eu qui l'avaient accompagné pour lui prêter la main, Gisquier, le valet d'armes de Foulque de Macé arriva en haut de la rue qui menait à la Porte Maxime. C'était la porte de Constantinople la plus proche du camp de la cavalerie franque, et réservée aux seigneurs et à leurs gens de maison pour qu'ils puissent par là entrer dans la Ville où la populace de la Croisade n'avait pas droit d'accès.

Gisquier et les deux écuyers étaient armés comme en guerre, avec leurs épées et deux arbalètes, leurs cottes de mailles et leur casque, car la populace grondait de l'autre côté de la porte, l'assiégeant ainsi qu'on pouvait déjà le prévoir au matin. Au matin, lorsqu'ils avaient franchi la Porte dans l'autre sens pour aller faire leurs achats, ils avaient dû essuyer les injures et les quolibets des affamés qui commençaient de s'y amasser.

Maintenant, à la rumeur qu'on entendait depuis le bout de la rue où marchait la petite troupe des trois chevaux et des deux mules, c'était foule qu'il devait y avoir de l'autre côté de la porte.

— Vingt Dieux ! jura le valet d'armes. Ils vont nous prendre tout ce qu'on a payé si cher à ces bandits de marchands grecs, et nous rosser par-dessus le marché.

Une douzaine de cavaliers étaient près de la porte au milieu des mercenaires à pied qui la gardaient, et par les jurons de la dispute qu'il entendait venant de là-bas, Gisquier comprit qu'il s'agissait d'un parti d'écuyers des Flandres qui étaient comme lui entrés en ville au lever du soleil, et que les mercenaires ne voulaient plus laisser sortir pour qu'ils regagnassent leur camp, craignant, s'ils ouvraient l'énorme porte, que la populace enfiévrée ne s'y engouffre en leur passant sur le ventre.

Gisquier et ses deux hommes d'armes arrivèrent au milieu de la dispute avec leurs mules. Plusieurs des mercenaires étaient des Suisses qui parlaient un mauvais allemand, et les Flamands les injuriaient dans cette langue. Gisquier vit qu'aucun des Flamands n'était un seigneur, mais tous des valets d'armes comme lui, partis vadrouiller dans la ville. Le malin Normand leur dit en français que tous les soldats de fortune du monde comprenaient le même langage, celui des écus, et que, si ceux qui voulaient rentrer au camp mettaient la main à leur bourse, les mercenaires, qu'ils soient suisses, grecs ou italiens, accepteraient sans doute d'entrouvrir la porte après avoir fait une sortie pour charger la foule. Lui, Gisquier, se mettrait en tête l'épée à la main, chacun ferait de même, et les mercenaires courraient derrière, leurs piques en avant, les mules ayant été placées au milieu. La racaille, prise de court et chargée comme au combat, reculerait, et les Suisses n'auraient qu'à refermer leur porte bien vivement.

Il fut fait ainsi que le Normand avait dit, on compta une demi-douzaine de petits écus aux valeureux soldats de l'Empereur Jean, et la troupe s'élança par le vantail de gauche brusquement ouvert sur ses énormes gonds bien huilés, criant « Tue ! Tue ! » et faisant siffler ses épées au-dessus des têtes. Avec des cris de rage et des insultes, n'osant aller contre des cavaliers de l'ost des Seigneurs, les manants s'écartèrent.

Bientôt Gisquier arrêta son cheval devant la tente de son maître le sire de Macé, et les deux hommes d'armes firent de même, ruisselants de sueur sous les cottes de mailles qu'ils avaient dû revêtir au matin de crainte d'avoir affaire à la piétaille qui commençait à gronder, à s'armer de bâtons ferrés et de piques, à battre les portes de la ville comme une mer montante.

Otant les couvertures de campagne aux armes du Sire de Macé — le léopard rampant sur fond de sinople barré de gueules — qui recouvraient le butin dû à l'industrie de Gisquier, les hommes d'armes commencèrent à décharger les deux bêtes. Le Sire Foulque se montra à l'entrée de sa tente.

— Gisquier ! s'exclama-t-il à la vue des grandes cruches cachetées de cire que les hommes alignaient en les appuyant sur les sacs de grain qu'ils avaient déposés à terre en premier. Tu es vraiment un grand fouineur ! Tu trouverais du vin dans le désert d'Arabie.

— C'est du bon vin résiné, Messire, dit le valet d'armes avec satisfaction. Il devient cher, et les gens ne veulent plus vendre.

— Amène une cruche, et viens-t'en la déboucher avec moi.

Le valet d'armes obéit et, mettant un genou en terre, commença à faire sauter le bouchon de cire en frappant avec le pommeau de la dague qu'il avait tirée de sa ceinture. Foulque de Macé tendit son hanap d'étain, et le valet versa bientôt le résiné avec précaution. Puis son maître amena un autre hanap et ils burent, le valet et le seigneur, depuis longtemps complices.

— Bon Dieu, dit Foulque, c'est vrai qu'il est bon, à travers leur satané goût de résine...

Une clameur lointaine arriva jusqu'à eux, et Foulque leva les yeux vers ce qu'on voyait du camp par l'entrée de la tente, c'est-à-dire l'alignement des autres tentes des seigneurs sous le soleil et le va-et-vient des hommes d'armes menant un cheval par la bride, ou une mule bâtée portant des outres dégoulinantes d'eau puisée à la fontaine.

— Ils ne sont pas loin de commencer, expliqua le valet. Ils sont devant les portes, et crient contre les mercenaires.

— Tu as vu beaucoup de troupes dans la ville ?

Le valet d'armes secoua la tête.

— Il n'y en a guère, Messire, auprès des portes. Elles sont loin en arrière, dans les rues de la ville haute, pour empêcher qu'on y monte.

— Le foutu Empereur n'a pas assez de monde pour défendre le bas de la ville, dit le Sire de Macé. La racaille va y entrer, et elle va tout casser sans grande peine...

Il ajouta, en venant s'asseoir sur son tabouret de camp :

— Ce n'est pas notre affaire. Cet empereur de merde trahit la Croisade. Il n'aura que ce qu'il mérite.

Il but de son hanap, et reprit :

— Et les filles, Gisquier ? Tu as trouvé ce qu'il faut ?

— Je n'ai pas eu grande peine, dit le valet en riant. C'est une ville où on fait un grand commerce de cela. On en vend même aux mahométans qui viennent se fournir en putasses de luxe, à ce qu'on m'a dit. Il y a une Dame Théodica, un des premiers personnages de la ville, qui expédie les vierges dans tout l'Orient, où elles sont achetées fort cher pour les harems. Elle fait venir aussi bien des filles sarra sines qui ne craignent pas d'offrir leurs trésors aux ennemis de Mahomet !

— La pourriture ! ricana le chevalier normand. Ils sont corrompus par les Mécréants, et ils se disent des Chrétiens comme nous...

— J'ai trouvé deux Grecques, qui ont belle mine, qui sont deux sœurs et habitent une petite maison pas loin de là où commence la ville haute. Elles prennent deux deniers, pour recevoir de midi à midi, et font la nourriture dans ce prix...

— Et elles ont la vérole ! ricana Foulque.

— Non pas, Messire. Elles ont un médecin, qui les examine, et m'ont montré leur certificat. Elles vous attendent pour cet après-midi, Messire. J'ai dit que vous y seriez vers quatre heures. J'ai eu leur adresse par les secrétaires de la Dame Théodica, qui a de grands bureaux où l'on parle toutes les langues d'Orient et d'Occident. Un Italien m'a demandé ce que je voulais, je lui ai dit, et il m'a donné l'adresse des deux Grecques, avec un jeton de cire gravé aux armes de la Dame Théodica pour que je leur remette, et j'ai payé pour cela cinq écus. C'est plaisir de faire affaire avec des gens si bien organisés dans leur métier, plaisanta le valet. Je me suis rendu chez les filles, qui m'ont demandé un denier d'avance, que je leur ai versé. L'autre, vous le remettrez en les quittant, selon ce que m'a dit l'Italien. C'est là leur coutume.

— Bois encore, et verse-moi à boire, Gisquier, lança le seigneur de Macé, mis en belle humeur. Tu es un bon valet, le meilleur de tous, et tous les autres m'envient de t'avoir.

Gisquier obéit aux ordres qu'il venait de recevoir, remplissant les hanaps de résiné après avoir vidé le sien.

— Ce n'est pas tout ce que j'ai trouvé dans cette bonne ville de Constantinople, Messire, dit-il, les joues rougies par le vin. J'ai gardé le meilleur pour la fin...

— Tiens donc ! lança Foulque. Qu'y aurait-il de meilleur que du vin et deux Grecques bien grasses ! Ne vas-tu point me proposer des garçons, drôle ! Ce n'est point mon affaire, tu le sais bien, même si notre seigneur Duc de Bourbon nous en donne l'exemple, avec son page qui le serre de près sous sa tente après le couvre-feu !

Le jeune seigneur Foulque éclata de rire en lançant sa plaisanterie, et son valet fit chorus.

— Non pas, Messire, je n'ai point cherché de ce côté-là, encore que la Théodica ait cela aussi dans ses fournitures, selon ce qu'on m'a dit... Ce que j'ai vu, et qui ne va pas manquer de vous intéresser, c'est le quartier juif. J'y suis entré sans le vouloir en me trompant de route alors que je cherchais les rues aux épices pour renouveler votre provision qui tire à sa fin...

— Le quartier aux Juifs ! s'exclama Foulque. Qu'en ai-je à faire, et que nous chantes-tu là ?

— Messire ! protesta Gisquier. Ne dédaignez point ce que j'y ai vu, et qui est bien propre à exciter votre intérêt... Des colliers d'or et d'argent, des bagues finement ciselées, et des pierres précieuses de toutes les eaux et toutes les couleurs...

— Maudit bavard ! Où as-tu appris que j'avais de l'intérêt pour les pierres précieuses ?

— Comment, Messire ? fit le valet, jouant la surprise, n'avez-vous point eu tant de convoitise pour la plus précieuse d'entre elles toutes, selon ce que vous pensiez autrefois, la belle Judith, la fille trop sage du joaillier Mordoch, qui ne voulut point être à vous ? Elle est en ville, plus belle que jamais, à la boutique de son oncle qui tient commerce ici. Je suis tombé sur elle en traversant la rue aux bijoux.

— Bon Dieu ! La Judith est ici ? s'exclama Foulque.

— Oui-da, Messire. Je l'ai vue entrer dans la boutique, et son oncle l'embrasser, et j'ai pensé que vous seriez bien aise de le faire à sa place.

Une longue clameur retentit au loin. Des valets et des hommes d'armes passèrent en courant, allant voir ce qui advenait.

Un écuyer de l'ost du Comte d'Eu se montra à l'entrée de la tente.

— Messire Foulque ! Les manants ont abattu la porte Maxime ! Les mercenaires les laissent passer !

Son hanap vide à la main, Foulque de Macé se leva de son tabouret. Son visage était rouge, et il se souvenait avec colère de ce que Judith l'avait repoussé, que son père Mordoch s'était plaint de lui au Comte d'Eu, et de ce que la belle Juive s'était donnée à Riou de la Villerouhault ensuite.

— La garce, jura-t-il. La garce est ici !

— Messire ! dit Gisquier en se retournant depuis l'entrée de la tente, où il était allé écouter au-dehors les cris et le piétinement de la populace de la Croisade qui se ruait en foule vers la porte abattue. Je crains bien que vous ne perdiez le denier que j'ai versé aux deux Grecques ! Elles seront violées par tous ces manants avant que vous n'ayez le temps d'en profiter...

Dans la cahute de Longmuseau et de ses deux compagnons, Grand-Gouge, rassasié, rognait entre ses dents l'os de mouton qu'il tenait entre sa main valide luisante de graisse et la pince de fer fixée à son moignon.

Longmuseau rota bruyamment, puis tendit la main vers son voisin Dandine pour qu'il lui passe la cruche de bière. Il en but une longue rasade et s'essuya la bouche du revers de sa main. Des hommes en escouade s'approchaient de la cahute, les uns portant des bâtons ferrés, d'autres des piques ou des haches.

— Allez, les gars ! s'écria l'un d'eux. Les portes sont prises !

Longmuseau se leva avec un sourire.

— Viens, mon bonhomme, dit-il en posant sa main sur l'épaule de Grand-Gouge. Il va y avoir de l'amusement pour tout le monde dans la ville...

Ses deux compagnons s'étaient levés à leur tour. Ils sortaient eux aussi des haches de dessous un sac. L'ancien compagnon de Tire-Frogne les regardait faire d'un air d'effroi.

— J'n'irai point, Longmuseau... J'tai bien dit que j'avais fait vœu à la Vierge de ne plus faire de volerie !

Sous son chapeau délavé par le soleil des montagnes de Grèce et les pluies du Danube, Grand-Gouge secouait la tête, son os de mouton à la main.

— Bon Dieu de bourrique têtue ! s'impatienta le grand moustachu, teu n'vas point rester là tout seul tandis que toute la Croisade va prendre c'te ville de mécréants ! Si teu n'fais point de volerie, t'feras bien une coucherie avec une putasse ! C'est rempli d'putasses, c'te ville du Diable, et aujourd'hui t'en auras tant qu'tu veux sans donner un sou... T'as point promis de ne plus coucher avec une femme, non plus, tout d'même, mon pauv'gars ?

Dandine-Dandinaille sa hache à la main, se pencha à son tour vers Grand-Gouge.

— Viens-t'en, avec nous, Grand-Gouge ! Si Tire-Frogne te voit, d'là où il est, qu'est-ce qu'il va dire, que teu n'vas point baiser les filles de Constantinople, un jour comme aujourd'hui, où tout est permis, de c'que ces maudits mécréants de c'te ville n'veulent point donner à manger à la Croisade, et nous jouent des tours avec les mahométans ? C'n'est pas pécher que d'les punir pour tout l'mal qu'ils font, bien au contraire !

Tiré par Dandine-Dandinaille qui l'avait pris par la main, Grand-Gouge se mit debout. La tête lui tournait de la bière qu'il avait bue, après tant de jours de jeûne, et des misères de la longue marche qui l'avait mené de la forêt de Fougères jusqu'aux murs de la ville de Constantinople.

Un crucifix d'argent à la main, l'évêque Enoch, dans sa soutane élimée, entouré des maçons qui avaient quitté le chantier de la cathédrale avec lui pour suivre la Croisade, n'avait plus de voix. Il s'était posté à la Porte Eulalia peu après que la folie avait pris dans le camp des affamés et il brandissait son crucifix devant le visage de ceux qui franchissaient la porte pour participer au pillage, les adjurant au nom du Christ de ne pas céder à la convoitise, et de ne pas profaner leur vœu de Croisé. Mais eux, les yeux fous, leurs piques ou leurs haches au poing, passaient sans voir l'évêque, ou alors ils l'insultaient, avec un ricanement, lui et les tailleurs de pierre qui montaient la garde autour de leur saint homme, avec leurs manches de pioche en guise d'armes.

Le camp tout entier s'était vidé dans la ville à travers les portes fracassées que les mercenaires avaient défendues mollement, et derrière l'évêque et son escorte l'horrible rumeur du chaos montait jusqu'au ciel, faite de cris sauvages, de crépitements d'incendies, de vitres brisées...

Les larmes aux yeux, l'évêque regarda vers la rue qui s'enfonçait dans la ville, au bout de laquelle on voyait des hommes passer en courant, tout à leur frénésie de pillage.

— Allons là-bas secourir ceux que nous pourrons arracher à ces fous, dit-il de sa voix brisée à Simon Beaumortier.

L'évêque et les tailleurs de pierre s'avancèrent dans la rue bordée de maisons basses dont les portes étaient béantes, et les seuils jonchés d'objets domestiques dispersés par ceux qui avaient cherché à l'intérieur de quoi se nourrir. Ce n'était qu'une rue habitée de gens modestes et les pilleurs ne s'y étaient pas attardés.

Simon Beaumortier entendit un gémissement s'élever d'une de ces portes et il entra dans la maison. Un vieillard agonisait sur le carrelage du couloir, la tête brisée d'un coup de gourdin. Les tailleurs de pierre s'arrêtèrent à l'appel de leur compagnon et l'Evêque Enoch franchit le seuil à son tour. Il s'agenouilla auprès du mourant, récitant les prières des morts.

Quand l'Evêque se releva en s'appuyant sur l'épaule de Simon, qui s'était agenouillé à ses côtés, il était livide. Le rêve du constructeur de cathédrales sombrait dans l'horreur du sang répandu par des chrétiens. L'esprit du Mal s'était emparé de la Croisade, et il changeait le fleuve de foi venu en chantant des psaumes à travers l'Europe en un égout de souillure et d'infamie qui allait engloutir la capitale de la chrétienté orientale, sous les yeux des mahométans aux aguets de l'autre côté du détroit...

L'Evêque Enoch sortit de la maison comme dans un cauchemar, continuant sa marche vers la rumeur du pillage.

La rue déserte où ils allaient déboucha sur une place étroite. Une église y était serrée entre de belles maisons de trois étages. Des bruits violents s'échappaient par les fenêtres brisées d'une de celles-ci. Au bas d'une autre, deux hommes s'attaquaient à la porte d'entrée avec une lourde barre de fer. Quand l'évêque et ses tailleurs de pierre entrèrent sur la place, un groupe d'hommes hissaient en riant un âne sur les marches de l'église, afin de y faire entrer l'animal.

D'autres en sortaient en tenant dans leurs mains les objets du culte, des ciboires, des statuettes dorées, qu'ils mettaient dans une toile étendue sur le sol dallé du parvis. Les croisés volaient les objets consacrés au culte du Christ !

— Pour l'amour de Dieu, que faites-vous, malheureux ! s'écria l'Evêque Enoch.

Il monta les marches et, se penchant sur la toile, tendit la main vers le ciboire.

Les pilleurs s'étaient interrompus. Ils connaissaient tous Enoch, un évêque pas comme les autres, qui avait marché à pied au milieu des manants depuis le début de la longue procession, refusant tous les privilèges.

— Monseigneur, n'faut point rester ici, dit l'un d'eux.

— Par le sacrifice de Notre-Seigneur sur la Croix, supplia Enoch d'une voix tremblante, remettez ces saintes choses à leur place dans la maison de Dieu !

L'Evêque avait pris le ciboire et il le tenait contre lui.

— Gardez-le si vous voulez, Monseigneur, continua l'homme, mais maintenant partez bien vite avec votre monde !

— Hé là, Gribeauval ! lança une voix derrière eux. Tu n'as point à donner quéquechose de tout ça. C'est à nous tous, comme c'est dit ce matin, et on partagera de retour au camp !

L'Evêque Enoch se retourna. Ceux qui avaient fini de faire entrer l'âne dans l'église en ressortaient, et ils avaient des bâtons ferrés ou des tranchets à la main. L'un d'eux s'avança vers Enoch et lui arracha le ciboire.

Simon Beaumortier et les autres serraient leurs gourdins dans leurs gros doigts, prêts à frapper. L'Evêque vit que d'autres pillards arrivaient sur la place. Les tailleurs de pierre n'auraient pas le dessus contre cette armée.

L'homme qui avait voulu laisser l'Evêque emporter le ciboire, et que le nouveau venu avait appelé Gribeauval, reprit la parole :

— Ce n'est point sacré, c'te vaisselle, Monseigneur, vu que ces chrétiens-là ne sont point de bons chrétiens, mais des hérétiques qui sont contre nous avec les mahométans !

Accablé, Enoch courba la tête. Puis des clameurs de joie s'élevèrent tandis que s'abattait avec fracas la porte de la maison sur laquelle plusieurs s'acharnaient depuis le moment où l'Evêque était arrivé sur la place.

Des cris de femmes se firent entendre dans la maison dont la porte venait d'être forcée. Une fenêtre du premier étage s'ouvrit brutalement et deux de ceux qui avaient pénétré dans la maison s'y montrèrent, encadrant une jeune femme aux cheveux dénoués sur sa poitrine nue. Ils la soulevèrent pour que tous ceux qui étaient en bas sur la place puissent bien voir qu'elle n'avait plus aucun vêtement. Elle se débattait en gémissant. Les deux hommes qui la maintenaient chacun d'un côté lui embrassaient les seins avec des rires, puis un troisième apparut derrière elle et, plaçant ses bras sur les épaules de la malheureuse, commença de la besogner par-derrière.

Sur le parvis, les pillards applaudissaient en riant. L'un d'eux interpella l'évêque Enoch.

— Hé, Monseigneur ! Il dit sa messe, le gars, là-haut. Elle est meilleure que la vôtre, p't'être ben !

Les autres s'esclaffèrent. Un homme sortit de l'église en criant :

— Les gars, les gars ! V'nez vouère vot' bon Dieu d'âne ! L'est sul point d'donner la communion !

Celui qui avait enlevé le ciboire à Enoch tout à l'heure, et qui paraissait commander la bande, interpella l'évêque à nouveau.

— Vous allez venir voir aussi, Monseigneur. Comme ça vous ne serez pas venu jusqu'icitte pour rien...

Ses acolytes rirent, entourant le prêtre.

— Allez, Monseigneur, n'vous faites point prier ! C'est not' fête ce jourd'hui, à nous autres qu'avons jamais rien...

Simon Beaumortier s'était rapproché, et les autres compagnons de la cathédrale se tenaient à ses côtés.

— Laissez notre Sire évêque tranquille, sinon, gare ! avertit Simon.

Les pillards et les tailleurs de pierre se mesuraient du regard, leurs armes prêtes à frapper. Enoch lut dans les yeux de tous la lueur du meurtre, la haine que les uns avaient pour les autres, le terrible besoin qu'ils ressentaient maintenant de laisser aller leurs instincts de bêtes féroces, aussi bien les sages tailleurs de pierre que les rôdeurs et voleurs de profession. Le Mal était en eux !

— J'irai, Simon, dit doucement l'évêque Enoch qui ne voulait pas voir périr ses maçons. Demeurez ici à m'attendre...

Acclamant l'évêque avec des rires, les pillards se saisirent de lui. Il se trouva porté en triomphe sur leurs épaules et pénétra dans l'église de cette dérisoire façon. Ils le portèrent en criant et en courant jusque devant l'autel où l'évêque vit l'âne. Affublé d'une étole et d'une mitre dorée, soutenu par plusieurs hommes qui ricanaient, et dont l'un guidait son membre rigide comme font les paysans dans leurs fermes les jours où ils aident l'étalon à couvrir une jument, l'animal s'accouplait avec une grosse prostituée au visage trop fardé qu'on avait installée sous lui, les fesses levées grâce à des tabourets de velours qui servaient à asseoir les servants du culte.

La grosse femme, dont les seins pendaient bas sur les plis de son ventre poussait des sortes de râles à mesure que l'âne la bousculait, gémissant lui aussi, les dents saillant en avant en dehors de sa bouche ouverte d'où tombait un filet de bave.

L'evêque Enoch, les yeux agrandis par l'horreur de ce qu'il voyait, restait immobile en haut des hommes qui le soutenaient toujours. Puis brusquement, il se dégagea et sauta à terre. Les autres le laissèrent faire en riant, pensant qu'il allait s'enfuir vers le portail, pour en avoir assez vu. Mais l'évêque ne s'enfuit pas vers le portail. Il se rua vers un grand candélabre de bronze placé devant l'autel et le saisit entre ses mains. Les dents serrées, les yeux brillants de colère, il bondit vers ceux qui tenaient l'âne et les frappa à toute volée, avec une adresse qui lui venait de la colère sacrée dont il semblait maintenant possédé. Touché en plein visage, l'un des deux hommes roula à terre la mâchoire fracassée, inondant les dalles de son sang. L'autre s'était jeté en arrière, lâchant l'âne, mais l'évêque Enoch qui tournoyait sur lui-même les yeux exorbités comme un derviche dans sa transe le faucha en pleine poitrine dans un bruit d'os craqués. Ceux du reste de la bande saisissaient leurs piques et leurs haches, mais redoutaient le candélabre devenu fléau d'armes entre les mains du prêtre en furie.

Enoch poussa un grand cri, appelant Simon Beaumortier et les compagnons tandis qu'il tournoyait et frappait toujours. La rumeur de ce qui se passait à l'intérieur arrivait jusque sur le parvis où Simon et ses amis en étaient venus aux mains avec les pillards du dehors. Ils entrèrent au secours de l'évêque en frappant de leurs gourdins, écrasant les têtes de la racaille et y prenant plaisir, grisés par l'odeur du sang.

Longmuseau s'avançait dans les ruelles étroites du quartier juif, suivi de ses deux acolytes et de Grand-Gouge qui ne tenait guère bien sur ses jambes, ayant bu, outre la bière qui lui avait fait tourner la tête au campement, du vin que des pillards distribuaient à tous ceux qui passaient devant l'entrée d'un entrepôt dont ils s'étaient rendus maîtres.

Le quartier juif était enfermé dans des grilles, qui gisaient arrachées, après avoir été forcées par ceux qui l'avaient pris d'assaut. Car les joailliers, changeurs et prêteurs qui tenaient là commerce, s'étaient défendus, maison par maison. Les mouches étaient déjà à l'œuvre sur les cadavres qui jonchaient les pavés, au milieu d'objets de toutes sortes que les pillards avaient dispersés, registres de comptes, jouets d'enfant, vaisselle brisée, écrins vides ayant contenu les bijoux sur lesquels les misérables de la Croisade s'étaient jetés avec avidité. Plusieurs d'entre eux qui s'étaient battus avec les boutiquiers gisaient dans leur sang et leurs yeux vitreux ne verraient jamais Jérusalem.

Des hommes pris de boisson allaient d'un pas hésitant d'une porte ouverte à l'autre, glanant parmi ce qui avait été dédaigné par les premiers pillards, et s'interpellant pour des discours d'ivrognes.

Longmuseau et ses compagnons passèrent devant un magasin d'étoffes d'où sortaient des rires mêlés à des cris de femmes qu'on violait. Longmuseau s'arrêta sur le seuil pour regarder à l'intérieur. Plusieurs hommes qui avaient ôté leurs chausses se contorsionnaient d'une manière obscène devant deux jeunes femmes attachées chacune sur un lit bas, les jambes et les bras écartelés. L'une se tordait en gémissant, soulevant son pubis et ses cuisses d'une manière qui rendait sa position plus obscène encore que ne l'avaient voulu leurs tortionnaires tandis que l'autre subissait le poids et les mouvements d'un homme qui ahanait sur elle.

— Ma parole, murmura Longmuseau, c'est c'cochon de Tubœuf !

L'homme poussa un long cri rauque en s'affalant sur sa victime, ayant achevé ce qu'il avait à faire.

— Tubœuf, Bon Dieu ! lança Longmuseau.

L'interpellé se détacha de la jeune femme et se tourna vers Longmuseau en ramassant ses chausses jetées auprès du lit.

— On te cherche, nous autres ! lança Longmuseau d'un ton irrité. T'as dit qu'teu s'rais devant la boutique !

— Ça va, ça va, ne gronde point, Longmuseau ! dit Tubœuf en rajustant ses chausses. Teun' baises point, toué, ce jourd'hui ? Sept mois qu'on n'a pas eu d'femme et tu croués que j'vas laisser passer un jour comme celui-là en laissant mon vit à la maison ?

— Les soldats vont revenir, sot que tu es, ou l'ost des seigneurs, et nous n'avons peut-être point de temps ! Croués-tu qu'leur Empereur et les princes vont nous laisser faire ça longtemps ? Laquelle que c'est, c'te boutique ?

— Cette-ci, qu'y a d'la fumée qui sort, dit Tubœuf avec un geste du bras. Les gars y ont mis l' feu après d'avoir tout pris, mais j'l'ons éteint avec les amis que t'as vus là, ajouta-t-il avec un regard vers la maison où l'on violait les deux femmes attachées sur leurs lits.

Longmuseau marcha jusqu'à l'échoppe à demi incendiée devant laquelle il s'arrêta.

— Si l'ont tout pris, pourquoi qu'tu voulais que j'vienne, alors ? demanda-t-il, les sourcils froncés.

— Parce que ce qu'ils ont pris n'est rien à côté de c'qui reste à prendre, dit Tubœuf en souriant. C'Juif-là a les plus belles pierres de Constantinople, mais n'les laisse point dans sa boutique. Dans la cour derrière, y a un bâtiment, avec une cave, et c'est là-dedans que c'est.

— Et comment que teu l'sais ? fit Longmuseau.

Tubœuf se planta devant son interlocuteur.

— Comment que je l'sais, mon gars ? C'est c'que teu m'demandes ?

— Oui-da, dit Longmuseau impatienté par le calme de son interlocuteur.

— Eh bien, regarde c'que teu vas vouère !

Tubœuf marcha jusqu'à une petite porte qui était au fond de l'échoppe, et ouvrit. Elle fermait un réduit un peu plus grand qu'un placard.

Longmuseau avança la tête dans le réduit. Il vit un jeune homme, d'une vingtaine d'années tout au plus, très brun, les cheveux crépus, qui gisait recroquevillé sur le sol, les mains liées derrière son dos à ses pieds, ce qui maintenait son corps cambré en avant. Ses yeux étaient crevés, sa bouche béante tuméfiée par les terribles coups qu'il avait reçus.

— L'valet du Juif, laissa tomber Tubœuf en refermant la porte. J'lui ai demandé où qu'étaient les pierres, et il s'est fait prier pour le dire. Mais l'a dit ! C'est un gars courageux. S'est battu comme un diable quand on a forcé la porte de l'échoppe, et l'a bel et bien envoyé en enfer, Taraud Lestranger, d'un seul coup de pique dans l'ventre. T'l'as connu, Taraud Lestranger, hein ? L'était rapide, pourtant, l'gars !

— Oui, dit Longjumeau en refermant la porte du réduit sur le cadavre du supplicié. Mais n'avons point d'temps, que j'te dis, Bon Dieu, Tubœuf ! Où c'est-y c'te cave ?

— Dans la cour, mon gars..., dit Tubœuf souriant qui se sentait bien à son aise, dans cette ville livrée à l'apocalypse, après qu'il avait baisé tout son saoul cette fille juive attachée à son lit, après une autre toute jeune, treize ans à peine, mais que Taraud Lestranger et lui avaient forcée, dans une chambre d'en haut d'une maison où elle s'était cachée avec sa mère. Pendant que tous les autres gars baisaient la mère l'un après l'autre, il avait dépucelé la petite, que Taraud Lestranger lui tenait. Bon Dieu, c'qu'elle lui avait serré la queue, la fillette !

A cette pensée du plaisir terrible qu'il avait eu à pénétrer cette petite vierge qui se débattait en hurlant, une vague de joie envahit Tubœuf. Ils étaient sortis dans la cour maintenant, et la voix autoritaire de Longmuseau donnait des ordres.

— Dandine-Dandinaille ! Teu nous trouves eune bonne barre de fer et tu viens avec moi. Et toi Grand-Gouge, mon gars, teu vas rester dans c'te cour et teu r'gardes bien tout c'qui veut y entrer, et teu nous siffles si jamais teu vois les soldats qu'arrivent dans la rue, ou queuqu' chose comme ça. Ça t'va, mon gars ?

— Ça m'va, sourit Grand-Gouge.

La tête lui tournait moins, et il se sentait en confiance avec Longmuseau, qu'était un bon gars. Ils avaient été ensemble à Kemper, aux prisons du Comte de Robien, pour des petites voleries qu'ils avaient faites, chacun de leur côté, et Longmuseau avait toujours été un bon compagnon, partageux de ce qu'il avait, jusqu'à ce que le Comte de Robien leur pardonne pour le jour de la Sainte-Anne, et les renvoie, avec tous les autres qui avaient fini de recreuser ses étangs et refaire la digue de l'Odet, en leur remettant le temps qui leur restait à tirer, chacun avec un grand pain de gâche, un petit sac de poisson séché et un démi-écu. Un demi-écu ! Tout de même, ce Comte de Robien, c'était un bon seigneur, et un vrai chrétien ! L'était mort maintenant, vieux qu'il était déjà, à ce moment-là.

Grand-Gouge s'assit dans la cour, sur la borne de pierre qui était au coin de la porte à deux battants pour empêcher les charrettes de l'abîmer. Ce n'était pas une volerie qu'il faisait, il ne faisait que le guet pour les autres et ça n'était pas contre sa promesse à la Vierge, pourvu qu'il ne profite pas de ce que les autres allaient prendre. Et c'était dans la Juiverie que ça se passait, et les Juifs n'étaient pas des chrétiens. Et d'abord toute cette ville, c'était une ville de mauvaises gens, qui s'étaient mis du côté des Mahométans contre la Croisade...

Gisquier marchait devant son seigneur Foulque, qui s'était vêtu comme un manant quelconque de la Croisade, avec seulement sa dague sur le côté sous la veste de daim rapiécée que son valet lui avait trouvée pour aller dans la ville malgré l'annonce qui avait été faite à son de trompe dans le camp de l'ost franc dès que le pillage avait commencé, défense à tout un chacun, sire, valet ou écuyer, de franchir les portes, ou tout au moins ce qu'il en restait après que les affamés les avaient abattues.

Les Comtes et les Barons s'étaient réunis chez le Duc, et ils étaient d'avis que Jean allait maintenant être plus accommodant avec la Croisade, après la leçon que les manants étaient en train de donner à sa ville. Pas tous les Comtes, d'ailleurs, car Fougères, Beaufort-Weinsgate et plusieurs autres Anglais disaient que c'était une folie de plus, après les bêtises de Mahdia, que de s'attaquer à la capitale de l'Empereur d'Orient. Mais qui aurait pu retenir la colère de quatre-vingt mille affamés ayant perdu toute raison après être parvenus à mille lieues de leurs chaumières, de leurs champs de raves, et des églises de leurs paroisses ? Sans compter avec la lie des brigands qu'on avait poussés à s'enrôler pour qu'ils débarrassent les bourgeois des villes, et qui maintenant réclamaient leur part des jouissances de l'Orient avant même d'être arrivés chez l'Infidèle ?

Dans tous les bas quartiers de la ville, c'était maintenant un immense rut. Foulque et Gisquier enjambaient les corps de ceux qui avaient voulu défendre leurs femmes ou leurs filles, et croisaient des groupes d'hommes qui entraînaient des malheureuses qu'ils avaient découvertes cachées au fond des écuries ou des entrepôts vers les maisons où il y avait des lits pour les coucher. Une bestiale griserie s'était emparée de tous et nombreux étaient ceux qui jetaient au coin d'une rue le sac où ils avaient entassés des objets volés pour aller donner la main à ceux qui leur criaient par une fenêtre ouverte qu'il y avait des filles là-haut et qu'ils voulaient de l'aide pour les tenir.

Le Sire de Macé et son valet ne pouvaient échapper à cette fièvre mauvaise tandis qu'ils marchaient d'une ruelle à l'autre vers la maison des deux Grecques à qui Gisquier avait versé de l'argent d'avance le matin même. Gisquier reconnut la maison, derrière un petit jardin dont la porte était ouverte. Foulque entra, marchant sur des linges épars sur le sol, puis monta les deux marches qui menaient à la maison elle-même. Dans un couloir ronflait un homme allongé à même le sol près d'une cruche renversée, la tête dans la flaque de vin répandue sur le carrelage. Foulque l'enjamba et atteignit une porte qui ouvrait sur une chambre. Une jolie jeune femme brune gisait les cuisses écartées sur le lit souillé de taches de toutes sortes. Les yeux vagues, elle tourna la tête vers les nouveaux venus et elle leva la main pour désigner son sexe, dans une invite obscène.

Gisquier reconnut celle à qui il avait parlé ce matin, puis aperçut les jambes d'une autre femme par terre de l'autre côté du lit. Il se pencha. C'était bien l'autre. Plusieurs dizaines d'hommes avaient violé les deux courtisanes qui avaient bu jusqu'à perdre la raison.

— Vous avez perdu votre denier, Messire, plaisanta Gisquier. Ce que nous avions acheté avec ne vaut plus rien, ayant servi à trop de monde...

La jeune femme qui était sur le lit répéta son invite d'un nouveau geste, esquissant un sourire d'ivrogne, en s'efforçant d'éclaircir son regard fixé sur les nouveaux venus.

Elle redressa son buste comme pour s'asseoir, mais ce mouvement lui donnant la nausée, elle se tordit en avant pour vomir, inondant le lit de tout le vin qu'elle avait bu.

Le Sire de Macé entraîna son valet hors de la chambre. Ses mains tremblaient d'énervement, saisi lui aussi par la concupiscence à la vue de ces corps livrés à la débauche, et l'image de Judith revint devant ses yeux. La Juive ! La foutue garce de Juive, qui n'avait pas voulu de lui, mais qui avait bel et bien forniqué avec Riou de la Villerouhault ! D'autres l'avaient violée, ou allaient le faire si elle était restée dans la boutique de son oncle...

— Gisquier ! jeta Foulque à son valet. Où est la Juiverie ? Conduis-nous à la Juiverie !

Gisquier regarda son maître avec un sourire. Judith ! A lui aussi, le désir montait dans son ventre, de tout ce qu'il avait vu, des cris de filles qu'il avait entendus, de cette odeur de plaisir animal qui montait de partout dans cette ville devenue femelle livrée au rut d'une meute de chiens enragés.

SEPTIÈME PARTIE

LES INTRIGUES DE MAIMOUNA

25.
Les filles de l'atabeg

L'hiver vint pour la seconde fois depuis que Riou avait été pris à Mahdia. Rivé aux rames dans l'entrepont de la galère du Raïs Maqsar, il n'avait vu du premier que la fureur des vents et la mauvaiseté de la mer. Celui-ci surprit le jeune chevalier dans le jardin de l'atabeg, où lui avait été attribué un de ces pavillons destinés aux lettrés qui étaient les hôtes du seigneur de Djabala. Et Riou en goûta jour après jour toute la douceur. Si l'automne avait amené des pluies fréquentes, la saison qu'on disait froide chez les Chrétiens d'Occident commençait chaque matinée par la caresse d'un soleil rayonnant dans le ciel bleu. Miracle de l'Orient : aucun des arbres ne perdait ses feuilles. Les orangers se couvraient de fruits. Sur les branches des citronniers, ceux-ci voisinaient avec les fleurs odorantes, puisque cet arbre, au grand étonnement du jeune Breton, portait en même temps les unes et les autres tout au long de l'année.

Dès le soleil venu frapper la blancheur du mur de son pavillon, Riou, assis sur son tapis à la mode des Arabes, ayant depuis longtemps plié ses muscles à cette habitude, calligraphiait avec soin les versets du Koran qu'il avait pris à cœur d'apprendre comme on le fait faire aux petits enfants. Un vieux maître d'école, barbu et courbé, était venu, sur ordre d'Oumstal, lui enseigner l'écriture dès les premiers jours. Yassid — c'était le nom de cet homme d'âge qui connaissait l'alphabet latin et un peu du parler des Francs — s'asseyait auprès de Riou, tenant dans ses mains tachées de son la longue baguette de bois poli avec laquelle il frappait les doigts de ses élèves lorsqu'ils formaient mal leurs lettres sur les tablettes où ils s'exerçaient. En riant, il infligeait à Riou les mêmes rappels à l'ordre lorsque le chevalier faisait une faute. Mais Riou, dans sa hâte de vivre pleinement la vie qui l'entourait, travaillait avec la plus grande assiduité à la connaissance de cette langue dont il savait qu'elle allait lui livrer toutes les clefs du monde auquel il était voué maintenant par son serment au Vieux de la Montagne. Cet assujettissement lui donnait en même temps prétexte à repousser à plus tard le reniement de sa foi chrétienne.

Le premier maître qui lui fut donné pour commencer son initiation à la croyance des mahométans fut l'imam d'une des mosquées de la ville de Djabala. Il arriva un matin, amené par le maître d'école. C'était un homme au visage sévère, d'une soixantaine d'années, avec une courte barbe grise, dont tout le maintien exprimait la rigueur, y compris dans la manière impeccable dont était enroulée l'étoffe du haut turban blanc de neige qui le coiffait.

Il s'assit en face de Riou sur la natte qui était au soleil devant l'entrée du pavillon où logeait le jeune homme, sur lequel il n'avait pas encore jeté le moindre regard. Le vieux Yassid guettait le visage de son élève, y voyant bien le reflet de la crainte que le jeune Franc éprouvait d'avoir à entendre de la part de cet imam sans sourire des paroles qu'il lui serait difficile d'accepter.

L'imam, ayant arrangé les pans de sa robe blanche après s'être assis, avait pris un chapelet qu'il égrenait en silence entre ses doigts, les yeux clos, se recueillant avant de désigner à l'infidèle qui était devant lui le chemin de la vraie religion. L'inquiétude grandissait en Riou, à qui s'imposait maintenant le sentiment de l'ambiguïté de sa condition à lui. C'est à la Sainte Vierge Marie qu'il avait demandé secours lorsque Slimane tendait le cou à son épée, sous les regards d'acier des Haschachinns. Elle l'avait mené là, au bord de cet abîme au fond duquel il allait tomber en devenant ce que les Chrétiens appelaient un *renégat*.

Les paupières de l'imam se levèrent. Il fixa le jeune Franc d'un regard profond.

— Prends ta plume, et écris ! ordonna-t-il d'une voix ferme, dans laquelle Riou chercha en vain la trace des sentiments qu'éprouvait cet homme de devoir à son égard.

Le chevalier avait mis une feuille de papier sur la planchette placée sur ses genoux croisés. Il trempa sa plume dans l'encre, prêt à transcrire les mots qui allaient lui être dictés.

— *Besm Allah enrohman elrahim !* lança l'imam d'une voix chantante comme s'il allait psalmodier un long verset.

La plume maniée par la main du chevalier s'appliquait à tracer avec soin les caractères qui transcrivait la phrase que Riou connaissait bien, puisqu'elle était en tête de tous les chapitres du Koran.

Au nom de Dieu clément et miséricordieux. Cette phrase, qu'ils répétaient en de nombreuses occasions, était pour les mahométans ce que le signe de croix était aux chrétiens.

Ayant achevé d'écrire, Riou releva la tête, attendant la suite.

— Médite ces mots, dit l'imam, que le Prophète Mohammed a inscrit en tête du Livre Sacré, en entendant l'archange Gabriel les prononcer pour lui. Sache bien que, lorsqu'ils tombèrent du ciel, les nuages s'enfuirent du côté de l'Orient, les vents s'apaisèrent, la mer fut émue, les animaux dressèrent les oreilles pour entendre, les démons furent précipités des sphères célestes... Sauras-tu, toi, les entendre ? Ils sont la clef que tu cherches, si tu cherches la Vérité. Je reviendrai dans une semaine achevée pour entendre de ta bouche la moisson qu'ils auront levée dans ton cœur.

Puis l'imam se leva pour s'en aller, laissant Riou étonné que son interlocuteur ait fait tout ce chemin depuis la ville pour une si courte leçon.

Sept jours passèrent, au long desquels Riou médita les paroles et les gestes de l'imam. Il crut comprendre que ce prêtre voulait lui faire entendre que Dieu était miséricordieux avant toute chose et que tous ceux, chez les Mahométans ou chez les Chrétiens, qui en faisaient un Dieu de vengeance et de dureté n'avaient pas su recevoir le message qu'il avait envoyé vers les hommes par la parole de Mahomet aussi bien que celle de Jésus.

Vint le matin du jeudi, où l'imam, selon sa promesse, devait se manifester à nouveau. Riou l'attendit en vain pendant toute la matinée. Comme chaque jour, à l'heure de midi, les domestiques de bouche pénétrèrent dans le jardin, apportant des cuisines de la maison forte les nourritures destinées aux lettrés et aux religieux qui étaient les hôtes de l'atabeg. Poussant leurs chariots chargés des plats d'argent où viandes et légumes étaient gardés au chaud sur des braises, ils allaient de pavillon en pavillon servir ceux qui y demeuraient.

N'ayant reçu, comme chaque habitant du jardin, que du café aux premières lueurs du jour, Riou les attendait souvent avec une impatience à laquelle s'ajoutait cette fois l'inquiétude que lui causait la défection inexpliquée de l'imam. Il entendit les bruits annonçant que les chariots étaient parvenus au pavillon voisin, les paroles échangées avec les serveurs par le docteur juif qui y logeait, le tintement des couvercles que les serveurs refermaient après avoir prélevé la nourriture.

Puis ces bruits cessèrent, et Riou comprit que les chariots s'éloignaient. Les domestiques l'avaient oublié.

Le premier mouvement de Riou fut de se lever pour aller à leur suite et leur rappeler sa présence. Cependant, aussitôt debout, le jeune homme eut conscience que sa démarche paraîtrait ridicule. Tout ce que ces valets à la livrée élégante et aux manières délicates avaient sous les yeux dans ce jardin offrait un visage plein de noblesse. Les savants y devisaient à voix égale entre leurs livres, dont la seule vue inspirait le respect pour les choses de l'esprit. Riou sentit la vulgarité du geste qu'il accomplirait en venant réclamer sa nourriture. Il se rassit, prenant tout à coup conscience de sa condition. En dépit des charmes de tout ce qui l'entourait, elle était celle d'un captif, vêtu et nourri par son geôlier l'atabeg de Djabala. La faim qu'il éprouvait était celle du prisonnier...

Il restait plongé dans cette sombre pensée quand un bruit léger lui fit tourner la tête. Le docteur juif son voisin s'avançait sur le sable de l'allée. C'était un homme petit et laid, vêtu d'un long caftan de couleur brune et coiffé de la calotte noire selon la tradition. Le sourire malicieux qui éclairait des yeux brillants d'intelligence rachetait la disgrâce d'un nez bien trop gros et d'une denture presque chevaline. Il tenait dans ses mains un des plats d'argent à couvercle qui venaient des voiturettes de nourriture. Riou comprit que les domestiques, sans doute pressés par le temps, avaient laissé pour lui à son voisin la provende destinée au chevalier et se moqua en lui-même du désarroi qu'il venait d'éprouver.

Le docteur juif se baissa pour poser le plat fermé auprès de Riou.

— Jeune homme franc ! dit-il. L'imam Khaled est venu dès l'aube au jardin. Il m'a laissé pour toi ta nourriture d'aujourd'hui. Bois et mange ! Si tu n'es pas rassasié, viens me trouver à côté...

Riou attendit que le Juif Eléazar ait tourné le dos dans l'allée qui le ramenait à son pavillon pour découvrir le plat, afin de ne pas montrer de hâte. Le couvercle en main, Riou resta interdit. Le récipient ne contenait qu'une plaque de bois poli, de celles qui servaient aux petits enfants des écoles coraniques pour écrire les versets qu'on leur faisait apprendre par cœur, avec une encre qui s'effaçait facilement. Riou prit la tablette. Une succession de chiffres y étaient inscrits, à la suite des mots suivants, tracés par la main de l'imam : *Ecris ces versets du Livre, qui seront la nourriture de ton âme aujourd'hui. Médite-les. Ils sont la porte que tu as à franchir. Prends conseil de ceux qui t'entourent.*

La porte qu'il avait à franchir ! Oui, sans doute, Riou n'avait pas sauté le pas. En lui imposant le jeûne, l'imam rappelait qu'il lui fallait maintenant descendre plus profond en lui-même pour regarder en face l'engagement qu'il avait pris.

Riou se mit au travail, oubliant sa faim. Il chercha un à un dans le Livre les chapitres et les versets qui étaient énumérés par la tablette, et les recopia. A mesure que sa main, maintenant habile à l'écriture des Arabes, allait de droite à gauche sur le fin papier de Syrie dont les domestiques de l'atabeg approvisionnaient généreusement les hôtes du jardin, Riou comprenait que l'imam lui mettait sous les yeux le fossé séparant la croyance des Chrétiens de celle des Musulmans.

L'Ange dit à Marie : Dieu t'a choisie ; Il t'a purifiée ; tu es élue entre toutes les femmes... Tel était le premier verset indiqué par l'imam.

Riou retrouvait Marie qui lui avait envoyé le miracle par lequel Slimane avait été sauvé de la décapitation...

L'Ange dit à Marie : Dieu t'annonce Son Verbe. Il se nommera Jésus, le Messie, fils de Marie, grand dans ce monde et dans l'autre, et le confident du Très-Haut.

Jésus est aux yeux du Très-Haut un homme comme les autres. Adam fut créé de poussière. Dieu lui dit : Sois, et il fut. Ô vous qui avez reçu les Écritures ! Ne passez pas les bornes de la foi, ne dites de Dieu que la vérité. Jésus est le fils de Marie, l'envoyé du Très-Haut et Son Verbe. Il l'a fait descendre dans Marie. Il est son souffle. Croyez en Dieu et en ses apôtres. Ne dites pas qu'il y a une Trinité en Dieu. Loin qu'Il ait un fils, il gouverne seul le ciel et la terre. Il se suffit à Lui-même.

Jésus ne rougira pas d'être des serviteurs de Dieu. Les anges qui environnent son trône lui obéissent...

Enfin Riou transcrivit le dernier verset indiqué par la tablette : *Ceux qui disent que le Messie fils de Marie est Dieu profèrent un blasphème. N'a-t-il pas dit de lui-même : O enfants d'Israël, adorez Dieu, mon Seigneur et le vôtre ! Celui qui donne un égal au Très-Haut n'entrera point dans le jardin de délices. Sa demeure sera le feu.*

Riou relut ce qu'il avait écrit, et se sentit envahi par la tristesse. Que Jésus soit le Fils de Dieu était dans son cœur comme une racine dans la terre. Son enfance avait été pétrie de cette vérité. Elle était la seule différence entre la foi des Chrétiens et celle des Musulmans. Tout le reste était sans importance. Mais il fallait qu'il s'arrache le cœur pour franchir le fossé creusé par les docteurs qui avaient tiré leur foi de la lecture des Evangiles. Les Saintes Ecritures disaient-elles vraiment que le Christ était le fils de Dieu, ou bien, comme l'affirmait Mahomet dans son Livre, Jésus reconnaissait-il Dieu pour son Seigneur, et non pas son Père ? Riou voulait maintenant lire l'Evangile d'un regard nouveau. Il se leva pour aller demander conseil à son voisin qui lui avait dit tout à l'heure : *Si tu n'es pas rassasié, viens me trouver.* Non, Riou n'était point rassasié !

S'étant approché du pavillon voisin, le chevalier aperçut par la porte restée ouverte Eléazar debout devant une sorte de lutrin auquel il s'appuyait pour écrire. Il avait sous les yeux de nombreuses feuilles de papier couvertes de signes algébriques, d'autres jonchaient le sol carrelé. Une figure géométrique, faite d'un cercle relié à un carré par une ligne droite, était placée en évidence au-dessus du lutrin.

Le savant Juif, sentant la présence de Riou sur le seuil, s'arracha à ses calculs.

— Entre, Chevalier franc ! Viens voir la figure de cette énigme que le Roi Roger de Sicile a envoyée au Sultan de Bagdad, pour qu'il la soumette à tous ses mathématiciens. L'Orient tout entier y perd des heures. Elle court de ville en ville, de bibliothèque en bibliothèque. Chacun espère la résoudre avant l'autre, et personne n'y parvient... Es-tu versé dans la mathématique ?

— Hélas non. Je n'ai étudié que ce qu'il faut connaître pour l'investissement ou la défense d'une place forte...

Le jeune homme montra les feuillets qu'il avait à la main.

— L'énigme qui m'inquiète n'est pas de géométrie, dit-il.

Eléazar reconnut les versets du Koran.

— Tu es dans le piège, sourit-il. Les musulmans et les Chrétiens se disputent là-dessus. Des milliers mourront encore pour cela, et toi tu es écrasé comme un grain de blé entre les deux pierres de la meule...

Les traits ingrats du savant Eléazar s'éclairaient d'un regard bienveillant pour le jeune homme.

— As-tu ici un Evangile ? interrogea Riou. Quelles sont les phrases dans lesquelles Jésus parle de son divin Père ?

— Les Juifs n'en connaissent qu'une, ironisa Eléazar. Celle qu'il a prononcée sur la croix avant d'expirer. *Eli, Eli, lama sabacthani ?* a dit le fils de Marie. Eli veut dire Seigneur. Il s'adressait à Dieu. *Seigneur,*

Seigneur, pourquoi m'avez-vous abandonné? Il ne disait pas : *Mon Père...*

— A-t-il parlé de la Sainte-Trinité ? demanda Riou.

Eléazar hocha la tête.

— Je vois où tu en es..., dit-il. Je vais te décevoir, mais je vais répondre à ta question par l'histoire d'un homme qui avait des préoccupations semblables aux tiennes. C'était autrefois à Jérusalem, au temps de Jésus. Il y avait au Temple un docteur de la foi qui s'appelait Hillel. Un païen, un gentil, c'est-à-dire un homme venant d'une province quelconque de l'Empire de Rome, lui demanda, alors qu'Hillel était au milieu de ses élèves : Quelle est la juste religion ? Que faut-il croire ? Puis-je rester une année parmi vous, afin de m'en instruire ? — Une année ! s'écria Hillel. Dieu me punirait de te l'avoir fait perdre. Aime et respecte Dieu le Seigneur Tout-Puissant, et aime ton prochain comme toi-même pour l'amour de lui... Voilà toute la religion. Il ne peut y en avoir d'autre. Ceux qui te diront autre chose t'égareront. Maintenant va ton chemin... Voilà ce qu'avait dit Hillel.

Riou restait silencieux. Les cris des oiseaux autour du pavillon faisaient entrer la joie du jardin par les fenêtres.

— L'imam ne se contentera pas de cette réponse dans ma bouche, murmura Riou enfin.

— Ecris-lui sur une tablette le verset soixante-treizième du chapitre Cinq du Koran. Il parle comme Hillel. Il dit : *Les fidèles, les Juifs, les Sabéens et les Chrétiens qui croiront en Dieu et au jour dernier, et qui auront pratiqué la vertu seront exempts de la crainte et des tourments de l'enfer...*

Des valets chargés des bagages d'un voyageur et de nombreuses caisses sans doute remplies de livres s'avançaient dans l'allée au moment où Eléazar achevait sa citation. Ils précédaient un homme d'une cinquantaine d'années, le visage rasé, qui venait d'arriver au jardin. Cet homme s'arrêta à la vue du docteur juif et du jeune Franc qui se tenaient à l'entrée du pavillon.

— Eléazar ! s'exclama l'arrivant. Serait-ce toi ?

— Le pieux Ibn Arabi ! s'écria le docteur juif. Ce jardin est bien le Paradis, puisque je t'y vois pénétrer !

Le Musulman s'approcha en souriant et les deux hommes s'embrassèrent à plusieurs reprises.

Puis Ibn Arabi se tourna vers Riou.

— Jeune homme, il est vrai que je suis Ibn Arabi, né à Murcie en

Espagne, mais je ne suis pas pieux... Est-ce ton élève ? ajouta-t-il à l'adresse du docteur juif.

— Ce jeune homme est un Franc venu pour se faire Musulman chez le seigneur Atabeg. Celui qu'on appelle Ibn Arabi est le plus grand écrivain de tous les temps sous la robe de laine des Soufis, expliqua Eléazar pour présenter le nouveau venu.

Celui-ci secoua la tête par modestie.

— Il est vrai que j'ai beaucoup écrit, et que je vais écrire encore. Mais cela ne suffit pas à être grand...

— Ce jeune homme souffre à l'idée qu'il doive renoncer à voir en Jésus le fils de Dieu pour pouvoir entrer dans votre religion, dit Eléazar. Que peux-tu lui dire pour l'aider ?

Ibn Arabi regarda Riou attentivement.

— Pourquoi te faire musulman ? plaisanta-t-il. Il y en a déjà tant ! Est-ce pour avoir plusieurs femmes en même temps ? Les Chrétiens font bien pareil, sans dire la prière cinq fois par jour ni aller à La Mecque...

— Ne te moque point, intervint Eléazar. Le jeune homme est entre les mains de l'imam de la grande mosquée de Djabala, et il doit trouver la paix de son âme.

Le Soufi regarda Riou à nouveau.

— Tu es un homme de guerre, dit-il, je le vois à tes yeux, à tes mains. Elles sont faites pour tenir une épée, et non les plumes que mon ami Eléazar et moi-même faisons grincer sur le papier à longueur de jour... Fuis ce jardin. Tu veux savoir ce qu'est Dieu, et ce que nous sommes, nous, ses créatures ? S'il a pu avoir un fils, s'il prend la forme d'un Saint-Esprit ?

Le Soufi secoua la tête.

— Tu ne le sauras jamais, dit-il après un temps en levant les yeux vers le ciel bleu au-dessus de la coupole du pavillon, et l'imam de la mosquée ne le saura pas non plus. Dieu est trop loin... Trop grand. Trop profond. Trop divin. Il ne peut qu'être adoré. Il ne peut être compris. Seulement adoré !

Ibn Arabi revint à Riou.

— Sur le haut des montagnes, poursuivit-il, maintenant que l'hiver est venu, à l'aube l'eau se change en glace. Contemple l'eau, le soir au moment où le soleil se couche, alors qu'elle est encore vive. Vois-la au matin devenue glace. Pense que cette eau vive est Dieu, et que nous, ses créatures, sommes Dieu sous la forme qu'il a voulu nous donner en nous créant, comme la glace est de l'eau, mais sous une autre forme. Il y a Dieu et nous, comme il y a l'eau et la glace. J'ai cherché toute ma vie à comprendre, et voilà tout ce que j'ai trouvé, acheva le savant Soufi en souriant. Le reste...

Il fit un geste du bras qui signifiait que le reste n'avait pas d'importance, et Riou se souvint tout à coup de l'évêque Enoch, dans la cathédrale en construction, qui lui avait donné l'absolution sans même vouloir connaître ses péchés.

Les filles de l'atabeg, dans la blancheur des toiles qui défendaient le kiosque de l'ardeur du soleil, riaient autour de leur père. Elles étaient les trois plus jeunes qui n'étaient pas encore mariées, Samira, qui avait quinze ans, Oumia, dix-sept, et Mounira, dix-neuf. En écoutant leurs rires, l'atabeg songeait qu'elles le quitteraient une à une pour aller vivre loin de Djabala, après que le fils d'un émir serait venu les demander ainsi que c'était l'usage. Ainsi était partie un jour Sofana l'aînée, pour épouser un des neveux du Calife Al Afal, et elle était revenue, après que son mari l'avait répudiée, pour ce qu'elle n'avait pu s'entendre avec lui... Sofana était fière et ombrageuse. Elle était revenue avec son petit Khadoun, mais celui-ci aurait sept ans à la fin de l'année, et selon la coutume, il partirait en Egypte pour être élevé comme un homme par son père. Sofana pourrait-elle se remarier, ou bien resterait-elle toujours à Djabala ? Une femme répudiée ne se remarie pas si facilement. Sofana n'avait jamais vraiment dit à son père pourquoi elle ne s'était pas entendue avec Rejeb, son mari, mais l'atabeg le savait bien. Sofana n'avait pas accepté que Rejeb prenne une autre femme, plus jeune qu'elle, l'année qui avait suivi la naissance de Khadoun. Elle avait sans doute imaginé qu'elle régnerait seule sur Rejeb, parce qu'une telle chose était dans son caractère. Mais cela n'avait pas eu lieu. Sofana n'était pas une fille comme les autres, prête à obéir aux usages auxquels tout le monde se pliait sans y penser. Elle y pensait. Elle lisait des livres de poèmes qu'elle faisait venir de Bagdad et elle en remplissait la bibliothèque de la forteresse. Elle en écrivait elle-même qu'elle cachait dans l'écritoire de son appartement...

— Père, Père ! s'écria Oumia, la plus jeune. Hier, j'ai vu le Franc ! Je suis passé devant son pavillon, au moment où nous avons quitté le jardin. J'ai dit que j'avais oublié quelque chose dans le kiosque et pendant que les autres attendaient près de la porte, j'y suis retournée en prenant l'allée qui passe devant chez lui. J'ai vu ses yeux bleus !

— Folle ! lança Mounira. Tu n'as pas honte !

— Honte ? fit Oumia de sa voix de soprano. Mais ça n'a pas d'importance de se montrer à un Franc ! Chez eux, les femmes ne sont jamais voilées et elles parlent avec les hommes. Demande à Maïmouna ! Elle m'a dit que les jeunes filles franques dansent avec les jeunes gens devant tout le monde en se tenant par la main...

— Je regrette, dit Samira, mais celui-là n'est plus un Franc, puisqu'il se fait musulman. Tu te conduis d'une façon honteuse ! Mounira a raison. Si cela se sait, tu ne trouveras pas à te marier. N'est-ce pas, Père ?

— Je me marierai avec lui, alors ! triompha Oumia. Père, est-ce que vous me le laisserez épouser, s'il me demande ?

— Il n'est pas certain qu'il reste ici, dit prudemment l'atabeg. Et nous ne connaissons pas grand-chose de lui.

— S'il repart dans son pays, est-ce que tu voudras vivre là-bas ? s'exclama Mounira. Tu vois bien que tu dis des bêtises. Demande à Maïmouna ! Il fait froid ou il pleut tout le temps chez eux !

— Et tu te ferais chrétienne ? renchérit Samira. Tu mangerais du porc, et tout ça ?

— Et alors ! Maïmouna est bien devenue musulmane..., dit Oumia. Si tu aimes un homme, tu fais tout ce qu'il te dit. Et puis, s'il m'emmène dans son pays, je serai sa seule femme, comme c'est la coutume chez eux ! Regarde Sofana ! Elle aurait bien voulu se marier avec un Franc, puisqu'elle s'est fâchée avec Rejeb pour cette chose-là, qu'il avait pris une autre femme tout de suite après leur mariage...

Disant ces mots, Oumia rougit et se tut. Le petit Khadoun arrivait en courant dans l'allée, précédant sa mère. Oumia avait passé les bornes de la bienséance en parlant ainsi des affaires de sa sœur aînée, et comme cela arrivait toujours dans ces cas-là, la personne concernée surgissait pour vous mettre dans l'embarras...

— Grand-père, grand-père ! cria Khadoun de loin, regarde !

Le petit garçon campé sur ses jambes musclées tendait son arc vers le ciel, fier de montrer sa force. La flèche partit en sifflant bien au-dessus des cimes des néfliers qui entouraient le kiosque. Les yeux de l'atabeg la suivaient, mais ses oreilles, dans ce sifflement, entendaient un cruel bruit de guerre souvent entendu. Le petit Khadoun, lui aussi, l'entendrait un jour...

Les trois filles étaient reparties vers la forteresse sur les mules qui les avaient amenées tout à l'heure, guidées par les petites servantes qui ne quittaient pas leurs jeunes maîtresses de la journée, et Sofana demeurait seule auprès de son père. Le soleil était plus bas que les arbres maintenant, annonçant au jardin la paix du soir qui allait s'emparer de ses ramures, fermer les corolles de ses fleurs, faire taire les oiseaux après l'ultime vacarme énervé de leur coucher, exalter la fraîcheur de l'eau qui brillait encore aux pieds des arbres après que les jardiniers avaient terminé l'arrosage d'avant la nuit.

Khadoun lançait et relançait sa flèche. L'atabeg et sa fille l'entendaient chantonner à la cantonade lorsqu'il la cherchait sous les arbres. Sofana avait amené de la forteresse des lettres arrivées tout à l'heure par un courrier d'Egypte. Elle les lisait pour son père, après qu'Oumstal en avait fait le tri.

— Celle-ci est des douanes d'Alexandrie, pour l'affaire de notre navire retenu en échange des droits qui n'avaient pas été payés par les commerçants en huile. L'argent est parvenu, et le navire a été libéré...

Sofana reposa la lettre des douanes du Calife. Elle en prit une autre, qui n'avait pas été décachetée par Oumstal.

— Celle-ci est de Rejeb, dit-elle d'une voix changée.

Du mari qui l'avait répudiée et qui rappelait sans doute à son ex-beau-père qu'il comptait bien sur la venue de Khadoun, dès la date accomplie du septième anniversaire de l'enfant. L'atabeg redoutait ce moment-là, quand Sofana devrait se séparer de son fils et contemplerait soudain le gouffre de solitude qui s'ouvrait devant elle, et le terrible prix qu'elle allait avoir à payer pour cette fierté qui lui avait fait rompre le lien de son mariage.

— Veux-tu la lire ? demanda l'atabeg.

— Non pas, s'il vous plaît, mon père, dit la jeune femme en tenant ses grands yeux noirs baissés sur les lettres et le sac d'étoffe qui les contenait, afin d'éviter le regard paternel qu'elle sentait posé sur elle. N'est-elle pas d'ailleurs adressée à vous ? ne put-elle s'empêcher d'ajouter avec une pointe d'amertume. Celle-ci est de Tunis, enchaîna-t-elle en prenant maintenant une lettre dont le sceau aux armes du Sultan de Tunisie avait été brisé par Oumstal.

— Lis-la. Je lui ai écrit au sujet du jeune Franc que nous avons ici lorsque j'ai su qu'il avait été son prisonnier. Comme plusieurs de mes filles rêvent déjà de l'épouser à cause de ses yeux bleus et de sa barbe blonde, plaisanta l'atabeg avec un sourire, il est bon que je prenne des renseignements sur lui...

Sofana avait déplié la lettre et elle lut :

« Ahmed, Sultan de Tunis par la volonté de Dieu puissant et miséricordieux, à son ami Al Zahir, atabeg de Djabala, dans la sagesse et la piété, salut... Nous avons été touché des félicitations que tu nous as adressées. En effet par la bienveillance de Dieu nous avons pu écarter les armées franques de nos villes et conjurer la menace de conquête qu'elles apportaient avec leur puissante cavalerie et l'habileté de leurs arbalétriers. Nous avons pu faire un traité raisonnable avec les Génois, grâce au courage de notre serviteur et ami Abbou el Abbas qui a tenu la place de Mahdia sans faillir malgré les assauts d'une fort grande tour de siège. Dieu te protège des entreprises que les Chrétiens préparent encore, selon ce que nous apprenons de Constantinople où leur armée se rassemble ! Pour celui des chevaliers croisés que tu as recueilli chez toi, sache qu'ils sont en effet mes prisonniers, que j'ai envoyés aux galères pour vingt années en punition de ce qu'ils n'ont pas combattu contre mes fils en loyauté en dépit des serments qu'ils prétendent avoir fait à Marie mère de Jésus. Inspirés par la haine, ils ont fait périr mon fils bien-aimé Mégid alors qu'il demandait merci, ayant été entouré par surprise d'un parti de cavaliers surgis avec ruse. Aussi ai-je refusé qu'ils soient rachetés et les ai punis de cette peine infamante. Cependant, après que cela a été, j'ai su que les chevaliers francs eux-mêmes se sont querellés à propos de ce qui avait été cruellement fait contre mon enfant et que certains avaient défié en combat pour cela leurs compagnons d'armes qui avaient failli aux lois de la chevalerie. Aussi ai-je regretté ce que j'avais décidé dans l'esprit de ma vengeance qui a frappé peut-être ceux-là même qui avaient jeté leur gant contre leurs propres frères en réparation de la faute commise. C'est pourquoi, si un de ces chevaliers captifs est parvenu en ton pouvoir par aventure, je remets à ta sagesse le sort qu'il y a lieu de lui donner, et à Dieu le jugement qui sera fait de ses actions. Que sommes-nous au regard de l'Eternité ? Le temps use peu à peu la grande douleur que m'a causée la mort de mon fils et me montre l'inanité du ressentiment et de la colère... »

La voix de Sofana se tut. L'atabeg restait silencieux, songeant à son fils Jaffar qu'il avait perdu, lui aussi, à cause de cette fatale passion de Mahmoud pour la chasse, et son culte de la violence... Si le temps avait apaisé la douleur qu'il avait éprouvée lui-même après la mort de Jaffar, l'atabeg Al Zahir ne connaissait pas cette pieuse résignation venue au cœur du Sultan Ahmed. Plutôt une amertume, comme une certaine lassitude à l'égard de Dieu, qui demandait trop aux hommes.

La fourmi traînant sa brindille... L'atabeg portait son fardeau, allant de sa forteresse à son jardin, la douceur de l'un faisant oublier momentanément la rudesse de l'autre, comptant et recomptant les cavaliers de Cheïsar, guettant les nouvelles qu'apportaient les courriers ou les pigeons, tendant l'oreille aux bruits de cavalerie qui se faisaient entendre à l'Orient ou à l'Occident, et à les entendre, comprenant combien étaient fragiles les rires de ses filles insoucieuses du destin qui allait les prendre une à une pour les emmener au loin dans le lit d'hommes inconnus eux-mêmes voués aux dangers de la guerre...

La pensée que Sofana allait bientôt grandement souffrir de sa solitude revint s'imposer à l'atabeg et il l'associa au sort du chevalier franc. Ce jeune homme connaissait lui aussi la solitude, peinant à apprendre une langue étrange pour percer la barrière qui le séparait du monde où on le tenait captif. La petite Samira avait vanté la coutume des Francs, qui n'ont qu'une épouse. Le hasard, en amenant ce guerrier vaincu dans le jardin de Djabala, avait-il noué les fils d'une intrigue qui rendrait à Sofana une vie de femme telle qu'elle en avait rêvé ?

— Eh bien, plaisanta l'atabeg, voilà que ce Franc nous appartient de droit, maintenant ! Rachid Ed Dine l'avait pris de force au Sultan, et cela ne saurait nous étonner ! La terre entière est au Vieux de la Montagne, et la mer, avec les poissons qui sont dedans...

L'atabeg observait sa fille, qui ne disait mot, occupant ses mains à ranger dans leur sacoche les lettres qu'elle venait de lire. Sofana, rêveuse et exaltée, avait-elle pensé à ce jeune homme prisonnier de ses ennemis, elle aussi ?

— Il nous reste à savoir si ce chevalier-là est un bon ou un mauvais, continua l'atabeg en souriant, et s'il avait mérité les galères... Voilà une énigme à résoudre qui va nous distraire ces jours-ci. Les femmes ont un instinct pour deviner ces choses. Saurais-tu, à parler avec lui, s'il est de noble cœur, ou non ?

L'atabeg avait lancé cela d'un ton faussement détaché, sachant bien qu'il allait piquer sa fille.

— Mon Père, s'exclama-t-elle, ce n'est pas l'usage ! Je ne puis le regarder en face et converser avec lui...

L'atabeg continuait à jouer l'innocence.

— Mais c'est un Franc, Sofana ! L'usage d'écarter les femmes de son regard ne s'applique pas à lui. N'est-il pas notre hôte, et plus encore aujourd'hui que le Sultan Ahmed m'abandonne les droits de captivité qu'il avait sur lui ? Peut-être est-il fils de grand seigneur dans son pays, que nous devons honorer ! Et si on nous le rachète, et qu'il revient dans un mois ou dans un an à la tête d'une armée de Croisés pour prendre Djabala, ne crois-tu pas qu'il est bon qu'il te connaisse, afin que tu puisses alors te jeter à ses pieds, pour qu'il épargne ton malheureux père, et tes sœurs, et notre maison ? poursuivit l'atabeg, amplifiant le jeu qu'il jouait pour déconcerter Sofana. C'est ainsi que va le monde ! N'est-ce pas ce qui arrive dans les poèmes et les romans que tu lis ?

Le rouge était venu aux joues de la jeune femme.

— Mon père, protesta-t-elle, je ne l'ai seulement pas vu depuis qu'il est ici, et n'en ai entendu parler qu'une fois avant cette lettre par Oumstal...

— Oumstal, justement ! répliqua l'atabeg. Tu te montres bien à lui à visage découvert, alors qu'il n'est ni ton frère ni ton parent d'aucune façon ! Pourquoi ne le ferais-tu pas avec celui-ci ? D'ailleurs je suis sûr que tu as déjà commencé un poème, enfermé dans ton écritoire, où un prisonnier pleure les neiges de son pays au milieu du jardin pourtant parfumé où les Musulmans le tiennent captif...

— Mon Père ! s'exclama Sofana qui était devenue pâle.

L'atabeg se demanda s'il avait été trop loin, et s'il y avait bien un poème de ce genre dans les pensées de la jeune femme. Les larmes brillaient dans ses yeux.

L'atabeg l'attira à lui.

— Pardonne mes ruses, ma chère petite enfant..., dit-il tendrement. Un père n'a-t-il pas parfois le devoir de chercher les secrets cachés dans le cœur de sa fille ? Ne sais-tu pas que, de tous mes soucis, tu es celui qui me peine le plus ? Je m'inquiète du sort d'une jeune femme privée des chaleurs de la vie depuis de longs mois, prise au piège de sa fierté et du prix trop grand qu'elle attache à ses sentiments pour un homme...

Elle essuyait ses yeux avec un pan du voile de soie qu'elle avait sur ses épaules. Le soleil avait disparu tout à fait, ne laissant en souvenir de son règne de la journée qu'une blancheur à l'horizon des arbres qui enserraient le kiosque. Des bruits de pas et de voix se firent entendre. Sofana se détacha de son père à la vue des domestiques de bouche conduisant dans l'allée leurs gracieux chariots dont l'un portait la masse rougeoyante des braises destinées à cuire les viandes. Parvenu au bas des marches, l'intendant du service de table s'inclina devant l'atabeg et lui demanda combien de personnes devaient être servies.

Sofana entendit son père répondre qu'il y aurait deux couverts. Les valets et les enfants qui servaient les chariots se mirent en devoir de dresser des plats sur une table basse et de parer les perdrix et les pièces d'agneau qu'ils allaient rôtir.

— Je dînerai avec le jeune Franc, dit l'atabeg à sa fille de sa voix calme. Va le chercher dans son pavillon, et lui dire que je veux qu'il me tienne compagnie. Sais-tu que je ne l'ai encore jamais vu ?

— Mon Père, dit Sofana d'une voix effrayée, je ne puis l'aller voir ainsi, je vous l'ai dit !

— Vraiment ! Seras-tu toujours comme un oiseau craintif, qui s'envole au moindre bruit ? Dois-je y aller moi-même ? Vas-y avec Khadoun, si tu crains tellement d'être seule en face de lui...

Sofana s'était levée. L'atabeg l'observait, tandis qu'elle se tournait vers les néfliers pour appeler son enfant. Puis elle descendit les degrés de marbre du kiosque en ramenant son voile sur son visage.

— Elle se voile pour passer devant les domestiques, songea l'atabeg, mais avant que d'être en vue du chevalier blond, elle l'ôtera...

26.

Pour les yeux noirs de Sofana

La nuit était tombée sur le jardin, mais Riou assis les jambes croisées devant la porte de son pavillon n'avait pas allumé sa lampe à huile. Les pensées qui s'étaient disputé son esprit tout au long du jour s'étaient assagies. Leur rumeur laissait cependant le chevalier dans le trouble. Le jeûne y ajoutait une sensation de faiblesse. Riou se voyait, comme l'avait dit Eléazar tout à l'heure, devenu grain de blé entre les lourdes mâchoires de granit de la meule qui tournait au mouvement contraire des deux religions ennemies. Pourtant tout était douceur autour de lui, odeurs délicates exhalées des arbres, présences devinées des subtils docteurs qui lisaient ou écrivaient dans les autres pavillons, clarté apaisante de la lune apparue dans le ciel. Marie, douce Mère de Jésus... Riou grain de blé n'avait plus d'espoir qu'en Celle qui restait bien vivante dans le Livre sacré des Mahométans comme dans les pages des Evangiles. Les paroles de l'Ave Maria qu'il portait dans son cœur depuis son enfance montèrent à ses lèvres, et il les murmura. Marie avait cheminé sur cette terre de Palestine où hésitait le destin de Riou aujourd'hui. Elle y avait tenu par la main son enfant. Elle ne pouvait abandonner Riou, à qui elle avait déjà accordé la vie de Slimane quand il le lui avait demandé. *Vous êtes bénie entre toutes les femmes, et Jésus le fruit de vos entrailles est béni...* Dix fois répétée dans le murmure de Riou, la phrase sainte engourdissait sa faim et son inquiétude, peuplant d'images rassurantes le silence de l'allée qui s'ouvrait devant le pavillon. Les pas de Marie marchaient autrefois sur du sable comme celui-ci, entre des arbres comme ceux-ci... Riou était loin de sa terre natale, certes, mais plus proche de la Vierge. N'était-elle pas chez elle ici ?

Elle apparut dans l'allée obscure, ombre de plus en plus précise sortant de l'ombre sous les arbres, et Riou se sentit inondé de sueur. Elle tenait son enfant par la main et s'avançait en souriant vers le chevalier. Riou restait pétrifié par l'étonnement. La jeune femme qui était devant lui avait de grands yeux noirs et une bouche rouge plus sensuelle que celle qu'on voit aux images de la Vierge. Elle portait un corsage brodé d'or semblable à celui que Riou avait vu à Maïmouna, la femme franque de Mahmoud, et le chevalier comprit qu'il avait devant lui une personne de l'entourage de l'atabeg. Il se leva, les mains encore tremblantes de l'émotion éprouvée à cette apparition qui semblait être née de sa méditation fiévreuse. Le petit garçon s'appuyait contre elle maintenant, regardant le Franc avec toute la curiosité de ses grands yeux, les mêmes yeux noirs de sa mère.

— Je suis Sofana, la fille aînée de l'atabeg, dit la jeune femme avec une pointe de timidité dans la voix. Mon père vous prie de venir le rencontrer, et de partager son repas...

Comme Riou restait muet, encore sous le coup de la surprise, elle ajouta après l'avoir observé un instant :

— Me comprenez-vous ?

— Oui, oui, dit Riou vivement, s'éveillant de son rêve.

Il ajouta, pour montrer qu'il pouvait parler la langue de la jeune femme :

— Est-ce votre fils ?

— Oui. C'est Khadoun, qui va avoir sept ans.

Ils étaient maintenant intimidés tous les deux, ne trouvant rien à dire. La jeune femme rompit cette gêne en tournant la tête vers l'extrémité de l'allée par où elle était venue.

— Mon père est dans le kiosque qui est au centre du jardin. Il vous attend. Je ne me joindrai pas à vous. Ce n'est pas l'usage, ainsi que vous le savez, ajouta-t-elle avec un petit sourire où Riou chercha à démêler la part de l'excuse de celle du regret. Je regagnerai la forteresse. Khadoun doit dormir maintenant...

Après un regard à son fils, elle soutint celui du Chevalier. Elle sentit son cœur battre plus vite sous le choc des yeux bleus qui se heurtaient à ses yeux noirs.

Puis une chaleur l'envahit, comme si leurs regards échangés s'emplissaient maintenant de repos et de douceur.

Sous le haut plafond de bois du kiosque peint d'un ciel bleu où volaient naïvement des pigeons, Riou qui voyait l'atabeg Al Zahir pour la première fois avait devant lui un homme plutôt grand, les cheveux grisonnants, le nez busqué, les lèvres minces, qui ne portait pas la barbe, au contraire de l'usage chez les Mahométans. Une tunique ajustée et un pantalon assez étroit à la mode persane donnaient au seigneur de Djabala une silhouette qui empruntait à l'Inde plutôt qu'à l'Orient immédiat.

Au moment où Riou avait gravi les marches du kiosque, les domestiques aidaient leur maître à poser un burnous de laine sur ses épaules, car la fraîcheur de la nuit s'annonçait vive. Un brasero rougeoyait à quelque distance des deux convives, l'atabeg étant assis sur la banquette qui faisait le tour du gracieux bâtiment et Riou sur un tabouret avancé pour lui. Entre eux deux une table de bois incrusté de nacre en arabesques avait reçu des mains peintes au henné des enfants serveurs en livrée brodée de nombreuses coupelles de porcelaine pleines de condiments pimentés ou de fruits confits. Puis deux domestiques avaient apporté un grand et lourd plateau empli de semoule de blé, de riz et de nombreux légumes cuits à la vapeur, que des couvercles en argent tenaient au chaud. Tout cela se faisait en silence, avec des gestes précis, dans une délicate élégance qui donnait à comprendre quelle atmosphère l'atabeg Al Zahir aimait à faire régner autour de lui.

L'atabeg avait fait un signe et murmuré un ordre que Riou n'avait pas compris, à la suite duquel un des valets avait apporté rapidement un burnous analogue à celui de leur seigneur, et l'avait placé sur les épaules du jeune chevalier. Maintenant le maître de Djabala avançait sa main brunie par le soleil vers les morceaux de viande grillée que les enfants apportaient sur de petites assiettes, tout découpés pour qu'on puisse les manger aisément. Dans ce geste, Riou voyait que les poignets de l'atabeg étaient épais et musclés par le maniement des armes, et son torse puissant sous la moire bleue de sa tunique. Al Zahir parlait en regardant rarement le jeune chevalier. Quand il levait les yeux pour rencontrer ceux du jeune homme, son regard était profond et en même temps précis. Un pli de lassitude ironique à ses lèvres corrigeait l'impression de rigueur qui se dégageait de ces regards droits comme des épées.

— J'ai attendu que tu parles bien notre langue pour te voir, commença l'atabeg. On m'a dit que tu accomplis de grands progrès, et que tu ne cesses de travailler avec assiduité...

— C'est que j'ai hâte de me faire comprendre, Seigneur...

Dans le silence que son interlocuteur occupait à se nourrir, le jeune homme s'attendit à une question de l'atabeg à propos de l'imam et de sa prochaine conversion à la religion musulmane.

Mais, trempant trois doigts dans le bol d'albâtre empli d'une eau où flottaient des fleurs de citronnier, Al Zahir poursuivait.

— Tu es loin des tiens depuis longtemps... As-tu compté le temps écoulé ?

— Deux années, Seigneur... Cependant les soins dont je suis l'objet ici m'interdisent de m'en plaindre.

— C'est bien, c'est bien ! approuva l'atabeg, satisfait que le jeune homme ait voulu remercier du traitement qui lui était fait. Mais rien ne peut remplacer la terre où tu es né ! Ne le penses-tu pas ?

Le regard de l'atabeg perça un instant celui de Riou en disant ces derniers mots.

— J'avais choisi de quitter mon pays sans savoir si j'y reviendrai un jour..., dit Riou.

Sont-ce les paroles d'un aventurier qui n'avait rien à perdre ? pensa l'atabeg en prenant un peu de riz entre ses doigts, sur lequel il posa un piment prélevé dans une des coupelles.

— J'ai pu écrire à ma mère, poursuivit Riou, lorsque j'ai rencontré les Templiers sur le chemin qui me menait ici. L'ayant rassurée sur mon sort, je n'ai plus d'inquiétude.

— N'as-tu pas laissé d'épouse, ou de fiancée, qui ramène tes pensées là-bas ? insista l'atabeg.

Riou hésita. Il y avait Couette, il y avait Judith... L'atabeg mettrait son hésitation sur le compte des difficultés que son captif éprouvait à manier l'arabe. Riou d'ailleurs devait chercher ses mots pour parler de son intimité avec Couette.

— Non, Seigneur. Je n'ai qu'une concubine, dans mon château de Bretagne.

— Si tu tiens à elle, dit tranquillement l'atabeg, et que tu comptes demeurer parmi nous, tu pourrais la faire venir...

Riou sentit que l'atabeg voulait savoir de cette façon quelles étaient ses intentions profondes.

— Je vous remercie, Seigneur. J'y songerai.

Il y eut un nouveau silence que l'atabeg rompit en faisant diversion.

— Parle-moi de ton pays ! Oumstal, mon secrétaire, que tu connais puisqu'il t'a reçu en mon absence, a admiré les cathédrales que les Chrétiens construisent pendant de longues années. Il me dit que, lorsque les moines s'y assemblent pour chanter dans la langue latine, rien n'est plus beau et que Dieu semble présent...

— Il est vrai, dit Riou. Des hommes consacrent leur vie entière à tailler les pierres de ces édifices, dont les tours et la flèche s'élèvent bien au-dessus des maisons des villes, pour répandre le son des cloches... On les voit de loin lorsqu'on voyage dans la plaine, sortant de l'horizon.

— Peut-être un jour irai-je avec toi dans ce pays, rêva l'atabeg en prenant dans sa main un hanap de verre dans lequel les domestiques avaient versé de l'eau fraîche. Me recevras-tu dans le château de ton père ?

— Mon père n'est plus de ce monde, Seigneur, ayant péri de ses blessures de la guerre contre les Anglais. Je vous recevrai avec joie, mais ma maison est fort modeste, en comparaison de la forteresse de Djabala, et de ce jardin. Je n'ai que quelques paysans à mon service.

— Il n'importe ! conclut l'atabeg satisfait que le jeune homme ne cherchât pas à dissimuler la petitesse de son avoir. La parole d'un homme vaut plus que ses châteaux et ses terres...

Assoiffé par sa journée de jeûne, Riou s'autorisa à boire à son tour à longs traits. Ce faisant, il s'attendit une nouvelle fois à être interrogé sur l'état de sa préparation à la foi musulmane. Puis il se souvint de l'exhortation que lui avait faite Ibn Arabi : *Sors de ce jardin.*

— Seigneur, osa-t-il, j'entends chaque matin les cavaliers de la forteresse chanter en partant pour l'exercice. Pourrais-je me joindre à eux ? Il n'est pas bon que je demeure ainsi, sans la pratique des exercices d'armes et de cheval...

— En effet ! plaisanta l'atabeg en lançant au jeune homme un de ses brefs regards scrutateurs. Que tu restes parmi nous ou que tu repartes dans l'armée des Croisés, il te faudra combattre de nouveau...

Surpris que l'atabeg envisageât qu'il puisse quitter Djabala en dépit de l'engagement qu'il avait pris de se faire musulman, Riou cherchait une réponse. Mais son interlocuteur enchaîna :

— Il est bon de toutes manières que tu connaisses les manœuvres de notre cavalerie... Elles sont inspirées en partie des anciens mouvements de la cavalerie persane, tels que Salah Ed Dine les a fait appliquer dans son armée, en Egypte comme en Syrie. Il a d'ailleurs des Francs au service sous ses ordres depuis longtemps et je sais qu'il les apprécie.

— Ces Francs se sont faits musulmans ? demanda Riou, choisissant cette fois de donner à l'atabeg l'occasion de dévoiler sa pensée à l'égard de la conversion du Chrétien qui était en face de lui.

— Pas tous, dit tranquillement l'atabeg. Ils servent pour leur solde, ou pour le plaisir d'être avec Salah Ed Dine, qui est un grand seigneur, et un homme attachant. Je suppose que le Sultan pense qu'il y a suffisamment de musulmans en Islam pour qu'il ne soit pas nécessaire d'en recruter à toute force qui se convertiraient par intérêt...

Le souverain de Djabala laissa tomber ces derniers mots d'un ton détaché, en évitant de regarder son vis-à-vis, sachant bien que celui-ci devait se demander si une telle déclaration à propos du Sultan Saladin pouvait être en même temps la profession de foi de l'atabeg lui-même. Il fit signe à l'intendant des domestiques qui se tenait au bas du kiosque, et celui-ci se hâta vers son maître.

— Envoie quelqu'un de la garde prévenir Mansour que le chevalier franc viendra prendre rang demain dans la cavalerie de la forteresse. Que Mansour lui fasse mener un cheval et des armes ici au matin...

L'intendant s'inclina et redescendit les marches.

— Mansour est le maître de notre cavalerie, expliqua l'atabeg. C'est un excellent homme, et un soldat comme il y en a peu. Comme il aime les gens courageux, tu t'entendras avec lui...

Riou voulut d'un geste refuser le compliment, mais l'atabeg insista.

— Ne proteste pas. Je sais que tu n'as pas eu peur des lions, ni non plus des galères, ni de Rachid Ed Dine...

— J'ai eu grande peur de tout cela, Seigneur ! déclara Riou.

— Mais tu as tenu tête ! C'est là tout notre destin. Il faut tenir tête, jusqu'au dernier jour...

Les domestiques enlevaient les plats et les coupelles de condiments, se préparant à s'en aller avec les chariots.

Au-dessus du kiosque, les étoiles criblaient le ciel. Les petites lampes à huile s'étaient éteintes en grésillant et quand les domestiques avant de se retirer avaient voulu les remplacer, leur maître avait indiqué d'un geste que ce n'était plus la peine. La lueur du brasero sculptait les traits de l'atabeg, soulignant le pli un peu amer de sa bouche, accusant le contraste que cette moue de lassitude opposait à son nez d'oiseau de proie audacieux et volontaire. La contradiction qui était dans l'âme du seigneur de Djabala devenait évidente aux yeux de Riou, après les propos tenus par son hôte. Cette fois, en effet, cet homme n'était plus son geôlier. Riou s'intégrait dans son univers, selon la contradiction même qui en était la nature profonde. Exerçant son pouvoir féodal, mais conscient de ce que ce pouvoir même était fragile, et son usage harassant du moment qu'on le voulait pratiquer avec élégance, l'atabeg se voyait seul à en porter le poids. Pas une fois il n'avait été question de son fils Mahmoud. Les paroles de Maïmouna, la jeune femme franque de celui-ci, revinrent à la mémoire du chevalier. En vérité l'atabeg ne pardonnait pas à Mahmoud d'avoir causé la mort de son frère à la chasse.

Al Zahir semblait maintenant perdu dans ses pensées. Un oiseau de nuit cria brutalement du sein de l'arbre proche où il devait être caché, rappelant à l'atabeg qu'il se faisait tard.

— Il est bon que tu ailles dormir maintenant, dit-il, si Mansour t'envoie à l'aube ce que nous lui avons demandé. Ils vont tous vouloir te voir à l'œuvre sur un cheval un sabre à la main, et ils ne ménageront pas le Franc que tu es... Pour moi, je vais rester ici passer la nuit.

Riou se préparait à se lever pour obéir à celui dont il était en somme en train de devenir le vassal, mais l'atabeg n'avait pas fini de se confier.

— J'ai trois femmes dans la forteresse et plusieurs petites servantes qui ne se font pas prier pour venir dans mon lit. Mais je me ménage un peu de repos en venant dormir souvent ici. Lorsque j'y suis seul, je pense à ma première épouse, toute jeune, à qui j'étais fort attaché. Il me semble que je lui consacre ces nuits-là... Quelle injustice qu'elle m'ait été enlevée en mettant son premier enfant au monde ! Tu as vu le visage de Sofana, que j'ai envoyée vers toi tout à l'heure ? C'est tout le visage de sa mère, qu'elle n'a jamais connue, puisque celle-ci devait périr deux jours plus tard des suites malheureuses de l'accouchement. Sofana ! continua l'atabeg Al Zahir en hochant la tête pensivement. Sans doute se sent-elle coupable de ce malheur et c'est ce qui lui donne ces sentiments exigeants qui sont les siens, et qui l'ont poussée à rompre avec son mari...

Al Zahir se taisant, Riou se leva pour prendre congé.

— Allons ! lança le seigneur de Djabala. Faisons taire les tristes pensées. Espérons que le jour va les chasser une fois pour toutes, et que tout va recommencer à neuf demain... C'est le rêve que poursuivent les hommes, qui les maintient en vie. Que la paix soit avec toi, chevalier Riou...

Riou s'inclina profondément, ému par ce qu'il venait d'entendre. L'atabeg s'allongeait sur la banquette où il était assis pendant le dîner, s'enveloppant du burnous comme un soldat au bivouac. Riou s'éloigna dans l'allée vers son pavillon, lourd des pensées que les propos de l'atabeg agitaient en lui. En arrivant devant le petit bâtiment éclairé par la lumière de la lune, il vit le regard de Sofana, tel qu'il lui était apparu lorsqu'elle était venue le trouver avec son enfant à la tombée du jour, et ce regard resta longtemps posé sur lui avant qu'il ne s'abandonne au sommeil.

Pendant les deux mois qui suivirent sa conversation avec l'atabeg Al Zahir, Riou fut tout entier à la cavalerie de Djabala, heureux de renaître au métier des armes dans lequel il avait été élevé par son père et les autres chevaliers vétérans des guerres contre les Anglais et les Normands. La personnalité de Mansour, le maître de la cavalerie de l'atabeg, fut sans doute la cause première de l'aisance avec laquelle le jeune Breton devint un cavalier d'élite sous le casque à longue crinière de la tradition arabe.

Plus grand de taille que les autres officiers qui servaient sous ses ordres, doué d'une force et d'une souplesse incomparables, le maître de la cavalerie de l'atabeg s'était entiché de Riou dès le premier jour, après avoir vu avec quelle adresse le jeune Franc relevait les défis qui lui étaient lancés.

Les cavaliers de Djabala passaient sous le ventre de leur cheval lancé au galop, ramassaient des foulards sur le sable de l'arène avec leurs dents, plantaient flèches et poignards dans des mannequins attachés en selle d'autres chevaux ou leur tranchaient la tête d'un seul coup de cimeterre.

Riou, à ces jeux, en dépit des chutes qui l'envoyaient rouler à terre, devenait jour après jour l'égal des meilleurs, à la grande joie de Mansour, qui éclatait de rire dans sa barbe noire, en homme qui ne vivait que pour ses cavaliers et ses chevaux.

Ce fut dans ces jours-là que l'atabeg Al Zahir invita Riou à l'accompagner à la chasse au faucon. Suivis de valets qui portaient les oiseaux de proie sur leurs poings gantés, le jeune chevalier et le seigneur mahométan avaient cheminé depuis l'aube dans la plaine où les paysans de Djabala récoltaient l'orge qui tenait dans ce pays le rôle du blé sous les cieux d'où venait Riou, et où les cailles, les perdrix et les outardes étaient nombreuses.

— Chassez-vous de cette façon dans votre pays ? demanda l'atabeg, alors qu'on avait mis pied à terre sous des oliviers, afin de reposer les chevaux de l'ardeur du soleil.

— Oui, Seigneur. C'est l'usage, pour les personnes de qualité.

— Je n'aime pas trop la chasse, poursuivit Al Zahir. Mais celle-ci me permet de visiter la plaine, d'aller dans les hameaux où sont les paysans, sans qu'on s'étonne de m'y voir.

Il ajouta en regardant Riou avec un sourire :

— Et je dois faire ce qu'on attend de moi... Que dirait-on si je ne chassais pas avec des oiseaux, alors que tout ce qui est prince arabe le fait avec passion...

L'impression que Riou avait éprouvée après leur première conversation en tête à tête dans le kiosque du jardin, que le maître de Djabala trouvait plaisir à prendre pour confident de ses pensées un homme comme lui, venu d'un autre monde et différent de tous ceux qui l'entouraient, ce sentiment s'imposa à nouveau à Riou alors que leurs montures reprenaient côte à côte leur marche dans la plaine où le pépiement des alouettes invisibles semblait être une conséquence du soleil.

— Tu as un grand ami, ici, dit ensuite l'atabeg Al Zahir en regardant au loin cette fois le vol d'une compagnie de perdrix qui s'enfuyait, soit qu'elles eussent senti la terrifiante menace que faisait peser sur leur vie la présence des autours aux poings des fauconniers, soit que la seule résonance des pas des chevaux dans le sol ait suffi à les avertir.

— Mansour ! compléta l'atabeg en répondant à l'interrogation muette du jeune chevalier. Il ne jure plus que par toi... Il prône que tu es fait pour commander de la cavalerie, pas celle des Francs. avec ses armures et ses lourds chevaux, mais la nôtre, destinée à surprendre, à harceler, ou à charger avec furie. — Mais ce jeune chevalier n'entend peut-être pas rester parmi nous, lui ai-je répondu. — Il faut qu'il reste ! s'est écrié Mansour. Personne ne coupe mieux une tête que lui à l'exercice ! Savais-tu avant de venir ici que tu avais ce talent ? demanda plaisamment l'atabeg.

— Il est vrai que j'ai une fois en Bretagne tranché la tête d'un bandit qui m'avait volé, admit Riou, et que vos sabres courbes sont à cela meilleurs que nos épées franques...

— « Il faut lui donner de belles femmes en mariage, pour qu'il ne nous quitte plus ! » a continué Mansour... Attends-toi à ce qu'il te propose une de ses filles. Elles sont toutes très belles, brunes et grandes comme leur père...

Le premier valet fauconnier avait lâché à ce moment le plus grand faucon, et l'atabeg avait suivi son vol des yeux, laissant sa dernière phrase sans suite, ce qui avait pour effet de lui donner le ton d'un badinage.

Le faucon atteignit en vol la perdrix qu'il convoitait, et s'abîma avec elle vers le sol dans un éclatement de sang et de plumes.

— Les cavaliers d'Egypte que nous envoie le Calife vont commencer à arriver par petits détachements à bord de felouques, reprit l'atabeg. Accepteras-tu de Mansour une charge d'officier à la forteresse, et le commandement de soixante hommes ?

— Seigneur..., fit Riou tout à fait étonné.

L'atabeg faisait mine de s'intéresser au manège du valet de chasse qui allait vers le faucon pour lui ôter la proie qu'il tenait entre ses serres. Riou comprit qu'on voulait lui donner le temps de répondre.

— Je ne puis refuser cet honneur, dit le chevalier lorsqu'Al Zahir se retourna vers lui, quêtant cette fois son regard.

Sur le chemin du retour, comme l'atabeg se taisait, Riou chercha le sens de tout ce qu'on venait de lui dire. Après leur tête-à-tête au jardin, le chevalier avait pensé que le seigneur de Djabala lui avait parlé de Sofana dans l'intention de lui faire connaître qu'elle était seule, et qu'il aurait pu prétendre à s'intéresser à elle.

Cette fois, il n'avait pas été question de la jeune femme, mais on lui parlait des filles de Mansour... Etait-ce parce que Riou, au cours des deux mois qui venaient de s'écouler, ne s'était jamais enquis d'elle, ni n'avait rien fait pour se trouver en sa présence ? Ou bien au contraire tout cela n'existait-il que dans l'imagination de Riou, l'atabeg étant trop grand seigneur pour vouloir donner sa fille à un inconnu qui n'avait rien, et qui n'était même pas musulman...

Al Zahir avait été le premier à lui dire qu'il y avait des officiers francs dans les armées de Saladin. On était en train, à Djabala, de faire de Riou un officier de la même manière. On ne se souciait pas de le voir aller à la mosquée, mais seulement de la façon dont il coupait une tête avec un cimeterre. On craignait l'invasion des troupes de l'Emir de Cheïsar, et on voulait un sabreur de plus. Sofana... Dans le pas des chevaux sur le sable, dans la ligne bleue de la mer au-delà de la plaine, Riou voyait le regard profond de la jeune femme posé sur lui, tel que dans son souvenir revivait leur brève rencontre devant le pavillon du jardin. Mais ce regard s'estompait, devenait imprécis, comme effacé par la puissance du soleil qui brûlait la plaine, comme si le message qu'il avait contenu était devenu illusion, rêve impossible au milieu d'une réalité hostile et étrangère.

Les chasseurs avaient repassé la poterne de la forteresse. Les cavaliers de garde sous la grande voûte qui menait à la cour intérieure où donnaient les écuries s'étaient empressés à prendre la bride du cheval de l'atabeg et de celui de Riou. Les fauconniers ouvraient les sacs de toile pour en sortir le gibier sanglant et le disposer sur le sol afin d'en faire le partage. Des valets apportaient un sac de son, au-dessus duquel ils vidaient les entrailles des oiseaux morts, gardant les cœurs et les gésiers pour les donner aux oiseaux, avec les plumes indispensables à leur bonne santé.

Puis l'atabeg avait ordonné qu'on amène des torches de résine.

— Il est bon que tu connaisses la forteresse, dit-il à Riou lorsqu'elles apparurent aux mains de trois soldats. Si tu restes avec nous et que tu la défendes, cela est nécessaire. Si tu retournes chez les Francs, et si tu l'assièges, tu pourras dire aux tiens qu'elle coûtera cher à prendre...

En disant ces mots à travers le craquement des torches que les soldats allumaient, l'atabeg avait eu son sourire un peu amer. Puis, tournant le dos, le seigneur de Djabala marcha vers un escalier au centre de la cour qui menait aux souterrains.

Après un long parcours de couloirs et d'autres escaliers qui s'enfonçaient profondément dans le roc sur lequel la place avait été édifiée, l'atabeg était parvenu, tout en donnant à Riou l'explication de la manière dont les deux énormes tours avaient été construites, devant une petite pièce voûtée séparée du couloir par une grille.

— Celui qui a imaginé tout cela sur l'ordre de mon grand-père Ifkir repose ici sous cette dalle, dit-il en désignant de sa main à travers la grille le centre de la petite salle. C'est un géomètre juif qui portait le nom d'Aelohim, et s'était réfugié à Djabala après avoir été persécuté par le Sultan de Perse de l'époque. Mon grand-père, lui, était un guerrier qui dormait sur une simple natte, son sabre à portée de la main, ce sabre avec lequel il avait conquis ses terres en bataillant contre l'Emir de Jaffa. Il avait voulu cette forteresse pour qu'elle soit la garantie, ancrée dans le roc, du fief qu'il s'était taillé, et il ne l'aurait jamais rendue, quoi qu'il advienne. Il avait demandé à Aelohim de faire en sorte qu'on puisse faire écrouler les deux énormes tours qui sont au-dessus de nos têtes au cas où elles seraient submergées par les assaillants, afin que ceux-ci meurent en même temps que les derniers défenseurs réfugiés dans ces souterrains. Ce Juif était très âgé. Il a demandé à mon grand-père d'être enterré ici et il a dessiné et agencé son tombeau dans cette pièce, là même où par une manœuvre qu'exécuteraient une vingtaine d'hommes, après que certaines dalles ont été descellées d'une certaine façon, on peut faire s'effondrer toute la masse des deux tours...

Les porteurs de torches se tenaient en arrière. L'atabeg gardait les yeux fixés sur la dalle sous laquelle reposait Aelohim. Riou songeait à la mer proche, au soleil radieux qui la faisait briller, aux mouettes et aux cormorans qui criaient autour des pierres de la forteresse, à toute cette vie dont les bruits ne pouvaient parvenir jusqu'à cette cave consacrée à la mort de l'édifice aussi bien que de son architecte. L'atabeg Ifkir aurait péri sous ces pierres plutôt que de les rendre. Son fils Hussein aussi sans doute. Mais l'atabeg Al Zahir, qui avait, lui, dessiné un jardin délicieux plein de fleurs et d'oiseaux ?...

Le seigneur de Djabala eut-il conscience que Riou se posait cette question ? Il interrompit sa rêverie pour se retourner vers le chevalier franc qu'il avait entraîné dans cette curieuse visite de la place forte.

— La manœuvre des dalles qui peut tout ruiner n'est connue que de moi, dit-il. J'en ai reçu le secret de mon père, lorsque j'avais plus de trente ans. Sans doute avait-il attendu pour m'en instruire d'être sûr que je saurais en faire l'usage que mon grand-père avait souhaité...

Riou osa aller plus loin au-devant de la confidence.

— Si vous veniez à périr d'un accident, Seigneur, demanda-t-il, qui donc...

Comme s'il avait craint d'entendre prononcer le nom de son fils Mahmoud, l'atabeg avait interrompu le propos du chevalier avant que celui-ci n'ait pu achever sa phrase.

— Il y a dans la bibliothèque de la forteresse un document que ma fille Sofana et mon secrétaire Oumstal sauraient trouver, où l'explication est donnée de la main même d'Aelohim, dit-il sans regarder son interlocuteur, comme s'il voulait éviter d'ajouter à une phrase lourde de sens le poids supplémentaire d'un regard.

Il avait repris sa marche dans le couloir qui les avait amenés jusqu'au tombeau de l'ingénieur Aelohim. Sa haute et élégante silhouette peuplait les murailles d'ombres multipliées par les torches des trois soldats.

Riou pensait que l'atabeg lui donnerait congé en revenant à la lumière de la grande cour, mais le seigneur de Djabala le conduisit par d'autres escaliers qui montaient dans les étages jusqu'à cette bibliothèque dont il avait parlé tout à l'heure.

Vaste pièce aux murs lambrissés de bois très clair, la bibliothèque s'ouvrait sur la mer par plusieurs hautes fenêtres. Un globe terrestre, des casiers enfermant les manuscrits, des lutrins et deux longues tables la meublaient. En entrant, Riou vit qu'une femme était assise de dos à l'une de ces tables devant des livres ouverts. Elle se retourna en entendant la porte s'ouvrir et c'était Sofana. Comme dans sa rêverie lorsqu'il chevauchait aux côtés de l'atabeg à travers la plaine ensoleillée, le regard profond de la jeune femme reprenait vie pour frapper Riou en plein cœur.

— Bien sûr, si la forteresse était menacée, dit la voix de l'atabeg poursuivant les propos qu'il tenait en entrant dans la pièce, ces fenêtres seraient aussitôt murées... Sofana va t'expliquer tout ce que nous avons ici, depuis l'époque de mon père. Je te laisse avec elle. Sofana ! Montre au chevalier Riou que nous ne sommes pas des ignorants, et que nous avons même bon nombre de livres en langue franque qui ont été ramenés de son pays par Oumstal...

L'atabeg était sorti sur ces mots, laissant Riou seul avec sa fille. Les cris des oiseaux de mer entraient par les fenêtres entrebâillées, ponctuant l'éclatement lointain des vagues sur les rochers qui défendaient l'entrée du port fortifié. Riou sentit que Sofana et lui-même renouaient avec le moment où elle l'avait quitté devant le pavillon du jardin après lui avoir apporté l'invitation de son père à le rejoindre dans le kiosque, et il éprouva avec force qu'elle avait songé de lui à son côté pendant que lui-même restait touché par leur rencontre plus encore qu'il ne l'avait pensé depuis qu'elle avait eu lieu. Ils se tenaient l'un devant l'autre en silence, ne sachant combien de secondes s'écoulaient, et comme si le geste qu'ils pouvaient faire de se rapprocher pour unir leurs mains dans une première étreinte était imminent, et même inévitable.

Mais trop de défenses rendaient cette étreinte impossible et le bruit d'une porte qui s'ouvrit entre les rayons remplis de livres dissipa d'un coup cette attente troublante. Elle livrait passage à Oumstal, dont le regard en entrant accusa la surprise qu'il éprouvait à voir ainsi le chevalier franc seul avec la fille aînée de l'atabeg au visage découvert, et si proches l'un de l'autre.

— Il y a plus de huit mille volumes ici, dit la voix de Sofana pour couper court à la gêne qu'ils éprouvaient tous les trois. Mais c'est bien peu de chose, au regard de ce qu'on peut voir en Egypte, par exemple... Savez-vous que le Kalife Al Asis a laissé en mourant un million sept cent mille volumes, sur lesquels plus de six mille étaient de mathématiques ? Il est vrai qu'il était un souverain. Mais Ibn el Moutran, le médecin actuel du Sultan Salah Ed Dine, n'a pas moins de trente mille volumes chez lui, de même que son pharmacien Ibn Al Tamith...

Elle parlait maintenant avec un sérieux un peu pédant, comme si elle voulait donner le change à Oumstal qui les avait salués l'un et l'autre d'une inclinaison de tête et d'un sourire avant de se plonger dans un grand registre placé avec d'autres du même genre sur un pupitre, sans doute le catalogue des références des ouvrages entassés dans les rayonnages. Ce discours appliqué de la jeune femme prolongeait la complicité qui était entre eux deux après la minute équivoque qu'ils avaient vécue avec intensité.

— Les Arabes ont la folie des livres, continuait la voix de Sofana pendant qu'elle se dirigeait vers un des rayonnages de la bibliothèque. Mon père m'a dit que vous avez été en Tunisie. Il y a là-bas, à Kairouan, un médecin du nom de Ibn-ad-Dchessar qui est très fameux. Le Sultan de Boukhara lui a offert une forte somme pour qu'il vienne créer une école dans sa capitale. Ibn-ad-Dchessar a refusé après avoir calculé qu'il lui faudrait quatre cents chameaux pour transporter sa bibliothèque, dont il ne veut se séparer à aucun prix...

Elle désignait à Riou les livres devant lesquels ils étaient parvenus.

— Voilà ce que nous avons en langue franque. Oumstal me dit qu'un nouvel ouvrage de poésie connaît un grand succès dans votre pays. Le *Roman de la Rose*, n'est-ce pas, Oumstal ? ajouta-t-elle en se tournant vers le secrétaire, qui levait la tête vers eux au-dessus de son catalogue.

— En effet, répondit-il. J'ai écrit voilà trois mois à Montpellier pour qu'il nous soit envoyé. Nous l'aurons bientôt...

Les yeux en amande de l'homme de confiance de l'atabeg se teintèrent d'ironie.

— Il raconte l'histoire d'un jeune homme qu'on introduit dans un jardin symbolique, où il rencontre l'amour..., ajouta-t-il en faisant mine de s'appliquer à transcrire une référence du catalogue sur une feuille de papier.

— En avez-vous entendu parler, avant de partir pour... pour venir dans nos pays ? demanda la voix de Sofana.

— Oui, dit Riou. Les dames le lisaient en Bretagne.

— Je vous le ferai porter lorsqu'il arrivera, continua la fille aînée de l'atabeg, et je vous demanderai de me traduire les meilleurs passages. Oumstal est trop occupé, et d'ailleurs ne s'intéresse qu'aux choses sérieuses. N'est-ce pas, Oumstal ?

— Certainement, Votre Seigneurie. N'ayant pas la qualité des hommes de guerre, je dois racheter ma faiblesse par une grande assiduité aux intérêts que votre père veut bien confier à mes soins...

Les yeux bridés souriaient par-dessus le grand registre posé sur le pupitre.

Le lendemain, Riou découvrit dans l'armurerie de la forteresse une arbalète italienne venue là au temps de l'atabeg Hussein. L'esprit encore plein de ce qu'il avait vu à Mahdia, où les archers génois s'étaient montrés si redoutables, et comme la crainte d'une invasion des troupes de l'Emir de Cheïsar persistait, dans les propos de Mansour et des autres, Riou proposa à l'atabeg de faire fabriquer des arbalètes semblables à celle-là, afin d'en équiper un corps qu'on formerait avec tous ces excellents archers qui étaient dressés au tir dès leur enfance suivant la coutume arabe.

Le chevalier travaillait lui-même avec plusieurs mécaniciens de la ville qu'on avait rassemblés dans la forteresse afin de perfectionner le modèle milanais dont il disposait, un peu ancien, et peu maniable. Il comptait les mettre entre les mains des jeunes archers d'une quinzaine d'années, chacun d'eux, grâce à son faible poids, pouvant être pris en croupe par un cavalier. Cette pratique avait été en usage dans les temps reculés dans la cavalerie de Babylone, ainsi que son précepteur le chevalier de Tresbivien lui avait enseigné en Bretagne.

Les Arabes étaient supérieurs aux Francs dans leurs machines de sièges, dans l'équipement de leurs navires, dans l'usage des pigeons pour transmettre les ordres et les nouvelles. Mais les Francs prenaient leur revanche avec ces arbalètes redoutables que la Papauté avait tenté d'interdire en menaçant d'excommunication les princes qui entendaient en doter leur infanterie.

Riou projeta d'équiper dans un premier temps cent arbalétriers, que la cavalerie déposerait à l'endroit où ils seraient à portée de tir. Elle reviendrait les soustraire à la charge de l'infanterie adverse si celle-ci se faisait menaçante.

Tout à la passion qu'il mettait à cette tâche, Riou s'endormait chaque nuit, harassé de fatigue, dans la chambre d'officier qu'il occupait à la forteresse. Il la quittait le jeudi soir, c'est-à-dire la veille de chaque vendredi, qui était le dimanche des Musulmans, pour se rendre à son pavillon du jardin où il passait la nuit de jeudi et la journée suivante que les musulmans consacraient aux pratiques religieuses, évitant ainsi que son absence à celles-ci puisse être l'objet d'interrogations de la part des autres officiers.

Mais personne ne semblait se soucier, à Djabala, du serment que le chevalier franc avait fait à Rachid Ed Dine.

Riou s'éveilla alors que le soleil était déjà haut. Il entendit les voix des jardiniers qui terminaient leur tâche d'arrosage, commencée à l'aube comme chaque jour, puis, venant de l'autre côté du mur du jardin, dont son pavillon était proche, le piétinement d'une troupe de chevaux et son accompagnement habituel de cliquetis d'armes et de hennissements.

Cette fois le chevalier se dressa vivement sur sa couche, saisi par l'inquiétude, pensant que la cavalerie de l'émir avait franchi pendant la nuit par surprise les frontières de la principauté, et qu'elle investissait le jardin et la maison forte où résidait Mahmmoud.

Puis des commandements retentirent et Riou découvrit avec étonnement qu'ils étaient prononcés en français.

Les Templiers ! Riou reconnaissait maintenant les commandements rituels qu'il avait entendus au cours de son voyage vers Djabala en compagnie du Sénéchal des Courriers de l'Ordre. Une étrange émotion s'empara du jeune homme à la pensée que les moines-soldats porteurs de la croix étaient là et qu'il allait se trouver devant eux sous l'uniforme d'une troupe musulmane.

En saisissant pour s'en revêtir cette tenue d'officier de la forteresse qu'il portait depuis plusieurs mois et qu'il avait ôtée la veille avant de s'endormir, Riou ne savait plus auquel des deux mondes il appartenait désormais. Les voix franques qui venaient de retentir à ses oreilles faisaient surgir devant ses yeux le visage de sa mère, celui de Couette, images lointaines qui devenaient soudain douloureusement vivantes. Judith... Riou voulut faire apparaître les yeux noirs de la jeune femme, entendre le son de sa voix. Mais il vit le regard de Sofana et son sourire, et ce regard semblait chargé d'une interrogation muette qui fit battre le cœur du jeune homme. Le jardin, un ciel dont la lumière n'était pas la même, la langue avec laquelle il était familier désormais, les souvenirs farouches de la galère et des meurtres des Haschachinns, tout cela avait repoussé loin dans le temps le passé d'un jeune gentilhomme breton roulé dans la vague de la croisade sur les rivages d'Orient...

Riou nouait maintenant la ceinture et le baudrier de cuir blanc qui appartenaient à l'uniforme de la cavalerie de Djabala, et il y passait son sabre courbe d'officier, dont l'étui était gravé d'arabesques. Il sortit de son pavillon.

Saïd, l'officier d'ordonnance de Mansour, venait à sa rencontre dans l'allée, un sourire aux lèvres.

— Riou, lança-t-il, hâte-toi ! Le Seigneur Atabeg t'appelle. Le Grand Maître des Templiers est là !

Autour du kiosque, dont les voiles blancs avaient été relevés à mi-hauteur, des cavaliers de la forteresse figés en statues vivantes montaient la garde dans leur tenue d'apparat, les deux mains appuyées sur leur sabre nu. Les petits domestiques noirs de la maison de Mahmoud, eux aussi dans les costumes brodés d'argent qu'ils portaient les jours de fête, attendaient pétrifiés comme des jouets mécaniques auprès de plusieurs tables garnies de boissons et de sorbets, prêts à se mettre en mouvement au moindre signe de l'intendant de bouche du Seigneur Atabeg... Ce dernier était assis les jambes croisées sur la banquette à sa place habituelle. Lui faisant face sur une chaise à haut dossier se tenait un haut dignitaire du Temple, dans son uniforme blanc et rouge, la tête nue rasée en couronne, la bouche mince, le nez droit, la mâchoire carrée, un grand collier d'argent au cou, les mains croisées sur ses genoux.

D'autres Templiers de haut rang étaient assis derrière lui sur la banquette opposée à celle de l'atabeg. Sous les regards curieux et sévères, Riou gravit les degrés de marbre dans un grand trouble. Seul le visage rond du Sénéchal des Courriers, le Frère Everard qu'il avait rencontré autrefois sur le chemin de Djabala, avait pour lui un sourire de connivence.

Guillaume de Gisy, Souverain Maître des Commanderies d'Orient du Temple — c'était lui-même, traversant les terres de l'atabeg Al Zahir el Mundiqh, alors qu'il se rendait de Jaffa, où débarquaient les premiers contingents de la Croisade venant de Constantinople, vers son grand château dit du Krak des Chevaliers, pièce maîtresse du système des places fortes bâties par les moines-soldats — dardait sur Riou un regard perçant.

L'atabeg gardait un masque impassible. Dans ses doigts un chasse-mouches au manche d'ivoire que Riou ne lui avait jamais vu accentuait, avec le turban à aigrette dont il s'était coiffé, l'allure de prince oriental qu'il avait voulu se donner pour la circonstance.

— Le jeune seigneur Riou a montré à nos cavaliers de Djabala qu'il pouvait être meilleur que les plus expérimentés d'entre eux, déclara l'atabeg dans sa langue, tandis que le chevalier s'inclinait une fois devant lui, une autre fois pendant le Souverain Maître du Temple.

Oumstal traduisit aussitôt, tandis que ceux des Templiers qui comprenaient l'arabe montraient déjà leur satisfaction en opinant du chef.

— N'est-ce pas, Mansour ? ajouta l'atabeg en tournant son regard vers le Maître de la cavalerie.

— C'est un lion ! jeta Mansour de sa voix faite pour haranguer une armée entière. Dieu veuille qu'il ne change pas d'avis, et ne revienne pas un jour combattre contre les musulmans !

Tous éclatèrent de rire à cette plaisanterie de sabreur qu'Oumstal traduisit rapidement à l'intention du Souverain Maître.

— C'est pourtant de cela qu'il s'agit, déclara celui-ci en consentant à un léger sourire qui étonnait sur son visage généralement immobile. Car nous vous apportons une importante nouvelle, Chevalier. Avez-vous souvenance que notre Frère Everard, ici présent, avec qui vous avez fait route pour venir à Djabala l'été passé, vous avait promis de nous soumettre la situation douloureuse dans laquelle vous vous trouviez, ayant fait serment à Rachid Ed Dine d'embrasser la religion musulmane, alors que ce serment n'avait pas été appelé par vos vœux, mais plutôt imposé dans une circonstance très particulière ?

— Je m'en souviens certainement, Souverain Maître, dit Riou, tandis que la voix d'Oumstal répétait en arabe les paroles du puissant personnage qui régnait sur les Commanderies de Terre Sainte.

— Nous avons correspondu avec notre allié Rachid Ed Dine, poursuivit le Templier, et avons reçu sa réponse quelques jours avant de nous mettre en route pour venir ici...

En disant ces mots Guillaume de Gisy étendait la main en direction du Frère Everard qui avait déjà extrait de la sacoche de cuir posée à terre devant lui une enveloppe au sceau des Haschachinns. Passant de main en main, l'enveloppe arriva dans celles du Souverain Maître. Celui-ci en tira une feuille de parchemin couverte d'une écriture arabe qu'il tendit à Riou.

— Vous la lirez vous-même, chevalier, puisqu'on m'a appris en arrivant ici que vous aviez désormais un aussi bon usage de la langue de nos hôtes que de leurs sabres courbes. Elle vous relève de celui de vos engagements qui concernait votre conversion...

Le maître souverain dit ces derniers mots avec une satisfaction évidente, plissant ses lèvres dans le sourire qu'il adressait à Riou.

Celui-ci regardait le parchemin calligraphié avec élégance sous la dictée de celui qu'on appelait le Vieux de la Montagne, et une émotion inattendue l'étreignait. Il était libre de toutes les obligations qui l'enfermaient à Djabala. En un instant, tout ce qu'il avait vécu intensément depuis sa capture dans la forteresse de Mahdia devenait un rêve dont il pouvait s'éveiller.

Il sentit que le Maître Souverain guettait sa réponse avec une certaine curiosité, mais une minique du Frère Everard, qui avait tiré une autre lettre de la sacoche et la montrait en direction du Souverain Maître, fit diversion pour un instant.

— Ah oui ! dit le Souverain Maître. Nous avons aussi reçu à votre adresse, Chevalier, depuis notre Commanderie de Mur de Bretagne une lettre de dame votre mère, en réponse à celle que vous aviez confiée à notre Ordre après votre départ de Subeybié...

La lettre de Bretagne parvint entre les mains de Riou, ajoutant à son trouble.

— Quoi qu'il en soit, poursuivit le puissant personnage, vous pouvez vous joindre à nous dès aujourd'hui. Vous serez l'hôte de notre Ordre jusqu'à Saint-Jean-d'Acre, où nous avons des navires en partance pour Jaffa. Vous pourrez ainsi retrouver la Croisade dans quelques jours, puisqu'elle campe sous les murs de cette dernière ville...

La Croisade avait débarqué ! Forte, bien plus qu'à Mahdia, du poids de l'Europe entière, elle allait s'avancer vers Djabala. Dans le nuage de poussière levé par les sabots des destriers, Riou vit le Comte Guéthenoc de Fougères, grand et droit dans son armure, sa bannière jaune et bleu portée par Ruinart son écuyer gonfalonier, et les autres chevaliers de Bretagne dans leurs cuirasses étincelantes. Il entendait la plainte des cornemuses accompagnant la marche des chevaux vers le combat et la mort. Les croix rouges sur les poitrines, les croix du Christ pareilles à celles que portaient ces Templiers assis devant leurs hôtes mahométans, saignaient au soleil d'Orient, comme un reproche qui entrait dans le cœur de celui qui portait l'uniforme d'une cavalerie musulmane...

La voix d'Oumstal, répétant en arabe les phrases du Souverain Maître à l'intention de l'atabeg et des autres de sa race, faisait un étrange écho dans les oreilles de Riou, qui entendait ainsi une seconde fois l'arrêt du destin venu bouleverser son existence.

Les visages de Mansour et de Mahmoud restaient figés dans la surprise. Celui de l'atabeg était de marbre.

Dans le silence qui s'était établi, Guillaume de Gisy, étonné que la réponse du jeune homme se fasse attendre, fronça les sourcils.

— Il vous reste, Chevalier, dit-il, à remercier le seigneur Al Zahir pour les bons traitements qu'il vous a faits, d'autant qu'il a reçu ces jours-ci du Sultan Ahmed de Tunis la délégation des droits de captivité pris sur vous à Mahdia, et dont il vous fait gracieuse remise, selon ce qu'il nous a annoncé tout à l'heure, en sorte que vous soyez libre de disposer de vous-même sans aucune gêne ni rançon...

— Je vous rends grâce humblement, Maître Souverain, dit enfin Riou, de la peine que vous avez eue de plaider pour moi auprès du seigneur Rachid Ed Dine, et des bonnes nouvelles que vous m'avez portées jusqu'ici... Cependant, je n'accepterai pas, si vous me le pardonnez, l'invitation que vous me faites de me joindre à vous et aux autres Frères de l'Ordre...

Les paroles d'Oumstal traduisant la déclaration de Riou en arabe tombaient dans un silence que la surprise des dignitaires du Temple rendait plus lourd.

— Il est séant que je demeure pour l'instant dans le service du seigneur Atabeg, termina Riou.

L'atabeg avait porté son hanap de cristal à sa bouche et le chevalier crut voir que c'était pour dissimuler son émotion.

27.

Une esclave nommée Zofar

La nuit avait repris possession du jardin après le départ des Templiers. Riou avait allumé la lampe à huile qui répandait dans la blancheur du pavillon sa lumière rosie par la coupelle de verre peinte qui la coiffait. La lettre de sa mère qu'il avait lue et relue plusieurs fois était posée sur le carrelage à portée de la main du jeune homme, au pied du lit bas sur lequel il était étendu. Sa présence ramenait Riou pour la première fois au monde d'où il venait. Elle lui apprenait que Couette avait quitté la Villerouhault pour se mettre en peine de son maître. Mais la compagne de jeux et de lit de son enfance allait vers lui au moment où le désir de Riou se tournait vers les sombres yeux de Sofana... Etait-ce pour elle que les lèvres de Riou, tout à l'heure, devant les puissants seigneurs qui tenaient son destin entre leurs mains avaient prononcé les paroles par lesquelles il refusait de s'éloigner de Djabala ? Etait-ce pour la douceur du soir dans ce jardin, pour les rires de Mansour et son amitié, pour la moue amère de l'atabeg, fatigué de porter le poids de sa charge, pour l'adresse des archers ou pour tout cela à la fois ? Sofana... Le désir que Riou avait de la jeune femme se révéla à lui pour la première fois dans la solitude nocturne de ce pavillon qui était fait pour être une chambre d'amour. A l'instant, Sofana cessait d'être un rêve pour devenir un besoin charnel. Surpris par la force du désir qu'il éprouvait maintenant, Riou, la bouche sèche, le ventre noué, cherchait dans les images que son souvenir gardait de la jeune femme les formes d'un corps qu'il n'avait pas encore osé regarder... Il quitta son lit pour sortir dans l'embrasure de la porte, là même où il l'avait vue s'approcher de lui pour la première fois, et là le cœur du jeune homme se mit à battre.

La silhouette d'une femme voilée s'avançait dans l'obscurité de l'allée... A cette vue Riou fut emporté par l'espoir délicieux que la jeune femme venait à lui après avoir appris qu'il avait refusé de quitter Djabala mais il comprit bientôt, aux pieds nus de celle qui s'avançait sur le sable de l'allée, et à son vêtement lorsqu'elle fut proche, que l'apparition ne pouvait être que celle d'une jeune servante. Les yeux de celle-ci souriaient à travers le tulle du masque de satin qui cachait son visage alors qu'elle tendait à Riou une lettre qu'elle avait tirée de son corsage. Il vit à ses mains qu'il s'agissait d'une fille noire. Riou prit ce qu'elle lui donnait et rentra dans la lumière de la lampe. La lettre était de Sofana. Debout auprès de son lit, il l'ouvrit, et lut.

« Le livre de poésie dont nous avions parlé m'est parvenu aujourd'hui avec le courrier amené par les Templiers et je vous le fais porter sans plus attendre par ma servante Zofar. Mon père m'a instruit que vous avez souhaité rester parmi nous et je m'en réjouis d'une manière profonde. Ainsi aurai-je le bonheur de continuer à vous voir et à m'entretenir avec vous. Comme il n'est pas bon que vous demeuriez dans la solitude, et comme Zofar m'a fait comprendre plusieurs fois qu'elle entretenait de nombreuses pensées à votre égard, je lui ai ordonné de rester avec vous cette nuit et toutes les autres que vous lui demanderez. Elle ne pourra vous dire sa joie avec des mots, parce qu'elle n'a pas l'usage de la parole depuis qu'elle est née, mais elle vous le fera comprendre sans doute par cette chaleur qui appartient à toutes les femmes, fussent-elles de la condition d'esclave comme cela est son cas, et vous pourrez ainsi prendre patience jusqu'au moment où une union convenable à votre position auprès de mon père sera appelée par vos vœux... »

Riou considérait la lettre qu'il venait de lire avec stupéfaction. Sofana qui lui avait semblé toute proche quelques instants plus tôt était devenue inaccessible. En princesse orientale, elle envoyait au nouveau vassal de son père une esclave pour contenter ses ardeurs de soldat... Riou comprit à quel point il s'était trompé lorsqu'il avait cru, dans la bibliothèque de la forteresse, que la jeune femme était possédée devant lui de la même émotion qu'il avait éprouvée lui-même. Oumstal était entré, et la lueur ironique qui était passée dans le regard du secrétaire en les découvrant ensemble n'avait pas le sens que Riou lui avait attribué. Oumstal et Sofana se voyaient tous les jours, et rien ne s'opposait à ce qu'ils se rencontrassent puisque le secrétaire vivait dans l'intimité de l'atabeg. Si Sofana était seule, c'était aussi le cas d'Oumstal, selon ce que Riou avait appris en parlant avec d'autres officiers de la forteresse. Il vivait sans femme parce qu'il était l'amant de Sofana à l'insu de tous. Riou le comprenait maintenant. Et ce goût que Sofana avait pour la poésie était un bon prétexte pour ses conversations avec le secrétaire de son père. L'appartement de celui-ci n'était-il pas tout proche de la bibliothèque ? Riou avait fait un rêve...

Le jeune homme reposa le livre sur la table basse qui était au chevet de son lit. Il était seul avec son désir maintenant. Il leva les yeux vers la porte du pavillon ouvert sur la nuit. L'esclave dont on lui faisait présent s'était appuyée au-dehors contre le mur, attendant le bon vouloir du Franc. Riou ne voyait d'elle que son bras et son épaule dépassant à l'embrasure de la porte, à demi couverts par le voile qu'elle portait.

Cette fille-là avait rêvé de lui après l'avoir vu du haut d'une fenêtre de la forteresse passer à cheval dans sa tunique d'officier soutachée d'argent, blond sous le casque de cuir d'où pendait une longue crinière, et elle au moins désirait Riou... L'attendrissement se mêla au besoin animal que cette présence consentante soulevait en lui. Il alla jusqu'à la porte et posa sa main sur le bras de la jeune fille. Il la sentit tressaillir et se trouva devant elle. Elle restait appuyée au mur et ses yeux devenaient graves à travers le tulle noir qui les dissimulait. La main de Riou alla derrière la tête de la jeune fille ôter ce tulle. Elle ne bougeait toujours pas, mais sa respiration était devenue courte. Elle palpitait de l'attente d'être possédée par celui dont l'image avait allumé ses désirs depuis beaucoup de jours.

Elle offrait maintenant son visage dénudé et sa bouche charnue de fille d'Afrique entrouverte sur des dents parfaitement blanches.

Riou y appuya la sienne, sentit la brûlante chaleur qui l'appelait et pesa de tout son corps contre cette proie plus que soumise, se laissant griser par l'odeur inconnue de cette peau noire par laquelle l'Orient prenait possession de lui tout entier.

Les cavaliers égyptiens continuaient d'arriver à Djabala, et Riou redoublait d'efforts, en compagnie des autres officiers, pour les aguerrir et les entraîner. Il avait revu Sofana une seule fois, alors qu'elle traversait la grande cour intérieure de la forteresse en compagnie de ses sœurs et du petit Khadoun, et comme cela avait eu lieu devant beaucoup de monde, elle ne lui avait pas souri, seulement jeté un regard. Le visage de la jeune femme semblait s'être creusé. Sans doute souffrait-elle, ainsi que l'avait prévu l'atabeg du prochain départ de l'enfant vers son destin de guerrier. Rien d'autre ne pouvait plus occuper l'esprit et le cœur de Sofana, perdue pour le chevalier de toutes les manières.

Riou, lui, trouvait un apaisement dans les exercices guerriers qui le ramenaient chaque nuit à sa cellule de la forteresse le corps rompu de fatigue, et aussi dans les caresses de Zofar qui venait le rejoindre lorsqu'il allait dormir au jardin.

La jeune Noire n'épargnait rien pour donner à son amant le plaisir qui était aussi le sien, car lorsque Riou s'animait dans leurs embrassements, le silence auquel la nature avait condamné sa voix, sous l'émotion qu'éprouvait son corps à elle, s'interrompait. Les lèvres de la jeune Noire laissaient échapper une longue plainte rauque qui, redoublant le plaisir de Riou, l'emportait à son tour dans l'assouvissement. Puis elle s'abandonnait sur le lit, les yeux clos, avec un sourire aux lèvres, visage énigmatique sculpté dans l'ébène, comme un masque sur lequel Riou portait une main caressante. Elle s'éveillait de cette torpeur pour frotter le corps dénudé du chevalier d'une huile parfumée au jasmin qui reposait ses muscles.

Riou rentra ce soir-là au jardin plus tôt qu'à l'habitude, couvert de sueur et de l'odeur âcre des chevaux qu'il avait montés, impatient de se baigner, sachant que son esclave viendrait le rejoindre dans la nuit. L'architecte du jardin avait aménagé derrière chacun des pavillons avec des claies de bois de camphrier un enclos enserré dans les frondaisons des néfliers où l'eau d'un bassin de pierre s'échauffait pendant la journée aux rayons du soleil. On la trouvait prête pour le bain du soir.

Riou, après avoir jeté à terre ses vêtements souillés de poussière, traversa la petite antichambre qui reliait l'enclos à la chambre du pavillon, et poussa la porte, accueillant avec plaisir cette odeur entêtante de camphre dont il avait été écœuré les premiers jours et qu'il aimait maintenant, comme il aimait le parfum musqué naissant de la peau noire de Zofar lorsque la jeune fille entrait en amour dans ses bras.

Il s'allongea dans l'eau encore chaude. Les cris gutturaux des cavaliers résonnaient dans sa tête, et les galops des chevaux, et le choc des sabres sur les boucliers, et la voix de stentor de Mansour, mais de minute en minute la fatigue s'en allait et le silence se faisait en lui. Bientôt les pas de Zofar allaient glisser sur les dalles du sol du pavillon. Il la trouverait allongée sur le lit, comme à l'habitude, ses seins pointus tendant l'étoffe de laine dont elle se recouvrait en l'attendant et qu'il dévoilerait pour la voir toute nue à la lumière si douce de la lampe.

Lorsque Zofar avait commencé à se donner à lui, elle se couvrait pudiquement dès qu'il l'avait possédée, mais le Franc qu'il était lui avait appris à ne plus le faire, pour jouir du spectacle de ce corps de statue noire allant et venant dans la pièce...

Cette image et ces pensées brûlantes dressaient maintenant le désir de Riou dans l'eau du bassin, allumant son impatience de posséder sa compagne, après une semaine d'abstinence... Riou se leva pour savonner tout son corps, y compris cette partie de lui-même qui se préparait à plonger comme une épée dans la brûlante blessure que Zofar entretenait elle aussi de ses désirs tout au long de la semaine. Il entendit qu'on marchait à côté dans la chambre du pavillon. Il se plongea à nouveau dans l'eau tiède pour ôter le savon de son corps, puis sortit du bassin en prenant la serviette dont il allait s'essuyer et poussa la porte de la chambre où il entra, nu et viril, impatient de prendre dans ses bras sa jeune esclave. La jeune femme qui se tenait debout dans la lumière de la lampe sous le voile blanc qui la recouvrait à la mode musulmane n'était pas Zofar.

Riou plaça en hâte autour de ses reins la serviette qu'il tenait à la main tandis que l'inconnue riait après avoir fait mine de mettre sa main sur ses yeux pour ne pas voir ce qu'on lui avait montré par erreur.

— Ce n'est pas celle que vous attendiez, Chevalier, dit en français la voix de Maïmouna qui ôtait son voile. Ce n'est qu'une exilée comme vous, qui est venue chercher un peu de compagnie...

Maïmouna ! L'épouse franque de Mahmmoud, enveloppée dans ce voile qui assurait le secret à celles qui le revêtaient, était venue dans la nuit surprendre le jeune homme de sa race. Mécontent, Riou fronçait les sourcils.

— Votre compagne ne viendra pas vous rejoindre maintenant, Chevalier, reprit la jeune femme. J'ai placé à l'entrée du jardin une de mes servantes, qui doit l'emmener à mon appartement pour l'y retenir jusqu'à ce que vous soyez las de moi...

La robe de mousseline qu'elle avait découverte sous son voile était un vêtement d'intimité qui cachait mal sa poitrine laiteuse de femme blonde et donnait à voir toutes les formes de son corps. Elle soupira en s'approchant de Riou.

— Savez-vous que je pense à vous souventes fois, et que je repousse sans cesse la tentation de venir bavarder avec vous le soir. Je sais que vous y êtes à chaque veille des vendredis, et que vous n'y êtes pas seul. Sofana vous a fait un beau cadeau... Avez-vous tout ce qu'il faut, dans les bras de cette petite Noire ?

— N'avez-vous point votre époux, vous-même ? demanda Riou encore surpris et irrité. Serait-il satisfait d'apprendre que vous êtes venue ici de nuit ?

— Mahmoud ! jeta la belle jeune femme blonde en haussant ses épaules blanches sous la mousseline. Il ne me demande pas ces comptes-là, trop occupé lui-même avec toutes ses autres femmes et filles, et encore plus de ses danseurs dont il fait grand cas, ainsi que vous l'avez appris vous-même à votre venue ici...

Elle se tenait toute proche de lui qui n'avait que sa serviette nouée autour des reins. Elle avança une main, posant ses doigts sur le bras nu de Riou.

— Quels muscles durs, et quelle peau douce en même temps, murmura-t-elle. Savez-vous que je n'ai jamais connu d'homme de ma race, ayant été toute jeune mariée à Mahmoud, et que je reste bien des nuits privée de sommeil en songeant que vous n'êtes pas loin de moi ?

Elle tendait sa bouche vers lui, s'offrant sans crainte, donnant à sa voix une rauque douceur.

— Ne voulez-vous pas consoler d'un peu d'amitié une jeune fille de votre sang qui a souffert de la nécessité qu'elle avait dans les malheurs de son enfance à se soumettre à des étrangers ? Refuserez-vous ce que je désire tant vous donner, et que vous-même étiez prêt à donner à une esclave ?

Riou hésitait, partagé entre la crainte confuse d'un piège dont il ne discernait pas le sens, et la faiblesse qui lui venait maintenant pour cette jeune femme qui en vérité avait dû souffrir grandement, après la mort de son père, de sa condition d'orpheline et de captive. Il était vrai aussi que l'arrivée inattendue d'un chevalier franc comme lui à Djabala avait pu réveiller en elle la nostalgie de son pays natal et de sa race. Délaissée par un mari qui forniquait avec un harem entier de femmes et de jeunes garçons, elle ne pouvait que rêver au visage de celui qu'elle savait sans épouse, dans un isolement semblable au sien.

La voix qui disait toutes ces plaintes était chaude et les yeux imploraient. Riou sentait l'aura de chaleur qui émanait de ce beau corps offert. Ses mains se posèrent sur les épaules de la jeune femme, et aussitôt le ventre plein et ferme de Maïmouna s'appuya sur le sien à travers la robe de mousseline.

— Etes-vous folle, ma mie, de venir ainsi tenter un homme qui a besoin de plaisir pour pouvoir dormir en paix ? murmura-t-il en approchant sa bouche des lèvres roses.

— Certes oui, je le suis, mon aimé, à la pensée que vous m'allez pénétrer de la joie que j'attends depuis de longs jours...

Leurs bouches se joignirent dans un baiser qui devenait de plus en plus violent.

Maïmouna gémissait en dardant sa langue contre celle du chevalier, et ses doigts dégrafaient nerveusement sa robe pour offrir à son amant la preuve brûlante de son désir.

A demi étendue sur le corps dénudé de Riou, sa tête sur la poitrine du jeune homme qui sentait les fins cheveux blonds frôler sa bouche, la belle Maïmouna goûtait la douceur de l'apaisement. Elle avait crié très haut son plaisir, comme s'il était bien vrai qu'elle était sincère, et que cette étreinte qu'elle était venue chercher dans les bras du jeune homme venait d'un besoin profond nourri en elle depuis de longs jours.

Riou jouissait lui aussi de ce moment de paix. Etait-ce avec cette fille blonde qu'il allait connaître l'amour, après être venu de si loin ? Le corps de Maïmouna était ferme et parfaitement proportionné, avec de longues jambes, et des cuisses d'une blancheur de lait. Riou qui n'avait plus rien à désirer oubliait Sofana. Tout à l'heure son amante le laisserait pour regagner son appartement dans la maison forte, et la petite Zofar viendrait finir la nuit dans ses bras, habituée à obéir, muette par la volonté de la nature aussi bien que par sa condition. Riou se sentait fort, et comblé.

Comme si elle devinait sa pensée, Maïmouna tourna la tête pour chercher le regard de son amant.

— Ne crains rien, je vais te quitter tout à l'heure et tu auras encore ton esclave pour te réveiller au matin. Sait-elle te caresser avec sa bouche ? Veux-tu que je le fasse maintenant, ou préfères-tu que nous lui laissions un peu de ta force ?

Elle rit en disant ces mots.

— Je ne suis pas jalouse, tu sais... Ici, on apprend à ne pas l'être.

Elle baisa les lèvres de Riou avec tendresse.

— Je reviendrai te voir de temps en temps, chuchota-t-elle en découvrant ses petites dents bien blanches. Pas trop souvent, pour que tu ne te fatigues pas de moi, et pour que je sois pleine de désir, comme je l'étais ce soir... Ai-je assez rêvé ces moments-là, depuis que je t'ai vu dans la grande salle, le soir où tu es arrivé au milieu du repas des amis de Mahmoud...

— Et que fera Mahmoud, quand il apprendra que tu lui manques de parole avec moi, et que je le bafoue ?

— Il ne fera rien. C'est un guerrier, un chasseur, et un homme de tous les plaisirs. Il prête ses concubines à ses amis. Il a voulu m'avoir parce que j'étais une Franque blonde, comme on achète un cheval pour le mettre dans son écurie avec les autres.

— Cela suffit-il à faire qu'il ne se mettra pas en colère en apprenant que tu viens ici ?

Elle haussa les épaules.

— Il t'estime pour tout ce que tu as fait depuis ta venue à Djabala. Il ne cherchera pas querelle à un homme comme toi, à propos d'une femme dont il n'est plus jaloux, pourvu que je te rencontre sans qu'on le sache. D'ailleurs quelqu'un serait-il surpris que nous nous voyons, alors que nous sommes de la même langue, du même pays, issus de la même religion ? Les musulmans connaissent bien les mœurs des Chrétiens. Ils savent que chez nous hommes et femmes se rencontrent et se voient sans gêne...

Elle parut réfléchir, promenant ses doigts sur la poitrine de son amant. Elle se serra contre lui.

— Et même, vois-tu, si je demandais à Mahmoud qu'il me laisse repartir à Cheïsar, il me l'accorderait. Là-bas, l'émir qui est comme mon père me donnera toujours une grande place auprès de lui. Je suis chez moi, là-bas...

Elle reprit, après avoir rêvé un moment.

— L'Emir est très riche depuis qu'il a fait alliance avec le Sultan de Perse. Si tu voulais venir à Cheïsar, je parlerai pour toi. Il te donnerait sûrement une troupe importante à commander, avec une forte dot en or... Là-bas, je pourrai t'aider et te protéger. Tous savent ce que tu as fait pour l'atabeg et combien tu es estimé par les cavaliers et par Mansour. On ne parle que de toi...

Après un moment d'étonnement, Riou songea que Maïmouna n'avait pas tort. C'est de cette façon qu'on faisait sa fortune. Riou de la Villerouhault, parlant la langue arabe, sachant bien commander la cavalerie, deviendrait-il un favori du Sultan de Perse, après être entré au service de son allié l'Emir de Cheïsar, avec l'aide d'une jeune femme franque appelée Maïmouna ? Elle-même, comme d'autres étrangères l'avaient fait au milieu des musulmans, deviendrait-elle princesse grâce à sa beauté insolite de blonde et ses ruses de femme libre au milieu des femmes soumises qui restaient à attendre passivement leurs époux dans les harems ?

Mais l'atabeg... Mansour, et les dignitaires du Temple n'avaient-ils pas entendu Riou se faire son vassal devant le Souverain Maître de l'Ordre ?

— Tu ne dis rien, mon aimé ? s'enquit la voix de la jeune femme alanguie contre le flanc de Riou.

— Je suis étonné de tes paroles... Ne craint-on pas sans cesse que l'Emir de Cheïsar veuille mettre la main sur Djabala ? N'est-ce pas étrange chose que ton époux Mahmoud semble plus acquis lui-même à l'Emir qu'à son propre père ?

Maïmouna haussa les épaules.

— Est-ce la première fois qu'un fils ne s'entend pas bien avec son père ? On a vu cela chez nous en chrétienté aussi bien qu'en pays musulman. Tu sais bien que l'atabeg tient rigueur à Mahmoud d'avoir emmené son frère cadet à la chasse où il a été blessé à mort. Mais est-ce que Mahmoud n'est pas en droit de reprocher à son père qu'il lui ait toujours préféré son frère cadet ? Quant à l'Emir, s'il a choisi d'aller du côté du Sultan, c'est parce qu'il sait que celui-ci dominera tout et qu'il serait folie de vouloir lui résister, comme le fait l'atabeg, qui croit dans le soutien des Templiers et dans la politique de Salah Ed Dine. Et moi, ajouta-t-elle, n'ai-je point le droit de préférer l'Emir, qui m'a élevée en place de mon père et en a toujours usé avec moi comme si j'étais sa propre fille ?

— L'atabeg en a usé avec moi, depuis que je suis venu frapper à sa porte, comme si j'étais son propre fils, répliqua Riou, qui venait de rencontrer à l'instant cette évidence à laquelle il n'avait pas encore songé. L'abandonnerai-je pour aller à Cheïsar ? reprit Riou sur le même mode interrogatif employé par la jeune femme.

Maïmouna dressa le haut de son corps en se dégageant de son amant, puis se mit à genoux contre lui. Sa poitrine irréprochable dominait le visage du jeune homme. Ses longs cheveux blonds répandus sur ses épaules arrivaient jusqu'à lui. Entre les cuisses, impudiquement ouvertes, l'amoureuse toison caressée tout à l'heure inspirait à Riou un nouveau désir.

— Choisis alors qu'il est temps encore, dit-elle gravement.

Elle se pencha lentement, approchant sa bouche. Son corps tout entier s'appesantit sur lui. Leurs lèvres se joignirent, rallumant les ardeurs qui les avaient unis tout à l'heure dans les mêmes plaintes de plaisir. Elle murmura :

— Choisis l'amour de Maïmouna, qui s'appelait Anne lorsqu'elle était petite fille, et qui te portera bonheur et richesse...

Les yeux de la jeune femme devenaient vagues, alors qu'elle commençait à gémir en s'enfonçant sur l'épée de Riou de nouveau dégainée.

Une semaine s'écoula pendant laquelle Riou songea à ce qui était arrivé avec Maïmouna, au grand plaisir qu'il avait eu avec elle, aux sentiments que la jeune femme paraissait nourrir à son égard, et aussi à la proposition qu'elle lui avait faite de partir pour Cheïsar. Dans le même temps, la crainte d'une invasion de la principauté par les troupes de l'Emir revint occuper l'esprit de l'atabeg, au point qu'il tint devant Riou, avec Oumstal et Mansour, une longue conversation à ce sujet. Oumstal évoqua la nécessité de surveiller étroitement la frontière montagneuse de la forêt, laissant clairement entendre ainsi qu'on ne devait pas faire confiance au fils et héritier de l'atabeg pour cette tâche-là. Elle était pourtant dans ses attributions, Mahmoud l'ayant autrefois revendiquée en raison de son intérêt pour cette région qu'il fréquentait assidûment à l'occasion de ses parties de chasse. Que tout cela ait été dit en présence de Riou donna au jeune homme à penser que l'atabeg l'admettait dans la position d'un homme de confiance à l'égal du commandant de sa cavalerie et du confident de sa politique.

Cependant, à l'air énigmatique et au regard inquisiteur du secrétaire qui était aussi comme le vizir de la police de la principauté, Riou se demanda, alors qu'on avait évoqué les fréquents déplacements de Maïmouna auprès de son père adoptif à Cheïsar, si le secrétaire savait déjà que l'épouse franque de Mahmmoud était allée rejoindre le chevalier à son pavillon une certaine nuit.

Et Zofar ? songea Riou. Un soupçon en amenait un autre. Si Oumstal était bien l'amant de Sofana, la jeune esclave n'avait-elle pas été envoyée dans le lit du Franc pour le surveiller lorsqu'il n'était pas à la forteresse au milieu des autres ? L'héritier Mahmoud étant écarté de fait du pouvoir, la fille aînée et le secrétaire régentaient l'entourage de l'atabeg, attentifs à tous ceux qui pourraient prendre de l'importance dans la faveur de celui-ci.

Si cela était, Zofar avait déjà rapporté au secrétaire qu'une des domestiques de Maïmouna l'avait emmenée à la maison forte au moment où elle allait entrer à la porte du jardin pour rejoindre la couche de Riou, et qu'on l'avait retenue au milieu des autres esclaves et filles de chambre jusqu'à une heure avancée de la nuit. Zofar était muette. Mais elle n'était ni sourde ni sotte. Elle savait s'exprimer par des sourires, des oui ou des non de la tête, ou encore en dessinant drôlement avec ses doigts sur le sable devant la porte du pavillon, lorsqu'ils restaient assis l'un à côté de l'autre au soleil, des chiffres ou des objets, voire des personnages, en réponse aux questions que Riou lui posait.

Celui-ci se promit de l'interroger le jeudi suivant.

Ce jour arriva. En pénétrant dans la chambre du pavillon au moment du concert assourdissant des oiseaux saisis par le crépuscule, Riou trouva une rose rouge dans un vase d'albâtre à long col auprès de son lit, ainsi qu'une enveloppe d'étoffe brodée qui contenait un message de Maïmouna. Il lut que la jeune femme était partie le matin même pour Cheïsar, et qu'elle lui demandait de songer à tout ce qui avait été dit entre eux le jeudi précédent, car, disait l'écriture de Maïmouna, s'exprimant en français, le temps pressait...

Riou s'assit sur son lit bas pour relire la lettre de la jeune femme et chercher entre les lignes ce qui n'y était pas dit. De toute évidence, Maïmouna s'attendait elle aussi à un coup de force de l'émir son père adoptif contre la principauté. La tristesse et l'amertume entrèrent dans le cœur du jeune homme, les mêmes sans doute l'une et l'autre, qui passaient parfois comme une ombre sur le visage de l'atabeg. La forteresse au bord de la mer, le beau jardin, la cavalerie bien tenue, la ville avec les cris joyeux des enfants montant de ses rues étroites entre les murailles, les dômes dorés de ses mosquées... Toutes ces images heureuses étaient vouées à se tacher de sang ou de trahison.

« Ne conservez point cette lettre, mon aimé, et brûlez-la à la flamme de la lampe qui a éclairé l'autre nuit nos corps heureux de s'appartenir... »

Riou obéit au post-scriptum qu'il lisait pour la seconde fois. Il tenait le papier enflammé au bout de ses doigts lorsque Zofar surgit à la porte laissée ouverte, venue sans bruit sur ses pieds nus.

Elle entra avec le sourire tranquille de sa bouche charnue et de ses yeux de biche, et Riou détesta l'idée qu'elle puisse être avec lui autrement que pure et sans calculs. Rapporterait-elle que le Franc brûlait une lettre au moment où elle était entrée dans sa chambre ?

Riou l'attira à lui. Elle se laissa aller sur le lit, et il lui baisa les lèvres.

Les yeux clos, la jeune fille savourait le bonheur d'avoir été attendue par celui qui était à la fois son maître et son amant.

— Zofar, dit Riou, l'autre jour, lorsqu'on t'a dit en arrivant au jardin que tu ne pouvais venir au pavillon, quelle raison t'a-t-on donnée ?

Comprenant que Riou avait autre chose en tête que l'amour qu'elle était prête à lui donner, la jeune esclave se redressa pour s'asseoir. Elle pointa son doigt sur la poitrine de son amant. Puis elle fit avec ses bras le geste de dessiner autour de son propre corps les formes de quelqu'un de gros et de fort. Elle compléta ce portrait en gonflant ses joues et en mimant l'emplacement d'une grande moustache sur son visage.

— Mahmoud ? demanda Riou.

La jeune esclave approuva vivement de la tête, puis répéta son geste de désigner Riou de son doigt tendu.

— Moi ? Ils t'ont dit que j'étais avec Mahmoud ?

Zofar approuva de nouveau et imita alors l'attitude maniérée et l'expression langoureuse d'un de ces jeunes danseurs habillés comme des femmes que Mahmoud prisait fort.

— Ils t'ont dit que j'avais été invité par Mahmoud à venir voir ses danseurs ?

La jeune Noire se mit à rire et, se jetant sur Riou, l'embrassa goulûment sur la bouche en écrasant ses seins contre la poitrine du jeune homme. Puis comme sa main glissait déjà sur le ventre de Riou, celui-ci comprit que la jeune fille était impatiente après une longue semaine, et il lui rendit son baiser, heureux de pouvoir oublier dans l'amour les incertitudes et les intrigues qui troublaient la paix du jardin de Djabala.

28.

Une felouque emporte le petit Khadoun

Dans l'après-midi du lendemain, alors que Riou assis devant le pavillon jouissait du plaisir que lui donnait la vue de Zofar préparant leur repas à tous les deux sur le canoun avec des gestes gracieux, et la posture accroupie qui donnait à cette tâche un tour sensuel, un cavalier parut dans l'allée, et fit savoir au chevalier que l'atabeg requérait sa présence immédiate au port de la forteresse, afin qu'il assiste au départ du petit Khadoun pour l'Egypte, qui venait d'être ordonné le matin même.

Riou se mit en tenue et quitta le jardin pour trouver Al Zahir sur le quai du port fortifié que dominaient les hautes murailles de la place, dans un grand concours de monde, entouré de tous les officiers, de Mansour et de Mahmoud.

La felouque qui allait emmener le petit garçon vers son père et l'Egypte était rangée au long de ce quai, prête à appareiller pour franchir le goulet ouvert sur le large. Vêtu du même uniforme brun à parements argentés que portaient tous les officiers et qu'on avait taillé pour lui à cette occasion solennelle, l'enfant s'avança sur les dalles suivi par des musiciens frappant des tambours et grattant ces sortes de luths qui, avec les flûtes au son aigre, constituent les trois éléments de la musique arabe depuis qu'elle a été inventée au rythme du pas des caravaniers par ceux d'entre eux qui chantaient pour tromper l'ennui des longues marches aux côtés des dromadaires. Cette fois la mélopée née au désert accompagnait les pas d'un enfant qu'on arrachait à sa mère pour faire de lui au loin un guerrier musulman. L'atabeg fit signe à Riou, dès qu'il le vit sortir de la poterne qui faisait communiquer la forteresse avec son port, de venir se tenir à ses côtés.

— Les vents ont changé pendant la nuit, dit Al Zahir au chevalier.

Ils portent vers l'Egypte. C'est pourquoi j'ai voulu que l'enfant parte aussitôt...

Riou ne dit rien, mais l'atabeg ajouta à mi-voix :

— Il vaut mieux pour sa mère que cela ait été décidé au dernier moment.

Le petit Khadoun était maintenant en face de son grand-père, levant sur lui un regard rougi par les larmes qu'il avait sans doute versées quelques minutes plus tôt quand il avait fait ses adieux à Sofana. Sofana ! Riou leva les yeux vers la terrasse qui surplombait le port, et sur laquelle donnaient les habitations des femmes et des filles du seigneur. Parmi les silhouettes féminines cachées sous leurs voiles qui se pressaient au bord de la terrasse pour regarder le navire, l'enfant et les hommes de guerre qui s'emparaient de lui pour toujours, il chercha sans succès celle de Sofana. La malheureuse mère sanglotait sans doute quelque part dans son appartement, allongée sur quelque tapis où elle se laissait inonder par le désespoir comme le naufragé par la vague qui l'a rejeté sur le rivage, et revient battre sur lui sans qu'il ait la force de se traîner plus loin. Le cœur de Riou se serra à cette pensée. Il jeta un regard sur Oumstal. Dans sa gandoura blanche des vendredis, le secrétaire avait son visage énigmatique. S'il était bien en secret lié à la jeune femme, c'est à lui qu'incomberait la tâche de la consoler ce soir, et les autres jours, si cela était possible...

Puis Riou vit que l'atabeg prenait des mains d'un cavalier qui se tenait derrière lui un écrin recouvert de cuir noir. Le seigneur de Djabala se retourna vers le chevalier en ouvrant l'écrin, qu'il lui tendit. Etonné, Riou le reçut. Il contenait un poignard courbe au manche d'argent incrusté d'or, un poignard d'homme, de la même taille que celui que Riou avait reçu des mains de Mansour lorsque le maître de la cavalerie lui avait donné son commandement à la forteresse.

— Ce poignard, dit l'atabeg au jeune garçon, un Franc te le remet en notre nom à tous, parce que ce Franc est notre ami, et qu'il est bon que tu saches plus tard, lorsque tu seras en âge de combattre, qu'aucun homme n'est jamais désigné comme ennemi pour la seule raison qu'il n'est pas de la même race que toi.

Riou se laissa gagner par l'émotion en voyant le petit Khadoun serrer les lèvres pour être un homme, tandis qu'il avançait ses deux mains d'enfant pour recevoir l'écrin où brillait l'arme impeccable à peine sortie de l'atelier où elle avait été minutieusement décorée.

Puis l'atabeg se pencha pour embrasser son petit-fils à plusieurs reprises. Celui-ci tendit ensuite sa joue à Riou avec un pâle sourire, et Riou l'embrassa comme l'avait fait son grand-père, puis ensuite un à un les autres officiers, dont certains pleuraient d'émotion avec des larmes qui coulaient sur leurs moustaches et leurs barbes noires. Du haut de la terrasse tombèrent alors les you-you des esclaves et des servantes de la maison de l'atabeg, ajoutant leur mélopée énervante à celle des flûtes, des luths et des tambours, ces you-you qui sont les mêmes pour pleurer les morts ou accompagner le bonheur des mariés, comme si la sagesse ancestrale des femmes arabes avait appris à confondre ces événements contraires dans la même émotion incapable de choisir entre la joie et la douleur.

Tandis que l'enfant, suivi par les regards de tous, marchait dans ce vacarme vers la planche qui reliait pour quelques instants encore le quai au navire, Al Zahir se tourna vers Riou.

— Maintenant, viens avec moi, lui dit-il en se dirigeant vers la herse sous laquelle on entrait dans la forteresse.

Accompagnant le seigneur de Djabala par le grand escalier de pierre qui montait aux appartements de sa famille, Riou se retrouva dans le couloir qui menait en premier lieu à la bibliothèque. L'atabeg passa sans y entrer et poursuivit jusqu'à la porte de cèdre cloutée et vernie qui était proprement celle des appartements, devant laquelle se tenaient deux eunuques noirs qui s'inclinèrent avant d'ouvrir la porte et de s'effacer.

L'atabeg fit un geste du bras invitant Riou à entrer. Le jeune homme obéit, pour se trouver dans une antichambre dont les murs couverts de boiseries étaient ornés d'armes de toutes sortes disposées en panoplies.

— Celles-ci sont les armes de mon père Ifkir, dit le maître de maison en s'arrêtant devant la première des panoplies. Celles-là ont servi à mon grand-père Moudir à se battre pour créer la principauté de Djabala contre l'émir Dougtaal, qui voulait s'étendre jusqu'à l'Egypte, avec l'appui du Sultan de Perse de l'époque, Maazdek...

L'atabeg Al Zahir s'attarda un instant, puis afficha son sourire teinté d'amertume.

— Peut-être un jour aideras-tu mon fils Mahmoud à disposer les miennes sur le mur, laissa-t-il tomber. Si toutefois tu restes parmi nous...

Il se tourna à la fin de cette phrase pour rencontrer le regard du jeune homme, donnant ainsi à son propos la forme d'une question qui attendait une réponse. C'était la première fois qu'il la posait de cette manière précise.

— Et pourquoi ne demeurerais-je point, Seigneur ? protesta le chevalier.

— Parce que la tempête nous menace, chevalier franc, et que ton intérêt est d'aller chez ceux qui sont les plus forts...

Riou se demanda si l'atabeg pensait à la formidable armée de la Croisade qui se préparait à Jaffa, ou bien à la cavalerie appuyée de contingents persans de l'Emir de Cheïsar. Le jeune homme éprouva alors avec force le sentiment que son interlocuteur, par l'espionnage d'Oumstal, avait percé à jour les intentions de Maïmouna et la duplicité de Mahmoud. Riou n'avait pas juré sa foi à l'atabeg. Il était d'ailleurs toujours le vassal du Comte Guéthenoc de Fougères selon les lois de la chevalerie, et tenu en principe de demander au Comte qu'il veuille bien le relever de son vœu de vasselage. Mais où étaient les lois de chevalerie dans cet aventureux passage de Riou du côté des Mahométans ? Ne pouvait être, entre Riou et l'atabeg Al Zahir, que le lien d'honneur qui va d'un homme à un autre pour un regard échangé, une parole dite.

Al Zahir posa sa main sur le bras du chevalier.

— Ne dis rien de plus, sourit-il. Tu es libre dans la prison de mon amitié...

Il entraîna le jeune homme plus loin dans la galerie qui faisait un coude. Là, devant une porte vernie et cloutée elle aussi, Riou découvrit avec étonnement une armure de chevalier franc en parfait état, avec le heaume à visière qui était en usage en Ile-de-France, et tout ce qu'il fallait de gantelets et de genouillères pour qu'on puisse aller au combat. Le regard de Riou mesura la taille de l'atabeg, et revint à l'armure. Elle convenait au seigneur de Djabala. Et d'ailleurs sur l'écu étaient peintes les armes de la principauté, deux tours jumelées surmontées du croissant de l'islam, sur fond d'azur selon la mer, et barré de sinople pour le sable du rivage au long duquel s'étiraient les cultures et les jardins qui faisaient la prospérité de Djabala. L'atabeg possédait une armure franque ! Riou rencontra de nouveau le sourire du seigneur Al Zahir.

— Comme tu l'as deviné, elle est bien faite pour moi, dit-il. Mais ce n'est point par jeu. J'ai été adoubé chevalier au Temple, dans la forteresse du Krak, par le Maître d'Orient Renaud de Mandelieu, qui régnait sur les commanderies de Palestine avant celui que tu as vu ici l'autre jour, Guillaume de Gisy, qui n'est en Palestine que depuis trois années.

Riou n'était pas encore revenu de sa surprise, quand l'atabeg ouvrit une des deux portes qui encadraient l'armure éclatée sur le mur à des supports de cuivre.

— Assez de panoplies ! trancha-t-il. Je ne t'ai pas amené ici pour cela. Entrons dans l'appartement de Sofana.

Riou porta la main à sa poitrine.

— Seigneur, je ne puis ! protesta-t-il.

— Si, justement ! fit l'atabeg alors qu'une servante apparaissait dans l'antichambre, s'inclinant profondément devant le seigneur et regardant Riou avec un mélange d'effroi et de curiosité. Où est ta maîtresse ? interrogea Al Zahir.

— Dans sa chambre, Seigneur, dans sa chambre ! s'écria la servante éperdue tandis que d'autres semblables à elle apparaissaient, stupéfaites elles aussi, plongeant à genoux avant de chercher à saisir la main de l'atabeg pour la baiser.

— Suis-moi ! dit l'atabeg d'un ton de commandement cette fois-ci.

Ils traversèrent une première pièce où étaient des tapis, des divans et des tables basses sur lesquelles les servantes avaient abandonné leurs ouvrages de broderie, et l'atabeg s'immobilisa devant une portière d'étoffe qui protégeait sans doute l'entrée de la chambre de sa fille. Avant d'y porter la main, il se tourna vers Riou.

— Entends-moi bien ! dit-il. Sofana est amoureuse de toi depuis que tu es arrivé ici... Veux-tu la prendre pour femme ? J'ai convoqué le cadi, qui attend dans la bibliothèque pour que vous puissiez signer l'acte de mariage aussitôt.

— Mais, Seigneur..., dit Riou stupéfait. Sofana ! Je ne suis pas musulman...

L'atabeg eut un geste impatient.

— Qu'il ne soit pas question de ceci ! Et tu ne dis pas ta pensée. Tu crois que Sofana n'a point d'attirance pour toi parce qu'elle a envoyé une de ses esclaves dans ton lit ? Lorsque je l'ai su, j'ai eu la certitude de ce que je soupçonnais. Qu'elle ne pensait qu'à toi, et craignait que tu en prennes une autre. Une des filles de Mansour, par exemple. Les femmes jacassent entre elles. Ses servantes venaient de lui apprendre que Mansour était prêt à te donner une de ses filles, si tu restais ici. Tu ne connais pas Sofana ! Moi, si ! Elle se consume pour toi. Sais-tu comment elle est de l'autre côté de cette porte ? Abîmée dans la douleur parce qu'elle n'a plus son fils et que tout le poids de sa solitude l'étouffe, mais trop fière aussi pour s'avouer le besoin qu'elle a de toi, parce que toutes ses servantes ont eu le même en te voyant à cheval du haut de leurs fenêtres, avec ta barbe blonde et l'attrait de l'inconnu que tu portes avec toi... Mais ceci ne peut durer. Cette malheureuse va périr de consomption maintenant qu'elle n'a plus Khadoun. Aussitôt votre contrat signé, tu partiras aujourd'hui même avec elle dans la montagne où tu as été chasser avec Mahmoud. Tu prendras avec toi deux ou trois cavaliers qui sont de là-haut, avec leurs femmes. Elles prépareront vos repas et vos abris, et vous suivrez la frontière de Cheïsar pour choisir les endroits où il est bon d'installer à demeure des postes de guet, afin que nous soyons avertis à temps si l'émir veut nous surprendre de ce côté. Vous camperez chaque nuit. Tu seras seul avec elle dans la forêt pendant une semaine ou deux. Elle oubliera la forteresse, ce port où son enfant s'est embarqué, et tu feras ce qu'il faut pour la mettre enceinte, qu'elle ait un autre avenir. Voilà pourquoi je t'ai demandé tout à l'heure pour la première fois de me dire si tu voulais vraiment rester parmi nous. Si tu restes, il faut la prendre. Si tu ne veux pas d'elle, alors, il vaut mieux que tu partes aujourd'hui même, afin qu'elle ne connaisse point deux agonies en même temps, celle de savoir son fils perdu, et cette autre qu'elle vivra chaque jour en voyant que tu vas aimer une autre femme et sans doute lui faire des enfants qui lui rappelleront ceux qu'elle a manqué d'avoir...

D'abord étonné par les propos inattendus du seigneur de Djabala, Riou se sentit bouleversé d'un puissant désir, qui balayait toutes les émotions qu'il avait eues pour Zofar et pour Maïmouna. Le plaisir qu'il avait connu dans les bras de la jeune Noire comme dans ceux de la femme franque de Mahmoud lui apparut soudain comme n'ayant été qu'une ruse de l'amour destinée à rendre plus ardente sa rencontre avec celle qui s'abandonnait à la douleur de l'autre côté du rideau d'étoffe.

— Que décides-tu ? demanda l'atabeg.

Riou songea alors qu'il avait soupçonné Sofana d'être la maîtresse d'Oumstal, et que le père se trompait tout à fait sur les sentiments de sa fille. Mais il ne pouvait exprimer à haute voix une telle accusation qui eût été injurieuse aux yeux de l'atabeg, et il l'écarta.

— Faites ce qui vous semble bon, seigneur, si c'est là le vœu de Sofana, répondit Riou qui se sentait désormais irrésistiblement saisi par le besoin de posséder la jeune femme et de jouir des sentiments passionnés dont il la sentait remplie depuis le jour où ils s'étaient trouvés face à face pour la première fois devant le pavillon du jardin.

L'atabeg écarta la portière, et Riou vit en effet Sofana étendue à plat-ventre sur un lit bas, ses longs cheveux noirs échappés d'un chignon dénoué, enveloppée dans une robe bleu nuit. Assise les jambes croisées auprès d'elle, une servante âgée, probablement une nourrice qui s'était occupée d'elle dans son enfance, lui tenait une main et baignait le visage de sa maîtresse avec une éponge trempée dans l'eau de fleur d'oranger d'un récipient en étain. La vieille femme ne parut aucunement impressionnée par l'entrée de l'atabeg à qui elle n'accorda pas un regard, exprimant sans doute de cette façon le jugement défavorable qu'elle portait sur tout ce qui se passait à propos de Sofana et du petit Khadoun.

Sofana , quant à elle, se retourna lentement, montrant un visage creusé par la douleur, et ses yeux encore agrandis. Elle découvrit Riou debout aux côtés de son père et se redressa vivement.

— Mon père ! protesta-t-elle d'une voix stupéfaite.

— Sofana ! dit l'atabeg sur un ton d'autorité. Je ne puis souffrir que tu restes ainsi dans ta douleur. Oublies-tu ce que nous sommes, et tous ceux qui ont les yeux sur nous ? Tu n'étais point sur la terrasse avec les autres à accompagner ton fils jusqu'au dernier moment ! Lève-toi, et reçois ce que je suis venu te dire.

Riou vit avec un grand malaise que la jeune femme, sous le fouet des paroles de son père, pâlissait de la dureté qu'elles semblaient contenir en même temps que de la honte qu'elle éprouvait à se lever du lit où on l'avait surprise, devant un homme étranger, au mépris de la coutume et de la simple bienséance. Riou esquissa un pas en arrière pour repasser la portière, mais l'atabeg qui s'attendait à ce mouvement le retint par le bras.

— Non pas ! dit-il fermement. Vous allez cette fois faire ma volonté. Sofana ! répéta l'atabeg. Le chevalier Riou qui part pour la frontière de Cheïsar tout à l'heure est venu à moi te demander en mariage, et je lui ai dit que je me réjouissais de sa demande. Il est bon et nécessaire que tu te remaries, et que vous me donniez bientôt la joie d'un petit-fils. J'ai mandé le cadi qui a préparé l'acte dans la bibliothèque afin qu'il soit signé aussitôt, et que tu puisses partir avec ton époux pour la montagne de façon qu'il ait sa femme avec lui dans les jours et les nuits qu'il doit passer là-bas pour mon service... Dis à tes filles de préparer ce qu'il faut et hâte-toi, que vous soyez en route avant la tombée du jour.

Debout devant le jeune homme qui jetait sur elle un regard intense, Sofana s'écria :

— Mais... mon Père ! Je ne puis ! Je ne puis ! Il n'est pas musulman !

— Irais-tu contre ma volonté ? demanda l'atabeg d'un ton sévère. Je suis moi-même chevalier chez les Francs. Il l'est chez nous de par son service avec Mansour, et cela me suffit. Si la religion dirige autant ta vie, pourquoi as-tu donc voulu quitter ton époux Rejeb ?

— Mon Père ! Mon Père ! balbutia la malheureuse jeune femme qui tordait ses mains l'une contre l'autre dans un geste désespéré qui brisait le cœur de Riou.

Le regard du chevalier allait de ces mains au visage impassible de l'atabeg.

Puis Sofana sembla prise d'un vertige. Elle tomba dans les bras de sa nourrice qui s'était précipitée, ayant deviné que sa maîtresse allait perdre connaissance.

— Soigne-la et prépare tout ce qu'il faut pour qu'elle parte ! lança l'atabeg à l'adresse de la vieille servante.

Il se tourna vers Riou.

— Et toi, Chevalier, ne lui cède rien et conduis-toi en époux !

L'atabeg souleva la portière pour sortir de la chambre.

Bouleversé par tout ce qui était arrivé depuis qu'il avait vu le petit Khadoun apparaître dans son uniforme d'enfant soldat sur le quai de la forteresse, Riou se retourna pour jeter un dernier regard à celle qui allait devenir sa femme.

Allongée sur le lit, les yeux clos, respirant difficilement comme une dormeuse dans un cauchemar, Sofana était pour lui la proie pantelante qu'un faucon vient d'amener dans ses serres au chasseur. Il en éprouva un puissant sentiment de possession et tout ce qu'il avait vécu depuis que la grande tour de siège s'était embrasée à Mahdia sous le naphte des Mahométans, le laissant captif entre leurs mains, lui apparut comme un engrenage subtil qui n'avait eu d'autre but que l'unir à cette jeune femme née pour lui dans une terre lointaine.

HUITIÈME PARTIE

LA PESTE AU CAMP

29.

Nuit de noces au lac des nénuphars

Après avoir chevauché toute la nuit, la petite troupe accompagnant Riou dans la forêt montagneuse atteignit à l'aube le fondouk des officiers, ce bâtiment où le chevalier à son arrivée à Djabala avait passé sa première nuit en compagnie des invités de Mahmmoud. Un détachement de la cavalerie de l'atabeg y cantonnait déjà et, dans le mouvement qui agitait ces lieux, sous les regards des soldats aussi bien que ceux des femmes des cavaliers qui avaient suivi leurs maris sur l'ordre de l'atabeg afin que sa fille ne soit pas seule au milieu d'une troupe d'hommes, il ne pouvait être question pour Riou d'intimité avec sa nouvelle épouse.

Sofana avait cheminé sur une mule au milieu des autres femmes montées de la même manière, et conduisant d'autres mules ou chevaux de bât, Riou marchant en tête à distance avec Abbou-Addal, un sergent de la cavalerie de la forteresse qui était né dans un des villages de la montagne. Silhouettes d'une élégance farouche sous la lune, avec leurs turbans de laine et leurs longues lances en travers de leur dos, les quatre autres cavaliers fermaient la marche.

Aussitôt entrées dans la cour intérieure du fondouk, les compagnes des cavaliers s'étaient dirigées, portant les bagages de la fille de leur seigneur, vers la partie du bâtiment réservée au sexe féminin, de telle sorte que Riou n'avait même pas croisé le regard de son épouse avant qu'elle ne disparaisse dans ce gynécée. La coutume protégeait ainsi l'ombrageuse jeune femme, laissant Riou dans l'incertitude des sentiments qu'elle éprouvait à son égard, en dépit des affirmations de l'atabeg.

Après avoir reçu l'officier commandant le détachement du fondouk les renseignements qui pouvaient être utiles à l'accomplissement de sa mission et étudié la carte, fort bien faite, de cette partie de la forêt qui faisait frontière avec Cheïsar, Riou, dédaignant de dormir, avait entraîné ses quatre cavaliers sur le chemin qui longeait tant bien que mal la frontière afin de se rendre compte au plus tôt de son état.

Ainsi que le Chevalier et ses hommes ne devaient pas tarder à l'apprendre à leurs dépens sur le terrain, ce chemin parallèle à la frontière, et si nécessaire à sa surveillance, avait été laissé à l'abandon. A certains endroits, il fallut mettre pied à terre pour aider les chevaux à passer au flanc de ravins, les accotements de pierre soutenant la chaussée s'étant éboulés sans qu'on se soit soucié de les faire rebâtir par les hommes qui cantonnaient au fondouk ou par les paysans qui vivaient dans la forêt dans leurs gourbis de branchages aux toits de dyss.

Par contre, les pistes qui servaient à la chasse, et qui coupaient parfois cette rocade de surveillance tombée en déshérence, avaient été fort bien entretenues, sur les ordres de Mahmoud, et même maintenues bien plus larges qu'il n'était nécessaire... Assez larges, en tout cas, pour qu'on puisse imaginer qu'elles servent au passage d'une troupe importante, alourdie de ses bagages.

Ses pas et ses réflexions ne tardèrent pas, vers le milieu du jour, à mener Riou à la malheureuse conclusion de la déloyauté de Mahmoud à l'égard de son père, en même temps que les cavaliers lui faisaient découvrir un petit lac, curieusement suspendu au milieu des collines, entouré d'un front serré de chênes-lièges très âgés, qui empêchait qu'on devinât sa présence même lorsqu'on en était tout proche dans les sous-bois, et dont la surface était entièrement recouverte de nénuphars aux fleurs jaunes, roses ou blanches. Dans l'horizon montagneux qui dominait ce lac, une haute barrière de falaises abruptes se dressait avec des allures de forteresse en ruine, survolée lentement par des vautours.

Le sergent Abbou-Addal venait jouer là dans son enfance. Il y avait amené Riou en pensant aux chevaux et aux mules et à la commodité de leur abreuvement, sans prendre conscience du charme qu'un tel endroit pouvait avoir aux yeux d'un homme voué la nuit prochaine à conquérir une jeune femme dont il ignorait si elle voudrait se donner à lui, ou si elle se révoltait encore à l'idée de lui appartenir.

Riou décida qu'on camperait là pour la première nuit et après la plus forte chaleur du jour les cavaliers, obéissant aux ordres du sergent, commencèrent à édifier les huttes dans lesquelles tout le monde allait loger. Le chevalier s'était assis à l'écart sur un rocher qui dominait le petit lac, contemplant le tapis de fleurs. Il vit avec satisfaction que le sergent faisait bâtir une hutte éloignée des autres qui ne pouvait qu'être destinée à lui-même et à son épouse, en sorte que leur intimité de nouveaux mariés puisse être préservée.

Les contructions feuillues furent achevées au moment où le soleil déclinant atteignait l'horizon des cimes des chênes-lièges. Devant elles des feux s'allumèrent, débutant par de fines colonnes de fumée qui s'élevaient toutes droites dans le calme de ce lieu privilégié. Riou se sentait, comme à son arrivée devant la forteresse de Djabala le premier jour, dans un accord profond avec ce qui l'entourait... Et cette fois, le rêve prenait corps charnellement, puisque Sofana allait apparaître d'un moment à l'autre et qu'il la tiendrait dans ses bras une fois la nuit tombée sur le lac et les huttes, contrainte de se donner à lui coûte que coûte par la force des coutumes qui l'obligeait à obéir à son père en toute chose. A mesure que le ciel s'assombrissait au-dessus du lac, où toutes les fleurs des nénuphars étaient maintenant refermées, et que retentissaient les premiers cris des oiseaux de nuit, l'attente de Riou pour le regard profond de Sofana et pour la chaleur de son corps ému depuis tant de mois par tant de tourments grandissait.

Le tintement des grelots des mules dans le sous-bois parvint aux oreilles de Riou. A l'endroit où le chemin débouchait sur le lac parut peu après entre les troncs des arbres la lueur de la torche que portait le cavalier précédant les femmes qui avaient attendu au fondouk où elles avaient dormi jusqu'au milieu du jour.

Riou saisit la main de sa jeune femme pour l'aider à descendre de sa mule et il sentait cette main demeurer froide tandis qu'il conduisait Sofana à l'intérieur de la hutte, où les cavaliers avaient laissé des nattes et des couvertures, ainsi qu'un canoun allumé. A la lueur dégagée par les braises Riou vit le regard implorant que la jeune femme avait pour lui au moment où ils se trouvèrent face à face à l'abri de tous les regards, dans le décor de l'intimité conjugale. Il avait déjà posé ses mains sur les hanches de Sofana dans un geste de possession. Ce regard le fit renoncer avant même que des pas ne se fassent entendre au-dehors. Deux des femmes apportaient le repas qui avait été préparé pour l'officier franc et son épouse. Elles s'approchèrent timidement de la porte de la hutte, montrèrent les plats de terre cuite recouverts de cloches de vannerie, les déposèrent sur le sol devant l'entrée avant de s'incliner à plusieurs reprises pour saluer et disparaître vers les feux du campement.

Riou jugea que Sofana avait besoin d'être seule, et qu'il attendrait que tout fût endormi pour aborder la jeune femme. Il s'assit devant la hutte et mangea ce qui avait été apporté, après en avoir déposé une partie près de la couche où Sofana s'était allongée, faite d'un matelas de dyss que les cavaliers avaient confectionné au moyen d'une des toiles en forme de sac qu'ils avaient dans leur bagage à cet effet.

La nuit était fraîche. Ayant achevé son repas, Riou s'enveloppa dans son burnous de laine pour attendre que les cavaliers et leurs femmes retirés dans leurs abris aient fait silence et rendu le lac à sa solitude. Cependant, la fatigue d'une nuit blanche passée à cheval et de la marche difficile sur le mauvais chemin de la forêt eut raison de l'impatience et de l'émotion qu'il éprouvait à propos de la jeune femme proche de lui. Il lutta quelques instants contre le sommeil, puis, s'étendant en travers du seuil de la hutte où rougeoyait toujours le canoun, sombra dans l'inconscience.

Cachant tout à fait la lune, les nuages régnaient sur le ciel quand le jeune homme s'éveilla. Ignorant combien d'heures il avait dormi, il chercha à deviner si l'aube était proche, puis entra dans la hutte, qui était dans une obscurité presque totale, le contenu du canoun n'étant plus que cendres. Ses yeux s'accoutumant à l'obscurité, Riou vit que Sofana ne dormait pas. Elle le regardait. Il ôta son burnous, qu'il laissa tomber à terre, dégrafa sa tunique, ôta son pantalon de cavalier et parut à ses yeux dans une demi-nudité qui signifiait sans équivoque son désir de prendre possession de son épouse... Il se pencha sur la couche, pesant de tout son poids sur la jeune femme et s'emparant de sa bouche. Elle la détourna, et il dut immobiliser son menton dans sa main pour la contraindre.

— Non ! Je ne veux pas... Je ne peux pas ! dit-elle avec des yeux égarés.

Il écrasa ses lèvres sur les siennes et, plaçant sa main à l'échancrure du corsage de la longue robe dont elle était revêtue, la déchira brutalement du haut en bas. Il souleva le jupon qu'elle portait en dessous, tandis qu'elle tordait le bas de son corps pour tenter d'échapper au poids qui l'écrasait. Leurs deux nudités entrèrent en contact...

Sofana haletait, secouant la tête d'un côté et de l'autre pour échapper à son baiser et continuant à dire non d'une voix rauque. Le désir de Riou, à la chaleur de sa peau contre celle de la jeune femme, était devenu puissant et sûr de lui-même. Il luttait maintenant pour lui écarter les jambes, qu'elle tenait fermées de toute son énergie obstinée. Les bras musclés de Riou étaient plus forts, et il arriva à ses fins. Elle sentit la puissance virile prête à violer ce qu'elle défendait et elle eut un sursaut de désespoir, qui la fit s'arracher de l'étreinte du jeune homme au moment où lui-même, au délicieux contact de la chair qu'il avait tant attendue, calmait son impatience afin de ne pas brutaliser ce qu'il voulait conquérir autant que posséder.

En même temps qu'elle se dégageait d'un violent coup de reins, elle le frappa de son poing fermé en plein visage, et se trouva debout en un instant, tremblante, sa poitrine hors de sa robe déchirée.

— Non, jamais ! Jamais ! répéta-t-elle d'une voix oppressée. Jamais ! Jamais !

Il se redressa en face d'elle.

— Si tu m'approches, gronda-t-elle, je crie pour appeler les femmes !

Le désir de Riou était à son comble. La colère monta en lui. Il se jeta sur elle, mais elle se déroba et jaillit au-dehors en courant les pieds nus sur le sable au bord du lac en direction des autres huttes.

Riou ne lui permit de faire que quelques pas. Il s'abattit sur elle dans l'obscurité profonde et ils tombèrent tous les deux enlacés dans les hautes fougères qui bordaient les grands chênes-lièges.

Il lui arracha entièrement sa robe, et elle poussa un long cri d'appel. Tout en l'écrasant sous lui de nouveau, il la gifla de toute sa force à deux reprises. Elle lui cracha au visage, cria une seconde fois, mais aucune force au monde ne pouvait empêcher Riou d'aller au bout de ce qu'il voulait faire. Il prendrait Sofana sous les yeux mêmes des cavaliers si ceux-ci sortaient de leurs huttes à ses appels. Il sentit soudain qu'il s'enfonçait en elle comme si le mouvement de leurs deux ventres se débattant l'un contre l'autre était devenu tout d'un coup favorable à leur union. Pesant de tout son poids pour ne laisser à la jeune femme qu'il clouait sous lui aucune chance de lui échapper, il la laboura puissamment avec l'ivresse du vainqueur. Comme il l'avait trouvée inondée à l'intérieur d'elle-même, Riou comprit que sa peur et ses refus n'avaient été que des ruses ajoutées par le destin à tout ce qui les avait tenus longtemps éloignés l'un de l'autre pour mieux les amener ensemble à l'amour passionné auquel ils étaient voués sans le savoir.

Maintenant en effet Sofana s'accrochait à lui, enfonçant ses ongles dans ses épaules. Elle le regardait intensément, lui tendant sa bouche à demi ouverte, répondant aux mouvements de Riou par une houle semblable de son ventre qu'elle écrasait contre le sien. Une sorte de douleur se peignit sur son visage, comme si elle luttait pour arracher son plaisir.

— Attends, attends encore, supplia-t-elle d'une voix angoissée.

Inondée de sueur, elle soulevait maintenant son ventre de toutes ses forces, obligeant Riou à lutter pour continuer à la maintenir contre le sol. Puis ses paupières s'abaissèrent lentement. Elle s'enfermait en elle-même pour mieux voir un paysage radieux. Sa bouche s'ouvrit avec un cri étonné, et enfin dans une plainte puissante, Sofana libéra longuement sa joie, entraînant Riou avec elle.

Ils étaient maintenant immobiles, enlacés sur le sable au milieu des fougères qu'ils avaient foulées dans leur chute, écoutant les bruits de la nuit, la rumeur du vent par moments dans les branches des chênes, le plongeon d'une mangouste qui traversait le petit lac en froissant les feuilles des nénuphars à la recherche d'une proie à saigner. Les huttes étaient silencieuses, et personne n'en était sorti à l'appel de Sofana. La fille de l'atabeg était l'épouse de Riou par la volonté de son père et aucun des cavaliers, dressés à obéir à l'officier qu'était le chevalier, n'aurait empêché celui-ci d'exercer ses droits sur elle.

— Pardonne-moi, murmura Sofana, rompant leur silence entre les lèvres du jeune homme qu'elle baignait de son souffle depuis la fin de leur étreinte. J'avais peur, parce que...

Elle hésita, puis avoua d'un trait :

— Parce que je n'ai jamais eu de plaisir et que je croyais que ce serait pareil avec toi...

Elle se serra contre lui en disant ces derniers mots. Il eut ses cheveux noirs contre ses lèvres.

— Mais ce n'est pas du tout pareil, poursuivit-elle avec un petit rire. Je t'obéirai désormais en toutes choses. Je viens de perdre mon orgueil, tu sais...

Au-dessus d'eux le ciel commençait à pâlir. Il l'aida à se mettre debout et ils marchèrent au bord du lac.

— Demain je parlerai aux femmes, ajouta-t-elle au moment où ils étaient arrivés devant la hutte. Je les remercierai de n'être pas venues lorsque j'ai crié pour les appeler...

Ainsi que l'avait prévu l'atabeg, les nouveaux mariés, tout aux joies que leur donnait la découverte d'une passion qui avait couvé en eux depuis plusieurs mois, oubliaient dans la beauté de la forêt les soucis de la vie quotidienne à la forteresse, elle le départ du petit Khadoun, lui, en dépit de la mission qu'il était venu accomplir là-haut, la menace de l'invasion des troupes de Cheïsar.

Les cavaliers qui accompagnaient Riou sous les ordres du sergent, voyant bien ce qui se passait entre leur officier franc et la fille de leur seigneur, partaient avant l'aube pour poursuivre le repérage des lieux où il serait avantageux d'implanter des postes de guet, si bien que, Riou, acceptant ce cadeau qui lui était fait, resta plusieurs fois au campement à jouir de la présence de son épouse, vivant avec elle devant la hutte au toit de dyss la vie d'un habitant de la forêt.

Une source alimentait le lac à une de ses extrémités. A l'endroit où elle s'y versait les femmes des cavaliers qui restaient la journée au camp coupèrent les nénuphars, aménageant de cette façon un bassin dont le fond était de sable. Le couple prit l'habitude de s'y baigner lorsque le soleil montait au zénith. Les chênes-lièges enfermaient ce bassin d'une muraille protectrice et la ligne colorée des nénuphars le bordait aux yeux de Riou et de Sofana lorsqu'ils s'immergeaient dans l'eau claire. La jeune femme, suivant la pudique coutume, se baignait dans une longue robe qui collait à son corps, en dessinant ses formes désirables, son large bassin, ses seins fermes, sa croupe charnue... Riou ne tarda pas à lui ôter cette robe, et comme elle se défendait, la scène qu'ils jouaient ainsi dans l'eau devint semblable à celle, si brutale, dans laquelle ils s'étaient affrontés au cours de leur première nuit dans la hutte. Ils en prirent soudain conscience tous les deux. Une émotion sauvage saisit Riou, qui arracha la robe de la jeune femme du même geste qu'il avait eu pour la violer. Sur le visage de Sofana qui se débattait dans l'eau, cherchant à échapper à son étreinte, apparurent les mêmes émotions que Riou y avait pu lire cette première fois...

La jeune femme détournait sa bouche de la sienne, et enfonçait ses ongles dans ses épaules en répétant les mêmes paroles qu'elle lui avait lancées la première fois. Sa robe était maintenant déchirée et leurs deux corps se tordaient l'un contre l'autre. Soulevé d'une force irrésistible qui tendait tous ses muscles, Riou était au paroxysme de son désir. Il traînait hors de l'eau celle qui était sa proie et l'écrasait sous lui à même le sol. Les cailloux meurtrissaient les chairs de Sofana, qui découvrait dans une extase que cette douleur allait augmenter encore son plaisir. Comme à leur première nuit, ils se trouvèrent brutalement l'un dans l'autre, et un immense bonheur succéda sur les traits de la jeune femme aux signes de la haine que Riou y lisait quelques instants plus tôt. Après l'assouvissement qui les emporta ensemble, ils restèrent longtemps inanimés sur le sable rendu brûlant par le soleil, comprenant tous les deux, dans le silence que troublait seulement le bruit de la source glissant sur les rochers, qu'ils avaient en commun, pour toujours, un étrange trésor qu'on ne pourrait jamais leur ravir.

Des moments d'élégante douceur alternaient avec ces heures sauvages. Aux femmes qui allaient de temps à autre au fondouk des officiers chercher des provisions et du charbon de bois, Sofana demanda qu'elles lui rapportent un écritoire. Elle écrivit alors, tandis que Riou sommeillait à l'ombre au milieu des fougères, des poèmes qu'elle lui dédiait. Les uns chantaient avec tendresse les sentiments qu'elle avait pour un héros venu d'un autre monde rencontrer celle qui avait cherché en vain un amour autour d'elle. Les autres étaient fort indécents, exaltant la virilité de Riou et l'humidité brûlante que son amante entretenait pour lui tout au long du jour dans l'impatience de la nuit.

Riou lisait ces poèmes dont il comprenait maintenant toutes les subtilités, et de nouvelles étreintes réunissaient les deux amants, sans attendre que la nuit soit venue...

Le sergent Abbou-Addal vint rendre compte à Riou ce soir-là de ce que ses hommes et lui avaient vu dans la journée et Riou inscrivit en sa présence sur une carte de la frontière déroulée devant sa hutte les points favorables à l'installation de postes de guet. On était au neuvième jour du séjour dans la montagne, et bien qu'il eût aimé prolonger encore l'épisode heureux qu'il vivait avec sa jeune épouse, le chevalier sentait que le moment était venu de regagner la forteresse. Il dit au sergent que tous se reposeraient demain, et qu'on partirait à l'aube du jour suivant.

Le soleil se coucha, et le silence s'établit sur le lac et ses rives. Les cavaliers étaient harassés par les longues marches qu'ils avaient fournies quotidiennement. Leurs voix se turent les unes après les autres auprès des feux que leurs femmes avaient entretenus jusque-là.

Pour sa part, Riou qui avait dormi profondément une grand partie du jour ne put trouver le sommeil auquel sa jeune femme s'était abandonnée.

Il l'écouta respirer calmement, goûtant le bonheur de voir ainsi rendue à sa merci celle qu'il avait tant désirée. Au-dehors, la lune avait changé. Elle était pleine désormais, et sa lueur victorieuse venait baigner le visage calme de Sofana, dont les traits reposés disaient qu'elle aussi avait trouvé la paix de son cœur dans l'amour de celui qui veillait à ses côtés. La lumière de l'astre attirait le chevalier. Il écarta doucement sa compagne de lit et sortit dans l'intention de marcher au long du lac. Il songea à prendre avec lui une de ces arbalètes qu'il avait fait fabriquer à la forteresse. Sous la lune, les daims et les cerfs nombreux dans la forêt devaient aller à leurs amours. L'un d'eux peut-être serait à portée de tir, et les femmes sauraient le dépecer pour qu'on le mange au repas de demain, le dernier repas dans la montagne.

Ainsi armé, Riou longea la rive. Les huttes que les cavaliers avaient édifiées avec l'art rustique de ceux qui sont nés dans la forêt se confondaient sous les chênes avec le paysage, en dépit de la lumière lunaire qui baignait tout d'une clarté précise. Riou s'enfonça entre les arbres par une sente qui l'amenait parfois à une clairière où la longue tige droite d'un asphodèle élevait sa fleur solitaire à hauteur d'homme. De loin sous le couvert, Riou y voyait un échassier déambuler lentement, fouillant de son bec, en quête d'une grenouille, la mare spongieuse qui en occupait le centre.

Appuyé derrière un chêne, Riou guetta longtemps les gestes du grand oiseau qui serait le premier à s'inquiéter des pas légers d'un cervidé s'approchant dans le sous-bois. Mais la cigogne, bien qu'elle levât de temps à autre la tête pour écouter le langage de la nuit, continua de fouailler la mare où elle pateaugeait.

Comme Riou repartait en étouffant le bruit de ses pas, un brame retentit au loin, indiquant cette fois au chasseur la direction qu'il lui fallait prendre. Redoublant de prudence, Riou ne tarda pas à apercevoir devant lui à travers les arbres qui s'éclaircissaient la forme immobile d'un grand daim, le mufle haut.

L'animal guettait à ses narines l'odeur des femelles émues par son appel.

Riou se déplaça lentement sous les arbres pour mettre le vent tout à fait en face de lui, afin de conserver ses chances d'une approche. Mais lorsqu'il eut mené à bien cette opération qui le mettait en bordure de la clairière à une portée de tir qui pouvait être convenable, le daim se mit en mouvement pour s'éloigner. Riou s'était figé, craignant d'avoir donné l'éveil à son gibier. Pourtant celui-ci se déplaçait sans trop de hâte vers l'extrémité de la clairière. Il s'engagea sous les arbres, marchant vers une odeur venue du vent qui lui apportait la promesse d'un coït.

Le daim cheminait loin devant Riou qui entendait parfois dans le parfait silence de la forêt le choc d'un de ses sabots sur une pierre, ou le froissement des fougères repoussées par son poitrail. D'autres brames retentirent. Les sens subtils de la bête ne l'avaient pas trompé. D'autres de ses congénères se préparaient à l'amour. Le grand daim brama à son tour d'une voix puissante, qui indiquait à Riou avec précision l'endroit où il était parvenu. Le jeune homme suspendit sa marche pour écouter cette voix chargée de toute la force de sentiments semblables à ceux qu'éprouvait le chasseur lui-même après les nuits passées dans la forêt à s'accoupler avec celle qui était sa femelle humaine, et qui l'attendait dans sa hutte. Il en fut ému. Regrettant par avance le geste qu'il allait faire tout à l'heure de précipiter un trait de son arbalète dans cette chair vivante, le chevalier espéra confusément que l'animal lui échappe...

A ce moment, un autre cri vint du lointain, en qui Riou reconnut avec étonnement le braiment d'une mule. Riou tendait maintenant l'oreille plus que jamais, comprenant soudain que le mouvement du cerf l'avait entraîné dans la direction de la frontière de Cheïsar. Elle était marquée à cet endroit par un ravin profond au-delà duquel s'étendait du côté des terres de l'Emir une sorte de plateau caillouteux piqué çà et là des silhouettes calcinées de grands chênes autrefois dévorés par un incendie de forêt que ce ravin et le torrent qui y coulait avaient heureusement arrêté. Le sergent Abbou-Addal y avait amené Riou le second jour de leur campement au bord du lac.

Un autre braiment se fit entendre. Le départ précipité du daim suivit aussitôt. L'animal bondit vers Riou, dont il n'avait pas décelé la présence, mais le chasseur, redevenu un guerrier saisi par l'inquiétude, s'était déjà mis en marche vers le ravin sans se soucier de son gibier. Le daim passa comme le vent devant le chevalier et le bruit léger de sa course se perdit dans le sous-bois tandis que Riou atteignait les derniers troncs qui bordaient le versant du côté de Djabala.

Sous ses yeux, en face, dans la lande pierreuse éclairée par la lune, des centaines de formes humaines gisaient endormies à même le sol, veillées par quelques sentinelles assises immobiles çà et là sur un rocher et par les formes bizarres des chênes torturés à mort par le feu. Des alignements entiers de mules attachées à des cordes tendues entre des piquets sommeillaient debout, auprès d'amoncellements qui n'étaient autres que les impedimenta d'une troupe prête à se remettre en marche à l'aube. Enveloppés dans leurs burnous de laine brune, les hommes de l'infanterie de l'Emir de Cheïsar bivouaquaient avant d'envahir la principauté de Djabala.

Revenu de sa surprise Riou calcula que l'infanterie de l'Emir s'ébranlerait avant le lever du soleil. La nuit n'était pas trop avancée. En se hâtant vers le bas pays de Djabala au galop de leurs chevaux, les cavaliers pourraient alerter la forteresse plusieurs heures avant le déferlement des troupes de Cheïsar. Riou observa le bivouac ennemi baigné par la lune, cherchant à compter combien d'hommes dormaient sous ses yeux. Y avait-il d'autres contingents à proximité du fondouk des officiers, s'apprêtant à emprunter la route qui faisait communiquer officiellement les deux territoires ? Sans doute, afin de ménager la surprise, l'officier persan qui commandait l'infanterie de Cheïsar avait-il choisi d'éviter cette voie pour infiltrer sa troupe à travers les chemins de la forêt si bien entretenus sur les instructions de Mahmoud.

A cet instant de sa réflexion, alors qu'il allait se retirer en arrière pour s'éloigner, le bruit de chute d'une pierre attira l'attention du chevalier sur la paroi du ravin qu'il avait sous les yeux en face de lui. Il y distingua bientôt la forme d'un homme occupé à la descendre en s'aidant des roches saillantes et des arbustes qui s'y étaient enracinés. Riou le vit parvenir au fond du ravin et traverser l'oued torrentueux en passant d'un rocher à l'autre. L'homme était alors dans la lumière de la lune. Il portait l'uniforme brun de l'infanterie qui dormait là-haut. Un espion partant en reconnaissance sur les chemins que la troupe allait emprunter à l'aube ? Un déserteur, fuyant vers Djabala pour vendre le secret de l'invasion imminente ? Le fugitif abordait maintenant la paroi en haut de laquelle se trouvait Riou, et commençait son ascension. Le chevalier se déplaça à l'abri des chênes en direction de l'endroit où le personnage émergerait.

Il apparut bientôt, et entra sous le couvert des arbres. Là, le chevalier le vit ôter le bonnet que portaient les fantassins de Cheïsar, découvrant ses cheveux noués en chignon sur la nuque à la façon persane. Se croyant seul et à l'abri d'être aperçu depuis le bivouac par une des sentinelles, il se dépouilla de sa tunique brune et sortit d'un sac qu'il avait posé à ses pieds un vêtement de paysan semblable à ceux des habitants de la forêt. Il tira encore de ce sac une paire de grossières sandales et s'en chaussa après avoir ôté ses bottes d'uniforme qu'il dissimula en les roulant dans sa tunique. Il jeta le tout au milieu des fougères. Enfin l'homme s'élança entre les arbres au pas de course, entraînant le chevalier derrière lui.

Jugeant après un temps que son gibier et lui-même s'étaient assez éloignés du ravin et de l'infanterie au bivouac, Riou cessa de dissimuler le bruit de ses pas, froissant au contraire, à dessein, les branches du sous-bois sur son passage. L'homme entendit bientôt qu'il n'était plus seul. Il s'immobilisa brusquement et se retourna pour guetter à son tour, appuyé à un chêne qui le dérobait à la lumière lunaire. Riou s'avança vers lui, son arbalète prête à lâcher un trait d'acier.

L'homme se détacha du tronc qui le protégeait et parut dans la lumière blafarde, tenant à la main un long poignard droit en qui Riou reconnut l'arme qu'il avait vue à la ceinture de ses gardiens au cours de sa captivité chez les Haschachinns, ce poignard avec lequel le Raïs Maqsar avait été sacrifié sur sa galère dans le port de Lattaquieh, ce poignard qui servait aux membres de la secte à exécuter les sentences mortelles du Vieux de la Montagne...

Ils étaient tous les deux face à face, l'homme tenant son poignard pointé vers le chevalier, celui-ci l'ajustant de son arbalète. Riou reconnaissait les yeux brillants de ceux à qui il avait échappé autrefois par miracle, leur regard inhumain...

— Es-tu de Djabala ? demanda l'homme.

— Ne reconnais-tu pas sur moi la tenue des cavaliers de l'atabeg ? Et toi-même, où vas-tu ?

— A la mort ! dit l'homme. Par la volonté de Dieu.

— Tu mens ! Je t'ai vu ôter ton uniforme en haut du ravin.

— Je ne veux pas mourir sous leur vêtement ! C'est pourquoi je m'en suis dépouillé.

— Tu allais vers Djabala ! insista Riou.

L'homme secoua la tête.

— Non ! Il est trop tard. La forteresse est prise déjà, à cette heure-ci...

— Que dis-tu ? gronda Riou. La forteresse...

— Sans doute. L'émir a envoyé des troupes par la mer, en surprise, qui ont envahi la ville dès hier. Ne le sais-tu pas ? Les hommes que tu as vus, si tu étais au ravin que j'ai traversé, ne viennent que pour occuper Djabala. Et moi, j'ai failli à ma tâche...

— Etais-tu à Cheïsar sur l'ordre du Vieux de la Montagne ? demanda Riou qui comprenait maintenant.

— Comment le devines-tu ?

— Par ton poignard, que j'ai vu dans d'autres mains...

— Serais-tu le Franc qui sert l'atabeg ? s'exclama l'homme avec une éclair de joie dans les yeux.

— Je le suis.

— Rendons grâce à la volonté de Dieu ! s'écria le Haschachinn. Elle nous guide pas à pas... Elle m'a fait te rencontrer ! Fuis par la forêt et la montagne, et retourne chez les Chrétiens alors qu'il est encore temps. L'atabeg a été trahi par son fils, et moi qui devais tuer l'Emir avant que cela ne soit accompli n'ai pu le faire. Mon compagnon Hassan, qui devait le faire avec moi, a été découvert et supplicié et je n'ai pu que fuir avec ma honte de n'avoir pu obéir aux ordres du Vieux de la Montagne.

Les yeux brillants, le Haschachinn s'avança encore, pointant son poignard.

— N'approche point ! avertit Riou.

— Tue-moi, par la volonté de Dieu ! poursuivit le Haschachinn avec un regard extasié. Tue-moi d'un trait au cœur et garde ce poignard en souvenir de nous tous, qui connaissons la Vraie Foi...

Le Haschachinn était maintenant tout près de Riou. Il poursuivit.

— Si tu ne me perces pas le cœur maintenant, j'irai vers les falaises, du haut desquelles je me précipiterai en proclamant la Vérité !

Le poignard aiguisé s'avançait le long de l'affût de l'arbalète que Riou tenait toujours dirigée contre la poitrine de l'illuminé.

— Pourquoi retiens-tu ta flèche ? s'écria le Haschachinn de sa voix fiévreuse. Ne suis-je point la cause de la mort de ton seigneur l'atabeg, en n'ayant point exécuté la sentence de justice rendue contre l'Emir possédé du démon ?

— La mort de l'atabeg ! s'exclama Riou déconcerté.

— L'Emir a marchandé avec Mahmoud l'abdication de son père, mais il a donné en secret l'ordre que celui-ci soit percé de coups par des archers. Frappe ! N'as-tu point de haine contre moi, qui ai failli à sauver celui que tu servais par la volonté du Vieux de la Montagne, toi aussi ?

La lame du poignard vint au contact de la poitrine de Riou à travers sa tunique. Le carreau de l'arbalète touchait la poitrine du Haschachinn, dont les paroles plongeaient Riou dans l'étrange malaise que créaient autour d'eux ceux de la secte lorsqu'ils étaient dans leurs transes.

Le visage de l'homme qui lui faisait face refléta soudain une grande lassitude.

— N'as-tu point pitié de mon agonie, toi qui es de la religion de Jésus ? implora-t-il. Me laisseras-tu marcher jusqu'aux falaises dans la solitude de la mort, et me fracasser sur les rochers, où les vautours viendront me déchirer avant même que j'aie rendu mon âme ?

Les larmes affluèrent aux yeux de l'homme, qui poussa soudain la pointe de son poignard dans la poitrine de Riou.

Le carreau de l'arbalète partit de toute la violence du ressort d'acier, rejetant en arrière le Haschachinn frappé en plein cœur.

Comme s'il s'éveillait d'un cauchemar, avec la chaleur du sang qui coulait à même sa poitrine entaillée par la lame, Riou regarda un instant le malheureux étendu à ses pieds, le trait mortel sortant de sa poitrine, les yeux fixes, la bouche ensanglantée de bulles.

Puis il se baissa pour prendre le poignard dans ses doigts crispés, le mit à sa ceinture, et prit sa course vers le lac pour alerter le sergent et ses cavaliers.

30.

C'était un amour sanglant que celui de Maïmouna

Inondés de sueur sous les vêtements de paysan qu'ils avaient revêtus dans le douar de la forêt où ils avaient laissé Sofana et les autres femmes pour qu'elles s'y cachent, Riou et ses cavaliers parvinrent au milieu de l'oliveraie plantée sur les collines, en vue de la maison forte qui dominait de ses hautes murailles le jardin de l'atabeg.

Observant de loin la résidence de Mahmoud, le chevalier n'y remarqua pas d'allées et venues. Les gardes étaient devant la poterne comme à l'habitude, dans leur uniforme blanc et noir. Riou ordonna au sergent Abbou-Addal d'aller vers la forteresse afin de savoir ce qui était arrivé, et de venir lui rendre compte à son pavillon du jardin. Puis le chevalier se dirigea sans se faire voir des gardes vers le mur d'enceinte, qu'il escalada avec l'aide des autres cavaliers qui l'accompagnaient. Ceux-ci restant cachés derrière les néfliers qui entouraient le kiosque si cher au seigneur de Djabala, Riou s'avança vers son pavillon, dont il ouvrit la porte.

Maïmouna était allongée sur son lit dans la même robe de mousseline qu'elle avait sur elle la nuit où elle était venue le rejoindre, cette robe qu'elle avait ôtée pour lui...

Elle souriait.

— Je savais que tu viendrais ici d'abord, et je t'attendais.

Riou se tenait debout devant la porte qu'il venait de refermer.

— Comme tu es beau, en paysan ! se moqua-t-elle.

Elle se dressa, et quitta le lit pour aller vers lui.

— Viens ! Je vais t'aider à te déshabiller, que tu puisses remettre ton bel uniforme...

Elle était toute proche de lui, comme la première fois, et Riou sentait la chaleur de ses mains sur ses bras.

— Tu es blessé ! s'exclama-t-elle soudain en découvrant la chemise tachée de sang par la pointe de l'arme du Haschachinn. Je vais te soigner, mon aimé.

Elle écarta l'étoffe avec précaution.

— Qui t'a fait cela ? demanda-t-elle avec un regard d'amour.

Ses mains pressaient maintenant la peau nue de Riou. La poitrine de Maïmouna s'offrait sous la mousseline qui n'était là que pour la rendre plus désirable.

— Tu vas rester ici, avec moi, mon aimé, continua-t-elle. Tu iras voir Mahmoud plus tard. Je vais t'avoir un peu à moi, enfin. Je t'ai attendu, tellement...

Elle avança sa bouche vers celle de Riou.

— Donne-moi un baiser, murmura-t-elle. Lorsque je suis revenue de Cheïsar, je ne t'ai pas trouvé... Où étais-tu ? Personne ne savait ou ne voulait le dire. J'ai parlé à l'Emir et à Mahmoud aussi, comme je te l'avais promis. On nous attend tous les deux là-bas.

Elle posa ses lèvres sur les siennes. La jeune femme frémissait déjà contre lui. Il retira doucement sa bouche.

— J'en reviens, dit-il. J'ai vu l'infanterie de l'Emir prête à traverser la forêt. Mais j'ignore ce qui est arrivé ici.

— Tu ne veux pas d'un baiser de la petite Anne ? murmura la jeune femme en se blottissant contre lui. Tu es fâché contre elle ?

— Je ne suis pas fâché, dit Riou d'une voix lasse en lui caressant les cheveux. Tu as fait ce que tu croyais bon...

— L'atabeg est prisonnier dans la ville. Il va abdiquer en faveur de Mahmoud. Et nous, nous partirons pour Cheïsar, où tu commanderas en second la cavalerie de mon père. Nous aurons une grande maison au bord de la mer. Tu sais, si tu veux emmener ta petite Noire, je ne demande pas mieux. Je veux que tu sois heureux... Je sais que tu peux faire plaisir à plusieurs femmes en même temps qu'à moi ! conclut-elle en riant.

Riou desserra son étreinte, obligeant la jeune femme à le regarder en face, à la distance de ses bras tendus.

— L'atabeg n'est pas que prisonnier, dit-il sévèrement. Il a péri. Mahmoud sait-il que son père a été assassiné, et comment ?

Elle eut un sursaut.

— Tu es fou ! Qui peut dire cela ! L'atabeg doit abdiquer, et Mahmoud régner à sa place, voilà tout. N'est-il pas son aîné et son héritier ? N'est-ce pas mieux que de voir Djabala réuni aux terres de Cheïsar, et Mahmoud et son père obligés de fuir, en exilés, privés de tout ? Et toi et moi en serviteurs de seigneurs déchus, contraints de vivre de la charité d'un autre prince. Nous qui sommes des Francs, en outre, vois quel pourra être notre sort ! Sais-tu que j'ai connu la misère d'être l'enfant d'un captif, et ensuite une orpheline qui mangeait à la cuisine des esclaves ?

— Je le sais, dit Riou. Je sais que ton père n'était pas de noblesse et qu'il n'était qu'un écuyer...

Cette fois, il lut la peur dans les yeux de la jeune femme, comme si elle comprenait que Riou lui échappait.

— Et tu me méprises pour cela ? lança-t-elle d'une voix douloureuse en se reculant un peu plus.

Il la retint, et la serra contre lui de nouveau.

— Je ne te méprise point, dit-il doucement. Ni pour cela ni non plus pour ce que tu m'as dit être l'épouse de Mahmoud, alors que tu es une de ses concubines...

Il sentit qu'elle tremblait contre lui.

— Qui te l'a dit ? s'écria-t-elle en relevant vers lui un visage déformé par la douleur. L'atabeg, sans doute ! Il m'a toujours détestée ! Ou Sofana, qui me hait ?

— Non ! affirma Riou en serrant les bras de la jeune femme. Ni l'un ni l'autre n'ont jamais parlé de toi en ma présence.

Les larmes inondaient le visage de Maïmouna.

— Tu ne veux pas de moi, se désola-t-elle. Si tu m'aimais, tu partirais avec moi à Cheïsar. Mais tu vas retourner chez les nôtres, où tu redeviendras un chevalier comme avant, puisque tu n'as pas abjuré. Moi, je n'ai plus de famille là-bas...

— Non, dit Riou. Je ne quitterai pas l'atabeg s'il est encore en vie comme tu le prétends...

On frappa à la porte. Riou fit signe à la jeune femme de se taire, et la conduisit dans la petite antichambre qui séparait la pièce principale du pavillon de l'enclos au bassin réservé aux ablutions. Il referma la porte sur elle et ordonna qu'on entre.

Le sergent Abbou-Addal était devant lui, de nouveau en uniforme de la cavalerie de l'atabeg.

— Seigneur Riou ! s'écria-t-il. Le seigneur atabeg est blessé, enfermé dans le petit fort de la ville avec de l'infanterie et ceux des habitants qui ont pris les armes. Le seigneur Mahmoud a donné ordre à la cavalerie de s'assembler devant la forteresse. Il va annoncer l'abdication de son père...

— Où est Mansour ? lança Riou.

— Prisonnier dans sa maison de la garde noire et blanche du

seigneur Mahmoud. Le malheur est sur nous, et la honte ! termina le sergent, les larmes aux yeux.

Riou ôtait son vêtement de paysan.

— Donne-moi l'uniforme qui est dans ce coffre, ordonna-t-il.

Le sergent obéit, sortant du meuble la tunique brodée d'argent, le pantalon soutaché et le casque de cuir avec sa queue-de-cheval qui étaient la tenue de parade des officiers de la cavalerie de l'atabeg Al Zahir.

Riou revêtit le bel uniforme, aidé par le sergent.

— Veux-tu servir Mahmoud ou son père ? demanda le chevalier alors qu'Abbou-Addal lui tendait le casque à la longue crinière.

— Par Dieu Tout-Puissant, je vous obéirai dans ce que vous ordonnerez, Seigneur !

— Les cavaliers savent-ils que j'ai épousé la fille de l'atabeg ? continua Riou.

— Ils l'ignoraient lorsque nous sommes partis pour la montagne, Seigneur, puisque cela n'a pas été annoncé, mais Oumstal en a répandu la nouvelle parmi les officiers quand les navires de l'Emir ont débarqué la nuit pour surprendre le seigneur atabeg qui revenait de la plaine avec un contingent de notre infanterie... Tous les cavaliers le savent maintenant, et ils m'ont demandé : Où est Riou ? Où est le seigneur Franc ? Par Dieu, trahira-t-il lui aussi celui qui l'a couvert de bienfaits ?

— Et Oumstal ? demanda Riou en fermant le ceinturon de cuir blanc qui soutenait son sabre courbe.

— Il s'est enfui sur une barque de pêche dès qu'il a su le seigneur atabeg assiégé dans le fort par les soldats de l'Emir.

— Il ira sans doute chez les Templiers, sachant que Mahmoud l'aurait fait emprisonner, ou pire...

Riou fixa son sabre à son ceinturon, hésita à emporter le poignard du Haschachinn, y renonça, et entraîna le sergent au-dehors. Ils marchèrent dans l'allée qui menait vers les écuries de la maison forte, où il leur fallait maintenant prendre des chevaux.

Alors qu'ils étaient à moitié du chemin, une fillette se détacha de sous un arbre où elle était cachée. Elle fit signe à Riou de venir la rejoindre. Etonné, le chevalier se dirigea vers elle, suivi du sergent.

— Par Dieu, seigneur, s'exclama celui-ci. C'est la plus jeune des filles de Mansour !

A l'abri des arbres, la fillette leur désigna un panier de paille tressée, posé à terre derrière un oranger, qui semblait contenir du linge. Riou se pencha, écarta le linge et vit le grand collier d'argent de Maître de la cavalerie de Djabala, que portait Mansour à la parade à la tête des troupes montées de l'atabeg.

— Mon père m'a dit de t'attendre ici, et de te donner ceci si tu venais, dit-elle.

La cavalerie de l'atabeg Al Zahir était rangée pour la parade sur le vaste terre-plein de la forteresse. Le vent de la mer faisait voler les crinières des casques. Le silence imposé aux hommes et aux chevaux semblait rythmé par les éclatements des vagues sur les rochers proches. Devant chaque escadron se tenait l'officier qui le commandait, droit sur son cheval noir, aux côtés du gonfalonier qui portait engagée dans son étrier la lance à l'extrémité de laquelle flottait la queue-de-cheval sous le globe de cuivre surmonté du croissant de l'Islam en argent étincelant.

De chaque côté de la grande poterne ouverte, sa herse à demi levée, se tenaient les gardes noirs et blancs de Mahmoud qui avaient relevé depuis la veille les cavaliers de la forteresse.

Dans l'alignement des escadrons un seul n'avait pas son officier à sa tête : celui de Riou.

Les visages des cavaliers, dont les yeux fixaient la poterne où Mahmoud allait apparaître, avaient le même rictus de mépris aux lèvres. Ils savaient que le fils avait trahi le père pour se rallier à l'Emir descendant de celui qui avait lutté contre son grand-père Ifkir, Ifkir qui dormait à même le sol sur une natte avec son sabre sur la poitrine dans le manteau brun des simples cavaliers avec lesquels il avait fondé la principauté après cent combats...

Sous le ciel bas chargé de nuages, les cliquetis des mors dans la bouche des chevaux énervés par l'immobilité de la parade semblaient exprimer la colère muette des hommes.

La fanfare assemblée dans la cour de la forteresse se mit en branle, répercutant ses accents sous l'énorme voûte de pierre des deux grandes tours avant d'éclater à l'air libre. Les timbaliers passèrent la herse en premier, frappant leurs caisses rondes avec une rage sourde, puis les flûtistes, criant leur stridence comme pour soulager leur indignation. Enfin Mahmoud parut sur son cheval noir, massive statue de guerrier couronnée du turban à aigrette, qui allumait des lueurs dans les yeux sur son passage. Mais lui soutenait leurs regards, sûr de sa force. L'infanterie de l'Emir marchait à travers la forêt vers le cœur de Djabala, les cavaliers persans, sous les ordres de l'Agah Sadok, le commandant des forces des armées de Cheïsar, tenaient les collines qui entouraient la ville et la ville elle-même où l'atabeg Al Zahir était réduit à l'impuissance. Dans la maison où il était barricadé à l'intérieur du vieux petit fort qui dominait le port de pêche et de commerce de Djabala, l'atabeg avait devant lui l'acte d'abdication que lui avait fait porter l'Agha et n'avait d'autre issue que le signer.

Tout cela, Mahmoud l'avait dit aux officiers assemblés dans la forteresse avant la parade. Il leur avait donné le choix : ou bien se ranger à ses ordres, ou bien partir chercher du service ailleurs, après que la principauté aurait été annexée purement et simplement aux Etats de l'Emir... Les officiers avaient leurs femmes et leurs concubines dans leurs propriétés le long de la mer. Ils avaient leurs jardins, leurs terres et leur solde, et Mahmoud était le fils aîné de l'atabeg. Ils s'étaient tus.

Ils savaient depuis quelques heures que le Franc avait épousé Sofana, et que sa qualité de gendre du Seigneur Al Zahir l'obligeait à la fidélité. Mais le Franc avait disparu. Il s'était enfui pour retrouver les siens à Jaffa, à moins que ce ne fût pour prendre du service chez Salah Ed Dine le magnifique, qui prisait fort les guerriers d'Occident.

Sur le front des escadrons alignés, la place de Riou, en tout cas, était vide...

Riou arriva au galop sur le terre-plein de la forteresse au moment même où Mahmoud arrêtait son cheval face aux escadrons. L'héritier de l'atabeg venait de tirer son sabre du fourreau, s'apprêtant à le brandir au-dessus de sa tête avant d'annoncer de sa voix puissante qu'il prenait le titre de tuteur de Djabala qui avait été celui de son père Al Zahir, de son grand-père Hussein, et de son aïeul Ifkir le fondateur.

Il suspendit son geste à la vue de l'officier qui venait prendre son rang à la parade et sourit. Le Franc visait un poste de confiance dans l'entourage de l'Emir à Cheïsar, selon ce que Maïmouna avait organisé avec son assentiment à lui, Mahmoud. Il venait montrer où étaient sa fidélité et l'intérêt de sa fortune.

Mais déjà de nombreux cavaliers, en dépit de l'immobilité de la parade, avaient tourné la tête vers Riou et le galop de son cheval. Le chevalier défila devant le front des escadrons, son manteau volant derrière lui, soulevant des murmures tout au long de son passage. Le gendre de l'atabeg, lui aussi, venait se soumettre à Mahmoud ! Certains crachaient leur dégoût comme des chats en colère, d'autres gémissaient tout en maintenant en place leurs chevaux, à qui se communiquait l'énervement de leurs maîtres, comme si hommes et bêtes réunis en masse botte à botte et flanc contre flanc accumulaient en eux un orage prêt à éclater. Le Franc, ce chien, venait chercher sa pitance, après avoir forniqué avec la fille de son maître !

Riou immobilisa son cheval devant Mahmoud et le salua de son sabre qu'il venait lui aussi de tirer du fourreau. Puis, alors que tous s'attendaient à ce qu'il aille prendre sa place à la tête de son escadron, le chevalier fit volter son cheval pour le placer face à la parade.

D'un geste rapide de sa main gauche, il dégrafa son manteau, qui glissa de ses épaules à terre, découvrant le collier d'argent du Maître de la Cavalerie de Djabala, le même collier qu'avait jusqu'ici porté Mansour, Mansour qu'on savait prisonnier dans sa maison au bord de la mer, sous la surveillance des gardes noirs et blancs de Mahmoud.

Des exclamations de surprise retentirent çà et là dans les rangs ajoutant encore à la tension qui régnait dans la masse des chevaux piaffants et des hommes bouleversés par tout ce qui était arrivé depuis deux désastreuses journées.

Riou avait déjà brandi son sabre au-dessus de lui, comme Mahmoud s'apprêtait à le faire tout à l'heure.

— Cavalerie de Djabala ! s'écria le chevalier de toute la force de sa voix.

— Cavalerie de Djabala, prête à servir ! hurlèrent les cavaliers soulevés par une attente farouche.

Le collier ! Le Franc ne pouvait porter le collier de Mansour sans que celui-ci ne le lui ai fait parvenir...

— Sabres au clair ! hurla Riou. En bataille vers la gauche, pour le service du Seigneur Atabeg Al Zahir fils de Hussein, fils d'Ifkir le Fondateur, par la volonté de Dieu Tout-Puissant et Miséricordieux !

Suivi du terrible hurlement que poussaient tous ensemble des milliers de poitrines et des milliers de bouches, Riou s'élança au galop en direction des collines où se trouvait le poste de commandement de l'Agha Sadok.

Dans le roulement de tambour des milliers de sabots qui s'éloignaient, Mahmoud resta seul au milieu du grand nuage de poussière qui flottait au-dessus du terre-plein de la forteresse.

L'agha Sadok était assis les jambes croisées sur un tapis sous un dais en haut d'une colline d'où lui-même et ses officiers pouvaient découvrir la ville et le port. Devant ses yeux était déployée la carte des basses terres de la principauté. Un esclave noir versait du café dans de fines tasses de porcelaine transparente. D'un moment à l'autre, un soldat apporterait l'acte d'abdication signé de la main de l'atabeg. Al Zahir avait perdu beaucoup de sang des nombreuses blessures qu'il avait reçues. Il devait savoir que, s'il ne sortait pas du vieux fort où il s'était réfugié pour aller aux mains des médecins, il mourrait. Si fier et si obstiné qu'il soit, un homme a intérêt à conserver sa vie. L'agha Sadok voulait avant tout réussir la mission que lui avait confiée l'Emir. Il avait fait dire à l'atabeg tout à l'heure qu'il se portait personnellement garant de la sûreté de sa personne et qu'aussitôt l'acte signé, il ferait garder la résidence qu'il choisirait par des officiers sûrs qui combattaient sous ses ordres depuis l'époque où il avait servi en Egypte.

Au su des nombreuses blessures de l'atabeg, l'agha avait compris maintenant qu'un groupe d'archers avait reçu à Cheïsar l'ordre d'abattre le seigneur de Djabala en le criblant de flèches, et cet ordre n'avait pu venir que de Salman, le conseiller persan de l'Emir. Mais puisque cela n'avait pas réussi, et que l'atabeg était réduit à merci de toute façon, l'Emir comprendrait très bien que le commandant de ses troupes ait en fin de compte protégé la vie d'Al Zahir. D'ailleurs, cette vie ne tenait peut-être plus à grand-chose.

L'agha Sadok était un homme maigre aux longues mains fines, habile dans toutes choses, heureux dans tous les commandements qu'il avait exercés au profit du Calife d'Egypte avant de choisir le parti du plus fort, c'est-à-dire celui du Sultan de Perse, en allant prendre du service chez l'Emir. Il éleva à ses lèvres la tasse de café que venait de lui tendre son officier d'ordonnance. Au moment où il humait l'odorant breuvage, une sorte de grondement retentit, comme si le sol tremblait. Des cris s'élevèrent au-delà des oliviers près desquels le poste de commandement avait été établi, et le dais dressé. L'agha tourna la tête pour voir avec stupéfaction, surgissant des oliviers, plusieurs cavaliers en uniforme de parade de la cavalerie de Djabala, cette cavalerie dont Mahmoud avait assuré qu'elle lui obéirait le moment venu, brandissant leurs sabres étincelants, le visage déformé par la colère, hurlant à la mort comme en plein combat.

En un instant les cavaliers, parmi lesquels rutilaient les tuniques chamarrées des officiers, furent une mer qui déferlait sur toute la colline. Les lieutenants de l'agha, les yeux agrandis par la terreur, car il n'y a rien à faire contre une charge de cavalerie si nombreuse, tiraient leurs sabres mais disparaissaient ensanglantés sous les pieds des chevaux.

Pâle, l'Agha Sadok s'était mis debout sur son tapis. L'officier aux chamarrures d'argent qu'il avait vu en tête de la charge avançait vers lui au galop son cimeterre levé. L'officier avait perdu son casque et l'agha vivait en cet instant un rêve étrange, car l'officier était blond comme un Franc, ses yeux étaient bleus comme ceux d'un Croisé, et il portait pourtant bien l'uniforme de parade des gens de l'atabeg.

Il était contraire à la dignité du commandant des forces de l'Emir de Cheïsar de faire un mouvement pour s'enfuir et d'ailleurs cela était inutile. Avec une moue incrédule et un peu méprisante aux lèvres, la tête de l'agha vola dans le sifflement du sabre de Riou. Le sang jaillit haut vers le ciel du cou tranché, le corps décapité resta un moment debout campé sur ses jambes puis s'abattit sur le tapis tandis que la clameur sauvage de la charge s'éloignait vers les murailles de la ville.

L'esclave noir qui servait le café et les rafraîchissements à l'agha et à son état-major se releva au milieu des cadavres, hébété. Il chercha des yeux les tasses de porcelaine et le plateau d'argent qu'il avait à la main quelques instants plus tôt. Le plateau cabossé brillait un peu plus loin où les sabots des chevaux en furie l'avaient précipité. Les regards fixes des décapités lui faisaient peur. Les uniformes de soie, impeccables quelques minutes plus tôt, étaient maculés de terre et de sang. L'esclave incrédule, comprenant qu'il était seul en vie sur la colline, se mit à rire.

Dans la salle du Divan de son palais d'été, situé dans la montagne, où il s'était porté pour suivre les progrès de l'opération montée contre l'atabeg de Djabala, l'Emir Mactoum de Cheïsar fit signe à son valet de chambre Abdallah de s'approcher. Il lui ordonna d'apporter un burnous de grosse laine plus chaud que celui qu'il avait sur les épaules, et sous lequel il frissonnait. Il le gourmanda de n'avoir pas songé, en l'habillant tout à l'heure avant l'aube, à le couvrir plus chaudement et l'Emir, qui était d'un tempérament inquiet, sensible aux présages, se prit à constater que la journée commençait mal, par cette faute contrariante de son valet de chambre.

Un pâle soleil était à peine levé au-delà des fenêtres sans vitres de la grande salle de ce palais qui n'était pas fait pour l'hiver, et les braises des deux poêles de cuivre magnifiquement astiqués ne suffisaient pas à leur tâche. Mais le palais d'été était beaucoup plus proche à vol d'oiseau du bas pays de Djabala que ne l'était la résidence habituelle de l'Emir de Cheïsar au bord de la mer. Ainsi les pigeons qui faisaient la liaison avec l'état-major de l'Agha Sadok et avec celui du caïd Derraz, commandant l'infanterie d'invasion, pouvaient aller et venir plus vite.

Le Vieux de la Montagne, depuis l'une de ses forteresses remplies de fanatiques grisés par le Haschisch, avait condamné l'Emir Mactoum à mort pour le crime de convoiter le fief de l'atabeg de Djabala au profit des desseins impérialistes du Sultan de Perse. Deux fois les Haschachinns envoyés pour égorger l'Emir avaient été démasqués à temps. Celui qu'on avait pris quelques jours plus tôt avec son poignard caché à même la peau de son ventre avait été écartelé à quatre chevaux. Sa tête se dirigeait maintenant, enfermée dans un coffre rempli de blocs de glace, sur une felouque qui la débarquerait au port de Lattaquieh, à destination du château de Subeybié, où se tenait le plus souvent le Maître de la secte.

Sur l'ordre exprès de Salman, le conseiller persan de l'Emir, et avant qu'on ne fouette les chevaux qui allaient disloquer le corps du Haschachinn, son sexe lui avait été tranché avec son propre poignard, ainsi que ses testicules, et le tout introduit dans la bouche de cette tête destinée, lorsqu'elle parviendrait à son adresse, à faire comprendre à Rachid Ed Dine que Dieu n'était pas avec toutes ses entreprises.

L'Emir avait mal dormi, impatient d'avoir des nouvelles du déroulement de la manœuvre imaginée par Toubal, son autre conseiller persan, pour que Djabala devienne principauté vassale de Cheïsar sans allumer en réponse la colère des Templiers, qui étaient puissants à la frontière nord de l'Emirat. L'Ordre avait toujours laissé entendre à l'Emir de Cheïsar qu'il ne laisserait pas envahir Djabala. Les Templiers ! Ces fanatiques de la Croix faisaient cause commune avec les fumeurs de Haschisch, ces fanatiques du meurtre au nom de l'Islam ! Mais que pouvaient faire les Templiers, si l'atabeg périssait dans une escarmouche, ou encore si son fils et légitime héritier Mahmoud devenait tuteur de la principauté à son tour, après que son père avait abdiqué, par un acte en bonne et due forme, même s'il avait été extorqué par une contrainte ? C'est ce qu'avait fait valoir Toubal dans les discussions qu'il avait eues avec Salman en présence de l'Emir.

Toubal n'était pas pour qu'on tue l'atabeg, et il avait eu une prise de bec avec Salman sur ce point-là. Il soutenait que l'atabeg, las de tenir sa principauté à bout de bras, consentirait à laisser le pouvoir à son fils s'il pouvait continuer à vivre dans son beau jardin. C'était un homme qui avait été brisé par la mort de son cadet Jaffar, qu'il chérissait. Il n'avait par ailleurs que des filles et, en dépit de son courage au combat et de son habileté aux armes, c'était un personnage trop sensible.

Ne rêvait-il pas, selon les renseignements dont disposait Toubal, d'aller visiter l'Occident ? N'avait-il pas voulu être adoubé chevalier par les Templiers ? Après avoir lâché le pouvoir, il partirait en voyage là-bas pour plusieurs années. Enfin, avait ajouté Toubal, la Croisade en voulait à Djabala. C'était sûr maintenant, selon d'autres renseignements venus de Jaffa par des espions qu'avait Toubal. Et cet argument-là, parmi tous ceux que l'agha Sadok, à l'heure qu'il était maintenant, avait dû faire valoir à l'appui de son ultimatum à l'atabeg, était de poids : que Djabala serait prise par les seigneurs Francs assoiffés de terres au soleil si lui, Al Zahir, n'ajoutait pas, pour défendre sa belle forteresse, ses propres forces à celles de l'Emir.

Salman le Persan avait répondu à tout cela qu'une douzaine de flèches dans le corps de l'atabeg était le meilleur acte d'abdication possible à attendre d'un homme qu'il tenait pour obstiné en dépit de tout ce qu'avait avancé Toubal. Et comme l'Emir n'avait dit mot à la suite de cette déclaration du Persan, et même évité de laisser paraître aucune expression de désapprobation sur son visage, Salman avait dû donner ordre à ses hommes de main de tuer l'atabeg à la faveur de l'espèce de coup d'Etat qu'il s'était fait fort d'organiser avec Mahmoud.

Un silence, parfois, suffisait à porter la mort au loin sans que celui qui s'était tu ne voie lui-même couler le sang...

Il n'y avait qu'à attendre l'atterrissage sur les planches d'envol des colombiers des pigeons, porteurs innocents des arrêts que le Destin avait rendus...

L'Emir Mactoum avait chaud maintenant sous l'épaisse cachabieh dont l'avait recouvert son domestique, et le soleil prenait de la force au-dessus des dômes blancs du palais. La pensée lui vint que l'atabeg était au même moment déjà dans le froid de la mort, et il regretta pour la première fois ce silence par lequel il s'était associé au meurtre imaginé par Salman. Une sueur soudaine mouilla le dos de l'Emir, qu'il préféra attribuer à la chaleur plutôt qu'à son angoisse...

Salman entra le premier dans la salle du Divan. La feuille qu'il tenait à la main était la première dépêche du matin rédigée à la minute par un des scribes du colombier chargés de recopier les messages écrits en caractères minuscules sur les rouleaux que les volatiles emportaient dans les airs à leurs pattes. La moustache mince du Persan tombait de chaque côté de ses lèvres avec une expression de dégoût et l'Emir comprit aussitôt qu'il s'agissait d'une mauvaise nouvelle. Le Sultan de Perse, lorsqu'il était mécontent de ses conseillers, leur envoyait un lacet de soie noire, qui signifiait la mort en récompense de leurs erreurs. Salman songeait-il déjà qu'un lacet de ce genre pourrait lui parvenir ?

— Grandeur ! commença le Persan. Ceci est un message du Raïs Abou-Taleb, depuis notre forteresse d'Abasha. Les Templiers ont franchi la frontière pendant la nuit et ils assiègent la place avec des navires sur la mer et des machines sur la terre. Ils ont plus de cinq mille hommes, dont moitié de Turcopoles.

L'émir Mactoum demeura silencieux. Abasha avait une garnison de mille hommes. C'était une place fragile, à l'extrémité d'une petite presqu'île par laquelle commençait le territoire de Cheïsar de ce côté-là. Elle n'était que la garnison des forces qui couvraient cette partie de la frontière du côté où Cheïsar touchait à toute une succession de petits fiefs qui n'obéissaient à personne, à cause de la proximité des terres qu'occupaient les Templiers. Les Templiers les avaient traversés, ces petits fiefs, et ils venaient dire à l'Emir avec cinq mille cavaliers qu'il lui fallait retirer son infanterie de Djabala s'il voulait conserver sa place d'Abasha.

— Y a-t-il un message des Templiers ? ironisa l'Emir qui fixait lui aussi avec dégoût la dépêche que Salman avait toujours à la main.

— Non pas, Grandeur, dit le Persan.

— Ce n'est pas nécessaire, en effet, constata l'émir sur le même ton désabusé.

Il réfléchit, puis demanda :

— Selon toi, faut-il demander à Mahmoud de mettre toutes ses forces en armes pour venir nous aider à repousser les Templiers ?

— Si nous agissons ainsi, Grandeur, dit vivement le Persan, nous serons plus forts qu'eux. Les moines ne peuvent aligner plus de huit mille hommes dans cette région. Ils ne risqueront pas une campagne en règle contre nos forces unies à celles de Djabala !

— Fais donc une dépêche pour Mahmoud dans ce sens, ordonna l'Emir. Il ne rêve que de combats, et déteste les Templiers qui ont pris tant d'influence sur son père. Nous verrons bien ce qu'il va répondre, conclut-il au moment où Toubal entrait à son tour dans la salle du Divan.

Son apparition rappela à l'Emir que celui-là de ses deux conseillers avait été hostile à la mise à mort de l'atabeg, et le regret qu'il avait éprouvé tout à l'heure à ce propos devint un remords. La bouche sèche, Mactoum sentait grandir en lui le malaise. Il ne fut pas surpris, lorsque Toubal releva la tête, de voir que le visage gras, aux lourdes paupières et aux bajoues de son conseiller, était défait.

— Grandeur ! dit Toubal d'une voix mal assurée. La cavalerie de l'atabeg s'est révoltée contre Mahmoud et l'agha Sadok a péri.

Il avait renoncé à entourer la fatale nouvelle de précautions oratoires et choisi de tout dire d'un trait.

Cette fois l'Emir Mactoum eut un sursaut de colère.

— Comment le sais-tu ? Qui dit cette sottise ? cria-t-il dans le vide de la grande salle du Divan.

— Un message du caïd Derraz, balbutia Toubal, qui demande s'il doit marcher contre la cavalerie, et mettre le siège devant la forteresse...

— Le siège ? s'écria l'Emir en haussant les épaules. Il faut deux ans pour prendre la forteresse de Djabala ! N'est-ce pas ce que vous m'avez répété tous les deux, pour me pousser à user plutôt de la ruse contre Al Zahir ! Le siège, alors que les Templiers sont à Abasha ! Et Mahmoud ? Que fait-il, ce butor, ce sot fanfaron, ce fornicateur de garçons ? Voyez où vous m'avez mis, renards rusés que vous êtes !

Un secrétaire de Toubal parut, les yeux apeurés, tenant à la main la transcription d'un autre message qui venait d'arriver au colombier. Il en avait pris connaissance par-dessus l'épaule du scribe chargé d'en établir la copie, et il savait que la foudre allait tomber sur son supérieur aussitôt que celui-ci l'aurait lu à l'Emir. La foudre épargnerait-elle les malheureux secrétaires de celui qui allait perdre la confiance de Sa Grandeur ?

L'émir Mactoum était blanc de colère. Le valet de chambre Abdallah qui se tenait à l'écart appuyé au mur de la salle regardait avec inquiétude son maître crisper sa main sur sa poitrine à travers les pans de son manteau qu'il avait écartés, n'ayant plus froid. Sa Grandeur avait perdu conscience plusieurs fois, dans des moments d'extrême émotion, soit qu'il s'agisse de la mauvaise conduite d'un de ses fils, ou d'une coucherie d'une de ses épouses surprise dans les bras d'une de ses filles de chambre. Abdallah versa de sa grande théière un peu de thé dans un gobelet de cristal et d'argent, puis s'avança.

L'Emir écarta d'un geste le breuvage tendu.

— Donne-le à Toubal avant qu'il ne lise ce qu'il y a dans cette dépêche ! ordonna-t-il avec une sorte de ricanement qui effraya tout le monde.

Le conseiller hésita un instant à accepter le gobelet mais le regard impérieux de l'émir disait bien qu'il voulait être obéi.

Toubal prit le verre dans une main tremblante et but. Ayant rendu le gobelet, il porta son regard sur les lignes soigneusement calligraphiées.

— Parle maintenant ! jeta l'Emir. Dis-nous ce que Dieu a décidé à votre place.

— L'atabeg est en vie, commença Toubal, et il a regagné la forteresse... Tous les officiers de Sadok ont péri sans exception. Les habitants de la ville ont massacré tous ceux des hommes de l'agha qui n'ont pu s'enfuir vers les collines où se tient notre infanterie en attente des ordres... Mahmoud s'est enfermé dans sa résidence avec les hommes de sa garde qui lui sont restés fidèles, les autres s'étant joints à la cavalerie de l'atabeg. Celui qui a soulevé la cavalerie de l'atabeg contre Mahmoud, exterminé par surprise l'état-major de l'Agha Sadok et délivré Al Zahir est l'officier franc entré à son service depuis une demi-année...

— Est-ce tout ? demanda l'émir d'une voix grave, comme Toubal, étonné lui-même de ce qu'il venait de lire, s'était interrompu.

— Non pas, Grandeur, dit Toubal. Le caïd demande à nouveau quels sont ses ordres...

L'émir Mactoum ne répondit pas. Les larmes coulaient maintenant de ses yeux, descendant en abondance le long de ses joues, à la stupéfaction des uns et des autres, de Salman qui ne croyait pas l'Emir capable de pleurs, de Toubal qui s'attendait à une terrible explosion de fureur, d'Abdallah qui s'apprêtait à s'élancer pour soutenir son maître avant qu'il ne tombe foudroyé par un de ses accès...

— Maïmouna ! murmura l'Emir. La pauvre petite ! Elle m'avait dit que ce Franc voulait venir prendre du service ici pour vivre avec elle...

L'Emir s'était mis debout devant son divan.

— Retirez-vous tous ! lança-t-il d'une voix basse et calme en faisant avec son bras le geste de les chasser. Rasez-vous la tête, abstenez-vous de vos femmes et jeûnez ! Méditez sur vos errements dans la voie du Mal. Implorez la miséricorde de Dieu. Un Franc sans fortune est sorti des galères, il a juré fidélité à Al Zahir et ne l'a point abandonné dans le malheur, alors que son fils aîné le trahissait et que nous assemblions une troupe nombreuse contre lui, alors qu'il était percé des flèches d'assassins dont nous avions armé les arcs ! Qui, sinon le

Tout-Puissant, a envoyé ici ce Franc pour nous confondre et nous rappeler Sa Loi ? Que Sa Volonté soit faite ! Ordonnez aux scribes qu'ils envoient des pigeons à Abasha dire aux Templiers que je retire mon infanterie de Djabala et que j'ai condamné à la pénitence ceux qui m'avaient inspiré une décision néfaste !

Stupéfaits d'être épargnés autant que de la métamorphose dont l'Emir venait de leur donner le spectacle, les deux conseillers et leurs secrétaires restaient sans mouvement.

— Allez ! réitéra l'émir Mactoum. Envoyez un courrier avertir ce Franc que je viendrai moi-même sur une mule, seul par le chemin de la montagne, pour lui demander qu'il me conduise au chevet d'Al Zahir, afin que j'implore son pardon. *Ceux que Dieu éclaire marchent dans les voies du salut*, ajouta l'émir Mactoum citant le chapitre septième du Koran, *ceux qu'il égare courent à leur perte...*

Et pendant qu'ils sortaient, il s'agenouilla à même les dalles de marbre pour se prosterner dans la prière.

Le soleil et le vent de la mer entraient par les deux grandes fenêtres ouvertes de la chambre de la forteresse où l'atabeg reposait à demi assis sur son lit, soutenu par des coussins. Il était grandement pâle du sang qu'il avait perdu de ses nombreuses blessures en refusant de se rendre et de signer son acte d'abdication, c'est-à-dire en retardant d'autant le moment où les chirurgiens pourraient prendre soin de lui.

Son regard se portait vers la ligne bleue de la mer qui barrait les fenêtres devant ses yeux. Il tourna la tête en entendant marcher dans l'antichambre et vit Riou entrer. L'atabeg ne s'était pas encore trouvé seul avec le chevalier depuis que celui-ci, en soulevant la cavalerie contre Mahmoud, avait bouleversé sur l'échiquier la combinaison ourdie entre son fils aîné et les conseillers de l'Emir.

Le nez busqué de l'atabeg, dans son visage amaigri, lui donnait plus encore l'air d'un aigle. D'un aigle blessé, pensa Riou, et peut-être voué à la mort...

— Qui est à côté dans l'antichambre ? demanda Al Zahir.

— L'aide du chirurgien, Seigneur, ainsi qu'un valet et un garde.

— Fais-les sortir, et ordonne au garde de se tenir devant la porte afin que nul ne nous puisse entendre.

Riou obéit, les autres se retirèrent et le chevalier revint auprès du lit de l'atabeg.

— Riou ! ordonna Al Zahir. Dis-moi la vérité. Selon toi, est-ce que

Mahmoud savait que Salman avait commis des archers à me tuer ?

— Non, Seigneur. Maïmouna avait négocié avec son père adoptif, croyant préserver sa situation et celle de Mahmoud par votre renoncement. Mais l'Emir lui avait caché ce que Salman préparait. Peut-être l'ignorait-il lui-même.

L'atabeg resta silencieux, regardant toujours la mer par les fenêtres.

— Dis-tu cela pour m'épargner ? demanda-t-il ensuite.

— Non, Seigneur. Je crois la parole de Maïmouna là-dessus.

— Oumstal dit qu'elle est allée dans ton lit. Est-ce vrai ?

— Oui, Seigneur. Elle voulait que je parte avec elle à Cheïsar, au service de l'émir, en accord avec Mahmoud.

— Et tu as refusé ? interrogea l'atabeg, tournant cette fois son regard sur le jeune homme. Pourquoi ? Tu avais peu de chances de renverser ce qui a été fait. Est-ce pour Sofana ? poursuivit-il. Ai-je deviné juste, et en ce qui concerne les sentiments qu'elle avait pour toi, et ce qui se passerait entre vous deux quand vous seriez seuls dans la forêt ?

— Vous aviez deviné juste, Seigneur, dit Riou avec un sourire. Mais ce n'est pas pour cela.

— Pour quoi alors ?

— Pour l'armure qui est devant la porte de cette antichambre, et pour ce que vous avez été adoubé chevalier comme moi, d'un serment à la Vierge Marie. Elle m'a protégé depuis que j'ai pris pied en Terre Sainte. Elle ne pouvait nous abandonner, ni vous ni moi.

Riou s'interrompit un instant, regardant à son tour vers la mer, écoutant sa rumeur qui apportait dans la vaste chambre les cris des mouettes.

— Lorsque je dois décider de mes actions, Seigneur, je pense à mon père, qui s'est toujours conduit avec honneur. Il n'eût pas voulu que j'aille chercher fortune encore une fois. Il eût dit que ç'aurait été une fois de trop.

Riou dit ces derniers mots avec un sourire où il semblait se moquer de lui-même.

— Enfin, conclut-il, c'est aussi pour Mansour, qui m'a envoyé son collier, et pour le sergent qui était allé avec moi dans la montagne, et tous les autres cavaliers qui vous restaient fidèles...

L'atabeg se tut longuement, avant de hocher la tête.

— Tu es donc le fils que j'ai rêvé d'avoir, murmura-t-il. Et c'est bien étrange qu'il m'ait été envoyé par Rachid Ed Dine...

Un nouveau silence s'établit, rompu bientôt par Al Zahir.

— Mais est-ce que cela est vraiment possible ? s'inquiéta-t-il. L'agha Sadok, avant que tu ne lui tranches la tête, m'avait fait dire par son émissaire pour m'inciter à céder, quand j'étais dans le vieux fort, que la Croisade avait décidé de prendre Djabala. Crois-tu que cela soit vrai ?

— Il y a bien des barons dans la Croisade qui convoitent déjà votre terre pour s'en faire un fief au nom de Jésus-Christ, dit Riou.

— Si les Templiers ne détournent pas cette menace, et que tu es parmi nous quand nous serons vaincus, tu seras décapité ou brûlé par les tiens pour avoir été de notre côté, quand bien même tu ne t'es pas fait musulman. Y as-tu songé ?

— Certes, Seigneur.

— Aussi, il est bon que tu ne restes pas ici. Pars chez Salah Ed Dine avec Sofana. Il assemble à Jérusalem tous les princes musulmans, ou leurs envoyés, afin de les unir en une coalition assez forte pour résister au Sultan de Perse aussi bien qu'à la Croisade. J'ai fait préparer pour toi un sac d'or et de pierres précieuses, que tu vas emporter. Salah Ed Dine te donnera une charge auprès de lui, sur une lettre que je lui ferai parvenir. Et si tu veux rentrer chez toi en France, il t'en donnera les moyens. Là-bas, sous la protection des Templiers, on n'osera rien contre toi. Sofana te suivra. Elle te suivra maintenant partout, j'en suis sûr, et se fera chrétienne si tu le lui demandes !

Riou secoua la tête.

— Je vous remercie, Seigneur. Mais ma terre est trop petite, et mon château, sous la pluie qui tombe de longs jours, n'est pas fait pour elle. Elle y sera malheureuse... J'irai chez le Sultan Salah Ed Dine pour vous représenter, si vous le désirez, Seigneur, et reviendrai ici ensuite. La Croisade n'a pu prendre Mahdia. Elle échouera devant Djabala. Si le siège commence, il sera levé, comme beaucoup de sièges le sont avant que la place ne tombe, soit que les Templiers auront convaincu Richard d'Angleterre de nous épargner, soit que Salah Ed Dine s'avance à la rencontre de l'ost chrétien avec la force de toutes ses armées. Amassons des provisions en grand nombre, commençons à creuser secrètement des sapes sous les abords de la forteresse, augmentons les projectiles des balistes et des mangonneaux, remplissons les réservoirs de naphte...

— Es-tu donc inaccessible à la crainte ? demanda l'atabeg qui regardait avec étonnement le jeune homme afficher sa résolution.

— Non, Seigneur. Mais je sais maintenant où sont mes ennemis. Ce sont ceux-là qui ont percé d'une lance le fils cadet du Sultan de

Tunis alors qu'il était déjà mon prisonnier. Ce sont les mêmes qui veulent aujourd'hui prendre Djabala. Je connais leurs regards haineux et avides. S'ils se présentent ici, je pourrai les combattre enfin à visage découvert, et les écraser sous les pierres des machines de la forteresse. C'est pour eux que j'ai été aux galères. Je veux qu'ils trouvent sous ces murs la punition de leur mauvaiseté...

L'atabeg hocha la tête dans les coussins où il s'appuyait.

— Il n'est pas possible d'être las des choses de la vie, avec toi ! s'exclama-t-il. Ce n'est pas d'un enfant mais d'un lionceau qu'accouchera Sofana, si elle est enceinte... Le sera-t-elle ? interrogea Al Zahir pour conclure sur un propos plus aimable, après les sombres choses qui avaient été dites.

— Nous avons fait beaucoup pour cela, Seigneur, dans le peu de temps que nous avons eu, dit Riou avec un sourire.

Sortant de l'antichambre, Riou se trouva devant le chirurgien qui venait visiter l'atabeg.

— Comment est-il ? demanda l'homme de l'art.

— Il semble épuisé, dit Riou.

Le chirurgien hocha la tête.

— Je crains l'infection. Elle couve sans doute dans ses plaies trop nombreuses qui n'ont pu être nettoyées comme il convient avec ce qu'il faut dans la première journée et la première nuit qu'il a passées dans le fort. Et contre cette infection générale, nous serons impuissants.

— On dit que vous autres, médecins arabes, vous pouvez la vaincre, alors que les chrétiens n'en comprennent même pas la raison...

— Oui, mais pas si nous n'avons pu nettoyer les plaies à temps. A Bagdad, peut-être, poursuivit-il, paraissant réfléchir. Mais Bagdad est à quatre semaines de cheval...

— A Bagdad ? s'étonna Riou.

— J'ai reçu communication d'un de mes amis qui exerce dans un des hôpitaux de là-bas qu'on y expérimente avec succès des moisissures qui ont raison de n'importe quelle infection, si grave ou si avancée soit-elle. Elles sauveraient l'atabeg. Mais je ne les connais point encore.

— Des moisissures..., fit Riou pensivement.

Il songea soudain à Kecelj, le mire hongrois, qui était parti avec la Croisade pour expérimenter les remèdes qu'il avait découverts et pour se rapprocher des médecins arabes, dont il connaissait la réputation. Le Hongrois lui avait bel et bien parlé un jour de moisissures qu'il préparait à partir de toutes sortes d'ingrédients, capables d'arrêter les gangrènes qui s'installent dans les blessures de guerre, et amènent les chairs à la pourriture dans une odeur horrible. Kecelj était à Jaffa, avec la Croisade. En combien de jours pouvait-on aller à Jaffa ?

— Dans quel délai pensez-vous que l'atabeg soit en danger ? demanda le chevalier.

— Dans une semaine le mal régnera en maître, et nous ne pourrons plus rien contre lui. Aller à Bagdad et en revenir prendrait sept semaines au moins.

— Cependant, insista Riou, si je reviens avec ces moisissures dans une semaine, pensez-vous préserver le seigneur Al Zahir de la mort ?

— Sans doute, avec l'aide de Dieu ! Mon ami de Bagdad m'écrit que la guérison survient dans tous les cas. Ces moisissures sont un médicament admirable... Mais ni vous ni personne d'autre, Seigneur, ne pourrez faire le voyage dans si peu de temps.

— Soignez le seigneur atabeg de votre mieux, dit Riou, et attendez-moi avant huit jours...

Laissant le chirurgien étonné, Riou descendit le grand escalier intérieur de la forteresse et se hâta sur le quai du port fortifié, ce même quai où le petit Khadoun s'était embarqué deux semaines plus tôt, lors d'un douloureux événement qui avait été la source de bien d'autres. Riou pénétra dans le bureau du Raïs Ajash, qui régnait sur la flottille de l'atabeg. Le marin se leva avec déférence à l'arrivée du seigneur franc devenu le gendre de son Maître.

— Ajash ! jeta Riou. As-tu une felouque rapide qui me peut mener à Jaffa, et en combien d'heures ?

— D'heures ! s'exclama le Raïs. Il faut parler de jours, Seigneur... Avec la plus rapide, qui a été construite pour cela, et parce que les vents portent très fort au Sud en ce moment, cela peut être trois nuits et deux jours.

— C'est parfait ! Selon toi, je peux donc être de retour en une semaine ?

Le raïs secoua la tête.

— Non pas, Seigneur. Car vous mettrez beaucoup plus longtemps dans l'autre sens, contre ces vents qui ne sont bons que pour l'aller.

Riou réfléchit un instant.

— C'est bien, dit-il. Prépare ta felouque, avec tes meilleurs marins.

Il s'agit de ramener de là-bas des drogues pour le Seigneur Atabeg.

— Mais le retour, seigneur...

— Je reviendrai au galop, avec des chevaux que je vais faire envoyer dès maintenant sur la route.

Riou sortit aussi vite qu'il était entré, rentra sous la voûte qui faisait communiquer le port avec la forteresse et pénétra dans la pièce où se tenait le Moudir des écuries, en compagnie d'un officier de la cavalerie de service ce soir-là.

— Rabieh ! ordonna Riou à ce dernier. Pars avec trente des meilleurs chevaux et va les placer d'ici à Jaffa par la route la plus courte, en prenant avec toi tous les hommes qu'il faut et en envoyant en avance des courriers pour prévenir que cela se fait au service de l'atabeg Al Zahir. Il faut que je sois de retour ici dans huit jours au plus tard, après avoir été à Jaffa dans le camp des Croisés. Combien de temps faut-il, selon toi, en allant jusqu'au bout des chevaux ?

— Cinq jours et cinq nuits, seigneur, dit l'officier, en ne dormant pas beaucoup...

— Il faudra que ce soit moins, murmura Riou en quittant la pièce, et en ne dormant pas du tout.

Le chevalier entra aux écuries, où les palefreniers et les gardes, les uns assis en tailleur à terre à jouer aux dés, les autres occupés à soigner les chevaux, se précipitèrent pour lui baiser la main. Il en était ainsi depuis que Riou avait mené la charge contre les contingents de l'Agha Sadok, et qu'il avait lui-même tranché la tête de l'Agha.

On lui avança son cheval et Riou partit au galop vers le jardin, dans l'intention de se baigner et de changer de linge à son pavillon. Il y avait maintenant deux jours et une nuit que Riou ne s'était point dévêtu, après qu'il avait endossé son plus bel uniforme dans la chambre auprès de laquelle Maïmouna était cachée et qu'il était parti à la parade organisée par Mahmoud avec le collier de Mansour autour du cou, après qu'il avait sabré l'état-major de l'Agha et dispersé ses cavaliers, délivré l'atabeg dans le vieux fort, et marché avec tout ce que Djabala avait de troupes en état de combattre contre l'infanterie du caïd Derraz, qui s'était repliée devant lui. Il avait ensuite dirigé les affaires de la principauté en lieu et place de l'atabeg, répondu à la requête de l'Emir Mactoum saisi par le remords en envoyant à Sofana, dans le village de la montagne où elle devait être encore, des cavaliers pour lui demander d'aller à la rencontre de l'Emir Mactoum sur le chemin de la forêt et de l'accueillir au nom de son père.

Riou décida qu'il se baignerait dans le bassin du pavillon et qu'il changerait d'habits pendant qu'on apprêtait la felouque. Il serait à Jaffa dans trois nuits au plus tard, trouverait Kecelj et l'amènerait à Djabala avec ses drogues. Si Al Zahir guérissait, il aurait encore, lui Riou, maintenu ce qui pouvait l'être, ainsi que le faisait jour après jour l'atabeg de Djabala avant d'être affaibli par la trahison de son fils et les flèches des archers persans, pour que les murailles de la forteresse restent debout, pour que le jardin continue de fleurir, pour que la ville au bord de la mer retentisse des mêmes cris de ses enfants dans les rues, des mêmes tintements de ses forges, pour que la vie continue comme elle avait été commencée, puisque c'était là la tâche des hommes sur la terre.

Le chevalier laissa son cheval aux écuries de la maison forte et pénétra dans le jardin désert. Celui-ci gardait sur ses frondaisons et ses allées bien ratissées le même visage reposé, en dépit du drame qui s'était joué autour de lui dans les deux journées précédentes. Dans la pénombre du soir tombant, les eaux du dernier arrosage brillaient encore au pied des orangers.

Riou passa près du kiosque où l'atabeg aimait à se tenir, à écouter le babil de ses filles, à s'endormir dans son manteau pour une nuit de fraîcheur et de paix.

Les pas du chevalier froissaient dans le silence le sable de l'allée. Les oiseaux déjà couchés se taisaient, mais Riou avait dans ses oreilles leur vacarme jacassant du soir qu'il avait si souvent entendu, et il sentait leur fourmillante présence dans les masses sombres des arbres.

Il poussa la porte de son pavillon qu'il avait refermée derrière lui deux jours plus tôt pour aller à la parade ordonnée par Mahmoud, sans savoir s'il y reviendrait jamais.

La senteur des néfliers et des jasmins, qui l'avait accompagné jusqu'à maintenant, fit place, dès qu'il fut à l'intérieur, à une odeur fade.

Elle semblait avoir pris possession de la pièce qui, sans doute, n'avait pas été ouverte depuis qu'il l'avait quittée. Elle était, cette odeur, terriblement présente et le guerrier qu'était Riou, après un instant de surprise, la reconnut bien vite. C'était l'odeur du sang.

Il resta interdit devant le lit qui gardait encore l'empreinte du corps de Maïmouna couchée là à l'attendre quand il était entré dans ses vêtements de paysan après avoir cheminé dans la forêt. Les vêtements eux-mêmes étaient restés sur le sol à l'endroit où il les avait jetés en se déshabillant. Il vit qu'il y manquait sa chemise tachée de sang par l'entaille que lui avait faite la lame du poignard du Haschachinn. Le poignard... Riou chercha des yeux, désespérément, l'arme qui aurait dû se trouver sur le coffre, ou sur le tabouret de cuir, et qui n'y était pas...

Il marcha vers la porte de la petite pièce donnant sur le bassin des ablutions où il avait poussé Maïmouna pour qu'elle s'y cache lorsque le sergent Abbou-Addal avait frappé. L'odeur fade était là, et dans l'instant où il pesait sur le loquet pour ouvrir cette porte, il lui sembla entendre la voix qui lui disait : *Tu ne veux pas un baiser de la petite Anne ?*

Maïmouna gisait à terre, le poignard enfoncé dans sa poitrine, une main encore crispée sur le pommeau, dans son sang figé comme une mare de laque brune où son corps avait baigné pendant les longues heures où s'était joué leur destin à tous. Dans son autre main Maïmouna serrait contre elle la chemise blanche de Riou marquée de son sang à lui.

Il se mit à genoux pour se pencher sur le visage immobile aux yeux grands ouverts. Il se souvint qu'il avait, alors que Maïmouna était cachée à côté dans la pièce aux ablutions, et que lui-même revêtait son uniforme avec l'aide du sergent, demandé à celui-ci si les cavaliers de Mansour savaient que leur officier franc avait épousé la fille de l'atabeg avant de partir pour la forêt.

Maïmouna non plus ne le savait pas. Elle l'avait appris de cette façon de l'autre côté de la porte et, comprenant qu'elle avait fait un rêve, n'avait plus voulu se réveiller.

31.
L'odeur de la peste

Allongé à même le sable de la dune contre un rocher, guettant les bruits nocturnes, Riou cherchait des yeux par moments la silhouette de la felouque mouillée sur le haut-fond où elle avait jeté son ancre tout à l'heure dans l'obscurité, en vue de la côte le long de laquelle s'étendait le camp des Croisés. Elle repartirait dans deux jours, quand son Raïs serait assuré que le seigneur Riou avait pu pénétrer chez les Francs et qu'il n'avait plus besoin du navire. Le vent qui soufflait de la mer tomba soudain, et l'odeur du camp des Francs dont les lueurs trouaient la nuit au loin parvint aux narines du chevalier. Les hommes de sa race ! C'était la puissante odeur de leurs chevaux, des viandes de bœuf qu'ils grillaient, du troupeau de porcs que leurs navires transportaient partout où ils allaient, mélange de senteurs fortes dont Riou avait perdu le souvenir depuis que les Mahométans s'étaient emparés de lui à Mahdia...

Là-bas auprès des feux de camps étaient ses frères les chevaliers bretons dans leurs vêtements de lin tissés sous le toit des chaumières, les valets qui riaient et juraient dans la langue rocailleuse des landes et des rivages déchiquetés, entravés à leurs cordes dans les écuries de campagne les destriers aux puissantes jambes poilues qui avaient traversé les mers eux aussi... Le Comte Guéthenoc était sans doute assis sous sa tente sur son tabouret de cuir. Riou n'avait plus que quelques pas à faire pour se trouver devant lui, mettre un genou en terre, lui rendre hommage de vassal, les larmes aux yeux, et reprendre sa place dans l'ost de Fougères après avoir juré qu'il n'avait jamais renié sa foi pour embrasser celle des Infidèles...

L'oreille fine de Riou démêla dans la rumeur du vent les bruits légers d'une approche. Il porta la main au pommeau du poignard qui était dans sa ceinture, le poignard du Haschachinn avec lequel Maïmouna s'était donné la mort. L'amour de Maïmouna s'était fondu dans l'acier de cette arme, devenant un talisman qui protégerait Riou.

Une ombre surgit auprès du rocher sur le fond de la nuit et Riou reconnut son Arménien. Le Raïs Ajash avait ajouté à l'équipage de la felouque un Arménien qui vivait à Djabala, et qui serait précieux au seigneur Riou pour l'aider à pénétrer dans le camp. Les hommes de cette race demeurée chrétienne au milieu des musulmans étaient nombreux partout où venait la Croisade. Ils servaient d'interprètes et se chargeaient de toutes les transactions licites ou illicites avec les Arabes. Ce sont eux qui vendaient aux seigneurs francs des bijoux d'argent et des filles aux yeux noirs...

L'Arménien s'accroupit auprès de Riou.

— Seigneur, dit-il à mi-voix, j'ai tardé... Mais la peste est dans le camp !

— Dieu du Ciel ! s'exclama le chevalier.

Riou comprit en un instant tout ce que la peste signifiait : qu'on ne laissait personne sortir du camp. Qu'il pourrait apporter la peste à Djabala, s'il en sortait malgré la garde. Que Kecelj était peut-être déjà mort à soigner ses semblables, ou qu'il refuserait de quitter l'ost pour ne pas emmener la contagion avec lui...

La felouque était arrivée en vue de Jaffa sans toucher aucune terre depuis la forteresse, ayant marché aussi vite que le vent, chargée de voiles à se briser, et ceux qui étaient à bord ne pouvaient qu'ignorer le fléau. Riou avait réussi à trancher les nœuds de l'intrigue qui voulait détruire l'atabeg. Mais maintenant le destin disait non...

— Et Kecelj ? demanda-t-il. Est-il là ? Qu'as-tu appris ?

— Ceux que j'ai interrogés le connaissent. On a fait un lazaret, où sont transportés tous les malades, et dont personne ne peut sortir. Votre ami hongrois s'y est enfermé dans les premiers, avec un médecin arabe qui venait de louer ses services au seigneur Duc de Bourbon au moment où le mal s'est déclaré. Ils assistent les mourants aidés de moines, et de quelques gens de la croisade qui le font pour racheter leurs péchés...

— Ce lazaret, comment y entre-t-on ? poursuivit Riou.

L'Arménien eut une moue ironique sous sa mince moustache noire.

— Le plus aisément du monde, Seigneur. En disant qu'on est malade... Mais on n'en sort point. On l'a enclos d'une zériba haute de trois mètres, large d'autant. Des chiens de guerre courent autour, en compagnie des hommes de garde...

— J'entrerai, dit Riou après un temps. Tu resteras au-dehors, pour m'aider à sortir. Si Kecelj ne veut venir avec moi, je sortirai seul, avec les drogues qu'il me donnera.

— Et si vous êtes atteint du mal, Seigneur ?

Riou fronça les sourcils.

— Je ne resterai pas longtemps. Kecelj me préservera. Lui et son médecin arabe, ils doivent avoir de quoi tenir tête à la peste. La Sainte Vierge me protégera. Elle l'a fait. Elle le fera encore. Les gardes, comment sont-ils ? Quelles armes ont-ils ? Je mettrai le feu à la zériba en plusieurs places. De nuit, les gardes devant être partout à la fois, je passerai à travers eux...

L'Arménien secoua la tête.

— Les chiens, seigneur... Ils sont tenus affamés. Eux ne craignent pas d'attraper la peste et ils vous déchireront. Les gardes sont arbalétriers et ils ont ordre d'abattre tout ce qui voudrait quitter le lazaret. Ils ne vous reconnaîtront même pas pour un chevalier franc. Ils feront porter votre corps au crématoire par la charrette du lazaret que conduisent pour un sol par jour les pesteux guéris qui en assurent le service. Et vos drogues n'arriveront pas à temps chez le seigneur atabeg.

Riou ne répondit mot. Il chercha dans l'obscurité la forme de la felouque ancrée au large, il songea à Sofana qu'il n'avait même pas pu revoir avant d'embarquer, à l'atabeg que la fièvre gagnait sur son lit, écoutant la rumeur de la mer battre les soubassements de sa forteresse et sans doute se laissant aller au découragement, à la douceur amère de renoncer à porter son fardeau.

— Il n'est donc aucun moyen de quitter ce lazaret ? demanda Riou.

— Si, seigneur ! dit l'Arménien.

— Et lequel, selon toi ?

— Ce que vous portez à votre ceinture, sous cette blouse qui vous donne l'air d'un Arménien comme moi.

— Mon poignard ? fit Riou. Tu dis toi-même...

— Non pas, Seigneur ! Votre bourse. N'est-elle pas pleine d'or ?

Riou scruta le visage de son compagnon dans l'obscurité. Il ne connaissait rien de cet homme avant qu'on le lui ait amené au départ de la felouque.

— Certes, dit le chevalier. D'or, et même de pierres que j'ai apportées pour, s'il le faut, convaincre ce médecin hongrois de venir soigner un prince musulman, au risque de ne pouvoir revenir ensuite dans le camp chrétien.

— Avec de l'or, on achète des soldats, même s'ils sont de garde autour de l'enfer. C'est une affaire de prix. Vous me donnerez la moitié de cet or, et pendant que vous serez à l'intérieur, je me mettrai en quête de ceux des gardes qui sont à vendre... Il y a à surveiller la zériba bon nombre de mercenaires allemands et suisses, selon ce que m'ont dit les Arméniens. Un mercenaire sert pour quelques écus par mois. Comment refuserait-il une solde de dix années simplement pour fermer les yeux sur deux hommes qui s'éloignent dans la nuit, même s'ils emportent la peste avec eux ?

Riou imagina les gueules ouvertes des molosses et les gardes pointant sur lui leurs arbalètes. Prendraient-ils son or, après l'avoir criblé de traits, puisqu'un cadavre de plus comptait si peu, ou bien la trahison viendrait-elle de cet Arménien au sourire rusé ?

— Mène-moi là-bas, dit Riou en se levant.

Kecelj approcha son visage du miroir de cuivre poli. Son visage creusé par la fatigue lui apparut, et ses doigts se promenèrent sur ses joues, tâtant la chair, craignant de sentir sous sa peau les premiers signes des abcès. Le Hongrois frissonna. La sueur coulait entre ses épaules. Etait-ce la fièvre ou seulement la rançon des nuits sans sommeil ? Etait-ce la peur qui lui faisait se croire atteint, alors qu'il ne l'était pas ? Pas encore...

Mais cette fois, Kecelj avait regardé la peste en face et il commençait à la comprendre. Aboubekr l'Arabe savait d'où elle venait : des rats. Devant le Duc de Bourbon, le médecin avait ouvert des rats avec son scalpel et il avait montré leurs rates gonflées, pourries par la maladie, disant que celle-ci venait des poux que les rongeurs entretenaient sur eux. Ils la transportaient ainsi d'Asie en Europe, et vice versa. Le Duc avait donné l'ordre de chasser les rats, et tout l'ost de la croisade avait pris les armes contre les sales bêtes, dont chaque cadavre, avant qu'on le brûle, valait un sou.

Puis on avait bâti la zériba en hâte et édifié le lazaret à l'intérieur de ses épines féroces. Et Kecelj s'était enfermé avec Aboubekr. Entre le lazaret et la mer se dressait le bûcher où l'on brûlait les cadavres. Au-dessus des immondes fumées qui montaient dans le ciel tournaient les vautours frustrés, avec des glapissements de colère. Et Kecelj sous sa tente guettait sur son visage les signes avant-coureurs de sa mort...

Aboubekr, lui, restait impassible, s'agenouillant cinq fois par jour pour faire sa prière sous sa tente, au milieu de tous ces Chrétiens qui l'entouraient, les Chrétiens venus pour la Croisade... Mais la peste, fléau de Dieu, faisait de tous ceux qui vivaient et mouraient dans le décor du lazaret des égaux.

Le Hongrois se détacha du miroir fixé au-dessus de la cuvette d'étain dans laquelle il faisait ses ablutions, et se dirigea vers son écritoire. Il s'y assit, reprenant son travail où il l'avait laissé dans l'après-midi, annotant une traduction latine de l'At-Tasrif, le volumineux traité de chirurgie d'Aboul Kasim, le célèbre médecin de Cordoue, oubliant ainsi la peste et le vol menaçant des vautours... Aboubekr était arrivé à Jaffa avec une bibliothèque de plusieurs centaines d'ouvrages de médecine qui étaient pour Kecelj un fabuleux trésor.

Le grincement de la plume sur le papier prit possession du silence nocturne. Puis Kecelj, entendant des pas au-dehors, tourna la tête vers l'entrée de sa tente. Un homme en écartait la portière.

Le Hongrois vit que l'homme était jeune, que son visage était rasé, au contraire de la mode du camp, qui était qu'on portât la barbe et la moustache. Il était vêtu de la blouse de laine qu'on voit souvent aux Arméniens.

— Que veux-tu, l'Arménien ? demanda Kecelj.

— Te donner des nouvelles d'un ami, qui s'est échappé des galères, fit Riou avec un sourire.

Le Hongrois se leva de son siège et fixa son visiteur d'un regard intense.

— Riou ! s'exclama-t-il. Dieu soit loué, c'est bien toi, n'est-ce pas ? Il s'avança et les deux hommes s'étreignirent.

Le Hongrois fronça les sourcils, sans lâcher les bras du chevalier.

— Comment es-tu entré ici ? Serais-tu malade ?

Riou secoua la tête.

— Pas que je sache. Mais je suis entré en disant que je l'étais. Je t'assure que les gardes ne m'ont pas retenu longtemps. Je suis venu te chercher, et t'emmener avec moi...

— Folie, Riou ! Je ne puis sortir du Lazaret. Toi-même, tu ne peux en aucun cas...

— Si. Il faut que nous sortions...

— N'es-tu pas venu pour reprendre ta place à l'ost ? s'étonna le Hongrois.

— Non. Je sers un seigneur musulman, qui se meurt des blessures qu'il a reçues de ses assassins. Je veux que tu viennes avec moi, et que tu le sauves...

— Un musulman ! s'écria Kecelj. As-tu abjuré ?

— Non, dit Riou. Il ne s'en soucie pas. J'ai épousé sa fille, sans qu'on me demande de le faire...

Riou regarda longuement le médecin, puis demanda :

— L'aurais-je fait, me refuserais-tu ton amitié ?

Le Hongrois eut un rire.

— As-tu oublié que les bons chrétiens de ma ville m'avaient envoyé au bûcher ? Chacun peut adorer Dieu à sa façon. Mais partir avec toi..., poursuivit-il en changeant de ton. Comment pourrais-je laisser tous ceux-là qui luttent contre la mort ici, pour aller donner mes soins à un seul homme ?

— Parce que tu es mon ami. Parce que tu peux seul le sauver alors que le médecin arabe qui est avec toi ici peut continuer votre tâche à tous les deux...

Le jeune chevalier posa sa main sur le bras du Hongrois.

— Kecelj, pour l'amour de Dieu, ces moisissures, dont tu m'avais parlé à Mahdia, en as-tu encore, et as-tu guéri des blessures avec elles ?

— Bien sûr. J'en ai, et elles font leur effet. Mais tu sais ce qui se passe ici. Les prêtres se méfient de moi. Il s'en est trouvé pour m'accuser des mêmes choses qu'en Hongrie, parce que j'ai sauvé des hommes sans les emmener à confesse avant. Ce n'est pas comme à Mahdia, dans ce camp-ci. Les prêtres dirigent tout ce qui concerne les hôpitaux. Rien ne se peut faire sans leur ministère, qui met les messes avant les drogues. J'ai failli être pendu pour avoir disséqué le cadavre d'un malheureux dont je ne comprenais pas la mort. J'ai été tiré d'affaire par le marquis de Beaufort et son évêque anglais, qui m'ont enlevé de force aux prévôts ecclésiastiques avant qu'on ne me mette à la question... Il était temps ! La question de l'eau ! Au troisième litre, j'aurais avoué avoir appris ma médecine en enfer de la bouche même de Belzébuth...

— C'est pourquoi tu dois venir avec moi. Là-bas, tu feras toute la médecine que tu désires, et tu seras émerveillé par les hôpitaux de Bagdad.

— De Bagdad ?

— Il y en a quarante dans cette seule ville, où nous te ferons conduire. On y enseigne la médecine à des centaines d'étudiants qui vivent au milieu des malades et disposent de bibliothèques riches de milliers d'ouvrages traitant de toutes les maladies.

— Et comment les médecins arabes ne sauvent-ils pas ton seigneur ? s'étonna le Hongrois.

— Parce qu'ils n'ont découvert tes moisissures que depuis peu de temps, et que c'est à Bagdad, et que Bagdad est à quatre semaines de la forteresse d'où je viens, tandis que tu en es ici à quatre jours.

— Tu dis qu'ils connaissent eux aussi les moisissures ?

— Oui, affirma Riou. Et en découvrant les vertus de celles-ci de leur côté, ils ont fait la preuve que Kecelj le Hongrois est né pour être un des plus grands médecins de tous les temps. Je t'amènerai à Salah Ed Dine, lorsque tu auras guéri celui qui est mon beau-père. Ce sultan te donnera tout l'or que tu veux pour que tu poursuives tes recherches chez lui ou ailleurs.

Kecelj réfléchit.

— De toute manière, conclut-il, tu partiras d'ici avec les drogues qu'il faut. Tu peux les administrer à ton malade sans moi.

— Et Judith ? demanda Riou, heureux maintenant de la pensée que l'amitié du Hongrois ne lui faisait pas défaut. As-tu des nouvelles de Mordoch ? Je leur ai écrit pour leur faire savoir que j'étais en vie, et n'ai pas reçu de réponse...

— Leur as-tu écrit à Bruxelles ?

— Certes.

Kecelj marqua un temps.

— Mordoch n'a pu te répondre, parce qu'il n'était pas en Flandre, mais à Constantinople, où Judith et lui s'étaient rendus après avoir appris que tu avais été capturé, et envoyé aux galères...

— A Constantinople ! s'exclama le chevalier. La ville a été mise à sac... Y étais-tu ? Sais-tu s'ils en ont souffert ?

— Riou ! Etais-tu vraiment très attaché à Judith ? Tu t'es marié, m'as-tu dit, à la fille du prince chez qui tu sers ?

— Certes... Sans doute est-ce de ma part fort égoïste. Mais je suis dans l'étrange situation d'une autre vie, d'un autre monde. Je n'avais rien juré à Judith, ajouta-t-il brusquement en songeant que ce n'était pas une bonne excuse.

Kecelj posa sa main sur le bras du jeune homme.

— Je ne te demande pas de comptes à propos de ce que tu dois à la fille de Mordoch hors le contrat que tu as signé avec eux deux pour partir à la Croisade. Que ce soit par la magie des pierres ou par leur sens des entreprises, ils ont cru à ta fortune et ne se sont pas trompés. Tu es maintenant sur cette terre d'Orient, sans doute, un homme en voie d'être puissant et riche. Sais-tu quelle était la prédiction faite par

Judith, après qu'elle eut lu au plus profond de ton émeraude ? Tu te souviens peut-être que j'avais défendu à Douriane, qui la connaissait, de t'en faire la révélation, cette nuit de Mahdia où tu te préparais à combattre sur la grande tour de siège à laquelle les mahométans ont mis le feu avec leur naphte ? C'était cela : que ta fortune se ferait sous le signe du Croissant, et non pas celui de la Croix. Douriane me l'a révélé avant de mourir, après que j'ai été impuissant à le guérir de ses blessures. Il eût été mauvais que tu partes combattre à mort les Mahométans avec en tête un pareil présage... Quoi qu'il en soit, ceux qui haïssent les Juifs diraient qu'ils t'ont équipé et prêté de l'or parce qu'ils avaient vu ta fortune par magie. Mais moi je sais que Mordoch était un brave homme, et un juste, et sa fille une femme capable d'amour, qui ont voulu t'aider parce qu'ils ont senti en toi un vrai chevalier. Et elle, la malheureuse, parce que tu es aussi un bel homme blond...

— Kecelj ! Pourquoi dis-tu qu'ils *étaient* ? Leur est-il arrivé malheur à Constantinople ?

— Oui, mon ami Riou, laissa tomber le Hongrois. Ces bêtes puantes qui ont saccagé et pillé la ville, profané les églises, violé les femmes et les jeunes filles, tué ceux qui voulaient défendre leurs biens, et même ceux qui ne les défendaient pas, ces chiens se disant chrétiens qui ont pris la route au nom de Jésus ont massacré Mordoch dans l'échoppe de bijouterie de son frère.

— Et Judith ? s'exclama Riou. Tu ne veux pas dire...

— Si. Elle a été violée, et emmenée de force, comme plusieurs dizaines d'autres filles, parce que juives, pour être vendue à des trafiquants de chair humaine qui fournissent les bordels des armées mahométanes. Constantinople est une ville admirable, ironisa le Hongrois, où l'Occident et l'Orient se rejoignent pour faire commerce de tout, car le commerce est un grand trait d'union entre les hommes de toutes races et de toutes religions... On peut y acheter n'importe quoi. Un petit nègre que sa mère africaine a vendu pour manger quelques jours, ou une jeune juive, qui doit être encore bien heureuse qu'on lui laisse la vie alors que ses ancêtres ont envoyé le Christ au supplice il y a douze siècles environ ! Les princes protègent les Juifs pour qu'ils leur prêtent de l'argent et lorsque la populace se jette sur eux pour les punir d'être ce qu'ils sont, c'est tout bénéfice : le prince n'a plus personne à rembourser...

Mais Riou n'écoutait pas la tirade amère du médecin hongrois, persécuté défendant les autres victimes du fanatisme religieux.

— Judith est venue à Constantinople parce qu'elle a appris que j'avais été envoyé aux galères, m'as-tu dit ?

— Oui, Riou. Ne t'ai-je pas dit aussi qu'on peut tout acheter dans cette ville ? On peut donc y négocier par des intermédiaires la liberté d'un galérien qui rame pour un prince musulman, et c'est ce qu'elle comptait faire.

— Seigneur Dieu ! dit Riou pâle de colère. Pourrai-je jamais tenir à la gorge ceux qui ont fait cela, et leur enfoncer mon poignard dans la poitrine !

Kecelj regarda longuement le jeune homme qui lui faisait face.

— Ils sont peut-être dans le camp, en effet, mais ils y sont comme une aiguille dans une meule de foin, et tu ne peux tout faire à la fois... Pendant que nous parlons, les forces mauvaises de l'infection courent dans le sang de ton prince plus vite encore que les chevaux qu'il va te falloir épuiser pour être à temps là-bas avec les médicaments.

Ce disant, Kecelj s'était assis à son écritoire, avait trempé une de ses plumes dans l'encrier, et couvrait d'instructions une feuille de papier.

— Tu iras trouver mon élève Lukacsj, qui est resté dans le camp sous ma tente, avec toutes mes drogues et affaires de médecine. Sur la foi de ce que j'écris là, qui indique aussi pour toi les doses à respecter et les soins à prendre, Lukacsj puisera dans ma pharmacie de quoi guérir ton seigneur et beau-père. Sais-tu que j'ai trouvé que la moisissure qui se forme sur le cuir des selles et des harnais des mules de l'ost, convenablement mélangée à du lait caillé, arrête l'infection la plus terrible, celle qu'on appelle la gangrène, et qui fait pourrir vivants les blessés ? De telle sorte que je donne la pièce aux palefreniers, afin qu'ils négligent volontairement d'entretenir les harnachements, sur lesquels mon aide va ensuite s'approvisionner. Cela est fort immoral. Je les encourage à la paresse et à la négligence, dont il sort pourtant un bien sous la forme de ces moisissures. Et c'est la bizarrerie de notre univers que l'armée puisse fabriquer, par la transpiration de ses bêtes de somme qui se condense sur des milliers de selles, de quoi sauver de la mort ses soldats dont le ventre a été percé d'une lance ou d'une flèche...

Kecelj interrompit son discours philosophique. Un petit homme vieux et chauve, ayant aux mains des sortes de moufles faites dans des vessies de poisson, et autour du cou un linge noué qui voisinait avec le grand crucifix d'argent qu'il portait en sautoir, soulevait la portière de la tente.

— Messire, dit-il, Goujeon à la main coupée est prêt de passer. Il vous mande en toutes grâces de le venir voir pour un adieu...

— Goujeon ! fit Kecelj. Il a trouvé ce qu'il venait chercher. Dis-lui que je viens aussitôt.

Ayant achevé son ordonnance, le Hongrois la remit à Riou, tandis que disparaissait l'homme au crucifix, puis le Hongrois quitta son écritoire pour aller se pencher au-dessus d'un bassin où trempaient des gants semblables à ceux que portait celui qui avait apporté le message du nommé Goujeon.

— Aboubekr nous fait mettre ces gants, expliqua-t-il en les enfilant. Ils trempent ensuite dans une drogue. Elle tue les miasmes de la peste, et nous évitera peut-être la maladie, ainsi que le linge que nous mettons devant notre bouche. Ce Goujeon qui veut me voir à son chevet est de ceux qui sont venus du camp pour aider à soigner les malades. Ses gants ne l'ont point dispensé du mal... Il voulait racheter ses péchés, qui étaient trop lourds, disait-il. Il les a payés, si Dieu est miséricordieux, car il est dévoré par les horribles pustules, après s'être dévoué pendant des jours et des nuits.

— Une main coupée, dis-tu ? interrogea Riou en qui le nom du malheureux mourant éveillait un souvenir. Goujeon est bien son nom ?

— Oui, dit le Hongrois. Sans doute un voleur repenti. Ne leur coupe-t-on pas la main dans ton pays ? Chez nous, nos seigneurs magyars n'ont pas de ces délicatesses. On met les larrons en selle, le cou dans la corde d'une potence, et on fouette le cheval. Tout se fait à cheval, dans les plaines de Hongrie !

— Goujeon..., répéta Riou. J'irai avec toi le voir, Kecelj.

— Tu n'y penses pas ! Il est dangereux de rester près des mourants, qui sont infestés de partout ! Pour toi qui veux sortir ensuite, ce ne peut être...

— Je t'en prie, Kecelj... Je me tiendrai à l'écart. Je crois que je connais cet homme. Comment est-il ? A-t-il un grand nez, une moustache noire ? Est-ce la main gauche qui lui manque ?

— En effet, admit le Hongrois. Et qu'est-il pour toi ?

— Si c'est lui, et que je le retrouve ici, laissa tomber Riou en songeant à l'émeraude, il est ma destinée...

Au premier regard, l'homme qui gisait sur son grabat de pestiféré reconnut Riou. Dans son visage boursouflé par les pustules, ses yeux s'agrandirent.

— Le chevalier à l'émeraude ! cria-t-il en se redressant sur ses coudes.

Les larmes se mêlaient sur son visage à la sanie des dégoûtants bubons.

— Ne me tourmentez point, Messire, implora-t-il.

— Grand-Gouge ! s'exclama Riou, stupéfait et pris de pitié.

Le chevalier se souvenait du nom de celui à qui le Comte Guéthenoc avait tranché le poignet après lui avoir accordé la vie sauve en échange de l'émeraude, le brigand de la forêt de Fougères qui avait éventré Roi-Renard, son compagnon de volerie, pour lui prendre la pierre... De son nom de famille Goujeon, dit Grand-Gouge dans la bande de Tire-Frogne.

— Je ne suis pas venu te tourmenter, Grand-Gouge, reprit Riou. Nous sommes tous dans la miséricorde de Dieu. Tes péchés te sont déjà remis pour le bien que tu as fait en venant ici.

Mais Grand-Gouge, comme s'il voyait devant ses yeux ou dans son souvenir une chose plus terrible que la peste qui allait l'emporter, s'écria :

— L'émeraude, Messire ! Je l'ai revue ! C'est elle, Messire, elle-même ! Je la connais, c'était elle ! J'ai pris la croix avec les autres pour m'éloigner d'elle, et elle m'a poursuivi sous la croix !

Empêché par Kecelj, Riou voulut se pencher sur le pestiféré.

— Que dis-tu ? Où l'as-tu revue ?

— Il délire, Riou, intervint le médecin. La maladie donne une terrible fièvre dans les derniers moments...

— Etait-ce à Constantinople ? pressa le chevalier.

— Messire, il faut me croire, implora le mourant, je ne voulais plus faire de volerie, et ce n'est pas nous qu'avons tué le Juif. J'ons été dans la ville avec Longmuseau et ses gars, parce que j'avions rien eu à manger depuis des jours et des jours, que des rats, et que j'étais trop seul à endurer la misère... Mais je leur ons bien dit que j'ne voulais point faire d'mal à quiconque. M'ont dit qu'j'aurais rien à faire qu'à regarder si quelqu'un venait dans la rue... Z'étaient quatre, Messire, avec Longmuseau et l'ont pris l'juif par surprise, parce qu'eux savaient par avance comment il avait caché ses avoirs dans la cave sous une trappe. Z'ont pris tous les bijoux et l'or, et quand sont ensauvés avec, j'ai vu le Juif qu'était encore bien vivant... J'm'étais caché dans une p'tite galerie, d'où on pouvait vouère aussi bien le porche d'entrée de la cour, et le fond, où le juif avait sa resserre, dans l'dessous d'laquelle était la trappe.

Grand-Gouge parlait maintenant d'une voix plus calme comme s'il était heureux de se libérer de ce qu'il avait porté en lui pendant des mois.

— J'ai-z-eu honte, Messire, quand sont sortis avec le sac qu'ils avaient tout mis dedans, et j'suis demeuré dans la galerie, comme si je n'pouvais bouger bras et jambes, honte de c'que j'avais r'commencé dans eune volerie, que j'avais tant promis au Bon Dieu de n'plus faire. Viens-t'en, Grand-Gouge ! qu'il me criait le Longmuseau... Pis s'sont ensauvés d'un coup, comme des autres gens venaient au porche... Messire, c'est la vraie vérité que j'vous dis là, ce sont ces autres-là qu'ont fait l'mal au juif et à la fille, c'est pas Longmuseau et ses gars, si mauvaises bêtes qui peuvent être...

— Qui, alors, qui ? lança Riou. Les as-tu vus ?

— Ah, Messire, dame oui, que j'les ons vus ! Sont entrés dans la cour et sont allés au fond, à la resserre. J'pouvais descendre alors de la galerie et m'en sauver à mon tour dans la rue, mais le juif et les deux hommes ont commencé à crier. « Judith ! qu'ils disaient les deux hommes, où elle est Judith ? » L'juif n'voulait point dire où l'était Judith et l'ont commencé à l'battre qu'il criait du mal qu'ils lui faisaient... Alors, Messire, sur la galerie où qu'j'étais caché dans c'te p'tite pièce que j'vous ai dite, la porte d'à côté s'est ouverte, et l'est sortie une belle femme, les cheveux tout noirs. « Laissez mon père ! » qu'elle a crié. Les deux sont sortis d'la resserre et l'ont couru monter l'escalier d'la galerie. Sont passés d'vant ma porte, et j'ons entendu tout, Messire, qu'ils sautaient sur la fille, pour lui faire c'que vous pensez. J'l'ons entendue crier de ce qu'ils la forçaient... J'ai voulu m'en sauver alors, pendant qu'ils étaient à côté occupés à la fille, et, quand j'ai ouvert ma porte, j'ai vu l'juif qui sortait de la resserre, tout plein de sang sur sa face, un couteau à la main. Voulait aller auprès d'sa fille, l'pauvre failli juif, mais n'tenait guère debout, Messire, des coups qu'ils lui avaient mis. L'a monté l'escalier, pendant qu'sa fille criait et que les deux qui étaient après rigolaient en lui faisant son affaire. J'y ai été au-d'vant d'lui, pour lui dire de s'ensauver ou d'rentrer dans sa boutique pour ce que les autres le finiraient s'il venait derrière eux. L'a tendu son coutiau vers moué, l'pauvre failli chien, comme si qu'j'étais un mauvais homme moué-même, mais l'est tombé en arrière à c'te moment-là, avec plein de sang qui sortait en fontaine de sa bouche... L'avaient déjà piqué avec une dague, les autres, et n'avait plus l'temps d'aller à l'aide de sa fille...

» V'là qu'd'autres sont v'nus dans la cour, de ceusses qui faisaient du mal dans la ville, z'étaient cinq ou six et m'ont crié si y avait des filles à baiser par là. Sont allés vouère le failli mort, et quand i-z-étaient à rire de son bonnet d'juif sur la tête, l'un des deux qu'était après la fille est sorti d'la chambre. « Oui-da qu'il y a eune belle fille à baiser là-haut ! qu'il leur a dit. Montez les gars ! » Sont montés, et l'autre m'a crié : « Et toi qu'a point de main, viens-t'en aussi ! T'en as pas besoin pour c'qu'y a à faire. On t'la tiendra la damoizelle pendant qu'tu travailles ! » Et l'ont tous rigolé, Messire, et j'suis entré dans la chambre avec eux...

Riou eut un mouvement de colère.

— C'n'est point que j'voulais d'la pauvre fille, Messire, mais c'est comme si que'qu'chose me disait que j'avais à y aller vouère ! Dieu m'pardonne ! J'n'avais point fait ça à une fille depuis longtemps, vu qu'j'avais ni sou ni maille à donner à une ribaude, et qu'si j'en aurais-z-eu j'aurais acheté du pain avec. Mais fallait que j'y aille, plus fort que tout ! Et fallait que j'y aille, Messire, parce que l'émeraude était là, dans c'te chambre de misère et d'malheur. L'émeraude que j'avais tué Roi-Renard pour l'avoir et n'point être pendu par le sire comte ! Votre émeraude, Messire, par la vérité de Dieu ! L'était autour de son cou..., avec une p'tite chaîne d'or. Toute nue comme un ver qu'elle était, la fille, avec seulement l'émeraude, et belle comme l'émeraude, c'te fille, Messire...

Les yeux sanguinolents dans le visage criblé de pustules fixèrent Riou avec crainte, comme si Grand-Gouge comprenait soudain.

— Messire, balbutia-t-il, pardonnez-moué... C'te pauvre jeune femme Judith, la connaissez ?

— Oui, Grand-Gouge. C'est moi qui lui ai donné l'émeraude avant de partir sous la Croix...

— Malheur de malheur, murmura l'ancien compagnon de Tire-Frogne en se rejetant en arrière sur son grabat. Votre pierre est magicienne, Messire, pour m'avoir ramené à elle si loin d'la forêt de Fougères et pour vous avoir ramené à moué avant qu'je passe au Diable...

Grand-Gouge eut un sanglot et se signa à plusieurs reprises.

Grand-Gouge râlait maintenant, la tête en arrière, les yeux au ciel, après le récit qu'il avait fait fiévreusement.

Riou serrait les poings dans un geste de colère impuissante.

— Et après ? Peux-tu parler encore ? Grand-Gouge, m'entends-tu ?

Le mourant tourna un regard vague vers le jeune homme, esquissant un signe de la main.

— Elle n'était pas morte, quand tu es parti de là ? insista Riou.

Grand-Gouge fit signe que non, cherchant son souffle pour dire quelque chose.

— L'ont emmenée, les gars, dit-il péniblement.

— Ils ont été la vendre, avec les autres filles juives, hein, Goujeon ? intervint Kecelj.

Le moribond hocha la tête dans un signe affirmatif.

— Et les deux hommes, qui ont tué le Juif, et qui ont commencé à ... à lui faire du mal à elle, tu sais leur nom ? Tu ne les as jamais revus ? poursuivit Riou en se rapprochant du mourant.

— Riou ! lança Kecelj. Ne viens pas si près de lui...

— Souviens-toi ! exhorta Riou qui n'obéissait pas. Est-ce qu'ils se donnaient leur nom pendant qu'ils se parlaient ?

— Gisquier ! râla l'ancien voleur.

— Gisquier ! laissa tomber Riou stupéfait.

Le valet d'armes de Foulque, celui qui avait coupé par traîtrise le harnais de Martroi...

— C'est le nom de l'un des deux, reprit Riou. Mais l'autre ? L'autre, comment était-il ? Grand et fort, les cheveux roux ? Parle, pour l'amour de Dieu, Grand-Gouge !

Mais Grand-Gouge râlait maintenant d'une plainte uniforme.

— C'est fini, Riou ! avertit Kecelj. Tu en sais déjà trop, ajouta le Hongrois avec une moue de dégoût.

32.

Une fille vierge pour le seigneur Foulque

— Et comment comptes-tu sortir d'ici ? demanda Kecelj lorsqu'ils furent de nouveau dans sa tente.

— Un Arménien qui m'accompagne a acheté les gardes, dit Riou en montrant la bourse qui était à sa ceinture sous sa blouse.

Kecelj hocha la tête.

— Rien ne t'arrête..., dit-il pensivement. Judith ne s'était pas trompée sur toi. Mais hâte-toi si tu veux apporter les drogues à ton seigneur. S'il doit guérir, cela se fera au dixième jour du traitement, ou bien il mourra parce que tu seras arrivé trop tard.

— Nous arriverons à temps. Nous ne dormirons pas. Tu as bien un élixir pour empêcher les gens de dormir ?

— Lukacsj t'en donnera si tu le lui demandes. Je devrais t'interdire de partir, mais tu es Riou et je ne peux rien contre toi. Je te promets que je viendrai te rejoindre aussitôt qu'on pourra sortir du lazaret. Je t'accompagnerai chez le sultan Saladin.

Le Hongrois ouvrit les bras.

— Embrasse-moi, Riou. Tant pis pour le peste.

Riou sortit, les larmes aux yeux. Il se retourna vers la lumière de la lampe qui éclairait la tente de l'intérieur, projetant sur la toile l'image de la silhouette de Kecelj. Le médecin s'était remis à son écritoire la tête appuyée dans ses mains, épuisé de fatigue, ou en proie à la crainte d'être atteint par le mal. Telle serait la dernière image qu'emporterait Riou de son ami, si le destin voulait qu'ils ne se revissent jamais. Mais Riou sentait le destin avec lui. L'émeraude conduisait ses pas, ainsi que Judith l'avait lu dans la profondeur de son eau verte. Tout s'enchaînait, comme si les flèches qui avaient percé l'atabeg avaient dirigé Riou sur le camp des Croisés pour qu'il y rencontre Grand-Gouge, mettant ainsi le chevalier sur le chemin de la vengeance en même temps que dans celui qui permettait d'arracher Al Zahir à la mort. Dans quelques heures, l'aube poindrait, et la mort gagnerait un jour dans le combat qu'elle menait pour clouer l'atabeg sur son lit de fièvre.

Riou frissonna. La fatigue s'abattit sur lui d'un seul coup, mais il la repoussa d'un sursaut de sa volonté. Il fallait sortir du lazaret ! Une silhouette s'avança vers lui dans l'obscurité.

— Messire ! Ne partez point sans votre serviteur...

Riou reconnut la voix ironique de son Arménien et rendit grâces à Dieu. Comme Douriane, celui-là était fidèle, prêt à donner sa vie pour sa parole donnée et sans doute aussi pour la paix qui régnait autour de la forteresse de Djabala, et le respect que tous avaient pour l'atabeg Al Zahir.

— Tu es venu..., murmura le chevalier, pensif.

— En avez-vous douté, Seigneur ? dit l'homme avec la même ironie. Vous ne m'avez donné que la moitié de votre or. Je pourrais avoir conservé de l'intérêt pour l'autre moitié...

Riou accepta la moquerie comme un reproche à ses doutes.

— Et les gardes ? demanda-t-il. Leur as-tu donné ?

— Non pas, Seigneur. Je leur ai montré. Ce sont des Allemands, comme je vous l'avais laissé entendre, donc gens positifs, qui n'ont fait aucune difficulté. Je leur ai parlé de cent ducats d'or, et ils m'ont dit que pour ce prix nous pouvions emmener la peste avec nous en Chine si nous le souhaitions. Ils nous attendent là où les chiens aboieront.

— Qu'est-ce à dire ? demanda Riou.

— C'est-à-dire que nous allons longer la zériba et que lorsque nous entendrons des chiens aboyer de l'autre côté, à cet endroit-là la zériba aura déjà été découpée par leurs soins...

L'Arménien montra une sorte de croc à trois dents, au bout d'un manche en bois.

— Nous n'aurons qu'à en écarter un peu avec ceci. Leurs chiens seront tenus en laisse, et les hommes ne seront que trois. Nous leur compterons les cent ducats, et ils nous laisseront nous éloigner, au risque d'avoir la tête tranchée si cela se sait.

— Et s'ils nous tuent ? questionna Riou, songeant que les gardes pouvaient l'abattre, lui et son compagnon, après avoir pris l'or.

Sur les lèvres de l'homme à la mince moustache revint le sourire moqueur.

— Comme je ne fais confiance à personne, au contraire de vous, Seigneur, qui vous abandonnez à moi les yeux fermés, j'ai profité de votre or pour acheter ceci, sachant que vous en connaissiez bien l'usage...

L'Arménien détachait de sa silhouette quelque chose que Riou reconnut pour être une arbalète.

— Quand nous sortirons de la zériba, Seigneur, il est bon que vous ayez en main autre chose que votre poignard. Vous me le prêterez, et nous nous sentirons plus sûrs de nous.

— Tu as été jusqu'au camp de l'ost, s'étonna Riou en prenant l'arbalète.

— Non, Seigneur. Seulement chez mes frères arméniens, qui vendent de tout, comme vous le savez. Ils m'ont même proposé à votre intention une toute jeune fille, mais je leur ai répondu que nous étions des gens pressés, et que vous étiez trop grand seigneur pour déniaiser une fillette à la hâte, alors que cela doit être fait avec du soin et de la prudence...

Riou et son compagnon marchaient maintenant au milieu des cahutes des vivandiers qui fournissaient la piétaille de l'ost en moutons bêlants à l'attache et en pourceaux qu'on entendait grogner dans leurs enclos. Au-delà de ce sombre capharnaüm où l'on pataugeait dans la boue, les feux que les valets d'armes entretenaient contre la fraîcheur de la nuit éclairaient par moments, lorsque l'un d'eux y jetait un peu de bois mort, la haute silhouette d'une tente seigneuriale et la flamme colorée de son gonfalon.

L'Arménien guidait Riou vers l'enclos où médecins, soigneurs de chevaux et arracheurs de dents tenaient boutique. Kecelj avait commis là son aide et élève Lukacsj à garder ses drogues et les manuscrits de ses travaux, avec la défense de venir le rejoindre dans le lazaret, et aussi la mission de poursuivre les recherches commencées par son maître si celui-ci était emporté par la peste.

L'Arménien se retourna, et désigna une tente, auprès de laquelle s'élevait un abri couvert de branches de palmier protégeant les deux mules du Hongrois.

— C'est ici, Seigneur, dit-il.

— Attends, ordonna Riou qui réfléchissait depuis le moment où les mercenaires allemands leur avaient livré passage comme convenu à travers la zériba du lazaret, sans aucun autre souci que d'empocher l'or qui valait cent fois plus que tout ce qu'ils avaient espéré gagner dans cette campagne.

L'Arménien qui s'apprêtait à soulever la portière de la tente suspendit son geste pour revenir vers le chevalier.

— Ne m'as-tu point dit tout à l'heure qu'on t'avait chez les Arméniens proposé une très jeune fille ? demanda Riou.

— Certes, Seigneur... Mais ne sommes-nous pas pressés d'avoir les drogues et de rejoindre la forteresse ?

— Oui, mais la nuit n'est pas finie. Nous regagnerons le temps perdu en ne nous arrêtant jamais en route. Tu dis bien qu'il s'agit d'une fille vierge, de celles qu'on procure aux seigneurs francs pour plusieurs ducats d'or ?

Etonné que son seigneur nourrisse un tel désir dans un pareil moment, l'Arménien resta muet.

— Conduis-moi à cet homme ! reprit Riou.

— Aussitôt, Seigneur ?

— Sur l'instant. J'irai voir l'aide de Kecelj ensuite.

— Je suis là pour vous obéir, Seigneur, dit l'Arménien qui ne souriait plus.

Suivi de Riou, il repartit par le chemin d'où ils étaient venus, se dirigeant cette fois vers le campement où se groupaient les Arméniens qui vivaient en marge de l'ost franc. Une palissade l'entourait, pour protéger des voleurs, les bijoutiers étant nombreux parmi eux, et les Arméniens accoutumés à prendre soin de leur sécurité.

Le guide de Riou parlementa à l'entrée, où veillaient plusieurs hommes armés d'arbalètes, et bientôt, passant entre des manières de ruelles aménagées entre les cabanes dont certaines avaient des murs de pierre, le chevalier se trouva devant une construction plus importante que les autres.

Il y eut des chuchotements à travers une porte au bas de laquelle filtrait un peu de lumière, puis cette porte s'ouvrit, découvrant une jeune femme coiffée d'un fichu qui sourit à Riou et conduisit les deux hommes dans une pièce convenablement meublée d'une table et de quelques chaises et enfin d'un divan devant lequel un homme d'une cinquantaine d'années aux cheveux grisonnants, avec un regard rusé et un nez aquilin, se tenait debout, comme s'il venait de s'en lever à l'instant.

— Tu peux parler l'arabe, avertit le compagnon de Riou. Le seigneur connaît cette langue aussi bien que nous.

— C'est bien, c'est bien ! fit le marchand de jeunes filles avec un sourire. Un Franc qui est rompu aux usages de l'Orient n'est pas un homme ordinaire. Il vaut une armée à lui seul... Que puis-je pour vous être agréable ?

— Le Seigneur souhaite rencontrer une très jeune fille, dit l'Arménien de Djabala, et je lui ai dit que tu pouvais lui faire avoir satisfaction.

— Ce soir même ? demanda l'homme au regard rusé, ou bien la veut-il pour quelque temps avec lui ?

— Ce soir même, dit Riou. Quelles sont les conditions ?

— Seigneur, hésita le pourvoyeur, vous venez en ami, et je désire vous satisfaire. Mais il s'agit d'une jeune fille qui n'a pas connu d'homme encore, et sa famille attend de moi un dédommagement important.

— Je le comprends fort bien, dit Riou. Parle franchement, nous n'avons pas beaucoup de temps !

— Il s'agirait de cinquante rials d'argent...

Riou atteignit la bourse qu'il avait à sa ceinture, découvrant le pommeau de son poignard dans le geste qu'il fit pour soulever sa blouse. Le regard de l'Arménien aux cheveux grisonnants entrevit l'arme, avec une lueur d'intérêt qui n'échappa point au chevalier.

Celui-ci ouvrit la bourse et vida dans sa main ce qu'elle contenait encore après que la plupart des pièces d'or avaient été comptées aux mercenaires allemands : une dizaine de pierres précieuses, dont un saphir de grosse taille dont l'éclat alluma cette fois un reflet d'étonnement dans le regard du marchand de jeunes filles.

— A combien estimes-tu ceci ? lança Riou en avançant la main chargée de pierres.

— Mais, Seigneur..., fit l'autre décontenancé. Même en les vendant mal, il y a là plus de vingt fois la somme !

Il regarda l'Arménien qui lui avait amené le chevalier, comme s'il voulait le prendre à témoin qu'il n'entendait pas, en face d'un de ses frères de race, profiter de l'insouciance d'un seigneur, ou de son ignorance en matière de pierres précieuses.

Riou remit les pierres dans la bourse, qu'il posa sur la table.

— Ecoute, dit-il. Combien donnerais-tu pour venger un ami qui a été lâchement assassiné parce qu'il défendait sa fille contre deux hommes qui voulaient la violer ?

Le pourvoyeur resta un moment à regarder Riou, comme s'il essayait de comprendre où le chevalier voulait en venir.

— La vengeance est une chose qui n'a pas de prix, Seigneur. La virginité en a un, ici, dans ce pays. Je puis te vendre une virginité, mais je ne vends pas de vengeance... Cependant, poursuivit-il en prenant à nouveau son coreligionnaire à témoin d'un regard, dis clairement ce que tu attends de moi, et par ma parole, si je puis t'aider, je le ferai, parce que le père de celui-ci qui est venu avec toi était un ami. Vois-tu, nous nous connaissons tous, nous autres Arméniens qui vivons au milieu des Mahométans...

— Je veux que tu envoies quelqu'un auprès de celui qui a tué mon ami, et qui est dans le camp des Normands. Que ton envoyé lui propose une jeune fille vierge, pour le Seigneur dont il est le valet d'armes, et qui est friand de ces choses-là. Qu'il décide ce valet à venir ici cette nuit même afin qu'il voie la fille et s'entende sur les conditions, et que, lorsqu'il sera là, tu me laisses seul avec lui, dans une pièce close où personne n'entrera, même si on y entend beaucoup de bruit...

Cette fois le silence du marchand de filles dura encore plus longtemps, avant qu'un sourire ne revienne sur son visage.

— Dans la pièce où tu désires rencontrer ce valet d'armes, entreras-tu avec le poignard que je t'ai vu à l'instant ? demanda-t-il.

— Oui, affirma Riou.

L'Arménien hocha la tête.

— Ce qu'il y a dans la bourse est donc pour faire disparaître le cadavre, dit-il, puisque je suppose que tu ne lui laisseras pas le temps de faire usage de la jeune fille ?...

— En effet, dit Riou. Mais il n'y aura pas de cadavre. Ces pierres que je laisserai sur la table seront pour le dérangement dont je vais être la cause dans tes affaires.

— Tu veux dire que tu laisseras repartir l'homme en vie ? Ce n'est pas possible ! Il ira se plaindre de nous...

— Non, dit Riou. Bien que vivant, il ne pourra se plaindre à quiconque, parce que tu le feras emmener sur la charrette des morts, enveloppé dans un de ces sacs qu'on réserve à ceux qui ont péri de la peste, et que tu le feras conduire à bord de la felouque qui nous a amenés ici, et attend au mouillage jusqu'à demain. Lorsqu'il parviendra par cette felouque à la forteresse d'où nous venons, et vers laquelle je vais repartir à cheval, celui-ci dont tu dis que son père était un ami repartira vers Jaffa avec mille rials d'argent, qu'il viendra te remettre ici même de ma part. As-tu foi dans ma parole ?

— Les gens qui portent à leur ceinture le poignard que vous avez, Seigneur, sont bien connus en Orient, et chacun sait que leur parole vaut de l'or, même lorsqu'ils paient avec des pierres...

Dans le camp normand, assis sur un grossier tabouret devant le feu qui s'éteignait, Gisquier, le valet de Foulque, sentit la fatigue peser sur ses yeux. Il frissonna sous la couverture posée sur ses épaules, puis se leva en bâillant pour aller vers la tente où était son lit de bois et de sangles, aux côtés des harnais de parade de son maître et de toutes les armes de celui-ci bien astiquées. Un peu partout entre les tentes les feux se mouraient, abandonnés par les valets gagnés par le sommeil. Le bois était rare, et vendu à prix d'or par les chameliers qui le déposaient à la lisière du camp, quand on avait payé d'avance, par crainte de la contagion. Maudit bois rabougri de Palestine ! Où étaient le bon chêne et le bon hêtre des forêts normandes ? Sous la crainte de la peste qui figeait tous les hommes de l'ost franc entre les écuries et les tentes, l'ennui envahissait les valets comme les maîtres. Nul ne pouvait aller à Jaffa, la ville dont les murailles et les tours resurgiraient au loin au lever du jour, sans la permission écrite du seigneur Duc de Bourbon, sous peine de mort par décollation de la tête. Un valet bourguignon avait eu le chef bel et bien tranché devant mille autres assemblés pour connaître de son supplice. Les ribaudes de la ville ne venaient plus à l'ost pour se vendre ou rire avec les soldats. Le vin manquait à ceux qui n'en avaient pas fait ample provision. D'ailleurs le vin se gâtait vite dans ce pays, s'il n'était pas mêlé de résine, et cela faisait une piètre boisson, en souvenir du bon vin blanc de France. La Palestine était terre de soleil, embaumée par l'oranger, la myrrhe et l'encens. — Oui-da ! Gisquier jura en pataugeant dans la boue. Dans l'hiver qui finissait, la Palestine était terre fangeuse, piétinée par les sabots des chevaux, mouillée de leur pisse, parfumée de la merde des hommes dont le vent apportait le relent puant depuis les feuillées. Trente mille hommes et presque autant de chevaux enfermés au bord de la mer regardaient monter la fumée du crématoire où, en dépit de l'usage chrétien, les ducs faisaient brûler les corps rongés de pustules des pesteux, sur le conseil d'un médecin arabe !

La croisade pourrissait de ne plus aller au combat, et Gisquier, au moment de gagner sa couche, sentait le désir d'une femme lui nouer le bas du ventre, après tant de jours de jeûne.

Comme il se penchait pour entrer dans sa tente, une voix souffla derrière lui :

— Messire !

Le valet de Foulque se retourna, cherchant à mettre un nom sur la silhouette de l'inconnu. Mais ce n'était qu'un Arménien comme un autre, avec son bonnet de laine. Marchands de tout et de rien, avec leur accent d'Orientaux qui font rouler les r...

— Qu'est-ce que tu veux, l'Arménien ? Tu ne viens pas me vendre la peste, tout de même ? Même ça, tu ne me la donnerais pas pour rien !

C'était la dernière plaisanterie à la mode dans les conversations des valets : que les maudits Arméniens vendaient tout, même la peste !

L'autre rit avec complaisance.

— Non, Messire. Mais j'ai une jolie jeune fille qui cherche un mari...

— Tiens donc ! lança Gisquier. Je croyais qu'il n'en venait plus depuis des jours.

— Celle-là n'est pas comme les autres, Messire. C'est une jeune fille pour un seigneur. Mon ami la garde depuis longtemps.

— Et pourquoi me la proposes-tu à moi ?

— Votre seigneur dort, dit l'Arménien en faisant un mouvement du menton vers la haute tente voisine, dont la portière était close et ne montrait point de lumière. Vous pouvez venir avec moi voir la petite, afin de savoir si elle peut convenir.

— Où donc ? demanda le valet.

— Chez les Arméniens. Il y a une chambre où elle peut recevoir.

— Et combien en demandes-tu ?

— Messire, je n'en demande rien moi-même, qu'une petite commission pour ma peine, que me donnera mon ami. Il en espère vingt ducats d'argent.

— Tu es fou ! s'exclama Gisquier.

— Mais, Messire, nous sommes en temps de peste, et c'est une jeune vierge. Elle restera avec votre Seigneur le temps qu'il faudra, qu'il puisse en faire le bon usage qu'on fait d'une fille qui n'a point encore appartenu à un homme. Votre maître aura bien de l'agrément, dans ces journées et ces nuits qui se font si longues depuis la maudite quarantaine...

— Vingt ducats ! répéta Gisquier, réfléchissant.

Cette somme n'était rien pour lui ni pour Foulque, de ce qu'ils avaient tiré tant d'or de l'émeraude qu'ils avaient vendue, lui, Gisquier, à Constantinople, en moitié avec son maître qui l'en avait chargé, mais le valet ne voulait pas donner à l'Arménien à croire qu'il avait un trésor avec lui. Cent pièces d'or étaient enterrées sous la tente, et le reste avait été envoyé en Normandie par un Lombard.

— Je ne puis réveiller mon maître, dit enfin le valet. Il est vrai qu'il me faut voir la fille avant. Si ce que tu dis est vrai, et qu'elle vaut son argent, nous lui amènerons demain.

— Suivez-nous donc, Messire, dit l'Arménien avec un sourire.

Marchant à côté de lui, Gisquier posa sa main sur le bras de l'homme.

— Dis donc ! Y a-t-il une autre fille pour moi, que je puisse avoir ce soir ? J'en suis très pressé, de plus de deux mois qu'on a fermé le camp. N'aura point besoin d'être vierge, celle-là, vingt dieux ! Tu m'la donneras en commission de ce que nous allons faire affaire pour mon maître...

— Ce n'est pas nécessaire que vous en ayez une autre, Messire. Vous pourrez user de la fillette dès ce soir, afin que vous soyez bien sûr qu'elle a tout l'agrément qu'il faut...

— Hé ! s'esclaffa le Normand. Je n'vais point la déflorer avant mon seigneur, tout de même ! Vous autres Arméniens ne respectez rien, la vérité vraie !

— Non pas, Messire, mais la petite peut vous satisfaire sans que vous ayez à lui faire ce mal. Que croyez-vous donc ? Elle a reçu de bonnes leçons des femmes qui l'ont dressée, et elle sait se servir de tout ce qu'elle a pour faire du plaisir à un homme, sans toucher à sa virginité qu'on lui a fait garder pour un homme riche prêt à la changer contre de l'or. Ce sera dans sa dot, pour plus tard, quand elle retournera se marier à un homme de son village.

— Vingt dieux ! ricana Gisquier. Les Orientaux, tout de même.. Vous savez tirer parti de tout !

Gisquier était maintenant seul dans une chambre au plafond très bas où une très grosse femme l'avait amené avec des sourires tantôt obséquieux, tantôt lubriques. La matrone avait pris la main du valet en le faisant entrer dans la chambre, et elle lui avait fait caresser son énorme poitrine. Puis elle était partie d'un grand rire en allant toucher entre les cuisses du valet sa virilité, qu'elle avait trouvée impatiente de se satisfaire. Elle lui avait alors désigné le lit, qui était, avec une cuvette posée sur un trépied auprès d'une cruche d'eau, le seul meuble de la pièce, en lui faisant comprendre qu'il s'installe là, et qu'il attende, avec des mimiques, car elle ne parlait pas un mot de la langue franque, excepté celui qu'elle répétait en désignant le lit et en le déformant par son accent grasseyant :

— *Dam'zelle ! Dam'zelle !*

C'était le maître mot qu'utilisaient les entremetteurs et les pourvoyeuses de chair féminine dans les bordels de la Croisade, le mot magique qui suffisait à se faire comprendre des soldats pour ce qui leur tenait le plus à cœur après la nourriture et le vin.

La porte s'ouvrit un instant plus tard, et la petite parut, poussée par la grosse femme qui fit encore toute une mimique derrière elle, en gloussant de rire. Puis la porte se referma et Gisquier se trouva seul avec elle. C'était une fort jolie fillette il est vrai, dans sa robe de satin jaune... Elle inclina la tête coiffée d'un chignon, aux yeux agrandis par le khôl, dans un petit salut, comme on lui avait appris à faire.

La bouche sèche, le Normand sentit le désir lui tordre le ventre avec violence, et il se leva du lit, les mains en avant. La petite ne bougeait pas. On avait dû la chapitrer, et lui expliquer ce que l'homme attendait d'elle avant qu'il n'aille rapporter à son maître qu'elle valait l'argent qu'on demandait. Gisquier se demanda si on guettait derrière la porte, ou si on l'épiait par une fente quelconque du mur ou du plafond. Ils devaient craindre qu'il fasse du mal à la fille, qui valait vingt ducats, et plus encore, avec ce qu'elle pouvait gagner après avoir servi de jouet quelques semaines à un seigneur.

Mais Gisquier n'avait cure qu'on le guette. Il posa des mains avides sur la poitrine de la petite, cherchant les seins, qui étaient déjà formés. Treize ans, sans doute... En Orient les filles étaient pubères avant cet âge. Gisquier caressa les pointes qu'il sentit dures sous ses doigts. Une bouffée de chaleur incendia le visage du Normand, qui sentait la force de son désir prête à éclater entre ses jambes devant cette poupée qui le fixait de ses yeux noirs de gazelle, des yeux de bête qui regardaient sans crainte le rut de l'animal qui lui faisait face.

Gisquier se colla contre la petite, dont la tête arrivait au milieu de sa poitrine. Elle le laissa faire un moment, sentant le sexe tendu contre son ventre à elle, puis elle le repoussa doucement, mais sa main descendait le long du ventre de l'homme en proie au désir, tandis qu'elle levait les yeux vers lui pour le fixer d'un regard tranquille, qui voulait dire qu'elle savait ce qu'elle avait à faire pour le contenter.

La main en effet savait ouvrir le pantalon de l'homme dont le sexe violet se dressait maintenant entre des doigts chauds et habiles.

Elle le caressait ainsi avec un sourire un peu dédaigneux aux lèvres en l'amenant vers le lit.

Elle lui fit comprendre qu'il s'y allonge, et lorsque ce fut fait, elle lui dégrafa tout à fait son haut-de-chausses. Une de ses mains allait et venait, massant le ventre de l'homme étendu dont le souffle était devenu court et l'autre prenant doucement les testicules avant de revenir au sexe dressé.

Gisquier haletait, crispant ses mains sur l'étoffe du lit, tandis que la bouche de la petite se rapprochait de son désir, prometteuse de l'assouvissement incomparable...

Ses lèvres étaient bientôt toutes proches de sa chair, soufflant une chaude haleine. La petite darda sa langue, qui était longue et pointue... Avec un gémissement que lui arrachait l'attente du délicieux contact, Gisquier ferma les yeux.

La bouche brûlante enserra d'un coup l'extrémité du sexe. Gisquier, sous le choc du plaisir, eut un sursaut qui lui fit rejeter sa tête en arrière et découvrir une silhouette penchée au-dessus de lui tandis qu'une froide lame d'acier s'appuyait sur sa gorge.

La petite se sauvait, ses pas légers courant vers la porte.

— Si tu cries, Gisquier, personne ne viendra et je te couperai la gorge, dit la voix de l'homme dont le poignard le clouait au lit.

Les yeux agrandis par la terreur, le Normand reconnaissait le visage de Riou de la Villerouhault.

— Tu peux renouer ton pantalon, Gisquier, jeta Riou. La petite ne reviendra pas.

Le valet dont les mains tremblaient de dépit et de peur obéit, rajustant son vêtement sur sa honte.

— Reste assis sur le lit, ordonna Riou qui s'écartait, son poignard à la main.

— Messire..., balbutia le Normand avec un regard éperdu.

— Je suis venu parce que je sais ce qui s'est passé à Constantinople, reprit Riou.

— A Constantinople, Messire ? fit le valet, jouant l'étonnement.

— Un homme vous a vus, ton maître et toi, tuer le Juif Mordoch et violer sa fille. Il m'a donné son témoignage. Ne perds pas mon temps à mentir...

Gisquier se sentit pris au piège.

— Je n'ai fait que ce que le seigneur Foulque a voulu, Messire, gémit-il. Je ne suis que son valet !

— Qui cherche des filles pour lui, comme ce soir... C'est toi qui lui as appris que Judith était dans la ville, après l'y avoir vue, sans doute ?

— Non, Messire, nia le Normand... Je puis vous jurer que non ! Nous sommes venus par hasard dans la rue aux Juifs, et avons vu

Mordoch... Des hommes lui voulaient du mal, à lui-même et à sa fille, et nous n'étions que deux contre une foule...

Riou secoua la tête.

— Entends-moi, Gisquier ! Il est vrai que tu n'es qu'un valet, ainsi que tu me l'as rappelé à l'instant, et que tu n'es qu'un jouet dans les mains de ton maître... Pour cela, je puis te laisser en vie, à la condition que tu me donnes ton témoignage, afin qu'il y ait punition de ces crimes... Je t'emmènerai dans une forteresse, loin d'ici, où nous attendrons le moment que justice soit rendue contre Foulque de Macé. Je demanderai que tu sois épargné, pour ce que tu n'aurais pu agir en rien sans l'ordre de ton maître... Tu écriras la confession de tout cela, de sorte qu'il y en ait trace. Sinon je te pendrai de mes propres mains.

Le Normand ne répondit rien, mais Riou sentit qu'il se rendait à merci.

— Nous partirons aussitôt, dit le chevalier. On va te lier dans une toile, pour qu'on ne te voie point, et tu embarqueras sur un navire venu de cette forteresse que je t'ai dite, et qui va y retourner.

— Est-ce chez les Mahométans, Messire ?

— Oui. Des Mahométans qui ne tuent point les Juifs pour violer leurs filles. Sur ma parole, ils ne te feront point de mal, et tu seras mon prisonnier.

La porte s'ouvrit donnant passage à trois hommes dont les visages étaient cachés par des étoffes. Ils tenaient des cordes à la main et une sorte de sac pareil à ceux qui servaient à envelopper les cadavres des pesteux qu'on emmenait brûler au crématoire.

En les voyant dans leurs allures de bourreaux, Gisquier pâlit de nouveau.

— J'ai votre promesse, Messire, de ce que vous m'avez instruit à l'instant ?

— Oui, dit Riou. Tu me diras tout là-bas. Mais je veux savoir dès maintenant pourquoi ton maître a voulu aller à Judith. Est-ce parce qu'il me savait son ami, et me voulait nuire de cette façon ?

— Messire, hésita le Normand, c'est plus ancien que cela. Avant que de vous connaître, le Juif Mordoch est venu en Normandie chez le sire Comte d'Eu à qui il avait vendu des bijoux et prêté de l'argent souventes fois. Mon maître Foulque a vu sa fille qui était fort jeune à l'époque, et belle en proportion de sa jeunesse. Il est devenu passionné d'elle, et l'a voulu avoir à toute force. Elle n'a point voulu de lui, et comme il était venu jusque dans sa chambre, dans l'espérance de la faire céder, une nuit, au château du Sire Comte, où tous logeaient en même temps qu'on donnait de grands tournois, elle a crié, appelant son père à l'aide... Mordoch l'y a surpris, et l'en a fait fuir, une dague en main... De cela, mon maître a gardé toujours le mauvais souvenir, et le désir de la vengeance. Lorsqu'il a connu à Bruxelles que vous aviez eu de Judith ce qu'elle lui avait refusé, il a conçu grande haine contre vous, et contre elle...

— Et tu as servi cette haine, malheureux, et aidé à tuer Mordoch...

— Je ne l'ai frappé que de coups pour me défendre comme il avait couteau en main, protesta le Normand. Le sire Foulque l'a percé de sa dague à la poitrine, car un bijoutier Juif ne peut rien contre un homme de guerre de la force de mon seigneur, ainsi que vous le savez, Messire...

— Et l'émeraude ? jeta Riou, songeant avec colère au récit de Grand-Gouge, à Judith nue entre les mains de ses deux tourmenteurs qui l'offraient aux pillards attirés par ses plaintes. Est-ce que Foulque a volé aussi l'émeraude, en outre de tout ce qu'il a fait contre l'honneur ?

— L'émeraude ? dit Gisquier avec crainte, effrayé que Riou sût aussi qu'il y avait une pierre de cette sorte sur la gorge de la juive.

— Prends garde de mentir à ce poignard ! menaça le Chevalier. Cette émeraude était à moi, qui l'ai donnée en gage à Judith. Elle l'avait au cou, lorsque vous l'avez dénudée dans cette chambre, en haut d'une galerie, qui donnait sur la cour où vous avez tué Mordoch, cria Riou en qui montait une haine meurtrière, à mesure qu'il imaginait la scène décrite par la bouche de Grand-Gouge agonisant. Parleras-tu, chien qui se nourrit des ordures de son maître ?

— Miséricorde..., murmura Gisquier. Le sire Foulque me l'a donnée à vendre, après le pillage de la ville.

— A qui l'as-tu vendue ? Où est-elle maintenant ?

— Je ne sais, Messire. Je l'ai vendue par une Grecque, du nom de Théodika, qui fait commerce de femmes et de garçons, et de beaucoup d'autres choses dans cette ville.

— Comme Judith elle-même, que vous avez vendue aussi pour qu'elle aille aux soldats turcs, de l'autre côté du Bosphore ! Nieras-tu que c'est cela qui lui est arrivé par vos soins ?

Le Normand secoua la tête.

— Cela, nous ne l'avons point fait. Lorsque les hommes que vous dites sont montés par la galerie, et quand ils ont commencé à... à se servir d'elle, mon maître a ôté l'émeraude de son cou, et nous sommes partis...

Riou était pâle à son tour. Le poignard des Haschachinns lui semblait dans sa main animé d'une force magique qui l'attirait irrésistiblement vers la gorge du valet. Gisquier regardait la longue lame avec terreur. Les Arméniens aux visages voilés attendaient derrière le chevalier, sachant maintenant par ce qu'ils avaient entendu depuis leur entrée dans la chambre que l'homme pour lequel ils étaient venus ne méritait guère de pitié.

Riou arrêta sa main tremblante. Une sueur inonda tout son corps. Il eut comme un éblouissement, puis remit le poignard dans sa ceinture.

— Emmenez-le comme il a été dit ! ordonna-t-il en se retournant vers les Arméniens.

Riou tomba de son cheval sur la route sablonneuse qui longeait la mer. Malgré la drogue que Lukacsj, l'élève de Kecelj, lui avait donné à mâcher pour qu'il ne s'endorme point, le sommeil venait de s'abattre sur lui au moment où il avait vu au loin apparaître la silhouette massive de la forteresse où l'atabeg luttait dans sa fièvre contre la mort. Les cavaliers qui le suivaient à distance depuis qu'il avait franchi la frontière de la principauté se hâtèrent vers lui et deux d'entre eux se jetèrent à bas de leurs montures pour lui prêter secours.

Le chevalier rouvrit les yeux alors qu'ils retournaient son corps inanimé tombé la face contre la terre. Il s'assit en les repoussant.

— Malheureux ! s'écria-t-il. Ne vous ai-je point ordonné de ne pas m'approcher !

— Mais, Seigneur..., dirent-ils en se reculant.

Riou s'était mis debout.

— N'ai-je point dit que je porte peut-être la maladie avec moi ? Remontez en selle !

Ils obéirent, et Riou poursuivit :

— Partez devant au grand galop ! Faites que personne ne m'approche jusque devant la forteresse. Dites au médecin du seigneur atabeg de se tenir devant la poterne, afin que je puisse lui remettre les médicaments, et l'instruire de leur usage.

Les cavaliers s'éloignèrent à bride abattue tandis que Riou revenait vers son cheval qui l'attendait à quelques pas de l'endroit même où il était tombé. Le chevalier se remit péniblement en selle et continua sur la route que caressait le soleil matinal. C'était l'aube du quatrième jour de sa course, après la troisième nuit, sans qu'il ait dormi une seule heure. Après avoir quitté le camp de l'ost chrétien sous son déguisement d'Arménien, le chevalier avait trouvé à l'attendre un détachement des troupes de l'Emir de Toughtal, seigneur des terres musulmanes qui commençaient aux lisières de la ville de Saint-Jean-d'Acre auprès de laquelle campaient les croisés. Prévenu le matin même par un pigeon que la forteresse de Djabala avait dépêché pour lui demander d'assister le gendre de l'atabeg à son retour, l'Emir avait fait garder toutes les routes venant de la ville. Et la chevauchée sans répit avait commencé avec des montures fournies par les écuries de l'Emir et postées de dix lieues en dix lieues, jusqu'à ce que le voyageur trouve à l'attendre les chevaux de sa propre cavalerie disposés sur son chemin suivant les instructions qu'il avait lui-même données à Rabieh, l'officier de la forteresse, avant son départ à bord de la felouque.

Ayant laissé assez de temps aux cavaliers qu'il avait envoyés en avant de lui, Riou remit son cheval au galop vers la silhouette des deux grandes tours. Sofana était dans son appartement à l'attendre, mais il ne la verrait pas. Alors que tout avait été accompli, que les drogues allaient sûrement parvenir à l'atabeg, Riou se mettait à craindre d'être atteint par le mal répugnant dont Grand-Gouge était mort sous ses yeux, et contre lequel Kecelj peut-être avait à se défendre en ce moment. Le chevalier sentit la sueur inonder son front. La peste commençait de cette façon, quand la fièvre insidieuse faisait en même temps frissonner d'un grand froid intérieur.

Riou décida qu'il partirait seul sur la route de la forêt après avoir remis les drogues au médecin, et qu'il irait attendre, dans la hutte au bord du lac où il s'était uni pour la première fois à son épouse, le jugement de Dieu. Ou la mort solitaire dans les bras de l'ignoble maladie, ou la vie retrouvée... Riou compta les jours qui lui restaient avant que l'arrêt ne soit rendu par le Maître de toutes choses. Trente six jours. Kecelj avait dit qu'après quarante jours et quarante nuits, les chances du mal étaient passées.

Le médecin était debout au milieu du grand terre-plein de la forteresse vide de toute présence. Les hommes de garde à la poterne étaient à leur poste, et des détachements barraient la route qui venait de la ville, interdisant tout passage.

Sous les yeux de ces cavaliers qui s'étaient lancés avec lui à la charge contre les troupes de l'agah Sadok, le chevalier, ayant mis pied à terre, déposa sur le sol le sac de cuir contenant les médicaments dus au génie de Kecelj, puis expliqua au médecin la quantité qu'il aurait à donner à l'atabeg toutes les trois heures, après l'avoir mélangée à du lait caillé.

Enfin il ordonna à Rabieh d'ouvrir et de fermer devant et derrière lui, avec quelques hommes, le chemin de la montagne qui menait au lac des nénuphars, afin qu'il puisse s'y rendre sans que quiconque ne vienne à le rencontrer. Il commanda aussi qu'on vienne déposer des provisions au bord du lac pour qu'il puisse subsister un mois dans la solitude avec une arbalète pour chasser. Enfin il ordonna qu'on vienne brûler son corps et incendier les huttes s'il périssait de la maladie...

Dans la chaleur de midi, le soleil étant à son aplomb, Riou entra sous les grands chênes entre les cavaliers qui le précédaient, et ceux qui le suivaient. La troupe ainsi formée passa auprès du douar où Sofana et les autres femmes s'étaient cachées après que Riou avait découvert l'infanterie de Cheïsar prête à l'invasion. Tous les habitants étaient sortis de leurs cabanes. Ils regardèrent en silence passer celui qu'ils savaient être l'époux de la fille aînée de l'atabeg, allant s'enfermer dans la solitude. Défense leur fut faite de se rendre au lac, dont les issues seraient gardées par quelques hommes qui camperaient en travers des chemins.

Bientôt Riou se trouva seul au bord du lac, entre les hautes fougères et le tapis des nénuphars jaunes et blancs. Les cavaliers avaient fait halte bien avant d'atteindre la rive du lac, et il leur avait donné l'ordre de demeurer en arrière et de ne jamais se montrer à lui.

Riou marcha jusqu'à la hutte où il avait dormi de longues nuits dans la chaleur du corps de son épouse. Il vit les vestiges du feu qui avait brûlé pour eux jusqu'au moment où ils étaient partis à la hâte. Il remua de ses doigts les cendres froides. Reverrait-il jamais Sofana ?

Riou titubait de fatigue. Il tomba à genoux devant la hutte, voulant prier avant de s'abandonner au sommeil. A l'horizon, au-dessus des chênes-lièges qui bordaient le lac, se voyaient les falaises abruptes vers lesquelles s'était dirigé pour s'y donner lui-même la mort le Haschachinn dont il portait toujours le poignard à sa ceinture. Il songea à ce malheureux qu'il avait délivré de son angoisse avec le carreau de son arbalète, et à Maïmouna qui avait péri de ce même poignard... Le cadavre du Haschachinn était resté sans doute dans le sous-bois à l'endroit où il était tombé et les crocs des hyènes l'avaient déchiqueté. La mort était infatigable ! Elle avait inspiré le geste tragique de Maïmouna enfonçant elle-même la lame fatale dans sa poitrine. Elle avait accablé Grand-Gouge du châtiment pestilentiel, à la mesure des péchés dont il se faisait le reproche. Elle était peut-être déjà en Riou, cheminant dans ses veines et ses entrailles, en même temps qu'elle disputait à l'atabeg Al Zahir sur son lit de la forteresse le droit de régner sur Djabala... Riou éleva sa main droite pour faire le signe de la croix. Ses lèvres ne murmurèrent point *in nomine Patri et Filii, et Spiritus Sancti*, comme il avait appris à le faire dans son enfance, car maintenant, après avoir lu et médité les versets du Koran, il doutait de la Sainte-Trinité. Mais sa voix disant *Pater Noster qui es in Cœlis* s'éleva dans le silence ensoleillé du lac que contenaient les frondaisons qui l'entouraient. Puis il dit l'*Ave Maria* avec plus de ferveur encore, car la Vierge régnait sans partage sur la Terre Sainte au milieu des Mahométans comme des Chrétiens.

Ayant dit *Maintenant et à l'heure de notre mort*, il sentit qu'il ne pourrait plus élever le bras pour refermer sur sa prière la porte d'un nouveau signe de Croix. Il espéra se traîner à genoux à l'intérieur de la hutte, mais ne le pouvant pas, se laissa aller sur le sol, où il s'endormit profondément.

Lorsqu'il s'éveilla, le ciel au-dessus de lui était criblé d'étoiles. Ses yeux incrédules cherchèrent à comprendre ce que signifiait la ligne sombre des arbres barrant le ciel. Puis Riou vit qu'un feu brûlait tout près de lui à même le sol. Sa main toucha l'étoffe d'un manteau de cavalerie étendu sur lui. Il crut être encore au camp des Croisés et se redressa saisi par une violente émotion. Une autre forme était étendue à ses côtés sous un manteau semblable au sien. Comme il étendait la main vers cette forme, pour éprouver le rêve qu'il croyait être en train de faire, une main saisit la sienne. Un visage s'approcha du sien, qui souriait. Celui de Sofana.

Alors Riou se souvint de tout et il se rejeta en arrière.

— Non ! s'écria-t-il. Tu ne peux être ici !

Riou s'était mis debout.

— Comment les cavaliers t'ont-ils laissée venir ?

— Parce qu'une épouse doit être avec son époux, sourit-elle, et parce que les soldats n'osent désobéir à la fille aînée de l'atabeg.

— Mon Dieu, murmura Riou accablé.

Mais Sofana s'était assise à la mode des Arabes sur ses jambes croisées et elle lui parlait calmement.

— Tu as voulu m'épouser alors que je ne le voulais pas, et tu as dû me prendre de force, ici même. Et maintenant, après t'être éloigné de moi pendant plus d'une semaine, tu veux me laisser seule au long de quarante jours ? Ce n'est pas possible. J'ai vécu une année auprès de toi sans pouvoir t'approcher qu'une seule fois, une misérable fois, où nous n'avons pu jouir que de regards et de quelques paroles craintives... Mon père me soupçonnait par moquerie d'écrire des poèmes où je rêvais de toi. Cela était vrai ! Aujourd'hui je ne puis plus me contenter de rêves. Je veux être remplie de toi, être inondée de toi, et que mon ventre et mes seins écrivent le poème de mon amour avant, pendant et après que tu m'aies labourée de ta force et de ta chaleur ! Lorsque j'ai appris que tu étais revenu, j'ai mis ce qu'il fallait sur une mule, un canoun, des plats et des ustensiles pour faire ta cuisine, un manteau pour te couvrir et un balai de palmier pour nettoyer ta hutte, de quoi faire un lit, et je suis partie te retrouver pour être ta servante. Sais-tu que tu as dormi plus de deux jours, là où je t'ai vu gisant ? Tes forces sont réparées par un si long sommeil et tu ne peux me refuser plus longtemps ce qu'un époux doit à sa femme. Emmène-moi à notre lit aussitôt !

— Tu es folle ! s'exclama Riou déconcerté par l'éloquence de la jeune femme. Tu peux contracter le mal, et en mourir !

— Si je ne puis faire l'amour avec toi, je mourrai tout autant, rétorqua-t-elle du même ton tranquille.

Elle tendait une main vers lui en souriant toujours.

Riou s'agenouilla, lui prenant les deux mains.

— Sofana..., commença-t-il, voulant lui dire que la peste était une chose terrible.

— Je t'aime, coupa-t-elle avec un sourire confiant. Plus rien d'autre ne compte. Ne gâche pas cette heure merveilleuse par de sombres paroles.

Elle l'attira à lui et il respira avec un grand bonheur l'haleine amoureuse de sa jeune femme.

— Fais que cette heure dure très longtemps, mon aimé, murmura Sofana pendant que les mains de Riou la dénudaient. Fais qu'elle dure quarante nuits...

NEUVIÈME PARTIE

RENDEZ-VOUS A JÉRUSALEM

33.
Méheude a ses façons d'aimer

Méheude s'éveilla. Le navire avait dû abattre ses voiles et mettre en panne, parce que la cabine n'était plus penchée sous la force du vent comme lorsque la jeune fille s'était endormie au début de la nuit. La cabine, où pénétrait la faible lueur annonciatrice du petit jour, se balançait lentement, montant et descendant sur une petite houle. On devait être en vue de l'entrée du port et on attendait le vrai jour pour y entrer. Méheude n'ignorait plus rien aujourd'hui des façons dont les marins manœuvrent une nef, après ce voyage de six semaines. Pendant ces six semaines, Méheude avait appris beaucoup de choses...

Sa compagne de lit murmura quelques paroles indistinctes dans son sommeil puis, sentant sans doute qu'elle s'était écartée de Méheude en dormant, elle eut une petite plainte, comme si elle souffrait de découvrir que son corps n'était plus en contact avec celui dont elle avait l'habitude de partager la chaleur. Elle se rapprocha alors, embrassant la jeune fille de toute la surface de ce corps brûlant, appuyant sa lourde poitrine contre les jeunes seins de Méheude avec cette fois un sourire sur son visage toujours endormi et un gémissement de satisfaction. Méheude frémit.

La main caressante de Mélissa s'emparait d'elle. Voilà ce que Méheude avait appris au long de ce voyage, qui s'achevait aujourd'hui. Mélissa allait la quitter pour aller de son côté, lorsque le navire serait à quai. Dans les six semaines d'intimité ardente qu'elles avaient vécues dans cette cabine, Mélissa avait-elle fait de Méheude un être nouveau, différent de celui qui avait quitté la Bretagne quelques mois plus tôt ? Aussitôt après ce qui était arrivé avec Mélissa à la troisième nuit dans ce lit qu'on leur avait donné à partager, Méheude, pendant quelques jours, l'avait cru. A la lueur du jour qui éclairait de plus en plus la cabine, elle regarda la bouche lourde comme un fruit de Mélissa toute proche de la sienne, et elle respira l'odeur musquée qui montait de la chevelure noire de la jeune femme. Non, Méheude qui était dans ce lit n'était pas autre que celle qui avait vécu sa vie sage en Bretagne, entre les bonnes de son père, les rêves de grandeur de celui-ci et l'amour qu'elle avait nourri dans son cœur pour le chevalier de la Villerouhault. Elle n'aimerait pas Mélissa, ni une autre. Elle aimerait le plaisir qu'elle savait maintenant pouvoir trouver dans leurs bras, et ce n'était pas en devenant l'amante d'une courtisane italienne amenée par le hasard dans son lit que Méheude s'était révélée à elle-même. C'était au moment où elle avait décidé de quitter la maison de son père avec sa dot pour aller racheter le chevalier captif.

Celle-là était la vraie Méheude, la seule... Et elle appuya ses lèvres contre celles de Mélissa, les obligeant sans peine à s'ouvrir... Aujourd'hui, au contraire de ce qui avait été aux premiers jours de leur intimité dans cette cabine qui avait dissimulé leur passion, c'était Méheude qui possédait Mélissa, et ce changement montrait bien que le destin de Méheude s'accomplissait, qui était de mener sa vie et celle des autres. Riou ? Le chevalier ne possédait rien que son cheval, son épée et son armure. Il ne les avait même plus dans la prison où il était. Elle l'en tirerait, le convaincrait de rester en Orient, et avec Méheude pour femme, il ferait sa fortune, cela, c'était sûr... La nef allait entrer dans le port de Constantinople où étaient sans doute les clefs de la geôle où les Mahométans avaient enfermé le chevalier. Il y avait beaucoup d'obstacles sur la route que Méheude avait à parcourir, mais elle ne les craignait pas. Son or, l'or de sa dot, que son père avait consenti à lui donner, était dans les coffres de l'Ordre du Temple, et Méheude se sentait forte aussi de cet or-là. Si le chevalier, une fois délivré de ses fers, l'épousait, son père en donnerait d'autre, beaucoup d'autre, pour qu'ils s'établissent, et que sa fille devienne ce qu'il avait toujours rêvé. Elle sourit en pensant que son père, après avoir beaucoup crié et un peu pleuré, avait montré la fierté qu'il ressentait d'avoir une fille pareille, qui partait faire sa fortune en Orient. C'était sur un regard de lui, qui exprimait cela, que le père et la fille s'étaient quittés, un regard complice. Il vivait heureux maintenant avec sa Giraude plus jeune que lui de trente ans, n'ayant plus rien à dissimuler, et elle connaissait les caresses d'une amante, sur ce navire inconnu, aux portes d'une ville inconnue, libre d'être elle-même...

Des bruits de cabestan, des ordres criés, et les poulies qui grinçaient annoncèrent qu'on hissait petites voiles pour entrer dans le port. Mélissa gémit, conquise par le baiser de Méheude. Puis le navire se pencha sous le poids du vent, appuyant les deux corps enamourés l'un sur l'autre.

Assise sous la toile de voile que les marins avaient tendue au-dessus du château arrière de la nef à l'entrée des appartements du capitaine et des passagers, Méheude s'amusait du pittoresque tohu-bohu en mouvement sur le quai, les portefaix pliés sous leurs charges, les marchands de nourriture grillée, frite ou sucrée glapissant les noms bizarres de ce qu'ils avaient à vendre, les hautes charrettes peintes de couleurs vives tirées par des mules drôlement coiffées d'un chapeau de paille et leurs conducteurs criant eux aussi à pleine voix pour qu'on s'écarte de leur chemin.

L'intendant de la nef qui avait pris soin des passagers et des passagères depuis le départ de Venise vint dire à Méheude que la chaise qui attendait sur le quai avec ses deux porteurs en bonnets phrygiens rouges était là pour la conduire à l'adresse du banquier Kyndinis qu'elle avait indiquée tout à l'heure. Le sire Kyndinis était chez lui présentement et recevrait aussitôt Damoiselle Mohandiau.

Mélissa, les yeux baignés de larmes, avait quitté Méheude une heure plus tôt pour aller au but de son voyage, chez Théodika, sa compatriote, qui faisait commerce de marieuse, d'entremetteuse et de procureuse de jeunes femmes et jeunes filles, connue aussi bien à Bagdad chez les émirs, dont elle pourvoyait les harems en blondes nordiques, qu'à Venise où elle faisait parvenir aux très riches marchands ou aux patriciens des adolescentes mahométanes. Mélissa avait fait jurer à Méheude de l'aller voir chez Théodika, où il y avait un jardin, des patios rafraîchis par des jets d'eau, des chambres en grand nombre, et où elle serait reçue avec joie et affection par toutes les filles qui étaient là de passage ou à demeure. Et par Théodika elle-même qui, comme l'avait fait Mélissa, saurait apprécier la jeunesse d'une Franque blonde aux yeux bleus...

Méheude se leva du canapé où elle était assise, pour aller à son rendez-vous. Une sorte de langueur baignait tout son corps depuis que le navire, immobile à quai, avait cessé d'être un navire. La voyageuse découvrait, dans le soleil qui exaltait les couleurs de tout ce qui bougeait sur le port aussi bien que la blancheur éclatante des bâtiments, cette douceur de vivre qui est le don quotidien des pays baignés par la Méditerranée. La jouissance qu'elle en éprouvait s'ajoutait aux certitudes qui s'étaient affirmées en elle depuis qu'elle avait résolu ce voyage. Elle était chez elle ici...

Les domestiques de ce banquier Kyndinis qui traitait les affaires des Templiers à Constantinople, leur servant d'informateur et de courtier en bien des occasions confidentielles, avaient fait entrer Méheude, avec force sourires et un plateau de fruits confits qu'ils avaient posé devant elle, puis un verre de sirop d'orgeat, dans une sorte de petit salon aux murs recouverts de céramique. Des oiseaux multicolores voletaient dans une vaste cage placée devant une fenêtre ouverte sur un petit jardin intérieur. Des rires de femmes occupées un peu plus loin à la cuisine venaient se mêler au gazouillis des hôtes de la volière, avec le bruit rythmé de pilons frappant dans les mortiers où l'on écrasait l'ail et les épices pour un prochain repas.

Puis une porte s'était ouverte et un commis, s'inclinant devant la voyageuse, lui avait fait signe d'entrer dans le bureau du maître de maison.

Le banquier Kyndinis, un bel homme aux cheveux grisonnants, au regard précis, habitué à juger en un instant ceux qui traitaient avec lui, eut une expression amusée en voyant entrer cette fille franque âgée tout juste de vingt années, selon ce qu'avait écrit son père le notaire Mohandiau, qui avait fait seule un si long voyage pour aller à la délivrance d'un chevalier prisonnier des Infidèles, comme dans un de ces contes qu'on débite au son des vielles et des rebecs dans les soirées des châteaux.

Toutefois, le menton volontaire et les yeux au regard assuré corrigèrent l'impression que le banquier, dans le confort de son bureau habillé de boiseries bien cirées, s'apprêtait à avoir de cette donzelle bretonne en proie au sentiment d'amour. Il s'était levé et il avait fait le tour de sa table de travail afin de s'asseoir près d'elle sur un des fauteuils disposés pour ses visiteurs.

Le notaire Mohandiau n'avait rien laissé au hasard. S'il avait cédé à la volonté têtue de sa fille, ç'avait été sous la condition qu'elle partirait autrement qu'avec la croisade, en empruntant d'abord le convoi annuel des marchands flamands qui allaient à la foire de Milan, convoi qui passait par Orléans. De Milan, Méheude avait gagné Venise, où elle s'était embarquée sur une nef de la République des Doges en partance pour Constantinople en compagnie de six autres nefs, dont deux étaient des nefs de guerre, chargées de soldats de marine, afin de pouvoir tenir tête aux corsaires mahométans, qui ne s'étaient d'ailleurs pas montrés. Le notaire Mohandiau avait arrangé cela avec les Templiers de Bretagne qui l'avaient mis en rapport avec Kyndinis. La dot de Méheude, dix mille livres en or, figurait aujourd'hui dans les écritures du banquier grec, sous forme d'un billet à ordre signé du notaire Mohandiau et du Maître Intendant Général des Templiers d'Orient, tirable sur les avoirs de ceux-ci.

— Damoiselle, dit Kyndinis, avez-vous trouvé un endroit pour résider, ou voulez-vous que j'en prenne soin ?

— Je vous remercie, Messire. Mais le navire reste trois semaines au port, j'y suis bien habituée, et le capitaine m'a offert d'y demeurer autant qu'il n'aura pas à lever l'ancre. Nous verrons à cela selon le cours que prendra l'affaire pour laquelle je suis ici...

Kyndinis ne put s'empêcher d'avoir un sourire amusé. La jeune Bretonne parlait du rachat de son chevalier comme s'il se fût agi d'une transaction commerciale comme une autre.

— Avez-vous plaisir à être venue jusqu'à Constantinople ? demanda le banquier, évitant par ces banalités d'avoir à dire tout de suite ce qu'il savait du chevalier pour lequel on avait fait un tel périple.

Méheude sourit.

— La douceur de la saison et la familiarité qu'on voit en tout le monde ici, Messire, me paraissent fort agréables. Je n'aurai aucune peine à séjourner dans ce pays, ou d'autres qui lui ressemblent...

— Cela est bien, cela est bien, constata le banquier qui, curieusement, se sentait moins sûr de lui que cette fille aux manières décidées.

Comme il l'avait espéré, ce fut elle qui aborda le sujet la première.

— Avez-vous pu, Messire, dans le temps où j'étais en voyage, savoir des nouvelles du chevalier de la Villerouhault, ne serait-ce que pour avoir confirmation de la qualité des personnes avec qui nous devrions traiter pour son élargissement ?

— Je l'ai pu, en effet, Damoiselle, et n'en ai pas grand mérite, car les Templiers d'Orient étaient très au courant de la situation du jeune homme. Ils étaient eux-mêmes déjà intervenus en sa faveur...

Le banquier hésita. Comment expliquer à une jeune fille franque amoureuse d'un chevalier de la croisade que celui-ci a pris l'engagement de se faire musulman, et que les moines-soldats chrétiens avaient dû œuvrer auprès de leurs amis les Haschachinns pour que le renégat puisse éviter d'aller jusqu'au bout de son reniement ?

— Ne craignez point, Messire, dit Méheude, qui attribuait l'hésitation de son interlocuteur à la peine qu'il avait à lui dire que les musulmans refusaient toujours qu'on rachète le captif ainsi qu'il avait été dit en Bretagne. Si pénible soit-elle, l'incertitude dans laquelle j'étais avant mon départ, loin des lieux où je pouvais porter secours au chevalier, était pire encore que la nouvelle que vous pouvez me dire maintenant...

— Damoiselle, dit Kyndinis, je vois bien que vous êtes femme de courage. Je vais donc vous dire ce que j'aurais écrit à votre père et à vous-même si je n'avais su que vous étiez déjà en route pour venir ici, selon les commandements de votre caractère qui est de ne point attendre que les choses se fassent seules...

Il s'interrompit pour changer de ton.

— C'eût été pourtant la circonstance, cette fois, d'attendre plutôt que vous hâter de partir...

— Le chevalier a-t-il péri ? demanda vivement Méheude.

— Non point, Damoiselle, dit-il. Sa condition est la meilleure qui puisse être pour lui-même, compte tenu des péripéties qu'il a traversées pour en arriver là. Mais elle est la plus mauvaise possible pour vous, qui lui portez tant d'intérêt, et allez éprouver la grande déception de ne plus rien pouvoir faire pour lui...

Méheude fronça les sourcils, sans s'abaisser à dire un mot de plus qui eût pu révéler ses sentiments.

— Le chevalier est entré au service d'un prince musulman, auprès duquel, en somme, il a fait une carrière, alors qu'il était arrivé chez lui en captif...

Méheude ouvrit la bouche comme si elle allait parler, puis se retint. Elle comprenait en un instant que le chevalier de la Villerouhault n'avait plus besoin d'elle. Il n'y avait plus rien à dire.

Au vu de la lueur de tristesse qui passait dans les yeux de la jeune fille en dépit de toute cette volonté dont elle s'armait, le banquier espéra n'avoir pas à révéler tout ce qu'il avait appris du protégé de l'atabeg de Djabala. La jeune fille allait repartir dans son pays. Il n'était pas nécessaire d'être plus cruel. Mais Méheude ne lui donna pas le loisir de se taire.

— Croyez-vous, Messire, dit-elle d'une voix qui parut altérée cette fois par le coup qu'elle venait de recevoir, croyez-vous que je puisse demander un sauf-conduit pour l'aller voir ? Peut-être serait-il aise de trouver une jeune fille franque, décidée à être son épouse même au milieu des mahométans ?

— Damoiselle..., dit le banquier. Je vois là les sentiments que vous portez au chevalier. Mais les personnes qui m'ont renseigné sur son sort m'ont affirmé qu'il avait épousé la propre fille du seigneur sarrasin dont il devenu l'homme de confiance...

Ces mots qui réduisaient à néant les espoirs de Méheude furent suivis d'un long silence pendant lequel la jeune fille resta droite sur son fauteuil. Soulagé d'avoir dit le pire, le banquier reprit :

— Je suis à chaque moment prêt à vous recevoir et vous donner l'aide qui vous sera nécessaire pour ce que vous déciderez. Mon épouse et mes filles, elles aussi...

— Je vous remercie grandement, Messire, déclara-t-elle.

Kyndinis nota que la voix était redevenue ferme.

— Selon les instructions que vous avez reçues, poursuivit Méheude, il est bien entendu que je puis disposer de mon capital pour autre chose que la rançon du chevalier ?

— C'est bien ce qui m'est prescrit par Messire votre père, à la condition que ce soit la moitié de ce capital, dans un premier temps, et que l'investissement soit approuvé par moi, en tant que connaisseur des conditions dans lesquelles se font les affaires ici, et dont vous n'êtes pas familière, damoiselle, bien que je ne doute point de votre clairvoyance...

— Connaissez-vous dans cette ville une femme du nom de Théodika ? enchaîna la fille du notaire Mohandiau.

Le banquier regarda la jeune fille avec surprise.

— Théodika ? répéta-t-il. Certes ! Elle est d'une grande notoriété...

— La connaissez-vous personnellement, Messire, et pensez-vous qu'on puisse faire des affaires avec elle ?

— Damoiselle, hésita Kyndinis encore plus étonné. Les affaires qu'elle traite sont d'une nature... Voulez-vous dire que vous songez à entrer en relation avec elle ?

— J'ai voyagé en compagnie d'une de ses amies, qui m'a pressé de la rencontrer, et j'en ai l'intention, puisque désormais ma dot est disponible...

— Savez-vous vraiment qu'elle fait commerce de réunir des femmes à des hommes de toutes sortes de façons différentes ? lâcha le banquier. Si, devant renoncer au chevalier de la Villerouhault, vous songez à trouver en Orient un mariage en rapport avec votre dot, il peut y avoir d'autres voies...

— Non pas, Messire, trancha Méheude. Je ne me suis pas fait comprendre. Je songe à devenir son associée dans les commerces où elle a réussi.

Kyndinis prit le parti de sourire.

— Pensez-vous que messire votre père pourrait se satisfaire d'apprendre votre établissement dans ces affaires-là ?

— Mon père ! s'exclama Méheude avec une vivacité qui en disait long sur la résolution qui l'animait. Il a fait argent de tout pour aller du très bas où il a commencé jusqu'au haut où il est maintenant en Bretagne. S'il m'adressait le reproche, je saurais me défendre. Aussi ne faisons point parler mon père, Messire, mais répondons à la question posée par les instructions qui régissent l'emploi de mon avoir : connaissant les circonstances d'ici, et la réputation de Dame Théodika en affaires, approuveriez-vous que je mette jusqu'à la moitié de mon bien dans des transactions que je pourrais faire en association avec elle, en allant par exemple étendre son commerce en Palestine, que ce soit dans les principautés chrétiennes ou les mahométanes ?

Kyndinis ne souriait plus.

— Damoiselle, déclara-t-il d'une voix grave, Théodika est ce qu'elle est, mais sa parole est de bonne valeur dans cette ville, jusque dans les offices du palais du Basile. Et quant à vous, si vous accordez vos actes à la volonté dont vous faites preuve depuis que vous êtes arrivée ici, j'aurais grand tort de ne point vous aider dans vos entreprises...

34.

Une ville qui ne peut être qu'à Dieu

Le Sultan Salah Ed Dine, celui que les Francs appelaient Saladin dans leurs chansons de geste, avait ordonné qu'on arrêtât sa litière lorsqu'on serait en vue de Jérusalem, et qu'on le réveillât à cet instant. Le Sultan revenait de Bagdad, qu'il avait quitté dix-sept jours plus tôt. Il voyageait à cheval, et quand il voulait se reposer, ses officiers d'ordonnance faisaient amener une des litières qui suivaient dans l'équipage. Le Sultan s'y endormait aussitôt, de par cette faculté qu'il avait de trouver le sommeil à sa convenance n'importe à quel endroit. Le train du voyage continuait sans qu'on fasse étape, des relais étant prévus pour les chevaux. Le Sultan gouvernait ainsi sans perdre de temps du Caire à Bagdad, par des secrétaires nombreux qui se déplaçaient avec lui, et des courriers allant et venant pour porter ses messages à tous ceux qui s'étaient rangés dans la vassalité d'un prince qui avait arraché Jérusalem aux Francs tout en tenant tête aux prétentions du Roi de Perse. Lorsque le Sultan avait pris la Ville sainte, l'Empereur chrétien de Constantinople lui avait adressé une lettre pour l'en féliciter. Le Basile d'Orient savait bien que, sans la puissance d'un Saladin sur les rives asiatiques de la Méditerranée, les Turcs viendraient battre les murailles de la capitale chrétienne jusqu'au jour où ils les renverseraient. Les Barons francs avaient tenu la Palestine, l'Arménie et le Comté d'Edesse [1] pendant un siècle et demi, mais ils avaient échoué à enraciner pour de bon un grand royaume chrétien d'Asie qui eût été le glacis de l'Empire. La tapisserie de leurs fiefs et principautés s'était défaite cent fois, déchirée ici, rognée là, recousue à grand-peine par le Roi lépreux dans les derniers temps, le Roi mourant qui se faisait porter au combat malgré les fièvres qui le

1. Aujourd'hui l'Irak.

rongeaient. Si Saladin avait vaincu à la fin, c'est que Dieu ne voulait pas qu'un royaume se perpétue au nom du Christ sur le sol où Son Fils avait été crucifié. C'était là Son Jugement. Alors le Basile avait écrit cette lettre qui avait irrité les princes francs en Europe, et il l'avait écrite parce que cela était de bonne politique, une fois Dieu ayant jugé...

Jérusalem ! La Ville sacrée avait éveillé Saladin bien avant que les valets ne s'approchassent, portant du café sur un plateau et les galettes rustiques que le Sultan prenait à son premier repas, les mêmes que celles qui étaient données aux soldats. L'aura qui se dégageait de la Ville sainte avait touché le prince endormi dans sa litière, venant lui rappeler que Jérusalem lui était un étrange souci depuis qu'il l'avait. Qu'elle eût été souci au long des campagnes et des ruses qu'il avait menées de longues années durant pour pouvoir un jour l'enlever aux Chrétiens, cette ville, cela se concevait. Mais aujourd'hui, alors que ses soldats en tenaient les murailles, que ses muezzins y criaient l'appel à la prière du haut des minarets, que les cloches des églises n'y sonnaient plus, que les sabots des chevaux de sa cavalerie foulaient le sol du Mont des Oliviers, elle pesait encore dans l'âme du Sultan vainqueur, alors qu'elle eût dû y être comme une allégresse...

Cette ville, il n'avait pu, comme les autres qu'il avait prises à la guerre, comme Bagdad ou comme Le Caire, la ranger dans les archives où ses vizirs classaient les édits et les firmans qu'on faisait pour l'administration de l'empire. Le nom de Jérusalem y était écrit de la même encre que les noms des autres villes, mais lorsque Saladin le lisait, il lui semblait que cette encre brillait d'un reflet que n'avaient pas les autres. Jérusalem ! Pour les Juifs, ceux qui avaient donné la Bible aux Musulmans aussi bien qu'aux Chrétiens, elle était le seul endroit sur terre où Dieu pouvait être adoré. Pour les Chrétiens, elle était le lieu où le sang du Crucifié avait rencontré la terre, le lieu où Il avait lancé son cri d'agonie entendu jusqu'au pays des Francs, qui élevaient dans le ciel leurs cathédrales pour lui répondre. Pour les Musulmans, c'était celui où Abraham s'était abîmé dans une soumission totale au Créateur, fondant une fois pour toutes la religion du Dieu unique, et où encore le Prophète Mohammed avait été convié par l'Ange Gabriel à prier sur les ruines du temple de Salomon avant d'accomplir le Miraj, l'ascension ineffable jusqu'au Lotus de la Limite, le *Sidrat al Mountaha*...

Cette ville trois fois sacrée, quel prince pourrait la posséder alors que Dieu l'avait choisie ainsi entre toutes pour la faire sienne ? Saladin éveillé dans sa litière portait en lui cette interrogation, et cette inquiétude.

Les valets s'étaient reculés après avoir écarté les pans d'étoffe du véhicule. Leur maître s'était assis et sa main tenait la tasse de café. Ses yeux voyaient le soleil commencer de dorer le haut des murailles crénelées. Dans le silence du matin, les voix des muezzins allaient bientôt retentir. Mais les cloches ? Les cloches des églises qu'on avait ôtées des clochers, quand ceux-ci n'avaient pas été ruinés ? Les cloches ne sonneraient pas. Fallait-il que cela soit ? Est-ce que Dieu n'avait pas voulu, en donnant la ville à Salah Ed Dine, punir les Chrétiens d'y avoir abattu les minarets, et fait taire la voix des imams dans les mosquées ?

Le Sultan but plusieurs gorgées du café amer, et reposa la tasse auprès de lui sur le plateau. La ville allait s'éveiller à son tour, ouvrir ses échoppes, faire trotter ses ânes. Les cris aigus des enfants courant dans les ruelles et ceux des femmes sur les terrasses, s'appelant de l'une à l'autre, retentiraient bientôt. Les bruits de la vie...

Mais les armées de la Croisade avaient débarqué depuis deux mois déjà et des dizaines de milliers de chevaux et de guerriers bardés de fer s'apprêtaient à marcher encore une fois vers cette ville, rallumant la guerre où tant d'hommes étaient morts au nom de Dieu. Etait-ce donc du sang, encore du sang, le sang de ceux qui croyaient en Lui, que Dieu voulait ?

Pour la première fois depuis qu'il était entré en guerre, dans la vigueur de son jeune âge, pour établir un royaume entre le Nil et l'Euphrate, Salah Ed Dine se mit à douter de lui-même, et de ce qu'il avait fait.

Sachant que le Sultan était de retour, les hauts personnages de la ville et ceux de l'administration militaire qui préparait le camp où allaient s'assembler dans quelques jours les princes musulmans que le Sultan voulait entretenir de ce qu'il fallait faire pour tenir tête à la Croisade, se dirigèrent vers le sommet de la colline où la litière avait fait halte. Ils étaient fiers de tout ce qu'ils avaient bâti sur l'ordre du Sultan après son départ et ils avaient hâte que leur Seigneur voie leur œuvre. Salah Ed Dine monta un des chevaux de son équipage qu'on avait approchés après son réveil et partit voir les forges et les écuries édifiées de l'autre côté de la ville pour abriter et ferrer les innombrables montures de ses invités. Le Sultan avait la passion des chevaux et ceux qui le servaient savaient que rien n'était trop beau à ses yeux pour les soins qu'on devait donner aux animaux qui faisaient la force d'une cavalerie.

Dans la forge principale, un grand nombre de foyers de briques munis de puissants soufflets de cuir s'alignaient le long des murs. Des bâtis permettaient de maîtriser les chevaux difficiles, où ils pouvaient être soulevés par des sangles afin que les vétérinaires les soignent. De grandes toiles blanches étaient tendues en auvent du côté où la forge était ouverte, destinées à protéger de l'ardeur du soleil à l'heure où il frappait. Mais l'astre baignait présentement les murailles de la ville, qu'on voyait en face et qui continuait ainsi à s'imposer aux yeux du Sultan Saladin tandis qu'il déambulait dans la forge. De plus en plus de hauts personnages y entraient, attirés par la nouvelle de la venue du souverain qui s'était répandue dans la cité et dans la partie du vaste camp déjà habitée par les contingents accompagnant les princes arrivés à Jérusalem. Le Sultan prenait à sa charge, fastueusement, l'entretien de tous ceux qu'il avait priés de venir tenir conseil avec lui, et certains, pressés par des besoins d'argent, n'avaient pas manqué de calculer l'avantage qu'ils auraient à arriver en avance avec une troupe nombreuse... Saladin allait de l'un à l'autre avec des sourires. La forge devenait le lieu où se tenait à l'impromptu la cour aujourd'hui. Dans la musique allègre que faisaient les marteaux tintant sur les enclumes où les forgerons, exaltés par les présences illustres qui avaient envahi leur domaine, s'affairaient à façonner leurs fers en virtuoses, de plus en plus d'officiers et de secrétaires venaient se joindre à la cour. Le Sultan aimait que les choses soient ainsi, et qu'on se réunisse comme pour un camp de guerre plutôt que dans les salles d'un palais. Voyant ce qu'il en était, les intendants, qui connaissaient bien son humeur, avaient ordonné qu'on apporte des tapis et des sièges. Les hommes de peine et des soldats les disposaient partout, et les nourritures commençaient à arriver des cuisines où les feux avaient été forcés dès qu'on avait su que le Sultan était là.

Puis Saladin vit que Mourad, son confident pour les affaires les plus secrètes, celui qui avait été voir pour lui le Basile d'Orient à Constantinople au moment même où la croisade avait pillé la ville, se trouvait à l'entrée de la forge, bavardant avec des officiers de la garde de son air bonhomme qui lui donnait bien à tort l'apparence d'un courtisan tout en rondeur indifférent aux affaires sérieuses. Mourad était de retour lui aussi et le Sultan se sentit impatient de l'entendre. Mourad, après avoir vu le Basile, s'était efforcé de rencontrer le Roi Richard, celui qu'on appelait Cœur de Lion, avant qu'il n'atteigne la côte de Palestine avec son ost. Richard et Saladin, ensemble, pouvaient tenir les clefs de cette guerre entre leurs mains...

Le Sultan s'adressa à mi-voix à l'officier d'ordonnance qui se tenait à ses côtés depuis qu'il avait quitté la litière sur la colline qui dominait la Ville sainte.

— Fais dire à Mourad de se rendre dans la sellerie, dit-il, et emmène-moi la visiter aussitôt qu'il y sera.

Dans la sellerie silencieuse, où la rumeur de la forge parvenait assourdie, les selles et les harnais, exhalant l'odeur de leurs cuirs neufs, s'étageaient jusqu'au plafond. De longues tables où les outils étaient rangés attendaient le bon vouloir des selliers qui y viendraient travailler. Le Sultan s'était assis sur un tabouret et ses mains jouaient avec un tranchet à la lame brillante.

— Je n'ai pas vu Richard, dit Mourad qui se tenait debout auprès de lui. Il n'a pu venir à Chypre ainsi que le Basile Commène l'avait souhaité pour lui et nous. Les secrets ne sont pas bien tenus dans l'entourage de Commène, et les barons bourguignons et normands ont eu vent d'une possible rencontre entre Richard et un émissaire de Saladin. Aussi le Roi m'a-t-il fait dire qu'il n'irait point lui-même, dans l'intérêt même des accords que nous pourrions faire avec lui, mais qu'il y enverrait le Sire de Nottingham qui a toute sa confiance et devait aller là-bas de toutes manières pour acheter du grain et d'autres approvisionnements utiles à la croisade anglaise. Je me suis fait marchand de blé et j'ai pris passage sur une felouque parmi d'autres négociants. J'ai vu Nottingham longuement en tête à tête car il parle l'italien comme moi. C'est un frère de lait du Roi Richard qui l'a anobli pour ses services à la guerre. Il m'a dit être seul dans la confidence du Roi sur cette rencontre que nous avions, et sur le message que j'avais à te transmettre...

Mourad s'interrompit, laissant entendre ainsi que le message de Richard était d'importance.

— C'est-à-dire ? interrogea Saladin.

— Que tu proclames Jérusalem ville libre, hors de ton pouvoir, donnée en gouvernement aux dignitaires des trois religions, comme un lieu où nul ne peut porter d'arme ni concevoir de guerre, tout cela étant dit et fait au nom du Dieu unique. A ce prix Richard s'opposera à la Croisade, venant en Palestine avec tout son ost pour se déclarer par surprise en accord avec toi sur cette chose-là, et appuyer cet accord par la puissance de ses armes. Il ralliera à lui ceux de la Croisade qui ne haïssent point trop les Musulmans et ne sont pas venus pour la rapine des terres et des fiefs. Aux autres, lui et toi pourriez offrir de l'or qui sera autant d'économisé sur la guerre qu'on ne se fera point. Ainsi qu'aux Pauvres Gens, qui pourraient être établis sur des terres, ou persuadés au contraire de retourner dans leur pays après avoir vu Jérusalem et prié librement dans les églises...

Tandis que Mourad regardait son souverain, après ce qui venait d'être dit, plongé dans sa réflexion, et s'étonnant de ce que la proposition du Roi d'Angleterre s'accordait avec ce qu'il avait pensé en voyant la ville ce matin s'éveiller au soleil, un des officiers qui étaient restés en garde à la porte de la sellerie s'avança vers Saladin pour lui dire qu'un voyageur attendu aujourd'hui était venu et se tenait prêt à son bon vouloir.

— Fais-le entrer, ordonna Saladin. Un homme qui vient du camp des Croisés, expliqua-t-il à l'intention de Mourad une fois que l'officier se fut éloigné.

La porte s'ouvrit à nouveau et l'espion s'avança. C'était un Sicilien au teint olivâtre, qui pouvait passer aussi bien pour un Italien du sud de la péninsule que pour un Arabe natif de n'importe quelle part de la Méditerranée musulmane.

Il s'inclina devant Saladin.

— Je suis celui que tu attends venant au nom de l'amitié que te porte le Doge de Venise, dit-il dans un arabe parfait.

Il eut pour Mourad un rapide regard, comme s'il s'inquiétait de savoir s'il pouvait parler devant un témoin.

— Ne crains point de dire ce que tu as à dire devant Mourad mon ami très cher, qui est en charge avec moi de nos affaires secrètes, dit le Sultan. Il est bon que tu le connaisses et correspondes désormais avec lui quand tu auras à le faire.

L'homme fit de la tête un signe de consentement.

— Tu es Chrétien, reprit le Sultan, qui avait autant de curiosité pour le personnage parvenu devant lui après un dangereux voyage que pour ce qu'il pouvait révéler des conseils tenus par les barons de la Croisade. Pourquoi viens-tu nous dire ce que tu sais de tes frères de religion ?

— Ma mère était musulmane, qui se donna à mon père hors les liens du mariage, par le fait qu'ils n'auraient pu être unis religieusement. Elle fut lapidée dix années plus tard pour cela en retournant dans sa famille, qu'elle tenait beaucoup à revoir, par dévotion pour sa mère. Mais la nouvelle de ce qu'elle avait fait et des deux fils jumeaux qu'elle avait eus d'un Chrétien l'avait précédée dans la ville, rapportée par un homme haineux et fanatique. Mon père qui connaissait parfaitement l'arabe, ayant travaillé chez les Normands de Sicile, s'inquiétant de ce que ma mère ne revenait pas de son voyage, prit passage sur un navire d'Alger pour aller vers la Tripolitaine, où ma mère s'était rendue. Le navire fut capturé par des corsaires chrétiens, et mon père, accusé à tort d'être renégat, pendu par ces gens-là. Ils en voulaient surtout à l'or qu'il avait emporté avec lui dans la crainte qu'il fût arrivé du mal à ma mère et qu'il faille payer une rançon pour la racheter. Voilà pourquoi je veux aider à la paix entre ceux des deux religions.

— Et qui t'a dit que je voulais cette paix ? rétorqua le Sultan. J'ai pris Jérusalem par le fer et le feu et n'ai cessé de faire la guerre aux princes chrétiens.

— Le Seigneur Doge me l'a dit. Tu n'as cessé, mais tu cherches à cesser. Mon frère est entré au service du Seigneur Prince de Bourbon, qui commande la Croisade, parce qu'il connaît l'arabe et l'écrit comme moi. Lui et moi renseignons le Doge, et le Doge dans sa sagesse nous a demandé de te renseigner. Ce que je suis prêt à faire.

— C'est bien, dit le Sultan après un temps de réflexion. Il est vrai que je souhaite la paix. Les Chrétiens d'Europe sont forts et nombreux. Ils sont les fils de Rome, qui a gouverné huit siècles les terres où nous sommes aujourd'hui, nous les Arabes. Je les ai en partie chassés... Mais ils reviennent. Et ils reviendront encore, dans les siècles à venir, je le pressens. Si leur courage à la guerre et dans les entreprises est grand, leur science est faible, par la cause que chez eux les prêtres régentent tout, sous le prétexte menteur de plaire à Dieu. Ainsi la médecine et l'astronomie ne se développent point, étant empêchées de s'enseigner et de se pratiquer comme il faut. Mais gare au jour, qui viendra, où les princes et les savants rejetteront le pouvoir exagéré des prêtres. Alors les Francs feront preuve d'une grande puissance et ils voudront le gouvernement du monde. Voilà ma pensée, conclut le Sultan qui avait parlé pour lui-même et qui ne pouvait exprimer de telles idées qu'en présence d'hommes comme Mourad ou comme ce Sicilien.

Puis Saladin changea de ton.

— Il faudrait bien que tu parles à ton tour, plaisanta-t-il à l'adresse de son visiteur, sinon tu aurais fait un long voyage pour entendre mes confidences, au lieu de me donner les tiennes. Alors ! Que se passe-t-il chez les Francs ?

— Les Bourguignons, les Normands et les Picards ne pensent qu'à marcher sur Jérusalem, et tous sont assoiffés de terres. Ils ont tenu conseil devant des cartes, où ils ont déjà marqué leurs possessions.

— Ils sont donc si sûrs de leur victoire ?

— Ils se croient sûrs de Dieu, Seigneur, et ne doutent point que le Tout-Puissant fasse qu'ils puissent reprendre Jérusalem. Ils voient dans la décision du Roi Richard de se joindre à la Croisade comme la preuve que le Ciel, cette fois, le veut. Car ils font le compte que vous pouvez faire vous-même, Seigneur : celui de la force des armées franques dès que l'ost d'Angleterre viendra débarquer à son tour à Saint-Jean-d'Acre.

— Mais les Templiers, demanda Saladin, qu'en pensent-ils ? Sont-ils venus voir le Prince de Bourbon, et le mettre en garde de toucher aux émirs qui sont leurs alliés, et cherchent à vivre en bonne intelligence avec les terres qui sont encore chrétiennes ?

— Ils l'ont fait. Mais le Grand Maître de l'Ordre Guillaume de Gisy est nouveau en Terre sainte, ainsi que vous le savez, Seigneur, depuis la mort du précédent, et de ce fait son propos a moins de poids. Lui-même peut-être est-il moins convaincu. Mais surtout les barons répondent : tout cela n'est plus de saison depuis que Saladin a repris Jérusalem. Seule la guerre est de saison !

Le Sultan resta songeur. L'espion du Doge poursuivit.

— Le Grand-Maître a averti le Prince de Bourbon que l'atabeg de Djabala, par exemple, dont la terre est sur le chemin que prendra la Croisade, est son allié et son ami. Qu'il a la protection du Vieux de la Montagne et de sa secte et que tout cet édifice d'alliances doit être respecté. Mais le Prince s'est mis en fort mauvaise humeur là-dessus, disant que le fief de Djabala était maintenant aux mains d'un chevalier renégat, qui avait capté la confiance de l'atabeg et séduit sa fille, après avoir rompu son serment de croisade fait au Dyct du Paon du Comte de Flandre et que cela seul suffirait à ce que la Croisade prît Djabala, afin de châtier ce chevalier félon, qui a renié sa foi pour la croyance musulmane afin de s'enrichir et mener grande vie, lui qui n'a que quelques paysans sur sa terre de Bretagne. Guillaume de Gisy s'est tu alors, voyant bien que ces barons venus d'Occident ne pouvaient comprendre quel jeu se jouait ici, sous les regards du Turc et du Perse, qui attendent l'un et l'autre le moment de profiter des fautes que feront les Francs et les Arabes...

— Que sais-tu de ce chevalier renégat ? s'enquit le souverain piqué par la curiosité. Et toi, Mourad, qu'en as-tu entendu dire ?

— Peu de chose, dit Mourad. Si ce n'est qu'il a sauvé l'atabeg de la trahison de son propre fils Mahmoud qui voulait déposer son père dans l'intérêt du parti perse, auquel ce Mahmoud s'est voué, pariant que celui des gens comme nous finirait par être le parti des perdants.

— Il a cru assurer son avenir, remarqua le Sultan, ce chevalier à la recherche d'une fortune... Mais son avenir est le bûcher sur lequel les barons vont le faire monter après avoir pris Djabala. Il aurait dû abjurer sa religion plus loin, plus au nord, ironisa le Sultan. Chez moi, par exemple... Là-bas, c'était trop près de l'ost chrétien. Et ce sera trop loin pour que nous puissions le secourir si les barons normands mettent le siège devant Djabala. Autre chose, poursuivit le Sultan. Que vont faire les Pauvres Gens ? Connais-tu ceux qui sont à leur tête ?

— Ils sont deux, Seigneur. L'un est un aventurier qu'on appelle Gautier Langue d'Oc, qui est un rusé chef de guerre avide de pouvoir et d'or. L'autre est un évêque, qui faisait une cathédrale à Bruxelles, chez le Comte de Flandre, quand la croisade y a été prêchée. Il est parti pour l'amour de la foi et des pauvres. C'est un saint homme, animé de la vraie parole de Jésus...

— As-tu accès auprès d'eux ? demanda le Sultan.

— C'est facile. Il n'y a point de protocole. Pour entrer chez Gautier, il suffit de se présenter en coquin. Pour parler à l'évêque Enoch, il n'est que d'aller à lui. Si c'est pour être entendu en confession, il remet les péchés à tout le monde, quel que soit le crime. Pendant le pillage de Constantinople, il a souffert mille affres de ce qu'il voyait, et a été laissé pour mort sur les marches d'une église par les profanateurs à qui il voulait barrer le chemin...

— Ecoute-moi, poursuivit Saladin. Si je dis que les Pauvres Gens peuvent venir ici à Jérusalem, que je ne leur ferai pas la guerre avec mon armée et au contraire leur donnerai des terres et tout ce qu'il faut autour de la ville pour s'y établir sous ma protection, avec le droit d'avoir leurs églises et des cloches qui sonnent dans les clochers dans le même ciel que les minarets du haut desquels les muezzins appellent à la prière, si je dis cela, que se passera-t-il, selon toi ?

— Les barons diront que c'est un piège grossier pour diviser les forces de la Croisade et que tous ceux qui accepteront seront massacrés après que les portes de la ville de Jérusalem se seront refermées sur eux. Et beaucoup des Pauvres Gens penseront de même.

— Et ton Gautier Langue d'Oc ? Et l'évêque qui croit en l'amour de Jésus ? Croiront-ils en ma parole ?

— Gautier, si vous lui faites porter de l'or sans que cela se sache, acceptera sans doute. L'Evêque peut voir l'amour du Christ dans ce que vous offrez, Seigneur, et entraîner les Pauvres Gens dans l'aventure...

— Et toi, Mourad, qu'en penses-tu ? jeta le sultan. Dois-je faire une chose pareille ?

— Si votre dessein est arrêté dans le sens que nous avons dit tout à l'heure lorsque nous avons parlé du Roi d'Angleterre, c'est peut-être par là qu'il faut commencer en effet, Seigneur...

— C'est par là que nous commencerons, dit Saladin. T'en chargeras-tu, en toute discrétion ? ajouta-t-il à l'adresse du Sicilien. Porterais-tu une lettre, signée de ma main, en grand secret, à l'évêque Enoch ? Promettrais-tu de l'or, en mon nom, à ce Gautier ?

— Je ferai votre volonté, Seigneur, dit celui-ci, et la ferai d'autant mieux qu'elle va dans le sens que je souhaite.

Mourad frappa dans ses mains. L'officier qui se tenait à la porte de la sellerie entra.

— Loge notre visiteur dans la ville et fais-lui donner tout ce qu'il demandera, ordonna le Sultan. Nous te verrons dans trois jours et te donnerons la lettre dont nous avons parlé, ajouta-t-il pour le Sicilien.

L'agent secret du Doge de Venise prit congé. Mourad et le Saladin demeurèrent seuls, et songeurs.

— Suis-je dans l'erreur, Mourad ? demanda le souverain.

— Je ne le pense pas, Seigneur, sourit Mourad. Mais il se peut que ce que vous voulez faire ne réussisse pas, comme étant trop en avance sur ce temps, et que vous-même et le Roi Richard demeuriez condamnés à vous faire la guerre, par la force des choses...

En disant ces mots, Mourad avait tiré de sa gandoura blanche un petit étui de cuir qu'il posa sur la table devant laquelle Salah Ed Dine était demeuré assis.

— Quoi qu'il en advienne, mon voyage n'aura pas été tout à fait inutile, puisque j'ai pu en rapporter une de ces pierres que vous aimez, Seigneur.

— Tu veux dire une émeraude ? demanda le Sultan qui avait la passion de ces pierres-là.

Mourad se pencha sur la table pour ouvrir l'étui.

— Elle est d'une eau magnifique, en effet, dit le Sultan qui avait pris l'émeraude entre ses doigts. Je te remercie d'y avoir pensé, au milieu des soucis de nos affaires. Combien te dois-je ?

— Seigneur... J'ai pris dans l'or qui m'a été donné pour ma mission et dont j'ai très peu usé. Il y a tant de gens prêts à trahir et à parler à Constantinople qu'on sait tout pour presque rien. Et le Basile m'a traité le mieux du monde. Je soupçonne la pierre de venir du sac de la ville, parce qu'elle a coûté moins cher qu'elle ne vaut.

— Comment l'as-tu achetée ?

— Un courtier que j'avais été voir à Chypre me l'a proposée, me disant qu'elle lui était arrivée de là-bas quelques jours plus tôt.

— Cette couleur verte..., dit rêveusement Saladin. La couleur de l'Islam. La couleur de l'espoir, aussi. Les astrologues m'ont dit que l'émeraude m'était bénéfique...

Le Sultan posa sa main sur le bras de Mourad.

— Celle-ci ne peut que me porter bonheur, venant d'un ami, dit-il.

— Il le faudra, Seigneur. Lorsqu'on saura votre volonté de ramener les Chrétiens à Jérusalem, il y aura de la haine contre vous. Rachid Ed Dine, par exemple, qui n'aime pas que vous régniez sur tant de terres, et craint que vous ne décidiez un jour de mettre fin aux entreprises de la secte, en prendra prétexte pour vous vouer son opprobre, et même pire. Vous aurez à vous méfier de lui, Seigneur, et des couteaux de ceux qui lui obéissent...

35.

L'émir du protocole et celui des services secrets

Riou de la Villerouhault, commandant de la cavalerie de l'atabeg de Djabala, et son envoyé au rassemblement des princes appelés par le Sultan Salah Ed Dine à Jérusalem, arriva à son tour quelques jours plus tard, à l'aube, en vue des murailles de la ville sainte à la tête d'une troupe de cent arbalétriers à cheval, de ces arbalétriers qu'il avait formés en les entraînant à l'usage de ces armes meurtrières fabriquées sous sa direction dans les armureries de Djabala en imitation d'un modèle anglais. De ces soldats aux projectiles puissants, encore inconnus en Palestine, Riou avait déjà éduqué trois cents, pris parmi les archers si nombreux à Djabala, et si habiles, ainsi que Riou l'avait vu quand il était arrivé dans la principauté.

Sans se douter que Salah Ed Dine lui-même quelques jours plus tôt avait voulu lui aussi voir le soleil se lever sur la ville à nulle autre pareille, Riou avait ordonné aux trois cavaliers qui allaient en éclaireurs devant sa troupe en marche de rebrousser chemin pour le prévenir dès qu'ils auraient aperçu au loin les murailles et les dômes de la cité.

Ils avaient obéi, et Riou, ayant commandé au détachement de faire halte, s'était avancé sur la route à flanc de colline accompagné du seul Kecelj qui chevauchait à ses côtés.

Après que la peste eut été vaincue à Saint-Jean-d'Acre, le Hongrois avait quitté le camp de la croisade, une nuit, pour rejoindre Riou à Djabala, guidé par le même Arménien venu une première fois à ce camp en compagnie du chevalier au moment où la peste était dans toute sa force. Dans le jardin de l'atabeg et à l'ombre de sa forteresse, Kecelj avait découvert à son tour l'univers des Mahométans. Muni d'une lettre de l'atabeg demandant au Sultan, pour ce médecin chrétien, un sauf-conduit qui lui permettrait d'étudier dans les hôpitaux de

Bagdad, le Hongrois s'avançait lui aussi sur la route de Jérusalem.

Kecelj retint son cheval, afin de laisser Riou, qu'il devinait en proie à l'émotion, atteindre seul l'endroit où le chemin, à son tournant, faisait découvrir aux yeux des voyageurs et des pèlerins à la fin de leur longue marche les murailles de la cité tant désirée. Que pouvait penser à cet instant le chevalier qui avait juré de combattre pour délivrer Jérusalem du joug des Infidèles et qui allait y pénétrer demain sous l'uniforme d'une cavalerie musulmane, en vassal d'un atabeg ?

Mais Riou se retourna vers son ami, avec un geste qui l'invitait à ne pas se séparer de lui. Ils furent bientôt là où la route débouchait sur la ville où le Sanhédrin avait fait périr Jésus, décidant ainsi le destin de l'empire de Rome, celui de milliers de martyrs, celui de l'Occident tout entier, voué désormais à puiser sa foi religieuse dans le sang d'un agonisant accroché à une croix de supplice.

Leurs chevaux s'étaient immobilisés. Kecelj guettait sur le visage de Riou le reflet des sentiments qui l'agitaient. Ce visage restait impassible. Le Hongrois n'y voyait plus la douceur juvénile qui y était encore à Mahdia. Sur les bancs de la galère du raïs Maqsar, dans le bagne des Haschachinns, puis parmi les soldats de l'atabeg, le chevalier avait durci son âme. Riou se tourna vers Kecelj.

— Je sais ce que tu penses, dit-il. Non, je ne regrette pas. Je n'ai point failli, et tout ce qui est arrivé, Dieu l'a voulu pour moi. Je ne pouvais laisser périr Slimane. Je ne pouvais abandonner l'atabeg après que Mahmoud l'avait trahi...

Puis Kecelj vit que Riou se courbait en avant, portant une main à son front. Il crut que le chevalier voulait prier, face à la ville sainte. Mais un sanglot secoua les épaules du jeune homme dans son uniforme noir soutaché d'argent de la cavalerie de Djabala. Kecelj se rapprocha, entourant les épaules de son ami de son bras tandis que leurs étriers se touchaient et que les chevaux, ignorants des émotions qui agitaient leurs cavaliers, jouaient à se mordre l'encolure.

Riou tourna vers le Hongrois un visage baigné de larmes.

— Dame ma mère ! dit-il douloureusement. Peut-être me tiendra-t-elle grande rigueur de ce que je ne suis plus sous la croix...

— Non, Riou. Tu es son fils, unique aux yeux d'une mère.

— Lorsque tu auras été assez de temps à Bagdad, iras-tu la voir pour moi en Bretagne, et lui dire ce qui est ici, et pourquoi j'ai tout accompli de cette façon ?

— J'irai, Riou, je te le promets.

Les larmes de Riou s'apaisèrent, mais il pensa à Couette et ce fut alors comme si une flèche lui perçait le cœur au souvenir de leur enfance à tous les deux et de leur amour abandonné en pleine vie le jour où Riou était parti pour servir le Comte de Fougères. Judith, Couette... Le chemin de Riou avait coûté beaucoup de peine aux cœurs qui l'aimaient. A Maïmouna, il avait coûté la vie...

Dans la troupe arrêtée à distance, des chevaux hennirent, rappelant à Riou qu'il était un soldat. Il se retourna vers les cavaliers immobiles dans les manteaux bruns qui les avaient protégés de la fraîcheur de la nuit et il leva la main pour faire signe qu'on reprenne la marche vers Jérusalem.

L'émir Al Ahrab, chargé d'accueillir les princes ou leurs généraux venus à Jérusalem à l'invitation du Sultan, siégeait au centre d'une immense tente de poil de chameau ornée de broderies qui avaient coûté des mois de travail à des femmes bédouines. Des mâts de cèdre verni sculptés d'arabesques soutenaient ce toit d'étoffe sous lequel on marchait sur des tapis de grand prix. L'émir était un homme au regard pénétrant et malicieux, d'une belle prestance qui lui venait de sa haute taille et aussi de l'aimable aisance acquise à officier depuis bientôt une dizaine d'années dans la fonction de chef du protocole de la cour de Salah Ed Dine. De nombreux secrétaires étaient assis sur des nattes autour de lui, rédigeant les bons de nourriture ou de fourrage qu'on remettait aux officiers qui se présentaient au nom des détachements arrivés au camp, afin qu'ils obtiennent des magasins et des cuisines tout ce qui était nécessaire à leurs troupes. D'autres commis entraient et sortaient, revenant des parcs où ils avaient dénombré le bétail de boucherie arrivé pendant la nuit, ou allant voir si les nombreuses latrines disséminées dans le camp étaient tenues propres, si enfin les provisions d'eau stockées dans d'énormes jarres disposées à toutes sortes d'endroits étaient conformes aux quantités prévues pour ce jour par les intendants.

Tout ce mouvement coloré par les teintes éclatantes des uniformes et l'élégance des burnous de soie blanche donnait une impression de puissance et d'habileté bien en accord avec ce qu'avait créé autour de lui le Sultan Salah Ed Dine. Et c'est le sentiment qu'éprouvaient Riou et Kecelj en s'y mêlant : Saladin était un prince que l'ost des Croisés aurait peine à vaincre sur son terrain.

A mesure que Riou s'avançait, les regards qu'on levait sur lui se faisaient étonnés ou curieux. De tels yeux bleus, cette chevelure blonde, un nez si droit ne pouvaient être que d'un Franc mercenaire sous l'uniforme noir et argent qu'il portait. L'émir Al Ahrab, assis dans le fauteuil où il présidait à tout cela, se tourna à demi vers le secrétaire qui se tenait debout derrière lui pour lui demander s'il savait qui était ce cavalier à l'allure insolite. Le secrétaire répondit à mi-voix que l'arrivant était ce chevalier franc passé au service de l'atabeg de Djabala, dont il avait épousé la fille aînée, avant d'empêcher la conquête de la principauté par les troupes de Cheïsar. L'émir Al Ahrab s'était levé de son siège et s'avançait vers le jeune homme en lui tendant ses deux mains ouvertes avec un sourire affiné par des années de pratique.

— Sois le bienvenu, dit le chef du protocole en prenant les mains de Riou dans les siennes. Aurons-nous le plaisir de voir l'atabeg ?

— Le seigneur Al Zahir préfère rester à la forteresse dans les circonstances où nous sommes, dit Riou.

Le chevalier tira de sa tunique la lettre qui l'accréditait.

— Nous sommes très honorés de te connaître, dit l'émir en prenant la lettre, qu'il gardait dans sa main comme s'il s'agissait d'un objet sacré. Comme tu parles bien notre langue ! Quel plaisir de recevoir un homme comme toi ! Comme l'atabeg est heureux d'avoir un si beau soldat, si fidèle !

Riou fit en souriant un geste de dénégation.

— Si, si ! Ne t'en défends pas... Nous savons que tu as été loyal, poursuivit l'émir Al Ahrab, qui se demandait dans son for intérieur si le jeune Franc n'avait pas plutôt agi par calcul, afin de devenir là-bas celui qui allait mener les choses en maître à la place d'un prince dont certains disaient qu'il se préoccupait trop de ses jardins, et pas assez de ses affaires. Après tout, si les Croisés attaquaient Djabala, ce jeune homme pourrait encore essayer de gagner le pardon des Chrétiens pour son reniement en trahissant une seconde fois, et en les aidant de l'intérieur à s'emparer de la place...

Des valets apportaient du thé, ainsi que des sorbets, et l'émir avait fait asseoir Riou sur un siège auprès du sien. Deux secrétaires s'étaient agenouillés devant eux, prêts à noter sur leurs tablettes ce qu'allait ordonner l'émir pour le logement et l'entretien des hommes et des chevaux que l'envoyé de l'atabeg Al Zahir avait amenés avec lui. D'autres valets avaient avancé un siège pour Kecelj qui, dans son uniforme noir semblable à celui de Riou, passait pour un officier l'accompagnant.

— Combien as-tu de monde avec toi ? interrogea l'émir.

— Cent vingt-cinq hommes d'armes, autant de chevaux, plus trente de remonte, et un train de trente mules pour le bagage. Huit officiers, dont celui-ci, qui est notre médecin...

Sur un plan du camp qui indiquait schématiquement les magasins, les tentes et les écuries, les secrétaires cherchaient déjà où placer le détachement de Djabala.

L'émir Al Ahrab eut un regard pour Kecelj.

— Celui-ci est un médecin de Hongrie, mon ami, qui a quitté la Croisade pour venir servir l'atabeg avec moi, expliqua Riou. Il souhaite étudier la médecine et la chirurgie à Bagdad, si le seigneur Sultan veut bien l'y autoriser...

Riou lut dans les yeux de l'émir une sorte de lueur qui donnait à penser que celui-ci voyait dans ce médecin hongrois un parfait espion pour la Croisade, mais il n'exprima évidemment pas cette pensée fugitive.

— Nul doute que le Seigneur Sultan ne donne à ton ami un firman pour une chose aussi utile, déclara-t-il avec un sourire engageant.

— Mon ami est un médecin de grand talent, dit Riou. Il a découvert seul beaucoup de choses qui sont enseignées dans les hôpitaux de Bagdad et d'autres villes d'Orient...

— C'est bien, approuva l'émir. Ton ami sera le bienvenu parmi nous comme toi-même !

Les secrétaires avaient décidé du cantonnement de la cavalerie de Djabala et rédigé un certain nombre de bons.

— Des guides vont conduire tes hommes où il faut, reprit l'émir en s'adressant à Riou. Pour toi-même, une maison est prévue dans la ville, où tu résideras...

— Ce n'est pas nécessaire, dit Riou. Je puis rester au camp.

L'émir eut un geste de protestation.

— Ce n'est pas l'usage. Tu n'es pas qu'un soldat. Tu es l'envoyé de l'atabeg et tu as sa diplomatie à faire parmi les autres princes qui demeurent tous en ville, afin d'être proches du palais de Salah Ed Dine. Nous sommes mercredi. Vendredi aura lieu la prière solennelle à la mosquée d'Omar, et ensuite une revue de toutes les troupes présentes au camp, par le Sultan lui-même. C'est là que tu lui présenteras tes hommes...

L'émir fixa Riou d'un regard où il y avait un peu d'ironie.

— Il est souhaitable, bien entendu, que tu participes à la prière de vendredi, où tout le monde sera...

Riou soutint tranquillement le regard de l'émir.

— Je comprends qu'il serait bon que j'y sois, mais ce serait insincérité de ma part. Je ne suis point musulman.

Cette fois, l'émir Al Ahrab ne put cacher son étonnement.

— Se peut-il ? dit-il après un temps de silence pendant lequel il avait examiné Riou d'un air nouveau. Ne m'a-t-on point dit que le seigneur Al Zahir t'avait donné sa fille aînée en mariage ? Pardonne-moi cette question, ajouta-t-il en posant amicalement sa main sur le bras de Riou toujours assis près de lui dans son fauteuil, mais mon rôle ici est de connaître tout ce qui touche à ceux qui sont les hôtes de Salah Ed Dine. Et tu es un cas à part, si tu me permets de le dire !

Riou sourit, serrant la main de l'émir.

— Je comprends que je vais t'embarrasser, dit-il, choisissant à son tour la familiarité, selon la manière qu'avaient les Arabes entre eux. Mais l'atabeg Al Zahir m'a laissé libre d'adorer Dieu comme je le souhaitais, pensant sans doute que Dieu est trop grand, et trop haut au-dessus de nous pour s'inquiéter de la manière dont nous lui rendons grâces...

L'émir frappa amicalement l'épaule du jeune homme.

— Je ne suis pas loin de penser comme ton beau-père, et Salah Ed Dine lui-même raisonne de cette manière. Mais tu sais sans doute que beaucoup ici autour de nous voient les choses autrement, surtout au moment où les Chrétiens recommencent la guerre pour reprendre cette ville...

Il regardait Riou, se demandant comment le jeune homme trouvait sa voie entre les deux univers hostiles. Une voie étroite, et périlleuse certainement, qu'il avait choisie pour échapper à la médiocrité dans laquelle il devait vivre avant de partir pour la Croisade. Beaucoup d'autres avant lui avaient joué ce jeu dangereux et y avaient laissé leur vie.

L'émir ne pouvait aller plus loin.

— Laissons cela, coupa-t-il. Tu n'as sûrement pas besoin de mes conseils. Dès que tu auras vu tes cavaliers installés, on te conduira à ta demeure.

Il fit un signe vers d'autres secrétaires, et l'un d'eux s'approcha.

— Y a-t-il une maison en ville, dans le quartier des Grecs, auprès de leur église ? lui demanda l'émir.

— Il y en a, Seigneur, il y en a, dit avec empressement le secrétaire.

— Une belle maison avec un jardin, as-tu cela ?

— Certes, Seigneur ! La plupart de ces maisons sont toujours inoccupées.

— Donne la plus belle au commandant de la cavalerie de Djabala, ordonna l'émir, qui revint à Riou tandis que le secrétaire s'empressait à consulter son plan de la ville. Tu seras près du Saint-Sépulcre, où tu pourras prier pour moi le prophète Jésus...

Il ajouta en se penchant vers Riou sur le ton de la confidence :

— J'en ai bien besoin, je suis un mécréant, qui ne fait pas ses prières, boit du vin et passe trop de temps avec les femmes, voire avec les beaux garçons...

L'émir rit tandis que Riou et Kecelj se levaient pour prendre congé de lui. Ils s'éloignèrent dans le mouvement de tous ceux qui se pressaient sous la grande tente d'apparat, accompagnés de plusieurs secrétaires et de soldats qui s'empressaient à les guider après avoir vu avec quelle familiarité l'émir avait traité ce prestigieux cavalier qui de toute évidence n'était pas un hôte ordinaire.

L'émir Al Ahrab quitta son fauteuil pour se diriger vers l'émir Taïeb, responsable des services de renseignements du Sultan, qui siégeait un peu plus loin entouré de plusieurs officiers de la sécurité.

— C'est le gendre d'Al Zahir de Djabala, lui dit l'émir en indiquant d'un mouvement du menton les silhouettes de Riou et Kecelj qui sortaient de la tente. Tu as un dossier sur lui, sans doute ?

— Sans doute, sourit l'officier de renseignements.

— Et qu'y a-t-il dedans ?

— Il n'y aurait rien que du bien, si ce héros n'avait pas été envoyé à l'atabeg par Rachid Ed Dine.

— Hein ? s'exclama l'émir à mi-voix. Parles-tu sérieusement ?

— Ai-je l'habitude d'être frivole, alors qu'il s'agit de la sauvegarde de notre souverain ?

Taïeb savait depuis plusieurs semaines par ses espions que le Vieux de la Montagne envisageait dans le plus grand secret de faire périr le Sultan.

— Il ne s'est pas fait musulman, continua l'homme des renseignements, qui avait fait étudier avec soin le cas de Riou. Il est protégé également par les Templiers. Il est venu avec cent arbalétriers. Il manie lui-même l'arbalète avec une adresse incroyable. Quel bel assassin, se sacrifiant pour délivrer la Palestine de Saladin, dans l'intérêt commun de l'Ordre du Temple et de la secte des Haschachinns !

L'émir Al Ahrab secoua la tête.

— Je ne peux y croire, dit-il. Il n'a fait que du bien jusqu'à maintenant. C'est un chevalier. Un *fatah*... Cela se lit dans son regard.

— Tu es trop sensible au regard des beaux hommes, sourit Taïeb. Quoi qu'il en soit, ajouta-t-il, nous le surveillerons, ne t'inquiète pas.

36.

Couette au camp de la croisade

Depuis qu'elle avait débarqué avec les autres à Saint-Jean-d'Acre, Couette venait chaque matin au camp de l'ost de Fougères pour demander aux soldats s'ils avaient du linge à laver. C'était aussi pour apercevoir le Comte Guéthenoc, le seigneur qui était le suzerain de Riou au moment où Riou avait été pris par les Infidèles, et pour oser lui parler, si elle en avait le courage. Couette allait sur ses pieds nus, comme l'été en Bretagne. Ici il faisait chaud, bien plus chaud, et il n'y avait pas de peine à marcher sans sabots, sauf au plus fort des chaleurs d'août, lui avaient dit des valets, où la terre et le sable sont si fort chauffés par le soleil dans ce pays qu'on n'y peut poser le pied sans brûlure. Couette était arrivée avec un convoi de plusieurs bateaux affrétés par les évêchés de Vannes et de Kemper pour les gens de Bretagne qui voulaient aller à la croisade, et elle avait dû attendre longtemps à Aigues-Mortes au milieu de centaines d'autres parce que la nouvelle de la peste qu'il y avait eu là-bas en Terre sainte était parvenue au moment où les navires allaient faire voile et que les sires qui commandaient tout cela avaient suspendu le départ. Comment Dieu pouvait-il envoyer la peste aux Chrétiens alors qu'ils avaient couru mille peines et mille morts pour aller délivrer le tombeau de Notre-Seigneur des Infidèles ?

Couette ne comprenait pas cela très bien, ni même que le Père, le Fils et le Saint-Esprit qu'on lui avait enseigné à aimer et à croire avaient pu laisser reprendre le tombeau de Jésus par les Mahométans, avec un grand massacre de la ville de Jérusalem. Mais cela n'était pas très important pour Couette, qui était venue là pour l'amour de Riou qui était son vrai Jésus à elle. Elle avait vu Riou sur les vitraux de la cathédrale de Vannes où elle avait été prier au milieu de centaines d'autres après qu'elle avait quitté la Villerouhault munie des pièces d'argent que Dame Mathilde lui avait données pour l'aider dans son voyage en la bénissant et en l'embrassant avec des pleurs qui avaient coulé sur sa joue. Sur l'un de ces vitraux il y avait une image de Notre-Seigneur Jésus qui ressemblait tout à fait à Riou avec sa barbe blonde et ses yeux bleus, et Couette n'en avait pas été étonnée parce que Riou était son Dieu en somme, depuis qu'elle était toute petite, le fils du Seigneur qui avait toujours joué avec elle dans la cour du château et qui avait eu plein de tendresse pour elle depuis cet été où il l'avait possédée pour la première fois, cet été où ils se retrouvaient dans la grange, au milieu de la paille de seigle au midi d'août quand tout le château, les bêtes et les gens étaient endormis de chaleur dans un grand silence où les hirondelles elles-mêmes se taisaient.

Couette avait eu beaucoup de misère sur le bateau où tous étaient entassés, où elle avait été malade à mourir d'écœurement, où les uns voulaient la toucher et avoir d'elle ce que les hommes veulent avoir, et les autres la voler au point qu'on avait essayé de lui couper son sarrau, quand elle dormait, pour y chercher des pièces qu'on espérait y trouver cachées, comme beaucoup en avaient avec eux. Et cette foule qu'elle avait trouvée en débarquant à Acre dans le camp piétiné où il y avait eu la peste quelques mois plus tôt était une lie d'hommes repoussants, bien pires que ceux qui avaient été avec elle sur le bateau, des hommes qui n'avaient pris la croisade que pour se sauver de la potence et espérer aventure et rapine au détriment des Mahométans... Mais elle avait toujours gardé son cœur tranquille, sûre justement de son amour pour Riou et forte de la seule pensée qu'elle était sur la même terre que Riou, que c'était bien vrai, qu'elle n'était plus en Bretagne, et que chaque pas qu'elle faisait la rapprochait encore de lui.

Et puis le regard de Dame Mathilde qui priait pour elle tous les soirs dans sa chambre au château — elle l'avait promis à Couette —, ce regard la suivait, elle en sentait la présence rassurante au milieu des étranges paysages qu'elle avait sous les yeux ici, la racaille campée dans ses cahutes, les ribaudes qui chantaient et dansaient la nuit en buvant avec les soldats à la lueur des lampes de suif, et les murailles de la ville de Jaffa avec les dômes ronds et blancs des mosquées des Mahométans qu'on avait transformées en églises en leur adjoignant des clochers où sonnaient les cloches aux angélus du matin et du soir, des clochers tout à fait différents de ceux de Bretagne, sans toits d'ardoises ni coqs, et peints à la chaux blanche. Couette avait même vu à son grand étonnement des Mahométans.

Ils venaient vendre des légumes et des fruits à l'ost des seigneurs, qui avaient défendu qu'on leur fasse du mal sous peine d'être fouetté ou pire. Ils entraient dans le camp avec des ânes tout petits chargés de deux paniers, un de chaque côté, où il y avait des pommes d'orange et des citrons que Couette n'avait aperçus que de loin car les Pauvres Gens n'imaginaient pas d'en acheter.

Les mains de Couette étaient un peu crevassées par toutes les lessives qu'elle avait faites en compagnie de trois femmes de Kemper avec qui elle formait une coterie depuis le passage sur le bateau, qui étaient beaucoup plus âgées qu'elle et à qui elle avait fini par dire pourquoi elle était venue à la Croisade, elle si jeune : pour retrouver son seigneur Riou. Les femmes ne lui avaient point dit que ce qu'elle voulait faire était bien hasardeux, et que les jeunes seigneurs même pris par les Infidèles ne se souciaient jamais longtemps des filles comme elle qui avaient eu un amour avec eux, mais Couette avait bien senti qu'elles le pensaient. C'étaient des femmes déjà mûres qui étaient parties parce qu'elles étaient veuves ou qu'elles n'avaient à espérer rien qu'un destin de serve dans les communs d'une maison de bourgeois, avec la méchanceté de la maîtresse à leur égard. Aussi elles avaient voulu aller en Terre sainte pour changer leur vie, et peut-être trouver un mari parmi ceux qui se retiraient dans les royaumes chrétiens de là-bas après avoir été soldats. La nuit elles allaient rôder autour du camp, dans l'espoir de lier commerce avec un homme d'armes qui ne se servirait pas d'elles seulement pour le plaisir d'un moment comme si elles étaient des ribaudes, et Couette pendant ces nuits-là demeurait seule à les attendre dans la cahute qu'elle partageait avec elles, où elle gardait leurs affaires.

Voilà quelle était la vie de Couette depuis qu'elle était arrivée en Terre sainte, lavant le linge des soldats pour les petits sous qui la faisaient vivre, en sus de la farine et des poissons séchés qu'on donnait à tout le monde pour la subsistance, grâce à l'or du sire Duc de Bretagne et à celui des évêques récolté dans les quêtes faites au pays dans les paroisses.

Couette regardait la bannière du Comte Guéthenoc plantée à côté de sa belle et grande tente, et les autres tentes de ses sires vassaux autour, et celles des valets d'armes qui restaient à la portée de leurs seigneurs pour les servir à tout moment et elle pensait avec un grand serrement de cœur que si Riou n'avait pas été pris par les Infidèles, sa tente à lui serait là parmi les autres...

Elle tenait dans son panier la pile de linge qu'elle avait repassée, et elle s'approchait des hommes d'armes qui jouaient aux osselets sur des figures qu'ils avaient tracées dans le sable. D'autres gardaient des chevaux à la bride, attendant que le sire qui les avait commandés sorte de chez lui pour les monter, d'autres encore affûtaient des épées avec des pierres et de la poudre d'émeri. Couette chercha des yeux parmi eux celui qui lui avait donné le linge à laver l'avant-veille et qui lui avait répondu quand elle s'en était enquise que le Sire Comte Guéthenoc n'était pas là de deux jours, étant parti avec Milord Beaufort de Weinsgate chasser aux faucons dans les montagnes et qu'il allait revenir d'un moment à l'autre.

Celui qui lui avait dit cela était un valet d'armes d'un certain âge, de son nom Janvier mais qu'on appelait Janvier Bonne-Nouvelle, parce qu'il répétait toujours ces mots à toute occasion, que c'était une bonne nouvelle, étant toujours content de tout, et il était de Saint-Prigent, c'est-à-dire venant à la foire de Mur tous les premiers lundis du mois, exactement comme les gens de la Villerouhault et des bourgs voisins. Tout cela faisait qu'il avait été bien avenant avec Couette quand elle avait dit en pure langue bretonne qu'elle voulait parler au Seigneur Comte de Fougères et qu'elle était de près de Mur. Janvier Bonne-Nouvelle avait regardé Couette comme les hommes regardent une fille, ses seins qui étaient ronds sous son sarrau, et ses jambes nues, encore que sa robe soit bien longue, mais il n'avait pas eu un mot de trop, comme s'il entendait la respecter et ne pas prendre avantage de ce qu'elle venait offrir à laver le linge pour lui demander si elle n'avait pas plutôt autre chose à mettre à l'encan, comme ils faisaient tous bien entendu à chaque fois que Couette ou une comme elle s'en venait demander du travail aux hommes d'armes ou aux valets.

Couette vit que Bonne-Nouvelle était au milieu de tous ceux qui jouaient aux osselets, des plus jeunes que lui, et elle s'attendait aux quolibets en s'avançant au milieu d'eux.

Cela ne manqua pas, et tandis qu'elle se penchait après avoir posé son panier par terre pour en ôter soigneusement le linge et le remettre à Bonne-Nouvelle, une main la toucha au derrière. Quand elle se retourna d'une pièce, ils étaient tous à rire et à la regarder, elle et sa rougeur de colère qu'elle avait au visage.

— Parguié, ma p'tite, il faut bien qu'on voye si c'est ferme avant d'acheter !

C'était ce que lui disait un de ceux qui riaient d'elle, celui qui avait mis la main dans sa jupe et qui la regardait, planté devant elle, sûr qu'elle ne pouvait rien faire contre lui, un homme râblé rompu aux armes, elle qui n'était qu'une va-nu-pieds dont la seule présence ici en Orient voulait dire qu'elle était une fille de misère, et rien d'autre.

Les larmes lui brouillaient les yeux, car elle savait bien qu'ils pensaient tous cette chose-là, ignorant qu'elle était venue pour l'amour de son seigneur qui les fouetterait avec son fouet à chiens s'il était présent, et les voyait faire cette vilenie, mais Couette s'avança vers lui pour le frapper d'une gifle, car elle n'avait pas peur de lui ni de personne d'autre. Il lui attrapa la main qu'elle levait, puis l'autre, et il était beaucoup plus fort. Alors elle lui cracha au visage, et il reçut son crachat dans l'œil. Il fut alors en colère lui aussi, et lui tordant les bras par ses mains qu'il tenait toujours, la jeta à terre.

Au moment où elle y tombait sous les rires elle se vit entourée d'une meute de bigles blancs et roux surgis soudainement entre les tentes, les chiens à courir le lièvre du Comte Guéthenoc qui, la langue bavante de la longue randonnée courue devant les chevaux de leur maître, jappaient et voulaient la lécher par jeu. Le Comte Guéthenoc venait derrière, droit et massif sur sa selle, le visage et la barbe enduits de la poussière brune des plaines qui lui donnait le faciès d'un Arabe, suivi de ses valets de chasse qui portaient au poing les faucons encapuchonnés, et aussi les cailles, les perdrix et les lièvres dans des sacs de toile ensanglantés pendus de chaque côté de l'arçon de leurs selles.

Trop occupés à rire de Couette, les joueurs d'osselets n'avaient pas vu le Comte revenir et le regard impérieux de celui-ci, du panier à linge à la joliesse de la fille, avait déjà saisi le sens de la scène qui venait de s'achever sous ses yeux.

Il désigna de son doigt ganté la bannière de Fougères bleu et blanc qui se balançait toute proche.

— Tu oublies que tu es chez moi, Didier Dangogne, et que chez moi on montre du respect aux dames, même quand elles sont filles de peine...

Tous les autres se taisaient, debout, leur bonnet à la main qu'ils venaient d'enlever, et l'interpellé était rouge à son tour, parce que le comte était un seigneur qui menait tout avec rigueur dans son ost et sa maison. A Fougères, le bourreau à la potence ne chômait pas et le fouet allait bon train sur les places publiques.

D'ailleurs Didier Dangogne fixait des yeux le fouet qui pendait au flanc du cheval de chasse du Comte. Guéthenoc sourit.

— Tu n'as rien à craindre, pour cette fois, dit-il. Vingt coups sur tes fesses n'apporteraient rien à cette petite. Tu as bien trois ducats d'argent quelque part dans ton bagage ?

— Messire, protesta le valet, je n'ai point tant...

— Comment, rit le comte, aurais-tu déjà tout dépensé ce que tu as gagné le dernier dimanche, contre l'édit du Sire Duc qui défend les jeux d'argent à l'ost ?

— Non point, Messire, balbutia le valet effrayé que le Comte sache tout.

— Qu'importe, si tu ne les as plus, tu emprunteras ! Va les chercher et les donne à cette jeune fille pour l'amour de moi. Tu seras quitte pour ce prix d'avoir été brutal avec elle, au contraire de ce qu'un bon chrétien doit faire... N'es-tu point venu ici avec nous tous pour racheter tes péchés ? Si tu en fais de nouveaux tous les jours, comment viendras-tu à bout du rachat ?

Sous les rires qu'il avait escomptés de sa plaisanterie, le Comte commença à enjamber sa monture pour mettre pied à terre et plusieurs des valets se précipitèrent pour tenir la bride. Les fauconniers et les maîtres de chiens descendirent de leurs chevaux à leur tour, et le Comte se trouva devant Couette qui était pâle d'émotion.

— D'où es-tu, toi ? demanda-t-il.

— Je suis au sire de la Villerouhault, dit la jeune fille d'une voix blanche après avoir fait sa révérence.

— Hein ? s'exclama le comte surpris. A Riou ?

Couette avait craint que le comte, après avoir rendu justice en sa faveur, ne passe sans plus s'occuper d'elle, et craint aussi de n'avoir pas le courage de lui dire ce qu'elle voulait, paralysée par la timidité devant ce seigneur redoutable, qui n'était pas du tout comme Riou. Mais le nom de celui-ci semblait soulever un grand intérêt dans le regard du Comte, et la jeune fille s'enhardit.

— Je suis venue vous demander aide à son propos, Messire, lâcha-t-elle.

Le comte regardait la petite avec curiosité.

— Entre chez moi, dit-il.

Le comte s'était lavé le visage dans la grande aiguière de cuivre disposée sur sa table de toilette et il s'essuyait en regardant la petite Bretonne qui se tenait debout sous sa tente avec la même curiosité que tout à l'heure. La petite était jolie, et fine, bien formée d'un corps qui avait tous les attraits, et au ton de voix qu'elle avait eu pour dire qu'elle était au sire de la Villerouhault, selon l'expression que tout le monde employait quand il s'agissait de dire quel seigneur on servait, il était aisé de comprendre de quelle manière elle appartenait à celui-là. Le Comte avait devant lui la petite maîtresse que le chevalier sans écus avait laissée à son château pour s'engager à l'ost de Fougères. Et dans les yeux bleus posés sur lui avec crainte, le Comte Guéthenoc lisait le drame que l'abandonnée avait vécu. Son Sire était allé en Flandre pour gagner les quelques pièces d'or qui lui servaient à faire vivre les gens de sa maison, mais tout le monde là-bas avait pris la Croix à l'improviste, comme un feu qui avait flambé soudainement, et il n'était jamais revenu au château consoler sa fille de lit. Et maintenant... La petite ne savait pas que son seigneur et maître était au service d'un prince musulman. Guéthenoc resta silencieux un instant, ému par ce regard qu'elle avait pour lui, le puissant seigneur suzerain qui pouvait peut-être lui rendre son Riou.

La petite Couette voyait avec respect les beaux meubles de cuir tendu et de bois verni qu'abritait la tente, et sur la table basse les plats d'étain bien astiqués remplis d'oranges et de citrons, et d'autres fruits aux formes et aux couleurs nouvelles à ses yeux n'avaient jamais vus.

Sur le lit du Comte une couverture de peaux de renard était jetée, et au chevet une pendule en or faisait entendre son tic-tac. Une pendule ! Il n'y en avait point à la Villerouhault. Couette savait seulement par ouï-dire que les pendules existaient.

— Assieds-toi sur ce tabouret, et mets-toi à l'aise, dit le comte, soucieux de gagner un peu de temps avant d'avoir à dire à cette malheureuse ce qui n'allait pas lui faire plaisir. Tu ne vas point rester debout devant moi tout le temps, quand bien même c'est l'usage...

Couette s'assit avec gêne, tandis que le Comte prenait place dans le fauteuil de cuir qui était proche de son lit.

— Je suis rompu, dit-il. Nous avons fait près de cinquante lieues en trois jours à courir les oiseaux et les lièvres. Je vais t'en donner, justement ! Tu les mettras dans ton panier. Et des oranges ! Aimes-tu les oranges ? interrogea le Comte qui se doutait bien que la petite n'en avait pas mangé souvent.

— Je vous remercie, Messire, dit Couette encore plus confuse.

Guéthenoc eut honte soudain du regard attristé de sa visiteuse. Elle avait compris que le Comte était bon avec elle parce qu'il avait une mauvaise nouvelle à lui dire à propos de Riou et il prit le taureau par les cornes.

— Riou t'a quittée, hein, petite, et tu es après lui ?

— Oui, Messire, dit-elle d'une voix blanche.

— Eh bien, il n'a pas laissé que toi... Il m'a quitté moi aussi ! Riou s'est fait vassal d'un prince mahométan, qu'il sert, à la tête d'une cavalerie. Voilà. Tu sais tout.

Le Comte mentait, n'ayant pas dit que Riou était marié à la fille de son prince. Mais il espérait en être quitte de cette façon.

Couette le fixait avec des yeux extasiés.

— Il n'est donc point aux galères, comme on l'avait dit en Bretagne ! s'écria-t-elle.

— Non point ! dit le comte ému des sentiments de la petite paysanne qui mettait avant tout le bonheur de celui qu'elle aimait.

— Messire, est-ce que selon vous, qui connaissez toutes choses... Pourrais-je l'aller rejoindre, là où il est ?

Le Comte fronça les sourcils, se demandant comment répondre.

— Le rejoindre ? répéta-t-il.

Que ferait Riou de cette petite ? Il est vrai qu'il pouvait la mettre dans son harem, puisque les mahométans voyaient les choses de cette façon, plus aisée que celle des Francs. Ces harems arrangeaient bien les affaires... Riou devait en avoir un, comme les autres. La petite était jeune, belle et aimante. Il ne la rejetterait point.

La petite attendait sa réponse.

— Le rejoindre..., commença Guéthenoc. Ce n'est pas fort loin d'ici, là où il est, mais tu ne peux y aller comme ça. On ne passe point chez les mahométans ainsi, surtout toi, qui es une fille, et jolie, à qui tout le monde veut prendre quelque chose au passage comme l'a fait tout à l'heure Didier. Cela doit t'arriver souvent, hein ?

— Oui, Messire, dit Couette confuse. Ce n'est point aisé d'être une fille auprès de l'ost.

— En tout cas ce jourd'hui tu as gagné trois ducats pour t'être défendue ! Et tu vas t'en aller avec un grand lièvre et des oranges. Les lièvres sont énormes, dans ces plaines, ici. Comment font-ils ? Il n'y a pas tant à manger dans les champs, et pourtant...

Le Comte bavardait, cherchant en même temps ce qu'il allait répondre à la petite. Puis l'idée lui vint.

— J'ai ton affaire ! lança-t-il. On dit que le Sultan Saladin a fait savoir à l'évêque Enoch et à Gautier Langue d'Oc qu'il recevrait tous les Pauvres Gens qui voudraient venir à Jérusalem, sur sa foi jurée, et leur donnerait un peu de terre ou des boutiques pour s'établir, et des églises pour prier Dieu... Sais-tu que le Dieu des mahométans est le même que le nôtre, le sais-tu, petite ? s'interrompit le Comte, curieux de voir ce que sa visiteuse allait répondre.

Couette ouvrit de grands yeux par politesse, mais le Comte vit bien qu'elle ne s'était jamais souciée de théologie. Elle aimait Riou, et le reste ne comptait point.

— Eh bien, vois-tu, je ne le savais point non plus et l'ai appris en faisant la guerre aux Mahométans à Mahdia où Riou a été capturé ! Donc, va voir l'évêque Enoch, qui est un saint homme, dis-lui que je t'envoie et que tu veux rejoindre un chevalier qui est de l'autre côté, et il t'emmènera. Une fois à Jérusalem, tu demanderas où est Djabala et tu iras. Djabala, tu te souviendras ? C'est là qu'est Riou, chez son prince...

— Djabala, répéta Couette sans hésiter sur les syllabes du mot arabe.

Ces mots se gravaient dans son cœur, elle ne les oublierait jamais...

Maintenant, Couette se sentait transportée de joie. Elle s'était approchée de la tente du Comte, et le miracle s'était produit. Elle avait su en un instant que Riou était libre, qu'il était heureux, et comment on pouvait aller jusqu'à lui.

Même le terrible Sultan Saladin contre lequel l'ost poussait ses cris de guerre par des milliers de bouches montrait à Couette le chemin qui menait à Riou...

37.

Marchande de filles

Riou et Kecelj entrèrent à cheval dans Jérusalem, conduits par ceux qui avaient été commis à les introduire dans la maison réservée à l'envoyé de l'atabeg de Djabala. Ils y laissèrent leurs bagages et en sortirent aussitôt pour se rendre à l'église du Saint-Sépulcre, celle qui abrite sous ses voûtes le tombeau du Christ. Elle avait toujours été entre les mains de moines grecs orthodoxes, et elle y était encore sous le pouvoir de Saladin. Pendant les heures tragiques de la prise de la ville, un certain nombre de moines qui étaient restés en prière auprès du tombeau du Crucifié avaient été massacrés par des soldats mahométans ivres de carnage. Puis des officiers arrivés en hâte pour protéger le lieu saint sur l'ordre du Sultan avaient sabré eux-mêmes les profanateurs qui, dans leur folie sanguinaire, souillaient le tombeau d'un prophète vénéré par l'Islam. Salah Ed Dine, ensuite, avait correspondu avec le Basile de Constantinople, lui demandant de renvoyer des moines et des prêtres à Jérusalem, afin qu'ils réoccupassent leurs églises, et les entretinssent.

Riou entra donc, et pria. L'église était silencieuse. Par ses portes ouvertes, le chevalier voyait la rue en pente au sommet de laquelle elle se trouvait. Des marchands ambulants lançaient leurs cris au-dehors. Un moine marchait de long en large sur les dalles, passant et repassant auprès de Riou, absorbé dans la lecture d'un gros missel noir dont il murmurait les paroles sacrées.

Kecelj n'avait jamais pardonné à Dieu la tentative qu'avait faite l'évêque de sa ville hongroise pour l'envoyer au bûcher. Aussi se tenait-il à l'écart de tout ce qui avait trait à la religion. Tandis que Riou priait, il attendait assis sur une des grandes bornes de pierre limitant l'étroit parvis. Le chevalier, levant la tête de temps à autre, voyait la silhouette du Hongrois perdu dans les réflexions qu'il pouvait faire lui aussi, venu de si loin pour être en somme, avec Riou, le premier des croisés à pénétrer dans Jérusalem. Peut-être seraient-ils l'un et l'autre les seuls qui y entreraient jamais avant de longues années, si l'ost des barons francs échouait dans son entreprise...

Sortant de l'église du Saint-Sépulcre, Riou se sentit pénétré d'un grand calme. Il lui semblait soudain qu'il était, de tous les chevaliers partis de Flandre avec la croix sur leur poitrine, celui qui était le plus près de la parole de Jésus. La parole de Jésus était faite d'amour. Comment tirer l'épée en son nom ? L'épée n'avait pas trouvé sa place dans l'évangile dicté par Jésus à ses disciples, excepté pour dire que ceux qui tireraient l'épée périraient par elle.

Remets l'épée au fourreau, avait dit Jésus à ceux de ses disciples qui voulaient le défendre au moment où les soldats du Sanhédrin étaient venus l'arrêter pour le conduire à son procès et à son supplice, c'est-à-dire à ce même tombeau devant lequel Riou était maintenant agenouillé. *Celui qui tire l'épée périra par l'épée...*

La parole du Crucifié était claire. Il ne voulait pas que les croyants s'entre-tuent pour se disputer la ville où il avait prêché, mais plutôt qu'ils s'entendent dans la paix pour y prier Dieu ensemble, fût-ce dans des sanctuaires distincts. Riou avait fait tout ce chemin, depuis Mahdia, pour découvrir la vraie signification de l'évangile. L'épée était le fondement de la force entre les hommes. Elle était au chevalier ce que le soc de la charrue est au laboureur, l'outil de sa tâche quotidienne et le symbole de son état. Mais ceux qui la brandissaient n'avaient point le droit de dire qu'ils le faisaient au nom de Dieu... Ils le faisaient au nom du besoin qu'avaient les hommes de se partager le monde à leur convenance d'hommes, et en le faisant, ils dissimulaient leurs appétits derrière les bannières sacrées qu'ils brandissaient devant leurs troupes.

Riou sourit à Kecelj qui se levait de sa borne. Ce refus du Hongrois de croire en quelque chose de la religion était sans doute une meilleure façon de respecter la parole de Jésus que tous les prêches enflammés des prêtres appelant à la guerre sainte.

Peu après qu'ils aient commencé à redescendre cette rue en pente qui les avait menés tout à l'heure au Saint-Sépulcre, Riou sentit qu'on les suivait et il se retourna pour voir un homme d'une cinquantaine d'années, coiffé d'un turban et vêtu d'une gandoura mauve surchargée de broderies, dont il avait déjà remarqué la présence au moment où il était entré dans l'église. L'homme inclina la tête pour saluer avec un sourire obséquieux. Riou et Kecelj lui firent face.

— Seigneurs, dit le personnage en arabe, j'ai vu que vous preniez possession de votre maison tout à l'heure, et que vous y étiez seuls...

— Seuls ? répéta Riou. Que veux-tu dire ?

— Je veux dire que vous êtes des officiers, venus dans cette ville pour le service de votre prince, sans compagnes pour vos nuits...

— Que dit-il ? interrogea Kecelj.

— Que tu n'as pas de femme dans ton lit ce soir, ni moi non plus. Il va nous en proposer sans doute.

— Il y a en effet fort longtemps que je n'en ai pas eu, avec cette maudite peste à Saint-Jean-d'Acre, remarqua le Hongrois. Ni d'ailleurs chez ton atabeg, où tu ne t'es pas inquiété de mon sort, en ce qui concerne ce sujet-là, en dépit des règles élémentaires de l'hospitalité...

— Nous n'en avons pas eu le temps, se défendit le chevalier en riant. Crois bien que si nous avions pu retarder notre départ, j'y aurais pourvu.

— Eh bien, pourvoyons-y aujourd'hui, puisque nous avons une maison, un beau jardin, et du loisir devant nous. N'avons-nous point mérité un peu de douceur, après tant de travaux et de peines ?

— As-tu des compagnes à nous proposer ? demanda Riou, revenant à l'homme qui les avait suivis.

— Certainement, Seigneur. Je sais que vous êtes des Francs l'un et l'autre. Ce sont des femmes et filles franques, qui sont arrivées ces jours-ci de Constantinople, avec un firman en bonne et due forme de Sa Seigneurie le Sultan. Les unes cherchent mariage, ou la sécurité d'un harem. Certaines autres n'en demandent pas tant... Mais toutes, Seigneur, seront aises de rencontrer un bel homme comme vous, issu de leur race et parlant leur langue...

— Que dit-il encore ? questionna le Hongrois.

— Que nous sommes bien faits l'un et l'autre, et que nous plairons sans peine aux jeunes femmes auprès desquelles il peut nous introduire.

Ayant accepté de suivre l'homme au turban et aux manières obséquieuses, Riou et Kecelj, après avoir cheminé dans quelques rues étroites, où de hauts murs enfermaient des jardins, se trouvèrent dans le patio d'une maison fort belle, dont on voyait qu'elle avait été refaite à neuf, sans doute après les désordres qui avaient accompagné la prise de la ville. Leur guide les fit asseoir sur un divan, et deux jeunes bédouines au visage orné de tatouages, vêtues de robes garnies de pièces d'or, apportèrent en souriant des rafraîchissements d'orangeade.

— Ces jeunes filles ne sont que des domestiques, expliqua le guide. Elles peuvent être louées à la journée, à la semaine ou au mois. Elles peuvent également vous tenir compagnie la nuit pour un supplément, mais elles ne sont pas expérimentées et on ne peut attendre d'elles les soins que vous donneront des personnes qui ont été éduquées pour cela. Le seigneur est-il intéressé par la compagnie d'une personne d'ici, ou au contraire par une jeune femme franque ? demanda le pourvoyeur en regardant Kecelj.

— Dis-lui que je ne suis pas venu si loin pour retrouver une femme de nos contrées, fit le Hongrois. S'il y a une jeune fille bien arabe et bien brune, et bien soumise, dressée à obéir depuis son enfance, et qui ne parle pas un mot de ma langue, de telle sorte qu'elle me laisse en paix, m'épargnant les bavardages dont nos femmes nous assomment, je suis prêt à la garder avec moi, afin qu'elle tienne mon ménage et m'accompagne partout où je vais pour me servir dans le jour et me tenir chaud la nuit...

Riou traduisit ce qu'avait dit Kecelj.

— Cela ne sera pas difficile à trouver, dit l'autre en riant. Nous achetons dans les villages de très jeunes filles que les parents ne peuvent nourrir convenablement, nous leur apprenons la cuisine qu'on fait dans les villes, la préparation des gâteaux et des sorbets, et même l'art du massage, et nous les plaçons dans les harems où elles servent les épouses. L'une d'elles sera fort heureuse de devenir la concubine d'un seigneur franc, au lieu et place d'être l'esclave des caprices des autres femmes. Je vais m'enquérir de celles qui sont disponibles, et vous les amener afin que vous puissiez voir celle qui vous convient. Quant à vous, Seigneur ? interrogea-t-il en s'adressant à Riou. Voulez-vous rencontrer une jeune femme franque, que vous pourriez avoir en mariage selon la loi musulmane, puisque vous demeurez dans notre contrée, ou bien vous suffit-il d'une compagne pour les jours que vous passez à Jérusalem ?

— J'ai femme déjà, dit Riou.

— Mais vous pouvez en avoir une seconde, Seigneur, ou une troisième. Cela est tout à fait d'usage dans votre position ! Nous sommes seuls dans toute la Palestine à pouvoir proposer des jeunes filles franques, et vous ne devez pas manquer cette occasion qu'est votre séjour à Jérusalem pour les rencontrer. Cela ne vous engage à rien, Seigneur... Je suis sûr que, lorsque vous aurez vu certaines adolescentes que notre maîtresse a fait venir récemment des provinces de la Russie, vous serez ému, et changerez d'avis. Elles sont si blondes que leurs cheveux paraissent quasiment blancs, à l'instar de leur peau qui est comme du lait. Les Mogols qui gouvernent ce pays exigent chaque année en tribut de vassalité un certain nombre de ces jeunes filles, et qu'elles soient vierges. Nous les rachetons un grand prix et prenons grand soin d'elles. Les émirs les paient très cher pour en avoir au moins une dans leur harem, mais elles n'y sont pas toujours heureuses. A la vue d'un bel homme de leur race comme vous, elles auront l'ardent désir de vous plaire en toutes choses et vous en tirerez beaucoup de bonheur...

— Tu es trop beau parleur ! s'exclama le chevalier en riant. Je ne suis pas un émir, pour payer aussi cher une épouse ou une concubine...

— Mais, Seigneur, cela est bien entendu. Notre maîtresse va vous recevoir, et elle vous fera de bonnes conditions, selon que vous êtes d'une naissance franque comme elle. Nous sommes des commerçants, mais savons nous conduire, et ne pensons pas qu'à faire argent de tout ! Demeurez, Seigneur ! Votre ami va me suivre à l'appartement où se tiennent les jeunes musulmanes et notre maîtresse va venir vous visiter pendant ce temps. Elle vous convaincra mieux que moi...

Le vendeur de jeunes filles sortit avec Kecelj, laissant Riou étourdi de paroles. Le chevalier était seul dans cette pièce fraîche qui ouvrait sur un patio où des oiseaux venaient se baigner dans une vasque, frappant l'eau claire de leurs ailes. Un peu de musique de deux flûtes qui se répondaient parvenait à ses oreilles, sans doute une leçon donnée à une fille afin qu'elle sache mieux plaire à qui l'achèterait. Encore une fois, Riou se sentit prisonnier de cette douceur de vivre qu'il avait trouvée en Orient, après avoir franchi la dure épreuve de la galère et du bagne des Haschachinns, dans le jardin de l'atabeg et les caresses de Zofar et de Sofana. Cette douceur de vivre était devenue sa patrie vers laquelle il avait marché, sans le savoir, dès qu'il était entré dans la forêt de Fougères au pas de son Vaillant.

Vaillant, où était-il ? Riou songeait avec émotion à son destrier qu'il avait vu pour la dernière fois à Mahdia avant de monter sur la grande tour de siège que le naphte des artificiers du raïs Abbou el Abbas avait incendiée, quand un bruit de pas légers sur les dalles du patio lui fit tourner la tête. Une jeune femme paraissait dans les taches de soleil, venant vers lui. Elle était vêtue d'une longue robe de mousseline brodée de fleurs, assez transparente pour laisser voir les formes de son corps qui étaient pourtant enfermées dans un fourreau de soie blanche ajoutant de la pudeur à ce vêtement destiné à inspirer le désir avec beaucoup d'élégance. Quand elle eut franchi le contre-jour à l'entrée de la pièce, Riou vit à son visage qu'elle n'avait pas beaucoup plus d'une vingtaine d'années. Ses cheveux blonds étaient nattés autour de ses oreilles et ses yeux étaient bleus. Riou s'était levé de son divan et se tenait un peu embarrassé à la vue de l'inconnue qui lui paraissait bien jeune pour être celle que le guide avait appelée sa maîtresse, se consacrant à un commerce de marieuse et de pourvoyeuse de harems. N'était-ce pas plutôt une des jeunes Franques qu'on voulait lui faire connaître ?

Lorsqu'elle s'arrêta devant lui, Riou éprouva l'étrange sentiment qu'il avait déjà croisé ce regard décidé qui le fixait sans sourire, comme si leur rencontre devait se faire sous le signe de la gravité.

— Sire chevalier, déclara la jeune femme, sachez que c'est avec une grande émotion dans mon cœur que je touche à cet instant au terme de mon voyage, qui avait été entrepris dans l'espoir de vous revoir...

Riou restait interdit. La jeune fille eut un sourire triste et moqueur à la fois.

— Certes, je vous ai regardé plus souventes fois que vous ne l'avez fait de moi, et nous ne nous sommes vus de près qu'en deux occasions. Deux pauvres petites occasions... Si je vous les rappelle, peut-être vous souviendrez-vous de moi ?

— Méheude ! s'écria Riou stupéfait.

— Oui ! Méheude... Enfin, je pourrai penser que vous m'avez reconnue, puisque vous avez prononcé mon nom...

— Méheude..., répéta Riou. Comment êtes-vous ici, à Jérusalem ?

— Je vous l'ai dit. Je suis partie de Bretagne pour aller à vous, et donner rançon à ceux qui vous avaient fait captif. Comme vous le voyez, ironisa-t-elle, je voulais encore une fois vous acheter... C'est bien ce que vous avez pensé, n'est-ce pas, lorsque vous avez refusé l'offre que mon père vous avait faite en Bretagne, et que vous êtes parti pour ne pas avoir à l'accepter ?

Elle dit cela sur le ton de l'amertume, en fixant le chevalier d'un air de défi.

— Je... Je n'ai rien pensé de cela, dit Riou, gêné. Dans le grand souci où j'étais de la pauvreté de ma maison, j'ai décidé selon ce qu'on m'avait toujours enseigné. J'ai choisi le service de guerre du Comte de Fougères, comme l'aurait fait mon père, s'il avait été en vie et dans les difficultés de notre condition...

Méheude ne retint pas l'explication, car elle poursuivit sur le même ton :

— Le jugement que vous avez porté sur moi n'était pas erroné, puisque me voilà ici devant vous en femme d'argent, qui fais commerce de mariage et de compagnie féminine. N'ayant pas réussi à sortir de la condition que je tenais de mon père, je m'y suis installée tout à fait... Savez-vous quand j'en ai décidé ainsi ? C'est en apprenant que vous étiez devenu le vassal du prince à qui je voulais vous racheter, et l'époux de sa fille. Vous n'aviez plus besoin de moi ni de ma dot... Je l'ai placée ailleurs. Je l'ai investie dans les affaires de Théodika dont vous avez sans doute entendu parler, puisque tout l'Orient la connaît. Je suis devenue son amie par surcroît. Ainsi chacun de nous deux a suivi le destin pour lequel il était fait. Vous êtes chevalier chez les Mahométans, et commandant d'une cavalerie. Je suis une marchande qui vends et loue des filles. Comme vous, j'aime la vie qu'on peut avoir ici, et les plaisirs, et la douceur du climat. Regardez-moi, dit-elle en désignant son léger vêtement. N'est-ce pas plus plaisant que le lin et la toile qu'on porte en Bretagne ? Et ces jardins ! ajouta-t-elle en tournant la tête vers le patio, où les oiseaux allaient et venaient entre la vasque du jet d'eau et les rosiers grimpants des colonnades. Ne valent-ils pas mieux que les ciels pluvieux de notre enfance ?

L'émotion gagnait Riou, au long de cette profession de foi que faisait Méheude, sous laquelle il sentait maintenant une blessure. Méheude, au soleil de l'Orient, et dans les soins des filles gracieuses au milieu desquelles elle passait sa vie, avait embelli. Ses yeux bleus qu'on n'eût pas remarqués en Bretagne devenaient précieux ici, ainsi que la blondeur de ses cheveux. Elle n'était plus la fille du notaire Mohandiau que Riou avait vue deux fois, au milieu de ses servantes, mais une jeune beauté enhardie par l'aventure qu'elle vivait.

— Il est vrai que les douceurs que nous avons ici vous conviennent fort, autant que cette parure de mousseline que vous portez, dit Riou, qui subissait maintenant le charme de la jeune fille.

— Je vous remercie. J'ai donc bien fait de ne plus m'habiller à la mode de Bretagne !

Elle rit pour se moquer, puis changea de ton.

— Mais j'oublie que vous êtes venu dans cette maison pour chercher un remède à votre solitude. Sans doute n'êtes-vous pas à Jérusalem avec votre épouse ?

— Non point, dit Riou. Mais je suis entré ici pour satisfaire le désir de mon compagnon, qui est un médecin de grande science en route pour aller étudier à Bagdad. Il est préoccupé de trouver une jeune musulmane, qui prendrait soin de lui au long de son voyage.

Méheude hocha la tête.

— Ainsi, vous-même n'avez besoin de personne ? demanda-t-elle.
Riou sourit.

— Je n'ai pas dit cela.

— Si pendant les jours où vous êtes ici l'invité du Sultan, reprit Méheude sur le ton sérieux de quelqu'un qui fait son métier, je mets dans votre lit une jeune femme ardente au plaisir, pour une somme très raisonnable, puisque nous nous connaissons de longtemps et que je tiens fort à vous être agréable, l'accepteriez-vous, bien que vous ne soyez entré dans cette maison que pour le souci de votre ami ?

— Certainement, dit Riou en souriant.

— Votre épouse, même venant à l'apprendre, ne s'en inquiéterait sans doute pas, étant rompue aux coutumes de ce pays ?

— Je ne pense pas qu'elle s'en fâcherait en effet.

— N'est-ce pas que les mœurs des Mahométans sont plus douces et raffinées que les nôtres, avec nos confesseurs toujours à gendarmer ? se moqua-t-elle. Mais parlons d'argent, puisqu'il le faut bien. Est-ce que deux rials pour une nuit ne vous paraissent pas trop, pour une jeune femme très désireuse de vous faire plaisir ? A quelqu'un d'autre, j'aurais compté le double, sachez-le bien...

— Cela conviendra, dit Riou, et je vous en remercie.

Méheude changea de visage. Elle ne souriait plus, et elle se rapprocha de Riou en lui tendant ses deux mains.

— Alors prenez-moi, dit-elle d'une voix grave. Il ne se peut pas que vous alliez à une autre, et aucune n'aura tant de désir pour vous que moi. J'ai rêvé de vous depuis mon enfance et vu venir maintes fois l'aube sans avoir trouvé le sommeil à cause de votre image. Gardez-moi toutes les nuits que vous serez ici à Jérusalem...

Les narines de la jeune femme palpitaient. Riou avait pris les mains qu'elle lui tendait. Elles brûlaient les siennes.

— Je n'ai point connu d'homme encore, sachez-le... J'ai entrepris ce voyage dans la pensée de vous rencontrer et même lorsque j'ai été déçue d'apprendre que vous aviez pris en mariage une femme de ce pays qui est sans doute fort belle, j'ai cherché l'affection et le plaisir avec les filles qui m'entourent et qui m'en ont donné avec une grande ardeur. Mais vous êtes là, aujourd'hui, et plus rien d'autre ne compte, c'est le but de ma vie que j'aurais atteint si je vous appartiens quoi qu'il advienne ensuite...

Elle s'appuyait contre lui de tout son désir que Riou sentait brûlant à travers la mousseline.

— Ici, dit-elle doucement, tout de suite, sur le divan qui est là... J'ai placé en venant une fille à l'entrée de ce patio, de sorte que personne ne puisse nous surprendre. Prenez-moi à l'instant, même si vous devez me faire mal et me déchirer, parce que je ne puis plus attendre encore, et redouter que cela n'arrive point, après avoir tant attendu et l'avoir tant désiré depuis que j'étais enfant, et vous voyais passer dans la ville à cheval aux côtés du Sire votre père...

Elle chuchotait ces paroles dans la bouche de Riou et celui-ci était déjà vaincu par tant de passion.

38.

Les faucons de Rachid Ed Dine

A la dixième heure, ainsi qu'il avait été prévu dans l'ordonnance des cérémonies et du mouvement des troupes présentées au Sultan Saladin par les princes ses invités, celui-ci parut, s'avançant vers l'estrade où il allait monter pour recevoir les hommages de tous. Riou, qui se tenait à proximité de cette estrade, fut impressionné par la taille et la beauté du cheval que le Sultan montait, un étalon noir qui regardait autour de lui d'un air conquérant comme s'il avait conscience d'être le cheval de Saladin. Le Sultan lui-même, par sa stature et sa corpulence, son regard impérieux, son long nez courbé souligné par une moustache noire, incarnait le pouvoir royal dans tout son éclat.

Devant les sabots de l'étalon en marche, deux soldats de la garde du palais balayaient symboliquement le sol au moyen de plumes d'autruche emmanchées au bout d'un long bois verni. Le cheval et son cavalier étaient entourés de douze colosses dans des uniformes verts richement brodés, chacun portant la barbe et les moustaches, et tenant à la main un cimeterre étincelant dont on devinait que la lame tranchait comme un rasoir. Ces gardes promenaient leurs regards farouches sur tout ce qui se trouvait sur le passage du Sultan, dont ils voulaient de toute évidence protéger la vie contre une quelconque tentative d'assassinat.

Une clameur accompagnait la marche de ce cortège dans la grande allée sablée qui menait à l'estrade, clameur poussée par les soldats massés de part et d'autre de l'allée, à qui la vue du Sultan inspirait un enthousiasme sacré. Oui, les Arabes avaient un grand émir, un chef de guerre, un politique habile qui organisait la prospérité depuis le Nil jusqu'à l'Euphrate, et qui avait eu raison du royaume maintenu en Palestine par les Francs pendant deux siècles... A l'heure où la Croisade préparait ses cohortes, l'Islam avait à sa tête un prince qui n'avait jamais connu que la victoire !

Au-dessus de l'immense camp, le ciel était bleu d'azur et les murailles de la ville qui faisaient la toile de fond de ce grandiose spectacle étaient là pour l'attester : Jérusalem, Jérusalem rendue pour toujours à ceux qui obéissaient à la loi du Prophète ! Riou sentait que tous ceux qui l'entouraient nourrissaient cette pensée. Cependant il restait impassible dans l'uniforme noir qui faisait de lui le vassal de l'atabeg de Djabala selon la loi de chevalerie. L'atabeg lui-même n'avait-il pas offert à Riou de le rendre libre de repartir chez les Francs avec de l'or et l'épouse qu'il lui avait donnée ?

Mais Riou, au milieu du spectacle éclatant qui se déroulait sous ses yeux, rempli des certitudes que lui donnaient son amitié pour l'atabeg et la passion qu'éprouvait Sofana pour lui, sa chair apaisée par les nuits qu'il passait avec Méheude, avait conscience d'avoir atteint aujourd'hui la plénitude de lui-même. Ses regards se portaient avec fierté sur les cent arbalétriers qui se tenaient impeccablement alignés derrière lui comme s'ils avaient été coulés dans un même moule, leurs armes de bois verni et de métal en travers de la poitrine, la soie noire de leur tunique de parade, leurs visages brunis par le soleil sous le casque de cuir surmonté d'une pointe de lance. Ils étaient le chef-d'œuvre de l'homme d'armes qu'était Riou. N'avait-il pas été éduqué pour cela par son père et les chevaliers compagnons de son père ? A servir un seigneur fidèlement selon son serment, et à briller aux armes, afin de vaincre l'ennemi ?... Qui était l'ennemi ? L'atabeg de Djabala avait déclaré la paix à tout le monde. Il faisait vivre dans son jardin des savants juifs, des docteurs soufis, un chevalier chrétien. Il recevait les Templiers, rêvait d'aller au pays des Francs pour admirer leurs cathédrales. L'atabeg Al Zahir était un juste, qui accomplissait sur terre la parole de Dieu, sans pour cela brandir la religion comme une épée. L'ennemi était tous ceux qui menaçaient la paix du jardin de l'atabeg...

Le Sultan Saladin avait atteint l'estrade, dont son étalon noir avait gravi les marches avec assurance, en animal choisi pour son intelligence parmi de nombreux autres chevaux aussi beaux que lui et longuement dressé par des maîtres de manège à toutes sortes de figures et de tours. Ce chef-d'œuvre de cheval se tenait maintenant parfaitement immobile sur l'estrade, et le Sultan sur sa monture semblait être la pièce maîtresse figurant le Roi dans un luxueux jeu d'échecs sculpté pour un potentat.

Comme cette image s'imposait aux yeux de Riou, elle fit lever en lui un malaise. Cette silhouette massive vêtue de soie verte, ce haut turban à aigrette où scintillait une émeraude, cette vision d'un prince oriental qu'une immobilité de parade figeait en une statue équestre, Riou ne l'avait-il pas rencontrée déjà ?

Mais l'émeraude qui était fixée sur le turban du Sultan accapara aussitôt l'attention du chevalier, lui rappelant ce qui était arrivé à Judith, et le misérable esclavage auquel elle avait été réduite par la vilenie de Foulque, le chevalier sans honneur, pour qui la potence serait une fin encore trop douce. Riou serra les poings à la pensée que Foulque vivait en seigneur parmi les autres seigneurs de la Croisade. Il sembla soudain au jeune chevalier que l'armée des Francs tout entière était son ennemie, à lui, Riou de la Villerouhault, commandant de la cavalerie de Djabala, parce qu'elle comptait toujours Foulque de Macé dans ses rangs, en dépit des crimes qu'il avait commis...

Les vizirs en charge de l'intendance du camp, ainsi que les émirs commandant les forces de cavalerie, d'infanterie et du génie, avaient pris place derrière le Sultan toujours campé sur son cheval noir, afin d'assister avec lui à la remise des présents offerts par les princes invités. L'émir Taïeb voyait venir avec inquiétude ce défilé des porteurs de présents qui allaient s'arrêter devant le souverain dans une situation propice à une tentative de meurtre sur sa personne. A l'inverse, l'émir Al Ahrab, soucieux en tant que maître des cérémonies de ne point mécontenter les invités de son prince, considérait avec impatience tout ce qu'avait organisé Taïeb. Il avait vu avec humeur la cohorte des gardes rouler des yeux, leurs sabres à la main, autour du Sultan sur son palefroi. Le vieil Emir du Sandjak de Tripoli, qui s'était déplacé en dépit de son grand âge, en les voyant s'interposer de cette façon entre le Sultan et tous ses invités qui se tenaient sur des fauteuils un peu en retrait, avait appelé d'un geste l'émir Al Ahrab, qu'il traitait avec la plus grande familiarité étant donné leur différence d'âge, et lui avait demandé à haute voix, afin qu'on entende bien autour d'eux, si le Sultan se méfiait ainsi de ses amis, puisqu'il mettait entre eux et lui des sabres nus et des gardes féroces.

Al Ahrab s'était efforcé de calmer le vieux prince en lui disant qu'on avait des renseignements selon lesquels le Roi de Perse avait enrôlé des fanatiques décidés à porter atteinte aux jours de Salah Ed Dine, et qu'il était du devoir de Taïeb d'être vigilant.

Puis au moment où le premier présent s'avançait devant l'estrade, sous la forme d'un grand éléphant mâle aux magnifiques défenses arrivé d'Egypte après un voyage par mer en compagnie de plusieurs généraux délégués par le gouverneur du Caire, Al Ahrab vit qu'une trentaine d'archers surgis d'on ne sait où prenaient position de chaque côté de l'estrade, dans l'apparence d'une sorte de garde d'honneur, mais en réalité se plaçant dans la situation de pouvoir tirer leurs flèches sur tout ce qui pourrait menacer le souverain.

L'émir du protocole secoua la tête dans un geste qui exprimait son mécontentement, et il chercha des yeux le gendre de l'atabeg de Djabala, se souvenant que Taïeb le soupçonnait d'être un assassin possible, pour ses anciennes relations avec le Vieux de la Montagne. Riou était à peu de distance de l'estrade, entouré des officiers de son détachement d'arbalétriers, au milieu desquels Al Ahrab reconnut le médecin de Hongrie qui avait demandé à être autorisé à aller étudier dans les hôpitaux de Bagdad. Les hommes du détachement étaient alignés d'une manière impeccable derrière eux, dans la position du repos, les mains appuyées sur leurs arbalètes placées le fût à terre.

Evidemment le jeune chevalier franc, lui-même porteur d'une arbalète en travers de sa poitrine, pouvait saisir son arme alors que tout le monde aurait les yeux fixés sur les scènes pittoresques qui allaient se dérouler devant l'estrade, et la braquer sur le souverain.

Du chevalier, le regard de l'émir Al Ahrab se reporta sur Taïeb. Celui-ci était occupé à observer le jeune Franc et ses archers faisaient de même. Le doute n'était pas permis. Taïeb avait amené ses archers pour faire pièce aux arbalétriers du gendre de l'atabeg, et l'émir Al Ahrab haussa les épaules. Puis, tandis qu'on riait fort autour de lui de ce que l'éléphant qu'on avait installé avec ses cornacs à la fin de la rangée des fauteuils où étaient assis les invités, quémandait des friandises parmi eux avec sa trompe, l'émir du protocole se déplaça discrètement jusqu'à se trouver à côté de Taïeb.

— Voilà un impressionnant déploiement de forces ! ironisa-t-il à voix basse en affectant de regarder droit devant lui. Vas-tu mettre à mort un Franc sous les yeux de Sa Seigneurie pour prouver ton zèle ?

— Ce sont mes affaires, dit Taïeb entre ses dents tandis qu'il regardait lui aussi avec complaisance un convoi de trois chariots tirés par des mules s'arrêter devant la vivante statue équestre du Sultan. Contente-toi de veiller aux tiennes !

Les chariots étaient chargés de longues fusées peintes en rouge et en jaune, recouvertes de caractères bizarres.

— Puissant Seigneur ! s'écria le héraut chargé d'annoncer les présents à chaque fois qu'on les amenait devant l'estrade, ces fusées sont semblables à celles qui répandirent la terreur parmi les chevaliers chrétiens venus combattre à Tunis sous les bannières du Roi Louis de France, qui fut vaincu là-bas par nos frères et périt de la peste que Dieu envoya pour le punir d'avoir porté la guerre en terre d'Islam. Le seigneur Zaghul en a commandé la fabrication dans les Indes, selon les secrets des ingénieurs de l'Empereur de Chine. Il t'en fait don et hommage, afin qu'elles augmentent encore la puissance de tes armées le jour où tu combattras la Croisade !

Une sorte d'orchestre, composé d'un flûtiste, d'un tambourineur et d'un joueur de rebec, accompagnait le héraut, qui psalmodiait sa harangue dans une improvisation pleine d'éloquence. Mais il avait étudié auparavant les annonces qu'il avait à faire, et répété son spectacle. Il achevait son dire en tournoyant sur lui-même au son de la musique qui continuait seule pendant qu'il faisait ses pirouettes. Puis l'orchestre s'arrêtait pile, et le héraut saluait profondément. Il y avait un temps mort, pendant lequel les appariteurs faisaient avancer les porteurs du présent suivant. Lorsque celui-ci se trouvait devant le Sultan, le héraut qui était allé s'accroupir auprès des musiciens jaillissait de nouveau sur ses pieds et revenait en dansant et tournoyant au son de la musique qui avait repris son jeu.

Les appariteurs consultaient leurs papyrus, où ils lisaient l'ordonnance du défilé. Ils firent signe à Riou que le tour de Djabala était venu, et les deux meilleurs arbalétriers du détachement de la principauté, portant chacun une arbalète dont le fût était orné de plaques d'argent gravées, se présentèrent devant Saladin.

— Lumière de l'Islam, Commandeur des Croyants ! s'écria le héraut qui rentrait en scène. Vois ces armes redoutables, dont le Pape des Chrétiens a tenté en vain d'interdire l'usage dans les guerres entre les Francs, et qui sont inconnues parmi nous ! Elles ne viennent pas de l'Angleterre, où l'on excelle à les confectionner, mais des armureries de la forteresse de Djabala, qui n'ignorent rien des secrets de leur fabrication. L'atabeg Al Zahir t'en fait hommage. Si tu désires en équiper tes troupes, il enverra ses mécaniciens exercer leur art dans tes ateliers, et ses officiers en enseigner l'usage à tes archers. Ainsi tu n'en seras que plus invincible, ô libérateur de Jérusalem !

Les gardes au cimeterre nu et les archers crispèrent leurs doigts sur leurs armes quand le gendre de l'atabeg de Djabala et les deux hommes qui l'entouraient s'avancèrent pour aller disposer les arbalètes devant le cheval du Sultan parmi les autres présents. Mais Riou et ses arbalétriers reprirent leur place devant l'alignement parfait du détachement de Djabala sans avoir esquissé aucun geste homicide.

C'est à ce moment que parurent dans l'allée qui menait à l'estrade six hommes en tuniques rouges et pantalons blancs, qui n'avaient pas été annoncés ni à l'émir Taïeb, dont ils avaient surpris la vigilance, ni à l'émir Al Ahrab, qui ne les avait pas sur sa liste d'invités. Les murmures qui s'élevaient sur leur passage, et bientôt parmi l'assistance des princes assis de part et d'autre de l'estrade, les nommaient déjà : « les Haschachinns »...

Le Vieux de la Montagne, à sa manière toujours inattendue et surprenante, rendait lui aussi hommage à Saladin. Trois des membres de sa secte, portant à la ceinture le long poignard qui était l'arme exécutoire des sentences sans appel de Rachid Ed Dine, s'avançaient en tenant sur leur poing un oiseau de proie encapuchonné, qu'une chaînette d'argent retenait à leur bras. Derrière eux suivaient trois autres dans le même uniforme avec trois cages où étaient des pigeons sauvages.

L'émir Taïeb était stupéfait. Ces Haschachinns s'étaient mêlés à la foule dans des vêtements ordinaires, dissimulant les faucons qu'ils avaient avec eux, puis ils avaient revêtu leurs costumes rouges pour apparaître dans l'aspect solennel d'envoyés du Maître de la Secte.

Mais comment attenteraient-ils aux jours de Saladin, armés de leurs seuls poignards ? Les archers pouvaient les cribler de flèches en un éclair, et le Sultan haut sur son cheval était entouré d'un mur de sabres.

L'émir Taïeb reporta ses soupçons sur le commandant de la cavalerie de Djabala. Quel complot se jouait, et quel rôle y tenait ce Franc qui était passé entre les mains de Rachid Ed Dine ? L'émir Al Ahrab lui-même, en dépit de tout ce qu'il avait pensé auparavant, sentait qu'un événement étrange et dangereux allait se produire et son regard interrogeait le visage du gendre de l'atabeg immobile devant l'alignement de ses soldats d'élite.

Sous le turban noir de son uniforme, le jeune Franc avait pâli. Les Haschachinns en gandoura rouge ramenaient devant lui les images du souterrain de Subeybié, les fouets cinglant les dos des galériens, les cages suspendues au-dessus du vide de la falaise, et surtout, oui surtout, au bas de cette falaise, les étranges fauconniers de la secte dressant leurs rapaces à crever les yeux d'un potentat de cire en tenue d'apparat qui n'était autre que le sultan Saladin sur son cheval, avec son vêtement de soie et son turban à aigrette, déjà condamné à ce supplice deux ans plus tôt dans la malignité des pensées de Rachid Ed Dine. Devant un parterre de princes et d'émirs, les trois fauconniers du Vieux de la Montagne étaient venus exécuter la sentence qui punissait Saladin de régner depuis le Nil jusqu'à l'Euphrate !

— Puissant Seigneur ! s'écria l'un des trois, apostrophant le Sultan. Sachant ton goût pour la chasse, et ta connaissance des oiseaux de proie, notre maître Rachid Ed Dine — que son nom glorieux inspire la crainte à tous les ennemis de Dieu — a fait dresser pour toi ces faucons royaux, dont le vol est implacable. Nul gibier n'échappe à leur regard ni ne survit à leurs serres. Admire la science que les fauconniers de Subeybié leur ont enseignée !

Le cœur battant, Riou vit que les deux autres Haschachinns avaient décapuchonné leurs oiseaux et les valets ouvert les cages. Fallait-il crier, annoncer devant tous ces princes et ces généraux que les faucons allaient tout à l'heure se jeter au visage du Sultan ? Qui le croirait ? Déjà les chasseurs fonçaient dans le bleu du ciel à la poursuite des proies lâchées quelques secondes plus tôt.

Tous ceux qui étaient assemblés là et le Sultan lui-même, amusé, suivaient des yeux la course dont la mort était l'enjeu. Al Ahrab avait fait comme tout le monde mais son regard, vite revenu au gendre de l'atabeg de Djabala, comprenait soudain avec effroi que les soupçons de Taïeb étaient fondés. Le chevalier franc avait saisi son arbalète et les deux hommes qui se tenaient auprès de lui l'avaient imité. Bouleversé, l'émir Al Ahrab, alors que tous regardaient le ciel, se hâta vers Riou. Des exclamations retentirent sur les fauteuils. Les trois rapaces avaient rejoint leurs proies avec une rapidité étonnante et les avaient tuées de leur bec en plein vol. Ils descendaient maintenant vers le sol en décrivant des cercles élégants qui se croisaient selon une figure du ballet qui leur avait été enseignée. Les exclamations se firent admiratives. Tenant toujours leurs proies dans leurs serres, les chasseurs se rapprochaient du Sultan. Lorsqu'ils n'en furent plus qu'à quelques toises, l'assistance vit avec étonnement qu'ils laissaient tomber leurs proies de manière qu'elles viennent choir devant l'étalon noir. Ils en faisaient l'hommage au souverain ! Soudain, alors que le parterre des invités était dans l'émerveillement, les rapaces se jetèrent au visage de Saladin.

Riou avait déjà donné ses ordres aux deux arbalétriers qui se tenaient à ses côtés, et leurs traits, accompagnant le sien, frappèrent les oiseaux avec une admirable précision au moment où ils allaient atteindre leur but. Mais les flèches des archers de l'émir de la sécurité sifflaient en même temps en direction des arbalétriers de Djabala et sur l'estrade, et autour, la confusion était à son comble. Les princes s'étaient levés de leurs fauteuils. Certains dégainaient leurs sabres, pensant que le détachement de Djabala, commandé par un Franc, était venu attenter à la vie du Sultan. Celui-ci descendait de son étalon au milieu des gardes qui se resserraient étroitement autour de lui pour le protéger, lui qui leur criait de s'écarter et de le laisser en paix. Il n'avait plus son turban, qu'un des trois carreaux d'arbalète avait emporté après avoir percé le faucon auquel il était destiné, et qu'un officier de la garde cherchait à ramasser dans la bousculade.

Un genou en terre, près de perdre connaissance, Riou luttait contre la douleur qui fouaillait sa poitrine, où une flèche était plantée sous l'épaule. L'émir Al Ahrab se précipitait vers lui, en proie à une violente émotion, s'écriant : « Par Dieu, qu'as-tu fait, qu'as-tu fait ? » Le détachement tout entier de Djabala, grondant de colère et oubliant toute discipline, armait ses arbalètes, voulant venger le gendre de l'atabeg et leurs deux compagnons blessés de flèches comme lui. Les soldats de la garde se heurtaient à eux, les menaçant de leurs sabres. Enfin Taïeb, hurlant des ordres, se précipitait avec plusieurs officiers de son service de sécurité sur les Haschachinns qui avaient tiré leurs longs couteaux. Les yeux exorbités, en proie aux transes du sacrifice, ils se plongeaient l'un l'autre leurs lames dans le cœur, se donnant mutuellement la mort en punition d'avoir manqué aux ordres du Vieux de la Montagne. Couverts du sang des fanatiques qu'ils étreignaient pour les obliger à rester en vie, afin qu'ils puissent parler, sous la torture s'il le fallait, les officiers de Taïeb roulaient à terre avec eux. Aucun de tous ceux qui s'agitaient ainsi ne comprenait encore le sens de l'événement étrange auquel ils venaient d'assister.

Riou ouvrit les yeux et vit Kecelj. Le Hongrois était assis sur un tabouret au chevet de son lit. D'autres lits au linge parfaitement blanc, alignés sous la tente, firent comprendre à Riou qu'il était dans l'hôpital du camp. Sa poitrine et son épaule étaient enfermées dans un pansement. Plusieurs gardes se tenaient à l'entrée de la tente. Cette fois leurs cimeterres étaient au fourreau.

Kecelj sourit.

— Savais-tu que les faucons portaient du poison dans leurs serres ? demanda-t-il.

— Non, dit Riou. En avaient-ils ?

— Oui. Je l'ai deviné, sachant ce que sont les Haschachinns. J'ai obtenu qu'on m'apporte un chien et les dépouilles des faucons. J'ai enfoncé les serres dans la chair du chien et nous l'avons vu périr bientôt dans de grandes convulsions.

— J'aurais dû y penser, commenta Riou.

— Ce sont les médecins qui pensent à ces sortes de choses, dit Kecelj.

Il se fit un grand remue-ménage dehors, des piétinements de chevaux et des ordres criés, puis des officiers entrèrent dans la tente.

— Sa Seigneurie le Sultan Salah Ed Dine !

Accompagné de l'émir Taïeb et de l'émir Al Ahrab le sultan entra de sa démarche décidée. Il s'arrêta devant le lit de Riou en souriant.

— Ces deux-ci se sont presque battus à cause de toi, dit-il en désignant les deux dignitaires. Partout où tu vas, tu es l'homme par qui le destin se dénoue... On m'avait dit ce que tu as fait à Djabala. Tu viens à Jérusalem, et c'est pour sauver la vie de Saladin ! Comment savais-tu ?

— Seigneur, dit Riou, je ne puis le dire.

Saladin regarda tous ceux qui étaient là.

— Par la volonté de Dieu, qu'on me laisse seul avec lui...

Tous s'empressèrent de sortir, et Saladin s'assit familièrement près de Riou sur le tabouret qui avait servi à Kecelj.

— Peux-tu parler maintenant ? Comment savais-tu que les serres des faucons étaient empoisonnées et qu'ils se précipiteraient sur moi ? Aucun faucon ne fait une chose pareille !

— Seigneur, dit Riou, j'ai fait un serment de ne point révéler ce que j'ai vu autrefois, sur mon honneur et sur le Saint Evangile de Jésus, aussi ne me questionnez point...

Le Sultan hocha la tête.

— Tu as été captif de Rachid Ed Dine ?

— Oui, Seigneur.

— Est-il vrai que tu as été aux galères parce que tu avais pris la vie du fils de mon cousin Ahmed de Tunis, alors qu'il s'était déjà rendu à merci ?

— Non, Seigneur. Le jeune prince de Tunis était mon captif, mais c'est un chevalier félon et sans âme qui a fait à mon grand déplaisir ce crime pour lequel d'autres ont été ensuite envoyés aux galères.

— Je te crois, dit Saladin. Comment ne te croirais-je point ? Je sais ce que tu es. Tu es un chevalier, comme il y en a dans les récits que l'on chante chez vous aussi bien que chez nous.

— Je fais ce que m'a enseigné mon père, Seigneur...

— Que veux-tu de moi ? Parle ! Tout ici est à toi ! L'or des coffres, les troupeaux et les terres. Ce soir, je vais réunir plusieurs de mes filles, leur dire qui tu es, je te ferai venir, et tu choisiras celle que tu veux, en mariage... Ainsi, tu deviendras comme mon fils.

— Vous savez, Seigneur, que j'ai épousé la fille de l'atabeg Al Zahir...

— Eh bien ? rit le Sultan. C'est un honneur pour elle que la seconde femme de son mari soit la fille de Saladin. Tu vas être l'homme le plus en vue de mon entourage. Tu commanderas notre cavalerie. Tu en es capable, j'en suis certain ! La fille de l'atabeg sera elle-même une des premières dames de la maison du Sultan. D'ailleurs, poursuivit-il, tu ne peux rester là-bas. La Croisade va mettre le siège devant Djabala. Je le sais de source sûre. Je ne pourrai rien faire pour vous aider. Vous êtes à quelques journées de marche d'elle.

— Nous résisterons dans la forteresse, dit Riou.

— Elle sera prise !

— Mais, Seigneur, c'est une forteresse considérable... L'ost franc n'a rien pu faire contre la place de Mahdia qui n'était pas aussi bien conçue que celle de l'atabeg.

Le Sultan haussa les épaules.

— Aucune place n'est imprenable si on y met le prix et le temps. Et la Croisade, là-bas, est dans toute sa force...

Riou se taisait.

— Seigneur, reprit-il, l'atabeg n'accepterait point d'abandonner ses gens, qui lui ont toujours été fidèles, pour faire retraite et fuir devant la Croisade. Et moi je ne puis le laisser seul...

— Sais-tu aussi que les tiens, s'ils te prennent, te pendront ou te brûleront ?

— Seigneur, ne me tentez point, dit Riou. Ne disiez-vous pas tout à l'heure que j'étais un chevalier ? Il faut bien que je remplisse les devoirs de mon état...

— Soit ! fit le Sultan. Tu as sans doute raison. Je calcule en Prince, qui ne connaît d'autre loi que celle de réussir ce qu'il a entrepris et de tromper tout le monde pour arriver à ses fins.

Saladin se leva de son tabouret.

— Et puis tu as la chance avec toi depuis que tu es parmi nous. Enfin, ce qu'on redoute n'arrive pas toujours !

Riou regarda le turban déchiré par son trait d'arbalète que le Sultan tenait toujours à la main.

— Seigneur, cette émeraude que vous portez ressemble fort à une autre que ma mère m'avait donnée autrefois. Puis-je la voir ?

Le Sultan mit le turban entre les mains de Riou.

— Elle est à toi, bien sûr. L'émeraude est ma préférée. Sais-tu d'où me vient celle-ci ? De Constantinople, il y a peu de jours.

Riou avait pris l'émeraude dans sa main. Une puissante certitude s'était emparée de lui. L'émeraude du Sultan était celle de Judith, celle de sa mère, celle que Tire-Frogne avait volée et par laquelle il avait péri...

— Celle-ci n'est pas seulement belle, sourit le Sultan Saladin. C'est aussi une bonne émeraude. Elle m'a protégé aujourd'hui.

— De Constantinople, dites-vous, Seigneur ?

— Un de mes bons serviteurs, qui est aussi un bon ami, l'a achetée sans trop s'inquiéter qu'elle vienne du pillage de la ville. On a mis à sac le quartier des Juifs, et cela a fait baisser pour quelque temps le prix des bijoux dans l'Empire du Basile Jean. Les pierres aussi ont un destin, rêva le Sultan en se préparant à sortir.

Il se tourna vers Riou avant de franchir le seuil de la tente.

— Celle-ci te lie à Saladin, dit-il en souriant. Ne l'oublie jamais ! De mon côté, je me souviendrai...

Le Sultan s'étant retiré, s'éloignant à cheval vers la ville avec toute sa suite, Kecelj revint dans la tente auprès de Riou. Celui-ci ouvrit sa main où était la pierre que Salah Ed Dine venait de lui donner.

— Kecelj ! commença-t-il. Voilà l'émeraude que portait Judith le jour où... Si elle m'est revenue aujourd'hui, après avoir été au Sultan, c'est bien qu'elle a une magie, comme si Judith l'avait chargée de ses pensées. Tu vas la prendre avec toi, et tu iras partout à travers les États de Saladin visiter les endroits où l'on met les filles qui font ce que Judith a été condamnée à faire. Cette pierre va te ramener jusqu'à elle, j'en suis sûr. Quelque part dans sa misère, Judith attend...

39.
Les vautours des lacs salés

Riou acheva de revêtir son uniforme dans la grande chambre qui donnait de plain-pied sur le patio. Les oiseaux y faisaient entendre la gaieté du matin. Méheude dormait encore dans le lit où ils avaient passé leur dernière nuit à Jérusalem, peut-être la dernière nuit qu'ils auraient jamais ensemble. Riou entendait sur les pavés de la rue le piétinement des chevaux de l'escorte qui l'attendait au-dehors, et avec qui il allait prendre la route de Djabala.

Le chevalier s'approcha de la jeune fille qui avait partagé sa couche pendant deux mois comme une jeune épousée dans les premiers jours avant de devenir une amante qui ne laissait de côté aucune caresse. Elle reposait à plat ventre et sa main fine était toute proche de son visage. Ils s'étaient longuement dit adieu dans leurs étreintes avant de sombrer dans le sommeil, et il la contempla en silence, pensant qu'il devait maintenant la quitter sans l'éveiller.

Mais elle lui sourit avant même d'ouvrir les yeux.

— Comment peux-tu croire que je dormais ? dit-elle. Je t'ai regardé t'habiller. Tu es bien plus beau encore qu'en Bretagne, dans cette tunique noire. Et quand les filles qui viennent dormir avec moi me caresseront, je te verrai ainsi au moment d'avoir du plaisir...

Elle lui prit la main et, repoussant le drap qui la recouvrait, la posa sur son ventre nu.

— Tu es là, dit-elle.

Et comme Riou l'interrogeait du regard :

— J'aurai un enfant de toi dans sept mois... *Nous* aurons un enfant, corrigea-t-elle. Sans doute l'avons-nous fait le premier jour. Je n'y avais jamais pensé auparavant. Je ne pensais qu'à être à toi, ne serait-ce qu'une fois. Mais le lendemain de notre première nuit, sachant tout ce qu'était ta vie, et ce que la mienne allait être désormais, je l'ai voulu de toutes mes forces...

Elle se dressa pour attirer le visage du jeune homme vers le sien, et le baiser doucement sur les lèvres.

— Désormais, continua-t-elle, tu ne me quitteras plus grâce à cet enfant que je vais porter et mettre au monde. Ce sera un fils. Je prierai chaque jour pour cela. Quand il sera en âge, je te l'enverrai pour que tu en fasses un chevalier comme toi. Il t'admirera, et tu lui feras servir un prince que tu choisiras pour lui. Ainsi j'aurai été jusqu'au bout de mes rêves...

Attendri, Riou l'embrassa à son tour. Leur baiser se fit passionné, et la main de Méheude commença à détacher la ceinture de Riou, sans se soucier qu'il ait déjà passé du temps à s'habiller ni que ses hommes soient au-dehors à l'attendre.

— Une dernière fois, lui dit-elle dans un baiser. Après tu pourras partir...

Au milieu de ses cavaliers et ses arbalétriers Riou voyagea cinq jours sur le chemin de Djabala à travers les États du Sultan. A la tombée de la nuit la troupe faisait halte pour bivouaquer à la belle étoile. Les feux s'allumaient, où les hommes allaient faire cuire la viande et la semoule de blé. S'élevait alors dans l'obscurité le chant des flûtes dont certains savaient jouer avec art. Les chevaux attachés aux longues cordes qu'on tendait pour eux recevaient leurs rations d'orge avec des hennissements. Allongé à l'écart la tête appuyée sur sa selle, Riou rêvait, goûtant le plaisir d'être le maître de ces hommes dont il avait gagné la confiance par tout ce qu'il avait fait depuis ce jour où il était sorti du jardin de l'atabeg pour se rendre à l'exercice avec eux comme un novice. Tout s'était ordonné pour concourir à l'accomplissement de son destin. Il avait conquis l'amitié de l'atabeg et l'amour de Sofana. Méheude avait traversé les mers pour venir jusqu'à lui. Mais le sang et les larmes avaient coulé sur le chemin qui avait mené l'aventure de Riou à la perfection après qu'il avait détourné du visage du Sultan Salah Ed Dine les serres empoisonnées des faucons du Vieux de la Montagne. Il y avait eu le sang de Maïmouna sur les dalles de son pavillon, et Judith elle aussi payait encore un prix affreux pour avoir lié son sort à celui de son amant. C'était la face noire du destin de Riou. L'émeraude et Kecelj qui était parti avec elle en triompheraient probablement. La pierre et l'ami retrouveraient Judith, si elle était encore en vie, et la ramèneraient sans doute à Djabala. Mais Djabala ?

Riou vit la forteresse au bord de la mer, *sa* forteresse, dont il connaissait les secrets imaginés par Aelohim le géomètre juif, et ressentit profondément qu'il avait enraciné son destin au milieu de ces murailles énormes. Il le jouerait là contre Foulque de Macé et les autres hommes de haine.

La veille de son départ de Jérusalem, avant sa dernière nuit avec Méheude dans la maison du quartier grec, Saladin avait mandé Riou à son palais pour l'embrasser, et lui avait une nouvelle fois offert un commandement dans ses armées que Riou avait refusé à nouveau, comme si les deux hautes tours au bord de la mer et le jardin exemplaire de l'atabeg l'attiraient irrésistiblement.

Au fond de son eau verte, l'émeraude était seule à savoir si les Croisés prendraient la forteresse, et Riou avec, pour le mettre à mort, ou bien au contraire si le chevalier de Bretagne s'étant fait général de la cavalerie de Saladin pour fuir Djabala allait tomber au premier combat percé d'une flèche turque ou décapité par un sabre persan. Mais Judith n'était pas là pour interroger la pierre...

Alors que Riou, allongé dans l'obscurité sous le grand caroubier autour duquel bivouaquait sa troupe, songeait ainsi aux forces qui avaient lié son sort à celui de l'atabeg Al Zahir, des cavaliers apparurent sur la route éclairée çà et là par les feux de camps. Les deux officiers qui les conduisaient se présentèrent comme étant de l'état-major de l'émir Al Barudi. Celui-ci commandait pour Saladin les détachements commis à la surveillance de la zone désertique au-delà de laquelle s'étendaient les terres où le Seldjoukide d'Alep Ridwann s'était replié avec trois mille hommes après avoir été chassé de Damas par les forces du Sultan.

Ils dirent à Riou que Ridwann, qui négociait avec leur souverain depuis deux années en faisant mine de se rallier à lui, continuait à recevoir des subsides du roi de Perse et pouvait à tout moment faire irruption à travers les lacs salés et les étendues désolées qui le séparaient de cette route menant à Jérusalem. On devait se tenir sur ses gardes. En outre, ajoutèrent les officiers d'Al Barudi, plusieurs centaines de Pauvres Gens de la Croisade, après avoir accepté l'offre du Sultan de venir s'établir à Jérusalem pour rebâtir les églises de la ville et maintenir une présence chrétienne dans les Lieux saints, s'avançaient au long des lacs salés, escortés par une cinquantaine de Templiers. Ils n'étaient plus loin maintenant, et Al Barudi souhaitait que le détachement de la cavalerie de Djabala, dans sa marche vers le sud, veuille bien se joindre aux forces du Sultan pendant un ou deux jours, pour aller à la rencontre de ce convoi dans lequel étaient beaucoup de femmes, et peu d'hommes capables de porter les armes. Les Templiers, en effet, ne souhaitaient pas les accompagner plus avant et d'ailleurs n'étaient pas assez en force pour pouvoir tenir tête aux redoutables cavaliers de Ridwann, s'ils survenaient.

Riou donna son accord aussitôt, étonné d'être soudain le chef de guerre d'une cavalerie musulmane qui allait protéger un convoi issu d'une croisade au sein de laquelle il était venu lui-même combattre les Infidèles en Terre sainte. Le gros du détachement de la cavalerie d'Al Barudi arriva et mit pied à terre de l'autre côté de la route, où les hommes allumèrent des feux à leur tour. Les officiers dirent enfin à Riou que des éclaireurs avaient été envoyés la veille à travers les lacs salés desséchés par la canicule afin de voir où en était l'avancée du convoi des Pauvres Gens. Ils allaient revenir pendant la nuit et on se mettrait en route selon les indications qu'ils donneraient.

Riou fut réveillé avant l'aube par ses hommes qui lui apportaient du café. Le chevalier s'enquit des éclaireurs. On lui répondit qu'ils n'étaient pas revenus. Les officiers d'Al Barudi, réveillés à leur tour, vinrent auprès de Riou et lui dirent qu'on pouvait se mettre en route dès que le jour serait venu. Bien des raisons pouvaient expliquer le retard des éclaireurs, mais Riou, à qui son père et le chevalier de Tresbrivien avaient enseigné qu'à la guerre on doit être angoissé de tout, s'en inquiéta. Il invita les officiers du Sultan à donner l'ordre du boute-selle sans attendre le jour, puisqu'on devait partir de toute façon. Les officiers acceptèrent, on versa de l'eau sur les braises des feux qui avaient couvé toute la nuit, et les hommes et les chevaux se mirent en marche.

Les cavaliers et les arbalétriers étaient près de quatre cents, tant de l'atabeg de Djabala que de la troupe de l'émir Al Barudi. Ils virent le soleil se lever au-dessus d'un des lacs salés qu'ils longeaient depuis deux heures. Même en dehors de ces lacs, qui se succédaient en un chapelet, le sol était recouvert d'une croûte de sel dans laquelle les pieds des chevaux s'enfonçaient par endroits. Une piste caravanière piétinée depuis des siècles et sur laquelle on avait fait des travaux d'aménagement rendait la marche plus facile, mais elle s'effacait de temps à autre .Sans doute n'y passait-t-on plus autant qu'autrefois, depuis que les hommes de Ridwann menaçaient cette route, et on la laissait à l'abandon. Riou se demanda, et demanda aux officiers d'Al Barudi qui chevauchaient à ses côtés, pourquoi les Templiers avaient choisi de faire passer le convoi par là. Ils lui répondirent que cette route était de beaucoup la plus courte et qu'elle était déserte. Les Templiers avaient voulu éviter autant que possible que les Croisés ne traversent les campagnes habitées. Tout le monde n'aimait pas l'idée qu'avait eue Saladin de ramener des Chrétiens à Jérusalem, et il suffirait de quelques fanatiques à proximité d'un gros village pour que la marche des Pauvres Gens vers la Ville sainte s'achève en un massacre.

Riou hocha la tête et le soleil se fit de plus en plus haut et fort. Des mirages tremblaient à l'horizon de l'étendue croûteuse, jaune par endroits de la couleur du soufre qui venait s'ajouter au sel pour plus de désolation. Les officiers d'Al Barudi donnèrent ordre à leurs hommes de ne pas toucher avant midi aux outres de peau de chèvre remplies d'eau qu'ils portaient à l'arrière de leurs selles, afin que leur provision ne soit pas dilapidée. Des rafales de vent arrivaient parfois du lointain, apportant aux cavaliers qui ruisselaient de sueur l'illusion d'une fraîcheur passagère.

Le paysage désespéré communiquait à Riou un sentiment de malaise. Ses yeux attendaient impatiemment de voir apparaître à travers la brume de chaleur les silhouettes rassurantes des Templiers sur leurs chevaux, encadrant les piétons qu'ils escortaient et les ânes porteurs des pauvres impedimenta de ceux qui traversaient ces mirages pour aller vers celui de Jérusalem. Mais les éclaireurs envoyés depuis deux jours à la rencontre du convoi n'avaient toujours pas reparu...

Le chevalier, qui marchait en tête, distingua soudain loin devant lui dans l'étendue désolée un point qui pouvait être une forme humaine à terre. Il prit le galop, suivi aussitôt de deux de ses cavaliers. Tous trois furent bientôt auprès d'un homme qui gisait ensanglanté sur le sol dans l'uniforme de la cavalerie du Sultan. Autour de lui le terrain croûteux avait été piétiné par cinq ou six chevaux, et Riou comprit, à lire les traces des sabots, que l'homme avait été poursuivi par plusieurs cavaliers, et rejoint à cet endroit, où on l'avait tué à coups de sabre. Ceux qui l'avaient frappé avaient emmené sa monture avec eux, car aucune trace d'un cheval solitaire ne partait d'auprès le cadavre.

Les troupes de Ridwann avaient attaqué le convoi des Pauvres Gens au moment où les éclaireurs de l'émir Al Barudi le rejoignaient, et ceux-ci avaient été poursuivis et mis à mort pour qu'ils ne puissent en porter la nouvelle à leurs officiers.

Riou leva son sabre en se tournant vers la troupe qui s'avançait derrière lui au pas. Les quatre cents cavaliers s'ébranlèrent au galop.

A travers les reflets du mirage qui vibrait à l'horizon, Riou distingua dans le ciel des formes tournoyantes : les vautours. Ils étaient là sans doute depuis l'aube. D'autres cavaliers autour de lui, et derrière lui, avaient vu eux aussi et ils s'exclamaient, lançant avec dégoût le nom des horribles oiseaux. Le galop de tous se fit frénétique, en dépit de la chaleur étouffante qui montait du sol. Les officiers crièrent des ordres qui firent la troupe se déployer pour entourer la masse des hommes et des femmes couchés à terre dont on distinguait maintenant l'affreux et sanglant désordre, avec des ânes débâtés qui erraient au milieu d'eux, tandis que des éclaireurs partaient sur les traces des escadrons de Ridwann bien visibles sur le sol, afin de s'assurer qu'ils n'allaient pas revenir par surprise.

Les cavaliers tournaient maintenant autour des cadavres entassés en agitant leurs sabres et en poussant de grands cris pour faire fuir les vautours qui avaient commencé de prendre leur pitance avec les gestes hideux de leurs cous et de leurs becs. Riou avait sauté à bas de son cheval et il faisait voler son cimeterre contre ceux des rapaces fossoyeurs qui n'avaient pas encore lâché prise. Tremblant d'émotion, il se trouvait au milieu d'hommes et de femmes de sa race, tous percés de coups ou mutilés, figés par la rigidité de la mort dans toutes sortes de postures qui racontaient les scènes d'horreur que tous ces yeux ouverts et immobiles avaient vécues avant de voir venir le coup qui les achevait. Les malheureux s'étaient groupés comme un troupeau de moutons encerclé par les loups. Les cadavres des Templiers, mêlés à ceux des hommes qui avaient encore dans leurs mains les piques ou les hallebardes grossièrement forgées au moyen desquelles ils s'étaient défendus, racontaient comment les uns et les autres étaient morts pour protéger les plus faibles. A mesure qu'on allait vers le centre de cette dérisoire forteresse humaine, on y trouvait les cadavres de femmes, dont beaucoup avaient été dénudés à coups de sabre par les cavaliers de Ridwann, afin d'ajouter le déshonneur à la souffrance qui leur avait été infligée.

La colère et la haine soulevaient le cœur de Riou, lui faisant tout à coup douter de tout ce qu'il avait fait depuis qu'il était parmi les musulmans. Des musulmans avaient massacré ses frères et ses sœurs, et lui était soldat et prince chez eux... Le chevalier regarda soudain avec horreur son uniforme noir, et ceux des cavaliers qui allaient et venaient comme lui au milieu du charnier au-dessus duquel les vautours tournaient avec des glapissements de dépit.

Mais un de ces cavaliers le héla à ce moment. Il était penché sur le corps d'un homme qui respirait encore. Il l'avait trouvé sous des corps entassés. D'autres cavaliers s'étaient approchés et lavaient le visage et la poitrine ensanglantés du malheureux avec l'eau qu'ils versaient d'une outre qu'on avait prise sur un cheval. A cette vue, Riou calma sa colère et vint s'agenouiller lui aussi auprès d'eux. Le chirurgien de campagne et ses deux aides qui figuraient dans le détachement de cavalerie de l'émir Al Barudi cherchaient eux aussi en examinant les corps si quelques-uns avaient pu échapper à la mort, comme cela se produit souvent dans les massacres. Ils arrivèrent avec leurs drogues. Après s'être assurés qu'il n'avait pas été frappé au ventre, ils s'efforcèrent de faire boire un élixir à cet homme maigre, aux traits anguleux, et sondèrent ses plaies pour voir s'il y avait à les recoudre. Observant le visage tailladé par un coup de sabre, Riou éprouvait le sentiment que les traits de l'homme ne lui étaient pas inconnus. Quand l'un des aides du chirurgien leva le bras du gisant pour s'assurer qu'il n'était pas brisé, Riou vit à l'un des doigts une méchante bague de laiton ornée de la croix du Christ et reconnut la bague épiscopale qu'il avait baisée dans la cathédrale de Bruxelles aux doigts de l'évêque Enoch le jour où il était allé se confesser à lui peu de temps avant de prendre la Croix avec tous les autres invités au Dyct du Paon du Comte Baudouin de Flandre.

Ce visage d'ascète ne pouvait être que celui du saint évêque. Lui seul avait pu, en compagnie de ses maçons et tailleurs de pierre qui avaient juré de reconstruire le Temple de Salomon, se mettre à la tête des Pauvres Gens qui voulaient à tout prix gagner Jérusalem et leur paradis.

Les aides du chirurgien avaient trouvé parmi les suppliciés un homme et deux femmes qui n'étaient pas tout à fait morts. Ils leur avaient administré, ainsi qu'à l'évêque, de la tisane d'opium qui allait engourdir leurs douleurs pendant plusieurs heures. Ils avaient dressé des toiles trouvées dans les bagages du convoi afin de protéger les quatre survivants des ardeurs du soleil. Une centaine de cavaliers, s'étant dépouillés de leurs vêtements à l'exception de la culotte de toile fine qu'ils portaient sous leur uniforme, travaillaient le torse et les jambes nus à creuser de longues tranchées où les cadavres seraient ensevelis à l'abri des becs des vautours et des essaims de mouches qui bourdonnaient maintenant en grand nombre. Un des éclaireurs était revenu, disant que les traces que ses compagnons continuaient à suivre menaient droit vers les terres qui n'étaient plus au Sultan, où les hommes de Ridwann s'étaient probablement retirés pour ne plus réapparaître.

Assis les jambes croisées sous la toile qui abritait l'évêque Enoch, Riou guettait, sur le visage tuméfié par le choc de la lame qui l'avait frappé, les signes du retour à la vie. Le chevalier avait ôté sa tunique et son turban, afin de se montrer avec ses cheveux et sa barbe blonde sous l'aspect qu'il avait le jour où il s'était rendu à la cathédrale.

Les yeux de l'évêque, sortant de l'inconscience sous l'influence de l'élixir et de la boisson opiacée qu'il avait absorbés, s'ouvraient sur le paysage illimité, incendié de soleil. Les survivants avaient été couchés le dos tourné au charnier, afin qu'ils n'aient pas à le voir en reprenant connaissance. Enoch tourna lentement la tête vers Riou.

— Messire Evêque, dit le chevalier, reconnaissez-vous votre pénitent d'une fois, venu à votre cathédrale de Bruxelles pour être entendu en confession avant un combat pour le Jugement de Dieu ?

Enoch abaissa son regard sur les bottes de cuir rouge et la tunique d'uniforme de Riou pliée à côté de lui.

— Certes, oui, dit-il en revenant au visage du jeune homme, et j'ai maintes fois pensé à toi ces jours-ci... Sais-tu que lorsque ceux qui sont venus nous tuer ont surgi au galop le long du lac, j'ai craint que tu ne sois parmi eux ? Lorsqu'ils ont tiré leurs sabres d'un seul geste qui a fait un millier d'éclairs, quelle horreur c'eût été, si tu les commandais ! Mais ce n'était pas possible, venant de toi...

— Comment me saviez-vous parmi les mahométans, Messire ?

— Mon pauvre enfant... Comment l'aurais-je ignoré ?

Il dirigea son regard vers les deux seules femmes qui avaient été retrouvées vivantes, allongées un peu plus loin sous leur toile tendue entre des piquets.

— Je menais vers toi, au milieu de mon troupeau, une petite brebis de Bretagne qui t'était destinée...

L'évêque avança une main, qui vint presser celle de Riou.

— Ne le savais-tu pas, qu'elle s'était mise en route vers toi, chevalier de fortune ? Ne devines-tu pas de qui je parle si je te dis que c'était une fille de ta maison qui te servait de toutes les façons depuis son enfance ?

— Messire, dit Riou en pâlissant, voulez-vous dire que Couette... ?

— Oui, mon pauvre enfant, elle est à au milieu des autres dans ce pourrissoir de martyrs et elle y est en martyre de l'amour qu'elle t'a porté dans son cœur jusqu'au dernier instant...

— Ah, mon Dieu ! dit Riou en se levant, la gorge serrée par un sanglot.

— Elle est venue me voir au camp de la Croisade au nom du Comte Guéthenoc ton suzerain que tu as abandonné, et elle m'a dit qu'elle voulait aller avec les autres à Jérusalem puisque tu étais du côté des mahométans, et qu'elle irait te servir là-bas comme elle l'avait fait en Bretagne. Vois-tu quel grand amour elle avait dans son cœur pour toi, elle si petite et si dénuée de tout ?

Et Riou debout auprès de la toile qui abritait l'évêque se tourna dans l'éblouissement du soleil vers l'immonde charnier bruissant de mouches au sein duquel était le corps de Couette qui avait été à lui pour la première fois au bord d'une fraîche rivière où passaient les libellules de l'été breton. Les larmes jaillissaient des yeux de Riou en un flot, pour lui cacher ce qu'il allait voir.

L'évêque Enoch mourut trois jours après être arrivé à Djabala, dans un des pavillons du jardin où Riou l'avait logé en espérant qu'il se remettrait de ses blessures et connaîtrait la paix dans ce lieu que l'atabeg avait voué à la douceur et à l'amitié. Le corps de Couette, que Riou avait retrouvé le ventre ouvert parmi les autres corps de femmes qu'il avait retournés et examinés un à un dans l'écœurante odeur des entrailles violées par les vautours, reposait lui aussi dans le jardin, derrière le pavillon de Riou sous une dalle de pierre taillée par un artisan de Djabala. Le chevalier venait s'y asseoir, espérant que Couette toute proche sentait sa présence, entendant encore ses rires, et les gémissements de plaisir qu'elle poussait dans ses bras, songeant que la Mort elle aussi habitait maintenant le jardin, la mort de Maïmouna qui s'y était immolée avec le poignard du Haschachinn, la mort de Couette endormie dans son sommeil d'amour.

La Mort ! Riou savait qu'elle allait se mettre en marche dans les rangs de l'ost qui se préparait à assiéger Djabala, ainsi que l'avait prédit le Sultan Salah Ed Dine. La mort au combat qui est le sort ordinaire d'un chevalier. La mort au supplice qui est celui de l'homme qui porte les armes contre ses frères.

DIXIÈME PARTIE

LA FIN DE DJABALA

40.

Le Roi Richard à Djabala

Ayant toujours Nottingham à ses côtés, le Roi Richard d'Angleterre, suivi des officiers qui commandaient ses arbalétriers et ses piquiers, parut au matin sous les oliviers des collines qui dominaient la ville de Djabala. Son infanterie s'était ébranlée en secret au coucher du soleil et elle avait marché ainsi toute la nuit sur des chemins qui avaient été reconnus plusieurs jours avant afin de pouvoir arriver à Djabala au début de la journée. Le Roi Richard savait que le Duc de Bourbon en personne dirigeait le siège de la forteresse de l'atabeg, et que celle-ci était sur le point de tomber. Au milieu de ses archives de guerre que charriait une mule de bât, Richard avait une lettre de Saladin lui demandant de faire en sorte que la Croisade ne s'attaque point à l'atabeg, à sa personne ni à ses biens, pour ce que l'atabeg était son allié et un homme juste et raisonnable qui souhaitait sincèrement la concorde entre les fidèles des trois religions. Ne faisait-il pas vivre ensemble les docteurs de celles-ci dans un beau jardin, qui était lui-même un symbole de paix ?

Mais Richard n'avait pu mettre son ost en route dans le temps qui lui eût permis d'occuper les terres de l'atabeg avant que la Croisade ne le fasse, et priver ainsi d'une conquête ceux qui, vaincus à Mahdia, cherchaient à leur arrivée en Palestine une revanche au moindre prix possible.

Sous les oliviers, les lignes d'arbalétriers et de piquiers avançaient au son des cornemuses. Ils étaient tout à neuf, les casques brillants, les cuirs des baudriers bien oints, les guêtres bien boutonnées sur leurs jambes, les visages reposés et brunis par le soleil depuis leur débarquement en Terre sainte. Richard avait la meilleure infanterie de l'Occident, la plus habile, la mieux armée. Les barons en armures méprisaient la piétaille. Richard savait qu'on pouvait gagner des batailles avec elle, et qu'elle était docile et fidèle — autant qu'on avait des écus pour payer sa solde. Et le Roi d'Angleterre veillait à toujours en avoir dans ses coffres.

La forteresse ! Richard avait arrêté son cheval aussitôt qu'il l'avait vue, en bas, au bord de la mer, et tous les chevaux de ses compagnons s'étaient arrêtés de même, et derrière eux les lignes de fantassins, et les muletiers qui charriaient au dos de leurs bêtes le train d'équipage des soldats de pied.

— Saint George ! murmura celui qu'on nommait Cœur de Lion devant l'harmonieux paysage de Djabala que la guerre avait piétiné.

Un homme d'armes ne peut s'empêcher, dans quelque camp qu'il soit, de s'émouvoir au spectacle d'une place ruinée par l'ennemi, et qui n'a plus qu'à se rendre. Toute la science qui a été mise à la construire, toute la résolution qu'ont eue ceux qui se sont enfermés dans ses flancs de pierre pour la défendre, tout cela n'est plus que peines perdues. Altière lorsqu'elle est debout et inviolée, la forteresse vaincue inspire compassion comme un grand navire qui va faire naufrage...

En haut de celle de Djabala, plus rien des créneaux ne subsistait et de grandes lézardes striaient les tours de haut en bas. Une fourmilière de soldats se répandait sur la forteresse par les grands échafauds roulants désormais collés à demeure le long de ses flancs, les défenseurs ne pouvant plus rien d'autre sans doute qu'interdire les soubassements de la place aux assaillants. Aucun tir ne partait plus de l'édifice depuis la veille. Aussi la vaste esplanade qui s'étendait autour de lui du côté de la terre était-elle devenue le bivouac des assiégeants et le parc de leurs chariots. Elle serait bientôt le champ de Mars de la parade qui célébrerait leur victoire.

Le Roi Richard hocha la tête.

— Nous sommes trop tard, dit-il à Nottingham.

Depuis l'esplanade, un groupe de cavaliers se dirigeait déjà vers les oliviers sous lesquels se tenait l'avant-garde de l'infanterie d'Angleterre.

Richard vit qu'il était mené par un seigneur empanaché d'autruche, le torse dans une cuirasse de parade, monté sur un beau cheval pommelé et il n'eut pas de mal à reconnaître Bourbon en personne, qui aimait s'habiller ainsi de manière fleurie. C'était jour de gloire pour ces guerriers... Tous les autres cavaliers étaient des seigneurs bien de leur personne, la fameuse cour du Duc, que les manières rudes et les visages grossiers mettaient de mauvaise humeur.

— Le Bourbon ! s'exclama Richard avec mépris. Je gage que ce sont les Bretons et les Normands qui ont fait le travail, et qu'il en recueille maintenant le fruit...

— Non pas, Sire, pour une fois, dit Nottingham. Le travail a été fait par la grande baliste dont le Duc a eu l'idée contre l'avis de tous ses ingénieurs.

Les cavaliers avaient mis au pas pour s'approcher d'une tête couronnée, et le Duc de Bourbon se découvrit. Tous ceux qui l'accompagnaient firent de même.

— Soyez le bienvenu à Djabala, Sire Richard, dit le Duc. N'ayant appris qu'à l'aube que vous étiez en chemin pour venir nous surprendre, nous n'avons guère eu de temps pour nous préparer à vous recevoir. Mais nous aurons tout de même un repas de midi convenable, auquel nous vous prions très respectueusement, pour le grand honneur que vous nous ferez...

Richard, qui était de franches manières, rit de bon cœur.

— Sire Duc, si mes hommes de pied marchent la nuit c'est parce qu'il y fait bon frais, dans ce pays chaud, et comme un bon soldat je me mets en route sans prévenir quiconque parce qu'à la guerre on en dit toujours trop...

— Sire, il est vrai qu'on ne prévient pas l'ennemi. Mais nous autres sommes sous la Croix comme vous...

— Ah ! fit Richard avec un geste qui simulait l'indifférence. Vous vous souciez si peu de moi ! Ne vous ai-je pas envoyé un mot, il y a trois mois déjà, pour vous demander de ne point faire de tort à ce petit prince mahométan qui m'a été recommandé comme étant de bonne volonté à notre égard ? Voyez comme vous m'avez répondu !

Le Roi désignait en souriant la forteresse martyrisée par toute une armée.

— Le Conseil en a décidé, Sire. Je ne pouvais aller contre.

— Surtout lorsque vous étiez pour ! Avez-vous au moins fait entendre ma demande ?

— Sur ma parole, Sire ! protesta le Duc. Mais elle était opposée par trop de monde...

— Cependant, dit Richard sur un ton beaucoup plus dur, vous-même et tous ceux qui se sont opposés voulez bien que je marche avec vous sur Jérusalem, avec soixante mille hommes de guerre qui coûtent mille livres d'or par jour à ma couronne ?

— Certainement, Sire ! Nous le souhaitons !

— Vous le souhaitez, mais ne tenez compte de mes requêtes !

éclata le Roi qui était sujet à de brusques colères, lorsque vivement contrarié. Et si je vous disais maintenant que je n'irai point à Jérusalem, mais que je vais culbuter par-derrière votre armée de preneurs de forteresses et de conquérants de jardins d'orangers, pour lui apprendre ce que vaut la parole du Roi d'Angleterre ? Ferais-je tuer de bons soldats à un écu par mois pour que vous mettiez vos panaches à la parade et disiez des *Te Deum* en remerciement de ce que le Bon Dieu vous donne les armées anglaises pour gagner les guerres ?

Le Duc de Bourbon avait pâli.

— Sire... Cette ville est à un Mahométan et son armée est régie par un renégat de notre ost. Nous ne pouvions passer au large et laisser impunie la trahison d'un chevalier félon.

Richard haussa les épaules. Ses colères se calmaient d'un coup, comme elles prenaient. Il vit qu'une de ses estafettes venait vers lui au grand galop. Elle annonça que les Templiers descendaient de la montagne, étant passés à travers la terre de l'émir de Cheïsar, et que le Grand Maître en personne était à leur tête.

— Sais-tu combien il a d'hommes avec lui ? demanda le Roi.

— Cinq mille cavaliers, dont trois mille Turcopoles, Sire.

— Fort bien, dit Richard.

Il avait retrouvé le sourire et il l'adressait au Duc.

— Nous serons donc soixante-cinq mille à accepter votre invitation à déjeuner, Sire Duc. Ne sera-ce pas trop de travail pour vos gens de maison ?

Les dais d'apparat sous lesquels le Duc de Bourbon et les barons de la Croisade traitaient le Roi Richard et son escorte à déjeuner avaient été dressés à la limite de l'esplanade qui s'étendait devant la forteresse. Depuis les tables couvertes de nappes blanches et chargées de vaisselle d'argent le Duc et ses commensaux pouvaient voir ce spectacle guerrier d'un siège qui s'achève, le va-et-vient allègre de tous ceux qui savaient maintenant que la place était vaincue, les blessés des jours précédents qui clopinaient au milieu des chariots pour aller voir de près les dernières heures de l'action, les rires et les cris qu'on poussait au passage du cadavre d'un mahométan pris au combat dans un couloir de la place, et qu'on amenait sur une charrette, pour l'aller brûler, après l'avoir percé de coups, comme un mauvais mécréant qu'il était.

Le Roi Richard, assis à la droite du Duc, buvait force rasades de bon vin, n'ayant pas à faire la guerre ce jour, et le Souverain Maître du Temple Guillaume de Gisy, assis à gauche, dont le visage couleur de cire brune affectait toujours d'être mystérieux et impassible, ne prenait que de la limonade. Le Duc souriait d'aise, les joues rosies par l'aligoté de Bourgogne, qu'il aimait fort, et par tout ce qui était arrivé d'heureux depuis qu'on avait mis le siège devant Djabala. Il avait souffert grande humiliation à Mahdia, quand les boulets de pierre tirés par la grande baliste du raïs Abbou el Abbas étaient tombés au milieu de ses barons, et quand les maudits Infidèles avaient lancé sur les tours d'assaut de l'ost franc leurs outres puantes remplies de naphte. Il avait juré d'en tirer vengeance, et ordonné en secret qu'on mette en construction à Autun et à Nevers plusieurs balistes plus puissantes que celles dont disposaient les Mahométans, et notamment qu'on en fasse une énorme, d'une dimension inconnue jusqu'alors aussi bien en Orient qu'en Occident, et qu'on baptiserait la *Bourguignonne.* Les ingénieurs avec lesquels il avait passé plusieurs nuits sous sa tente dans le camp désolé par les pluies incessantes, la fièvre, les coliques et le déplaisir de la défaite avaient poussé les hauts cris, disant que si l'on pouvait toujours faire une baliste plus grande que les autres, on ne pourrait ensuite l'approvisionner en projectiles en raison de la taille excessive que ceux-ci seraient tenus d'avoir pour aller avec la machine. Le Duc avait tenu bon et exigé qu'on dessinât des chars pour lever et transporter de gros projectiles, et qu'on commençât à faire tailler de ceux-ci en France, qu'on ferait venir sur lesdits chars, par des vaisseaux affrétés uniquement à cet usage. C'était insensé, mais c'était pourquoi la forteresse de Djabala aujourd'hui était vaincue.

— Au premier tir de la Bourguignonne, dit avantageusement le Duc, qui racontait le siège à ses hôtes pour son plaisir, les câbles qui retenaient le projectile cassèrent, et douze hommes furent écrasés. Mais au second coup, les câbles ayant été renforcés, le projectile passa au-dessus de la forteresse, rasant ses créneaux pour tomber de l'autre côté dans la mer. Le jet était trop long ! Nous bouillions d'impatience dans l'attente de savoir si la lourdeur des pierres allait être suffisante pour ébranler la construction. Le troisième coup nous donna un plein fouet sur le haut de la grande tour de gauche, que vous voyez là, et il y eut un grand cri dans tout le camp : la tour sembla trembler sur elle-même. C'est en frappant ensuite au même endroit que nous avons pu la voir se fendre, telle que l'avez sous les yeux vous-mêmes présentement. Alors, nous avons su que la place serait prise, et ceux qui étaient dedans, à l'inverse, ont dû comprendre à cet instant qu'ils ne pourraient pas la défendre...

— Vous n'avez point tiré sur la petite forteresse, celle qui couvre le port, ainsi que je le constate, demanda le Grand Maître du Temple, sans lever les yeux de la pièce de volaille qu'il découpait lentement avec son couteau, qui tranchait comme un rasoir.

— Non pas, Messire, dit le Duc. Là sont les appartements de l'atabeg et de ses femmes, et nous ne voulons point que le bâtiment soit détruit. Il n'y a pas de nécessité militaire, et celui qui recevra Djabala en fief en aura besoin pour y tenir ses quartiers.

— Avez-vous déjà attribué le fief ? s'enquit encore le Grand Maître.

— Oui, Messire. Il ira au Comte d'Eu qui compte le laisser en tenure, lorsqu'il retournera en Normandie, à son meilleur chevalier, qui a nom Foulque de Macé. Les Normands ont montré un grand courage à Mahdia, Messire, et beaucoup d'acharnement à ce siège-ci. Ils sont tous sur la forteresse à l'heure qu'il est. Les mahométans, depuis que leur place est envahie par le haut grâce aux ébranlements de la Bourguignonne, se sont battus salle après salle, d'un escalier à l'autre...

Le Grand Maître des Templiers reposa son couteau sur la table et prit sa fourchette à deux dents, au moyen de laquelle il piqua un des morceaux d'outarde qu'il venait de découper. Il poursuivit, laissant la pièce de volaille en l'air :

— Vous avez communiqué au gendre de l'atabeg, m'a-t-on dit, qu'il ait à rendre la forteresse et que s'il le fait, il sera lui-même remis à la juridiction ecclésiastique qui décidera de son cas, au lieu d'être puni pour félonie à l'égard de son suzerain selon la rigueur des lois de chevalerie ?

— En effet, dit le Duc. Je ne l'entendais pas ainsi, en ce qui me concerne, devant l'énormité du crime, mais le Comte de Fougères, qui est le suzerain de ce chevalier félon, l'a voulu avec insistance, disant qu'il avait relevé le chevalier en question de son lien de vassalité, par une lettre qu'il lui a fait parvenir lorsque nous sommes arrivés à Saint-Jean-d'Acre. Les seigneurs anglais et bretons ont appuyé sa demande au conseil. Nous avons donc décidé ainsi.

— Mais le jeune homme ne vous a point encore répondu ? reprit Guillaume de Gisy qui entre-temps avait avalé son morceau d'outarde.

— Si, Très Révérend Maître. Il l'a fait ce matin. Il a fait savoir que la forteresse ne capitulerait point, et que lui-même ne rendrait que devant la justice de Dieu le compte de ce qu'il avait fait au service de l'atabeg...

Il y eut un silence, pendant lequel le Grand Maître mangea encore de son outarde. Le Roi Richard, qui était aussi fort mangeur que buveur, mastiquait d'abondance en réfléchissant à ce qu'il entendait.

— Il a eu l'insolence d'ajouter, conclut le Duc, que le Sultan Saladin tirerait grande vengeance de ceux qui ont attenté à l'intégrité du domaine de l'atabeg, et qu'il était encore temps pour eux de s'éloigner !

Le Duc eut un petit rire en achevant sa phrase.

— Il a raison, dit tranquillement le Grand Maître.

— Que dites-vous ? s'étonna le Duc avec un haut-le-corps.

— Que vous avez commis une faute en attaquant Djabala, pour le plaisir de mettre à l'épreuve votre grande baliste et pour celui de donner un fief aux Normands qui vous poussent et vous tirent à hue et à dia depuis le début de cette campagne. En faisant ainsi, vous rameutez autour de Saladin tout ce qui porte un cimeterre en Orient. Le Sultan a déjà une armée formidable, qu'il administre avec un grand talent. Vous la grossissez encore !

— Sont-ce là les paroles d'un Grand Maître de l'Ordre du Temple ? s'écria le Duc.

— En effet ! Les décisions de votre Conseil sont de courte vue. Il faut traiter avec Saladin si vous voulez que nous conservions des terres ici et que l'ordre du Temple continue à y avoir des châteaux, et de l'influence. Saladin n'est pas contre. Lorsqu'il mourra, son successeur sera peut-être d'un autre avis. Quant au gendre de l'atabeg, je le connais personnellement, et l'ai en grande estime. Il n'est point renégat, ayant été relevé de l'obligation qui lui avait été faite d'abjurer notre religion, et tout ce qu'on vous a dit à son propos sont des sornettes qui n'ont pour autre but que de vous faire agir pour qu'on donne à un Normand le bien d'autrui. Aussi je vous adjure alors qu'il en est encore temps de faire savoir à l'atabeg et à son gendre par un messager que le siège va être levé et que l'Ordre du Temple, par moi représenté, se porte garant de la sûreté des défenseurs de la forteresse et du départ prochain de l'ost de la Croisade...

Rouge et souriant, le Roi Richard renchérit :

— Allons, mon cher Duc ! Votre baliste a fait ses preuves en démolissant la place. Vous n'avez plus d'intérêt dans ce siège. Envoyez donc dire à l'atabeg que l'ost renonce à Djabala.

A ce moment un étrange grondement retentit et le sol trembla sous les tables. Tous les convives tournèrent un regard stupéfait vers la forteresse d'où venaient ce bruit et ce tremblement. L'énorme édifice, dans lequel plus de trois mille soldats de l'ost franc étaient entrés déjà depuis plusieurs jours, s'affaissait sur lui-même. Sa hauteur sembla diminuer d'un seul coup d'une vingtaine de mètres. Les deux tours maîtresses s'éboulèrent brutalement, comme si elles n'étaient plus que pierres entassées sur elles-mêmes sans le lien de mortier. Une terrible avalanche broyait les deux tours de siège qui leur étaient accolées, répandant en même temps dans un nuage de poussière les corps des assaillants et les énormes poutres dont ces tours étaient faites. Une clameur accompagnait ces bruits effrayants, faite des hurlements de ceux qui tombaient depuis le haut des tours ruinées, ou restaient écrasés, la tête aux fenêtres éboulées, hurlements auxquels se mêlaient les cris d'effroi et de colère de tous ceux qui se tenaient sur l'esplanade.

Aux tables des barons, on s'était levé, et tous ces guerriers, saisis par la soudaine cruauté du spectacle, restaient muets. Certains avaient cru un instant à un tremblement de terre, mais comme beaucoup d'entre eux connaissaient l'art des places fortes, tous maintenant comprenaient que les défenseurs de la forteresse de Djabala avaient choisi de la faire s'effondrer pour entraîner les assaillants dans la mort.

Le Duc s'était levé en même temps que les autres. Le Grand Maître, lui, n'avait pas bougé, conservant son visage impassible. Il se contenta de poser sa fourchette à côté de son assiette pour laver de nouveau ses doigts dans l'aiguière.

— Je me souviens maintenant qu'on m'a raconté que le soubassement de la place comportait un secret qui permettait de la faire s'ébouler sur ses assaillants, dit-il de sa voix égale, en essuyant ses doigts à l'aide du linge que lui présentait un valet de bouche. Prions pour les malheureux qui viennent d'être engloutis sous nos yeux sous ces masses de pierres...

Le Grand Maître inclina la tête en avant jusqu'à toucher ses deux mains jointes, murmurant les paroles du *De Profundis*.

Richard Cœur de Lion se nettoyait les dents avec le petit cure-dents en or qui figurait dans son nécessaire de table avec la fourchette à deux dents et le couteau à trancher. Il fit néanmoins un rapide signe de croix pour faire plaisir au Maître des Templiers qui achevait sa prière et il fronça les sourcils à la vue du Duc dont les mains étaient maintenant prises d'un tremblement convulsif. Le Duc était livide quand il se tourna vers ses deux invités.

— Renaud ! Dieu Tout-Puissant, ayez miséricorde... Renaud est dans la forteresse !

Les larmes jaillirent de ses yeux.

— Qui est Renaud, messire Duc ? demanda le Roi Richard, agacé par le spectacle que donnait le prince qui commandait l'ost de la Croisade. Serait-ce un fils ?

— Renaud, mon page, balbutia le Duc qui découvrait tout à coup un monde de souffrance. Il a voulu aller là-bas ce matin, et je l'ai laissé partir...

Après avoir été jusqu'auprès des ruines de la forteresse où l'énormité du désastre qu'il avait eu sous les yeux l'avait convaincu du caractère irrémédiable de ce qui était arrivé à son page bien-aimé, le Duc s'était retiré sous sa tente, où il demeurait prostré. Aucun de ceux qui se trouvaient dans la place au moment où elle s'était effondrée n'en pourrait jamais sortir. Sans doute, au fond d'un couloir, dans un tronçon d'escalier, certains vivaient encore. Mais ce n'en était que pire, car ils étaient voués à périr longuement de soif, ou du manque d'air.

Dans le camp, autour de chacun des seigneurs qui commandaient un ost, on faisait le douloureux compte de ceux qui étaient partis ce matin combattre et ne reviendraient plus. Les Normands étaient les plus touchés. Le Comte d'Eu, puisque le fief lui avait été attribué, avait mis tout son monde à percer les parois que les derniers défenseurs de la forteresse maintenaient pour empêcher que les assaillants ne puissent se rendre maîtres des souterrains. Chez les Normands, de nombreuses tentes de gentilshommes resteraient vides ce soir, et force chevaux, dans les écuries, ne verraient plus leur maître venir comme à l'habitude leur flatter l'encolure et gourmander les valets pour ce qu'ils n'avaient pas mis assez de bon foin dans les mangeoires.

Cependant, Foulque de Macé, au moment de l'éboulement, se trouvait au bord de la mer, à observer la petite place forte qui avait pour rôle d'enfermer et protéger le port de la place et où aussi l'atabeg avait ses appartements, et, disait-on, son importante bibliothèque. Le plus fidèle compagnon du Comte d'Eu, ayant échappé ainsi à la mort, s'était rendu à la tente du Duc, pour l'abjurer au nom de son suzerain qui venait de disparaître avec tant et tant de ses chevaliers de donner l'ordre d'assaut contre la petite place afin qu'on s'empare au plus tôt de l'atabeg, de ses femmes et de ses filles. Foulque avait avec lui, qui attendaient au-dehors, tout un parti de chevaliers encore plus acharnés qu'à l'habitude par la colère qu'ils ressentaient de ce qui venait d'arriver. Le renégat, le traître, celui qui était la cause de cette déloyauté sanglante qui avait pris au piège plus de trois milliers de bons guerriers francs, ce Riou autrefois de la Villerouhault mais maintenant sans doute affublé de quelque nom barbare que les mahométans avaient dû lui donner en l'admettant dans leur détestable religion, ils voulaient le voir pendre à une corde, ou monter sur un bûcher, ou mieux encore écarteler à quatre chevaux...

Le Duc répondit à Foulque qu'il devait savoir que le Grand Maître du Temple avait exigé que l'atabeg demeurât désormais en sûreté sous sa protection, et que le Roi Richard entendait s'en porter garant. Cela faisait de bien grandes puissances à convaincre ou à affronter.

Tout à la vengeance qu'il poursuivait contre Riou, le Normand ne remarquait pas combien le Duc était pâle, et indifférent à tout ce qui pouvait arriver maintenant à cette forteresse et même à la Croisade. Foulque dit au Duc qu'en tout cas le renégat, lui, n'échapperait pas à son châtiment. Mais le Duc lui répondit qu'il tenait de la bouche de Guillaume de Gisy lui-même que les Templiers s'intéressaient au sort du chevalier de la Villerouhault, et qu'ils avaient approuvé d'une certaine manière les liens qui l'unissaient à l'atabeg. Le chevalier serait jugé sans doute par un tribunal ecclésiastique sous le contrôle du Temple. Foulque se récria qu'il tuerait plutôt de sa main le renégat au moment de le prendre.

Le Normand n'avait jamais rien dit à personne de ce qui était arrivé à Gisquier son valet. Il avait laissé croire autour de lui que Gisquier avait péri de la peste, après s'être enfermé au lazaret de sa propre volonté, mais il savait bien, par un autre valet venu lui en faire la confidence, que Gisquier était parti au camp des Arméniens pour suivre un homme qui lui avait proposé une fille. Alors Foulque avait aussitôt soupçonné quelque chose, se souvenant que Riou avait déjà un valet arménien à son service à Mahdia. Qu'il en eût un autre maintenant, venu au camp de la Croisade, et faisant cette besogne d'attirer Gisquier pour le faire parler, cela devait être. C'est pourquoi Foulque tuerait Riou au moment où il le verrait prisonnier, afin que le Breton n'ait pas le loisir de révéler ce qu'il avait pu apprendre de Gisquier au sujet de ce qui s'était passé à Constantinople.

Puis le Duc dit à Foulque qu'il souhaitait qu'on le laisse en repos. Au moment où le Normand sortait de la tente dont l'élégant tissu de couleur grège était brodé aux armes de Bourbon, avec des glands dorés qui pendaient gracieusement çà et là, le Marquis de Santenay entra pour annoncer au Duc que le Roi Richard demandait la réunion du Conseil sans délai. En tant que prince souverain, il en aurait de droit la présidence. Bourbon répondit d'un ton las qu'étant meurtri par le malheur qui le frappait, il s'abstiendrait d'y paraître, et que lui Santenay aurait la charge de le représenter à ce Conseil.

Comme un orage menaçait, amoncelant d'énormes nuages noirs au-dessus de la mer, le Roi Richard demanda s'il y avait un endroit où l'on puisse réunir tout le monde à l'abri. Le Marquis de Santenay lui répondit qu'on pouvait user du hangar construit au début du siège pour abriter l'atelier des gens qui s'occupaient des balistes et des mangonneaux. C'est là qu'on dirigea tous les seigneurs de la Croisade fort intéressés de savoir comment Richard allait jouer son jeu, et ce qu'il y avait de vrai dans les bruits qui couraient sur les ouvertures que Saladin lui aurait faites.

Les valets avaient apporté toutes sortes de sièges pris dans les tentes, et même des tabourets d'écurie, car après ce qui était arrivé ce matin et à cause du Roi Richard, beaucoup de gentilshommes étaient avides d'assister, et ils avaient demandé à leurs seigneurs de les prendre avec eux au Conseil.

Ils virent en entrant sous le hangar que le Grand Maître du Temple Guillaume de Gisy était assis à côté du Roi Richard comme tout à l'heure au cours du repas, et le Marquis de Santenay ouvrit le conseil en disant que sa Majesté d'Angleterre avait souhaité que le Grand Maître de l'Ordre puisse tenir séance bien qu'il ne fasse point partie du conseil, en raison de la grande connaissance qu'avait l'Ordre des usages des Mahométans. Tous comprirent que Richard et le Temple étaient venus pour essayer de tirer l'atabeg d'affaire avant qu'il n'ait été complètement mis à merci et il y eut des murmures et des mouvements divers dans l'assemblée.

Le Marquis de Santenay regarda tout le monde comme s'il allait demander que ceux qui avaient à s'élever contre la présence du Grand Maître veuillent bien prendre la parole, mais il ne le dit pas et on en resta là, chacun étant persuadé que, si le moment des affrontements n'était pas encore venu, ceux-ci étaient inévitables.

Beaufort de Weinsgate, le chef de guerre des Anglais, tout aise d'avoir son souverain sous les yeux, siégeait comme à l'habitude aux côtés du Comte Guéthenoc de Fougères qui s'était depuis Mahdia confirmé dans son rôle de porte-parole des seigneurs bretons. Bretons et Anglais avaient été ennemis acharnés depuis bien longtemps. Ils étaient devenus amis à la Croisade, et en somme s'étaient unis contre les Normands. Il n'y avait plus beaucoup de Normands. Deux sur trois gisaient écrasés dans les entrailles de la forteresse. Les gens de Beaufort non plus que les Bretons n'avaient presque rien fait dans le siège de Djabala. Ils s'étaient prononcés contre, et aujourd'hui que Richard était là, et que ce siège se révélait coûter bien cher en chevaliers de bonne expérience et hommes d'armes courageux, ils regardaient les autres membres du conseil avec des mines de gens qui sont en train d'avoir raison après qu'on n'a pas voulu les écouter.

Le Marquis de Santenay prit la parole à nouveau.

— Notre Sire Duc de Bourbon a envoyé dire ce matin à l'atabeg qu'il pouvait se rendre à merci, et que la protection de l'ordre du Temple lui était acquise, pour lui-même et les gens de sa famille. Dans sa réponse l'atabeg nous dit qu'il ne reconnaît point la conquête qu'on veut faire de sa terre et de ses bonnes gens qui l'habitent, mais qu'il accepte de se remettre à notre discrétion pour être emmené avec les gens de sa maison vers le Sultan Salah Ed Dine, qui lui a offert asile...

Le hangar se remplit d'un brouhaha d'exclamations d'abord confuses, puis haut et clair quelqu'un cria :

— Et le renégat ?

Aussitôt de nombreuses voix firent chorus, s'indignant que le Chevalier de la Villerouhault devenu mahométan puisse échapper à son châtiment en suivant le sort de l'atabeg. Rouge de colère, le baron d'Yberville, un des seigneurs normands rescapés de l'éboulement de la place, se leva pour apostropher le Grand Maître du Temple.

— L'Ordre va-t-il récompenser le chevalier de la Villerouhault de ses bons services au commandement des troupes de Djabala, Messire Souverain Maître ?

Des rires approbateurs déferlèrent sur l'assistance. Le Marquis de Santenay leva la main pour réclamer le silence.

— Pour ce qui concerne Riou de la Villerouhault, reprit-il, l'atabeg nous fait savoir que le chevalier a péri dans les fondations de la forteresse, après en avoir lui-même machiné l'effondrement, suivant l'engagement pris par les défenseurs de la place de ne point la rendre.

Le Comte de Fougères hocha la tête en pensant à la fin tragique de Riou qui s'était donné la mort pour échapper au châtiment auquel il se savait promis. Le Comte regarda Foulque de Macé, l'ennemi de Riou.

Le Normand souriait. Le renégat avait péri ! Le Comte Guéthenoc détourna les yeux avec une moue de dégoût.

Le Marquis de Santenay fit un signe en direction d'un groupe d'hommes d'armes qui se tenaient à l'un des côtés du hangar, près de plusieurs grandes machines de siège.

— Introduisez le messager de l'atabeg de Djabala ! ordonna-t-il d'une voix forte.

De par la curiosité qu'on avait de voir comment était le mahométan envoyé par l'atabeg, toutes les têtes se tournèrent par là.

Un homme de petite taille qui n'avait pas du tout la mine d'un guerrier, coiffé d'un turban de fine étoffe enroulée et drapé dans une gandoura blanche, s'avança vers les personnages qui présidaient le conseil sur leurs fauteuils, c'est-à-dire le Roi Richard, le Grand Maître et le Marquis de Santenay, tandis que ce dernier expliquait :

— Le messager est le secrétaire de l'atabeg et il parle la langue franque, ayant étudié à Montpellier.

Oumstal s'inclina devant le Roi Richard, puis exécuta deux mouvements de tête de moins grande amplitude en direction des autres seigneurs qui étaient alignés de part et d'autre du Souverain d'Angleterre. Ceux qui ne l'avaient pas remarqué encore s'aperçurent que le mahométan tenait sous son bras un gant d'armure analogue à ceux qui font partie de l'équipement d'un chevalier franc pour le tournoi.

— Je parle ici au nom du seigneur Al Zahir el Mundiqh, fils de Hussein, lui-même fils d'Ifkir, et prince tuteur de Djabala, annonça Oumstal. Le mot atabeg, en effet, signifie tuteur, ajouta-t-il avec une légère nuance de mépris dans sa voix, comme s'il ressentait que ces Francs, qu'il connaissait bien pour avoir vécu au milieu d'eux, avaient tort de se croire supérieurs aux autres peuples, étant donné le grand nombre de choses subtiles qu'ils ignoraient. En son nom, et selon les lois de chevalerie, poursuivit-il, je porte défi au combat pour le Jugement de Dieu au sire Foulque de Macé, seigneur de l'ost de Normandie...

Après un moment de stupéfaction, les protestations fusèrent.

— Le Mahométan ! s'écria quelqu'un. De quelle chevalerie veut-il parler ?

Des rires de dérision s'ajoutaient aux exclamations scandalisées, mais Oumstal continuait.

— Que le sire de Macé se désigne, dit-il, afin que je lui puisse jeter le gant, selon qu'il est d'usage...

Foulque de Macé se leva et fit un pas en avant vers le secrétaire, qui parut encore plus petit devant le grand Normand.

— Jette ton gant, mécréant, et je te le renverrai au visage. Je n'ai pas à combattre un adorateur de Mahomet ailleurs que sur le champ de bataille, où il est déjà vaincu !

Les paroles de Foulque produisirent un nouveau tumulte. Les uns faisaient chorus : qu'avait-on à écouter les insolences de ces Orientaux ? D'autres au contraire les prenaient à partie. N'y avait-il pas déjà eu à Mahdia des chevaliers mahométans qui étaient venus demander un jugement de Dieu en combat singulier, et qu'on avait injuriés à tort, là aussi, de la même manière ?

Le marquis de Santenay s'était fait apporter de l'atelier un maillet de bois et une coupelle de cuivre et il frappait l'une avec l'autre de manière à obtenir le silence, tout en se penchant pour entendre ce que lui disait le Grand Maître. Ayant achevé cet aparté, Guillaume de Gisy se leva de son fauteuil. Ce geste insolite suffit à ramener le calme en un instant.

La bouche mince de ce moine-soldat taciturne, au crâne rasé et au visage immobile comme un masque, laissa tomber ces mots :

— L'atabeg Al Zahir de Djabala a été adoubé chevalier six années plus tôt par le Souverain Maître Renaud de Mandelieu, dans notre forteresse du Krak. Il est donc en droit de réclamer l'usage des lois de chevalerie. Le Sire Foulque ne pourrait rejeter le gant qui va lui être lancé sans se voir déclarer forfait d'honneur, si le combat pour le jugement de Dieu est autorisé par le prince souverain ici présent, notre aimable Sire le Roi Richard...

Le Grand Maître se rassit dans un nouveau tumulte, que le Marquis de Santenay s'efforça de maîtriser au moyen de son maillet. Le sire Gisbert de Hesdin, un baron picard, qui était connu pour être homme de raison, n'étant jamais dans les acharnés, leva haut la main pour demander la parole.

— L'atabeg est vaincu par les armes, déclara-t-il. Le Sire de Macé doit recevoir les terres de Djabala en fief, de par la volonté du Conseil. Il ne s'agit point là de chevalerie, mais des faits et règles de la guerre. Saladin a bien pris le Royaume de Jérusalem de la même façon. L'atabeg ne peut vouloir combattre le Sire de Macé pour ce que celui-ci reçoit Djabala en tenure. Dieu a déjà jugé en donnant l'avantage à notre ost sur la forteresse. C'est pourquoi le combat ne saurait être autorisé, et j'en adjure le Sire Roi Richard...

Gisbert de Hesdin se rassit sous les approbations de beaucoup.

Foulque avait repris sa place sur son siège lui aussi. Oumstal avait toujours le gant de l'atabeg à la main. Richard tenait la tête proche de celle du Grand Maître, qui lui parlait, et le Marquis de Santenay se penchait vers eux lui aussi. Puis il se redressa pour s'adresser à Oumstal.

— Avant que Sa Majesté le Roi Richard n'en décide, as-tu encore à dire au nom de ton maître de bonnes raisons pour justifier un tel défi ?

Le messager de l'atabeg eut ce sourire ironique qui lui était habituel, et qui avait longtemps indisposé Riou contre le secrétaire de son beau-père.

— Ce n'est point sur le sujet de la possession des terres de Djabala que l'atabeg jette son gant au sire de Macé, répondit-il. C'est en nom et place du défunt chevalier de la Villerouhault son vassal, et en jugement des crimes que le Sire de Macé a commis en complicité avec son valet d'armes du nom de Gisquier, crime de viol sur la personne de la dame Judith Mordoch, amante et associée du Sire Riou de la Villerouhault, de meurtre du père de celle-ci le joaillier juif Mordoch, et du vol qu'il a fait d'une émeraude de grande taille, appartenant au Sire Riou, et donnée en gage entre les mains de la dame Judith en garantie du contrat fait entre eux. Et ceci a été perpétré à Constantinople par la main du Sire Foulque, à la faveur du sac de la ville !

Oumstal avait dû crier ces derniers mots de toute la force de sa voix, tant le vacarme grandissait, et le Marquis de Santenay renonça à intervenir. Comme s'il était sûr maintenant de la décision que le Roi. Richard allait prendre, Oumstal lança le gant, qui vint tomber aux pieds de Foulque. Les uns criaient au Normand de ne pas toucher ce gant. Les autres l'incitaient à le ramasser au contraire.

Après avoir échangé avec Richard quelques paroles que personne ne pouvait entendre, le Marquis frappa de son marteau. A son étonnement, le calme revint d'un coup, tant était grande l'impatience que tous avaient de savoir ce qu'allait décider le souverain d'Angleterre.

— Au nom du Sire Roi Richard, qui t'en fait la demande, quelles preuves a ton maître de ce que tu viens de rapporter ? demanda Santenay.

— Mon maître a sous sa garde, à lui confiée par le Sire Riou, le valet d'armes du sire Foulque, qui l'a vu tuer le Juif Mordoch et a lui-même pris part au viol de sa fille Judith. Ce valet a revendu à Constantinople, pour le compte du Sire Foulque, l'émeraude qui était au cou de la Dame Judith lorsqu'elle a été mise à mal par l'un et l'autre. Il a fait devant plusieurs témoins l'aveu des crimes de son seigneur et j'ai moi-même consigné par écrit en langue franque et en langue arabe sa confession.

— Peux-tu produire ici le valet ? dit encore Santenay.

— Il viendra avec l'atabeg, et vous sera remis, Messire.

Le Marquis interrogea le Roi Richard du regard. Le souverain inclina la tête affirmativement.

— Le Sire Roi Richard autorise le Jugement de Dieu ! s'écria le Marquis d'une voix forte.

Foulque s'était levé. En dépit des voix qui criaient encore en sa faveur, il sentit le poids de sa solitude. Le Comte d'Eu, qui l'avait toujours absous et soutenu en toutes circonstances, aurait-il, s'il n'avait pas péri dans la forteresse, couvert de sa parole de Comte les jeux sanglants de Constantinople, pour ce qu'il s'agissait d'un juif et d'une juive ? Cela n'était pas sûr, et peut-être était-il mieux que le Comte soit resté enseveli... Pour la première fois, Foulque entrevit la vérité sur lui-même. S'il tuait l'atabeg, il n'échapperait sans doute pas au jugement qu'on ferait de lui ensuite pour avoir franchi les portes de Constantinople le jour du sac de la ville contre la défense formelle qui avait été faite à tous les seigneurs de l'ost de la croisade. Cette indiscipline suffisait à montrer la mauvaiseté des intentions qu'il avait eues. Si l'atabeg le tuait...

Foulque sentit là lassitude en lui. Il regarda les tours et les murailles maudites dont on voyait la masse au-delà du hangar où se tenait le conseil. Ce matin à l'aube tous ses rêves avaient pris corps, Djabala lui appartenait, avec ses jardins d'orangers, ses miraculeuses plages de sable blanc, ses femmes aux yeux noirs — et Riou de la Villerouhault était promis au châtiment des renégats. Maintenant son rêve était ruiné comme l'était la forteresse où Riou gisait, écrasé mais vainqueur.

Et Foulque ramassa le gant.

Au-dessus du hangar aux balistes, de l'esplanade encombrée des arrois du siège, de la place forte écroulée et de la mer, le ciel d'orage était devenu noir au point qu'on aurait dit la nuit prête à tomber. Avec les sourds grondements du tonnerre qui semblaient venir du fond de l'horizon marin où l'assombrissement du ciel rejoignait celui de la mer, l'énervante menace de cet orage ajoutait aux passions des seigneurs francs assemblés pour entendre qu'après la ruine de sa forteresse, où tant des leurs avaient péri, le prince mécréant allait leur échapper pour rejoindre Saladin. Plus encore, il allait paraître et combattre un chevalier chrétien, après l'avoir accusé de crimes honteux, et de surcroît le Roi Richard penchait pour le Mahométan, tout comme le Maître du Temple !

Quand l'atabeg parut en effet, s'avançant à travers l'esplanade sur un destrier harnaché et caparaçonné comme pour un tournoi en Flandre ou en Bretagne, sa lance debout dans l'étrier de sa jambe droite, son chef enfermé dans un heaume à la mode du royaume d'Ile-de-France comme tout le reste de son armure, qu'on voyait bien de grand prix et de la meilleure facture, la foule des seigneurs et de leurs écuyers se dressa debout, saisie par la colère, crachant à terre et jetant ses gants de rage car derrière le cheval du prince mahométan marchait, attaché à une corde, les mains liées derrière le dos, la tête couverte d'une cagoule, les pieds nus dans des sandales, un homme de petite taille que l'on devinait être Gisquier, le valet d'armes de Foulque, celui qui avait témoigné des crimes commis en compagnie de son maître selon ce qu'avait dit le secrétaire de l'atabeg. Un chrétien de l'ost ainsi mené comme une bête !

Le marquis de Santenay, debout lui aussi, frappait à toute force de son maillet sur sa coupe de cuivre pour qu'on se taise et s'asseye au nom du Sire Roi Richard et de la loi de chevalerie, mais c'était peine perdue et la clameur redoubla quand un chevalier breton, ayant lu les armoiries peintes sur l'écu que tenait l'atabeg à son bras gauche, s'écria que c'étaient les armes de la Villerouhault, les armes de Riou.

— C'est lui, c'est lui, c'est le renégat ! s'écrièrent alors des hobereaux normands compagnons de Foulque et ils se précipitèrent vers le cavalier en armure sur son cheval.

Mais pendant que la plupart des seigneurs étaient assemblés au conseil sous le hangar, les officiers du Roi Richard, sur les ordres qu'ils avaient reçus du souverain, avaient déployé leur nombreuse infanterie de piquiers et d'arbalétriers, les uns occupant le port de commerce de Djabala, les autres les ruines de la forteresse afin d'entourer le bâtiment où résidait encore la famille de l'atabeg, et ceux qui avaient accompagné l'atabeg jusqu'au lieu du combat abaissèrent leurs piques pour protéger le seigneur mahométan sur son destrier.

Oumstal, debout devant le Roi Richard et le Maître du Temple, voyait tout cela avec son sourire ironique et méprisant.

Le Roi Richard riait au spectacle, puis soudain en colère, selon son habitude de caractère, il se leva de son fauteuil à son tour et cria d'une voix tonnante que c'était la chienlit. Rouge, le souverain jeta son gant à toute volée en direction des fauteurs de désordre. Il y eut un moment de stupeur, tous regardant ce gant royal qui voulait dire que Richard Cœur de Lion, qu'on savait redoutable aux armes, menaçait de se battre, lui, le souverain régnant, contre ceux qui déshonoraient la règle de chevalerie. Alors les voix de ceux qui étaient raisonnables s'élevèrent avec véhémence et les Normands regagnèrent leur place à l'abri du hangar.

Dans le silence qui venait de se faire subitement, un long roulement de tonnerre retentit, surprenant tout le monde parce qu'il rappelait l'affreux grondement que la forteresse avait fait en s'écroulant au matin. Un gigantesque éclair craqua au-dessus de la mer comme si le ciel, auquel tous ces guerriers francs croyaient, voulait ajouter sa colère à l'étrange atmosphère dans laquelle se préparait ce combat insolite.

Le Marquis de Santenay ordonna qu'on ôte la cagoule de l'homme qui était venu en captif du chevalier en armure. Des piquiers anglais qui étaient restés auprès du cavalier s'en chargèrent et les Normands reconnurent aussitôt Gisquier, le valet de Foulque, en dépit de son crâne rasé. Ils lui crièrent de dire la vérité maintenant qu'il n'avait plus rien à craindre des mahométans. Mais Gisquier soudain mis en face de dizaines et dizaines de seigneurs francs après de longs mois de captivité au milieu des Arabes restait comme stupéfait.

Le Souverain Maître de l'Ordre du Temple avait sorti de sa robe un petit crucifix qu'il y tenait pour faire ses prières en voyage et il le brandit en direction de Gisquier.

— Dis la vérité au nom du Christ ! ordonna la voix sévère qui sortait de son visage impassible. Ta confession écrite chez l'atabeg t'a-t-elle été arrachée par la violence ?

Gisquier secoua la tête.

— Non point, Messire, dit-il d'une voix faible, couverte aussitôt par les murmures de désappointement des uns et les exclamations des autres.

Gisquier était pâle. Riou de la Villerouhault lui avait promis la vie sauve, mais Riou n'était plus, et ces seigneurs assemblés autour d'un Roi ne pouvaient être qu'un tribunal capable de l'envoyer à la potence pour avoir aidé au meurtre du Juif, au viol de sa fille, et à la volerie de l'émeraude.

Oumstal devina les pensées du valet.

— Messire, dit-il en se tournant vers le Marquis de Santenay, le Seigneur Riou avait promis au valet qu'il serait épargné. Il s'est grandement repenti, ici, à Djabala...

Le Roi Richard regardait le misérable avec curiosité.

— On va te détacher, lui dit-il, et tu iras où tu veux. Dans ce cas, rejoindras-tu l'ost, ou iras-tu chez les mahométans ?

Craignant un piège dans les paroles du puissant personnage couronné, Gisquier demeurait muet.

— Parle, drôle ! ordonna le Roi Cœur de Lion qui fronçait les sourcils. On te fait grâce de tout, et tu n'as même plus ta langue !

— J'irai chez les mahométans, Sire, balbutia Gisquier.

— Et pourquoi ça ? lança le souverain dans le silence qui s'était établi sous le hangar. Par saint George, aurais-tu choisi leur religion, toi aussi ?

— Non point, Sire, mais par chez eux j'irai aussitôt à Jérusalem, à pied, demander mon pardon au tombeau du Seigneur Christ...

Le Roi Richard resta un instant les yeux ébahis puis il éclata d'un rire énorme en se jetant en arrière dans son fauteuil, s'exclamant :

— Tu y arriveras plus vite que nous, sans doute, drôle !

Et tous sous le hangar, les brutes guerrières s'esclaffèrent à leur tour, enchantées de la plaisanterie du souverain, aussi bien ceux qui en tenaient pour Foulque que ceux qui s'étaient indignés qu'un chevalier chrétien ait tué et violé en compagnie de la racaille répandue dans Constantinople.

Puis les rires s'éteignirent. Foulque de Macé en armure, son heaume fermé, sa lance droite et son écu au léopard de Normandie, revenant des écuries où il était allé s'équiper, marchait vers l'atabeg au pas de son destrier paré comme pour un tournoi.

Des trompettes sonnèrent, faisant un frisson parcourir les épaules et les reins de tous ces hobereaux pour qui ne comptait plus maintenant que le plaisir de voir deux chevaliers comme eux combattre à mort avec la haine au cœur

Sur le fond du grondement de l'orage, les premières gouttes de pluie chaude commencèrent à tomber sur la foule des soldats de l'ost qui s'était rassemblée face au hangar des balistes, laissant vide entre ce hangar et eux-mêmes le champ clos où les deux adversaires allaient s'affronter.

L'atabeg et Foulque avaient été menés par des valets d'armes aux deux extrémités du champ. Le Marquis de Santenay fit un signe de la main aux trompettes, qui sonnèrent l'ordre de se tenir prêt. Les deux chevaliers abaissèrent leur lance.

Le Marquis de Santenay cria de toute la force de sa voix : « Allez et combattez en loyauté. » Les deux destriers partirent des quatre fers à la rencontre l'un de l'autre.

Les deux lances tendues en avant se rapprochaient, et tous sous le hangar et sur l'esplanade retenaient leur souffle, guettant le choc. Il retentit, et l'atabeg, touché à l'épaule, plia en arrière, puis glissa à terre où il tomba dans le grand bruit de métal de son armure. Une puissante clameur s'éleva des bouches des milliers de spectateurs. Continuant son galop, Foulque commença un tour du champ, la lance haute, avant de revenir sur son adversaire que des valets aidaient à se relever. Il abaissa sa lance de nouveau et fonça vers l'atabeg, comme s'il voulait le toucher alors qu'il n'était pas encore remis en selle, mais c'était par jeu, pour se moquer et le défier.

Il passa tout près de l'atabeg ainsi, faisant la clameur se changer en rire quand on comprit ce qu'il avait voulu faire. Tandis que les valets amenaient à l'atabeg son cheval, le Normand amorça un second tour du champ, remettant sa lance haute. L'atabeg avait déjà un pied à l'étrier, les valets le hissaient en selle, et Foulque galopait vers eux la lance pointée pour faire une seconde fois son jeu de défi quand un formidable éclair explosa dans un bruit assourdissant au moment où il arrivait à la hauteur de son adversaire. En même temps la voûte du ciel se déversait d'un seul coup, noyant la forteresse et l'esplanade, et les milliers d'hommes qui s'y trouvaient.

Sous le hangar, le Marquis de Santenay s'était levé et tous cherchaient à voir ce qui était arrivé, alors que la foule des soldats se dispersait en courant pour se mettre à l'abri de cette pluie diluvienne qui rejaillissait du sol.

La foudre était tombée au milieu du champ clos sur les deux seigneurs combattants. Foulque et son cheval foudroyés tous les deux gisaient à terre et les valets, leurs vêtements à demi brûlés fumant sous la pluie, se relevaient péniblement. Oumstal s'était précipité au milieu du désordre vers l'atabeg allongé sur le sol dans son armure.

Il ouvrit la visière du heaume. Un des valets l'aida à ôter le heaume tout entier.

Le Souverain Maître du Temple avait quitté son fauteuil et l'abri du hangar, insoucieux des trombes d'eau sous lesquelles il s'avançait tête nue, pour aller voir si l'atabeg avait péri. Il se pencha vers Oumstal qui lui dit que le seigneur Al Zahir respirait et qu'il n'était peut-être que commotionné.

Guillaume de Gisy se redressa pour regarder l'armure de Foulque tordue et noircie par la violence de la foudre, et les chairs en partie calcinées de son cheval et de lui-même, d'où s'élevait une puanteur de graisses brûlées. Le Maître du Temple se signa.

C'était le feu du ciel et le jugement de Dieu.

41.

Le retour de l'émeraude

C'est dans un fondouk où il passait la nuit, en route pour Djabala, et à six jours de marche de sa destination, que Kecelj put entendre pour la première fois une description exacte de ce qu'il allait trouver en arrivant là-bas. Les gardes des services de sécurité du Sultan qui accompagnaient le médecin hongrois dans son voyage, ayant appris la présence au fondouk de deux hommes venant de Djabala, les avaient conduits auprès de Kecelj pour que celui-ci puisse les interroger.

Les deux voyageurs dirent que la forteresse n'était plus qu'un amas de ruines sur lequel s'affairaient des centaines d'hommes occupés à préparer sa reconstruction. Kecelj savait déjà, l'ayant entendu dire à Bagdad, que Riou avait péri à la fin du siège. Mais il espérait toujours que la nouvelle ne soit pas exacte, comme cela arrive quelquefois heureusement. Cependant ces deux-là dirent au Hongrois qu'il ne pouvait y avoir de doute sur ce qui était arrivé à ce Franc qui avait combattu au service du Prince. Il avait lui-même provoqué l'effondrement de la forteresse, en faisant dans les souterrains ce qui devait être fait pour cela, et son corps gisait sous les montagnes de pierres avec beaucoup d'autres.

Ils parlèrent de la situation dans laquelle se trouvait désormais l'atabeg après la mort de son gendre. Pendant le siège, son fils Mahmoud, avec qui il avait eu de graves différends, était revenu de Cheïsar, où il s'était exilé, à la tête d'un fort parti de cavalerie, dans le but d'attaquer par surprise en pleine nuit la grande baliste mise en action par les chrétiens, et qui causait un dommage irrémédiable à la forteresse. Mais Mahmoud avait été tué au cours de cette tentative héroïque, qui avait échoué. Et puisque l'atabeg avait perdu son autre fils à la chasse autrefois, il n'avait plus d'espoir que dans le petit-fils qui venait de lui naître au milieu de son malheur. Sa fille aînée avait donné le jour à un garçon, le fils du chevalier franc... La naissance s'était produite une dizaine de jours après que les Croisés avaient levé le siège à l'instigation du Roi Richard d'Angleterre et des Templiers qui étaient arrivés trop tard au secours de la principauté.

Aujourd'hui, ajoutaient les deux voyageurs assis les jambes croisees devant le petit canoun où les deux gardes faisaient chauffer du thé dans un récipient de terre cuite, il ne reste à Djabala que des soldats du Roi d'Angleterre, qui occupent le port, dont le souverain entend se servir pour le ravitaillement de son ost. Hormis cela, le seigneur atabeg a retrouvé sa pleine indépendance, et on le voit souvent passer à cheval, allant à son grand jardin où de nombreux ouvriers s'affairent là aussi à réparer les dégâts causés par l'invasion de la principauté.

Kecelj resta un long moment en silence auprès des gardes et des deux voyageurs. Maintenant, il avait devant lui, et pour toujours, le visage du Malheur... Riou n'était plus. Ce voyage de retour en compagnie de Judith, qu'il avait retrouvée, ainsi que Riou lui-même l'avait justement prévu en lui donnant l'émeraude quelques mois plus tôt, n'avait plus de sens. L'aventure de Riou et de Judith, commencée dans la bijouterie de Mordoch, en pays de Flandre, dans les joies de l'amour et les rêves de fortune, s'achevait dans la douleur. Judith avait perdu la raison et Riou péri d'une mort atroce dans sa forteresse devenue tombeau.

Ainsi en avait décidé le destin, et l'émeraude, si magique qu'elle ait pu être, ne l'était pas assez pour avoir évité ni même annoncé ces malheurs. Elle avait bien conduit Kecelj jusqu'à ce lupanar à soldats où il avait retrouvé Judith, après avoir visité, pendant des semaines, un grand nombre d'établissements de ce genre dans les Etats du Sultan. Cependant le regard vide que la jeune femme, misérablement vêtue d'oripeaux voyants, avait posé sur lui, apprenait au Hongrois qu'elle n'avait plus sa raison. Kecelj s'était assis à côté d'elle sur le grabat du réduit où elle était enfermée. Il lui parlait doucement, prononçait le nom de Riou, lui disait que Riou l'attendait, et qu'elle allait quitter ce lieu pour le rejoindre. Mais Judith écoutait dans une complète indifférence, sans que le nom de son amant le chevalier pour qui elle avait tout perdu, y compris son père bien-aimé, n'amène aucune émotion à son visage. Judith n'avait plus de mémoire. Son esprit s'était emmuré en lui-même. Comme Riou faisant s'écrouler la forteresse de l'atabeg pour que l'ennemi ne puisse la prendre, Judith avait fait s'effondrer son passé sur elle afin de rester étrangère à la misérable condition où on l'avait réduite.

Lorsque Kecelj, après avoir emmené Judith avec lui, lui avait remis l'émeraude, la jeune femme avait paru sortir de sa torpeur. Elle avait serré dans sa main la pierre et son collier d'or que Kecelj avait fait faire à Bagdad par un joaillier, afin qu'on puisse de nouveau la porter en pendentif, et il avait semblé au Hongrois que la magie de l'émeraude se communiquait à celle qui l'avait portée sur elle pendant de longs mois.

Mais la bouche de Judith était restée silencieuse, et son regard lointain. Si quelque communication avait été établie de nouveau entre la pierre et la jeune femme, cela restait dans le secret de leur âme à l'une et à l'autre, et l'âme de Judith, hélas, n'avait plus de voix.

Kecelj se leva, après avoir remercié les deux hommes de Djabala pour tout ce qu'ils lui avaient appris. Il se dirigea vers la pièce du fondouk où s'étaient déjà retirées sa compagne Aroussa, qui prenait soin de Judith depuis le jour où son maître l'avait retrouvée, et Judith elle-même.

Aroussa se dressa sur sa couche à l'entrée de son seigneur et maître. Elle arrangea les couvertures et l'oreiller pour que celui-ci puisse venir s'étendre à ses côtés et disposer d'elle si cela était sa fantaisie. Depuis le jour où à Jérusalem, le Hongrois avait pris possession de la jeune Bédouine, qui l'avait accompagné dans tous ses déplacements à travers les Etats du Sultan et dans tous les hôpitaux où le médecin était allé étudier, elle s'était montrée en tous points égale à la description qu'en avait faite le démarcheur qui avait abordé Riou et son ami le Hongrois à la sortie de l'église du Saint-Sépulcre, pour leur proposer des jeunes filles à louer ou à vendre. Aroussa avait tenu le ménage du médecin sans jamais se plaindre, voyageant à ses côtés sur une mule, réparant ses vêtements, cuisant sa nourriture partout où ils avaient à faire étape, et lui apportant la nuit les ardeurs d'une maîtresse sans jamais prendre avantage de cette intimité nocturne pour altérer sa docilité de servante pendant le jour. Aroussa donnait maintenant tous ses soins à Judith. Celle-ci, perdue dans la contemplation du vide intérieur où elle vivait recluse, ne participait à aucun des travaux de la vie quotidienne, et on devait la surveiller comme une enfant.

Kecelj, avant de rejoindre Aroussa, alla se pencher sur le matelas où gisait la fille de Mordoch. A chacune des fois où il cherchait le regard de la jeune femme, le Hongrois espérait découvrir une lueur nouvelle, un signe voulant dire que la pensée recommençait à l'animer. Judith avait les yeux ouverts et, à la faible lumière de la lampe à huile qui éclairait la pièce du fondouk où ils étaient tous les trois, le médecin vit qu'elle avait ôté de son cou la chaîne d'or qui assujettissait l'émeraude, et qu'elle tenait celle-ci dans son poing fermé, comme elle avait toujours fait lorsqu'elle avait cherché à connaître les secrets de l'avenir par la magie de la pierre.

Judith souriait, comme si l'émeraude lui faisait comprendre qu'elle était en train de se rapprocher de celui qu'elle aimait, alors que la forteresse fatale était cette nuit à peu de jours de marche. Le Hongrois fut accablé de tristesse. Maintes fois, dans l'espoir de réveiller la mémoire de la jeune femme, il lui avait répété qu'il la menait à Riou et c'est vers une nouvelle douleur qu'ils marchaient maintenant l'un et l'autre. Lui, seul sur cette terre étrangère si Riou n'y était plus, et elle dont les yeux égarés ne comprendraient même pas le sens du spectacle qui leur apparaîtrait lorsqu'elle se trouverait en face de ce château fort en ruine, sur un rivage qu'elle ne connaissait pas.

Kecelj, ses deux gardes et ses deux femmes arrivèrent à Djabala en longeant la mer. Avant même de s'aller présenter à Oumstal et à l'atabeg, le Hongrois voulut se rendre devant la forteresse. Sa petite troupe traversa l'esplanade au milieu du va-et-vient de ceux qui travaillaient au déblaiement de l'édifice et s'arrêta devant ce qui était devenu le tombeau de Riou.

Les ingénieurs qui dirigeaient le chantier avaient fait pratiquer une profonde saignée au milieu des décombres, qui semblait ainsi diviser la forteresse en deux. Une forêt d'étais, amenés des montagnes de Cheïsar sur des chariots, sous forme d'énormes poutres taillées dans de grands chênes, soutenaient les murailles et les éléments de tours qui avaient pu être conservés, après qu'on eut repris leur maçonnerie avec un mortier neuf. Un incessant va-et-vient de fardiers tirés par des bœufs apportait de la terre qu'on déversait de façon à construire un long plan incliné où seraient roulées les pierres neuves nécessaires à l'édification des nouvelles tours.

Après être resté longuement silencieux, Kecelj se tourna vers Judith assise sur la mule qui l'avait portée jusque-là. La jeune femme regardait les ruines elle aussi, mais son visage était paisible, presque souriant. Elle pressait l'émeraude dans sa main fermée contre sa gorge. Son regard était dirigé vers la saignée creusée au milieu de l'amas des ruines et d'où montaient, par des palans que des dizaines d'hommes manœuvraient au moyen de cabestans, des blocs de pierre qu'on ôtait un par un pour les aligner en attendant de les remaçonner d'une meilleure façon.

Judith se tourna alors vers Kecelj, et désigna de la main le puits d'où montaient ces blocs de pierre dans le grincement des poulies et les cris des contremaîtres excitant les hommes à la manœuvre.

— Riou ! dit-elle, prononçant pour la première fois, après des semaines et des semaines de silence, le nom du chevalier. Il est là...

La jeune femme renaissait à la vie, devant la tombe de celui qu'elle aimait. Emu, Kecelj posa sa main sur le bras de la jeune femme, qui serrait toujours l'émeraude contre sa poitrine.

— Judith... Oui, notre Riou est là...

Le Hongrois mesurait devant cette énorme ruine la grandeur des sentiments du jeune chevalier, parti au service de guerre par le dégoût des injustices qu'un mauvais suzerain lui avait fait subir et fidèle jusqu'à la mort à son attachement pour l'atabeg, le bon suzerain...

Mais Judith s'appuyait sur le bras de Kecelj, comme si elle voulait que celui-ci l'aide à descendre de la mule. Ce qu'elle fit, en effet. La jeune femme se dirigeait vers le vaste chantier. Kecelj descendit de son cheval à son tour.

— Judith ! dit-il. Vous ne pouvez aller là-bas !

Mais la jeune femme le regardait en souriant, visiblement possédée par une certitude : Riou était là, et elle voulait aller le rejoindre.

Des ouvriers et des contremaîtres s'arrêtaient au passage pour regarder avec curiosité les deux voyageurs. On circulait sur le chantier par des cheminements faits de planches, qui conduisaient aux différents endroits où se déroulaient les travaux. Entre ces cheminements, munis à certains endroits de rambardes, des pistes servaient au va-et-vient des attelages.

Dans la longue robe de coton brodée qu'elle portait pour le voyage, Judith, refusant d'obéir à Kecelj, s'était engagée sur les planches. Elle avait ôté l'émeraude de son cou, et la tenait dans sa main.

— Judith, appela Kecelj. Venez. Il est dangereux de s'aventurer au milieu de ce mouvement...

Judith secoua la tête.

— Riou, répéta-t-elle avec un sourire paisible. Il nous attend...

Kecelj se sentit encore plus las. Judith avait retrouvé la parole, mais ce n'était que pour montrer qu'elle avait perdu la raison...

Oumstal avait été prévenu que le médecin Hongrois qui avait autrefois sauvé l'atabeg en fournissant les drogues de sa guérison était de retour, et qu'il visitait le chantier de la forteresse. Le secrétaire de l'atabeg s'y rendit à son tour pour trouver Kecelj et Judith au milieu d'une des salles souterraines qui avaient été mises à jour par les travaux de déblaiement, et dont la voûte, pour une partie encore en état, était soutenue par un jeu d'étais. Oumstal vit avec étonnement cette jeune femme dans sa longue robe brodée qui tenait au bout de sa main tendue un pendule qu'elle laissait osciller au-dessus du sol dallé comme à la recherche d'une source. Le pendule était une émeraude de grande taille, sertie dans une griffe d'or.

Oumstal s'approcha de Kecelj. Le Hongrois avait renoncé à s'opposer aux désirs de Judith. Aux côtés des ingénieurs qui s'étaient joints à lui en voyant la jeune femme commencer sa recherche au moyen du pendule qu'elle tenait à la main, il se taisait. Judith s'était déplacée lentement à travers la salle, et le pendule s'était mis à bouger. Elle s'était arrêtée alors, était revenue sur ses pas, et elle avait maintenant délimité un cercle à l'intérieur duquel elle se tenait. Là, le pendule au bout de sa chaînette d'or se maintenait dans un balancement régulier.

Judith, qui était restée jusque-là absorbée par sa recherche, se tourna vers Kecelj et ceux qui étaient groupés autour de lui.

— Il est là, dit-elle d'un ton paisible. Il nous attend, ajouta-t-elle, répétant la phrase qu'elle avait dite tout à l'heure.

Oumstal s'adressa au Hongrois.

— S'agit-il de l'émeraude que le seigneur Riou avait retrouvée en possession du Sultan Salah Ed Dine ? demanda-t-il.

— En effet, dit Kecelj.

Le secrétaire de l'atabeg hocha la tête.

— Consultons les plans des fondations, dit-il aux ingénieurs.

Les ingénieurs hélèrent les géomètres qui travaillaient avec eux, et ils apportèrent les plans des soubassements, qu'on déroula à même le sol dallé.

On reporta sur le plan l'emplacement que le pendule de Judith avait désigné. A cet endroit, et au niveau le plus bas, c'est-à-dire celui auquel se trouvait la pièce contenant le tombeau d'Aelohim, l'architecte juif qui avait bâti la forteresse sur les ordres de l'atabeg Ifkir, fondateur de la principauté, il n'y avait rien.

Les ingénieurs secouèrent la tête.

— C'est le plein rocher, sur lequel s'appuient les fondations, dirent-ils.

Tous regardaient Judith. Kecelj sentit qu'ils pensaient que la malheureuse n'avait plus sa tête et que son pendule n'était qu'une fantaisie.

— Venez maintenant, Judith, dit Kecelj, qui avait pris la jeune femme par le bras.

— Non, dit-elle en se dégageant. Je resterai ici. Riou a confiance en nous, et nous ne pouvons le décevoir.

Et elle s'assit par terre à même les dalles sous les yeux de tous. Oumstal réfléchissait, et regardait Judith. Puis il se tourna vers les ingénieurs.

— Nous allons creuser ici, dès maintenant, leur dit-il.

Le plus âgé des ingénieurs haussa les épaules.

— Il s'agit d'un travail considérable, qui va nous retarder, pour n'aboutir à rien.

— J'ai lu dans les archives la note de l'architecte Aelohim qui indique comment provoquer l'effondrement du bâtiment, à partir du mausolée où il est inhumé. Une galerie souterraine relie ce mausolée à la mer, par un puits qui débouche au milieu des rochers. Cette galerie est secrète, et c'est pourquoi elle n'est pas indiquée sur les plans. Le seigneur Riou l'aura empruntée après avoir provoqué l'effondrement, et il a péri parce que la dislocation de tout le bâtiment n'a pas épargné cette galerie elle-même. Son corps gît dans les ruines de ce passage secret.

La rumeur s'était répandue sur le chantier qu'une jeune femme juive venue avec le médecin chrétien de l'atabeg avait deviné grâce à un pendule la présence de la dépouille du chevalier franc, et les hommes arrivaient de tous côtés pour prendre part aux travaux qui allaient permettre d'exhumer le corps de sa prison de pierre. De lourdes barres de fer s'abattaient déjà sur les dalles pour les desceller. On dressait des palans qui allaient enlever ces dalles pour ouvrir un puits dans la masse de pierre, jusqu'à atteindre le niveau de la galerie secrète.

Pâle, épuisée, Judith s'appuyait maintenant sur Kecelj. Et comme elle voyait qu'on allait s'acharner par tous les moyens à parvenir à la tombe de Riou, elle se laissa entraîner par le Hongrois jusqu'à l'endroit où leurs montures étaient restées à attendre, avec les gardes et Aroussa la servante.

La nuit n'arrêta pas les travaux, bien au contraire, car de nombreux cavaliers et arbalétriers se présentèrent, demandant à prendre part aux efforts qui pouvaient ramener au jour les restes de celui qui les avait autrefois menés à la charge contre les troupes de Cheïsar. Des torches avaient été allumées, qui éclairaient la salle à demi détruite où le puits avait été ouvert, et les énormes blocs de pierre qu'on lui arrachait se succédaient, levés par les palans, hissés par les cordes auxquelles s'attelaient les bœufs.

Peu avant l'aube, Kecelj revint au chantier, averti par celui des architectes qui avait pris en charge les travaux de fouille qu'un escalier venait d'être dégagé, aboutissant à la tombe du juif Aelohim. Une seule paroi séparait encore les ouvriers de la galerie où le pendule avait indiqué la présence de la dépouille de Riou. Déjà les ouvriers s'attaquaient à cette paroi...

Kecelj entendit que des blocs tombaient, et les ouvriers crièrent que la galerie était atteinte. Suivi de l'architecte, le Hongrois descendit les marches pour aller les rejoindre. Il les vit agrandir l'orifice qu'ils venaient de pratiquer, au point qu'un homme pouvait maintenant s'y introduire. Ils se retournèrent vers lui, comprenant qu'il voulait être le premier à y pénétrer, lui qui avait été l'ami du seigneur franc.

Kecelj engagea le haut de son corps dans l'orifice puis, ayant touché le sol de la galerie avec ses mains, se mit debout. L'étroit couloir était sombre, après les vives lueurs des torches.

Le Hongrois resta coi, cherchant à habituer ses yeux à l'obscurité. Puis un des ouvriers qui étaient restés de l'autre côté de l'orifice y passa une torche au bout de son bras tendu. Le regard de Kecelj découvrit l'étroite galerie jusqu'à l'endroit où elle faisait un coude. Quelque chose brillait sur le sol dallé au loin. Une source s'écoulait là après avoir été intégrée aux fondations. Pour la première fois, à la vue de cette eau, la folle pensée que Riou pouvait être encore en vie traversa son esprit. Vingt-trois jours s'étaient écoulés depuis la ruine de la forteresse, et Riou emmuré pouvait avoir survécu s'il avait eu à boire.

Le Hongrois se retourna vers la torche, qu'il prit des mains de celui qui la tenait, puis il s'avança, le cœur battant. Ayant passé le coude de la galerie qui se poursuivait loin devant lui, il aperçut une forme allongée au pied de l'éboulement des pierres qui avait fermé le passage secret, le transformant en une prison.

Il courut et se pencha. Dans sa tunique maculée de terre, Riou gisait sur le dos à l'endroit où la source sortait entre les pierres. Ses yeux agrandis par la faim fixaient d'un regard immobile le visage de Kecelj. Une lueur passa dans ce regard comme le médecin approchait sa bouche de celle de son ami pour y chercher le souffle qu'il espérait trouver vivant.

Le chevalier de la Villerouhault respirait encore, et l'émeraude l'avait sauvé.

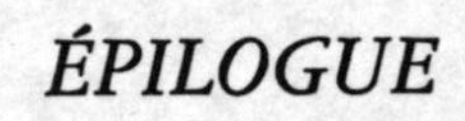

ÉPILOGUE

Le seigneur Al Zahir et le chevalier de la Villerouhault étaient assis face à face sous le kiosque du jardin dans l'ombre blanche des toiles abaissées pour faire pièce à l'ardeur du soleil.

Entre eux était sur sa table de marbre le grand échiquier qui absorbait leur attention. L'atabeg, qui voyait trop tard sa reine menacée, constatait que son gendre avait fait de grands progrès à ce jeu, comme si les épreuves traversées par le chevalier franc avaient mûri jusqu'à ses facultés de raisonnement. Al Zahir ne voyait d'ailleurs plus rien de juvénile sur les traits de son adversaire méditant devant la troupe immobile des cavaliers et des rois ciselés dans l'ivoire. C'est un mourant efflanqué, d'une pâleur cadavérique que Kecelj avait tiré du souterrain deux mois plus tôt. Depuis, Riou avait passé de longues heures sur la plage et dans la mer, il avait navigué au large avec les pêcheurs de Djabala, et ses forces lui étaient revenues en même temps que le hâle à son visage.

La tempête qui avait ruiné la forteresse et saccagé le jardin s'était éloignée. Des charrettes apportaient sans relâche de Cheïsar et d'ailleurs des arbres de toutes essences que les jardiniers replantaient. L'eau coulait de nouveau dans les bassins et les fleurs étaient plus nombreuses et plus belles que jamais.

Riou avança la main vers son Roi. L'atabeg regarda cette main, qui maniait le cimeterre après avoir brandi l'épée droite des Francs, et il reporta son regard vers le fils de Riou et de Sofana assoupi dans son berceau posé sur la banquette du kiosque auprès d'une des filles de chambre prête à user de son chasse-mouches pour protéger le nouveau-né des insectes. Son petit-fils aurait-il les mains de Riou, ou les siennes, qu'il avait lui-même héritées de son père Ifkir ? L'enfant qui dormait là, ses petits poings levés de chaque côté de son visage, serait le quatrième atabeg de Djabala, né de la passion d'une princesse arabe pour un Franc devenu prince par son courage et sa loyauté... Un fils ! Riou avait réussi cela aussi : que son premier-né soit un fils, à qui pouvait revenir l'héritage de l'atabeg.

Sofana, occupée à lire un livre en langue franque posé sur ses genoux, levait par moments son regard sur les deux joueurs d'échecs, qui composaient avec son enfant endormi le tableau de son bonheur bercé par le bruit de la source. Elle aussi avait recommencé de couler dans la vasque où les oiseaux venaient boire comme avant. Sofana était comblée, et elle le savait désormais. L'effondrement de la forteresse et la disparition de Riou dans les entrailles de pierre avaient arraché de son cœur ce qu'il y restait d'orgueil et de jalousie. N'était-ce pas à Judith, amante de Riou bien avant elle, qu'elle devait le retour dans son lit, et chaque jour auprès d'elle, de celui qui était son époux ?

Le destin qui avait amené Riou jusqu'à elle se servait des amantes mêmes du chevalier pour l'enraciner encore plus profondément dans l'amour de Sofana... Le petite Bretonne qui avait fait avec la Croisade un si long chemin pour venir rejoindre son maître reposait sous une dalle de pierre du jardin comme pour mieux attacher l'ami de son enfance à ces lieux. Judith... Sofana posa son livre sur la banquette et se leva pour aller vers Judith, qui vivait dans le pavillon de Riou depuis que celui-ci avait repris ses forces.

Sofana frappa à la porte du pavillon. N'entendant pas de réponse, elle ouvrit. La chambre dallée était vide mais un bruit d'eau venait de la salle de bains au-delà de l'office où Maïmouna s'était donné la mort pendant l'invasion de Djabala par les troupes de l'émir Mactoum.

Sofana appela Judith et la voix de la jeune femme lui dit de venir la rejoindre. La fille de l'atabeg traversa l'office et trouva Judith nue dans le bassin de pierre empli d'eau claire où elle se baignait, ses longs cheveux noirs attachés en chignon au-dessus de sa tête. Les beaux seins de la jeune femme, son ventre un peu rebondi, la toison noire de son pubis encadrée par ses longues cuisses faisaient d'elle une beauté orientale à laquelle Riou, qui venait la rejoindre dans le pavillon à l'heure de la sieste, ne pouvait pas être insensible. En même temps que son éclat, Judith avait retrouvé sa mémoire, mais tous ceux, et Riou le premier, qui savaient la nature de l'esclavage qu'elle avait dû subir pendant plus d'une année agissaient avec elle comme si cette année-là n'avait pas existé et comme si la fille du joaillier Mordoch était venue de Constantinople à Djabala en trois semaines de mer sur une felouque.

Autour du cou de Judith était le collier d'or qui retenait l'émeraude dans une griffe.

— Riou me dit que tu veux partir, commença Sofana. Pourquoi me l'avoir laissé ignorer ? Est-ce à cause de moi ? Ai-je montré quelque jalousie à ton égard ?

Judith fit non de la tête en jouant avec ses mains dans l'eau.

— Quelqu'un t'a-t-il dit que j'avais quitté mon premier mari parce qu'il avait voulu avoir d'autres femmes ? Crains-tu que je prenne ombrage de ce que tu donnes à Riou ? Sache que je ne pense plus à tout cela. Il me semble maintenant que j'ai besoin de toi. J'ai peur, Judith, depuis que la forteresse s'est écroulée, depuis que l'armée est passée sur Djabala. J'ai entendu parler de guerre par les hommes depuis mon enfance, comme si c'était un jeu, mais je n'avais jamais vu le vrai visage de la guerre, et je ne savais pas que nous pouvions tout perdre Reste. Tu auras un enfant toi aussi. Chaque jour, en te voyant, je penserai que tu as redonné la vie à Riou et que, si tu es là, c'est que la vie est là. Là où tu vas, tu seras seule, puisque tu n'as plus ton père..

— Je ne serai pas seule. Depuis que je suis ici, j'ai écrit à mon oncle, qui est revenu à Constantinople, et je ne lui ai rien caché de moi. Il m'a répondu ces jours-ci, par le courrier du Temple qui vient d'arriver. Un homme, un juif d'Angleterre, qui veut m'épouser depuis longtemps, me fait savoir qu'il m'attend, et qu'il n'a pas renoncé, bien qu'il sache comment j'ai vécu pendant une année. Aussi vais-je aller le rejoindre. J'ai compris maintenant que c'était cela mon destin, comme celui de Riou était de venir ici pour que tu l'aimes et que tu l'arrêtes dans sa course... Tu as raison de ne pas craindre les autres femmes désormais. Car c'est toi qu'il aime, et rien ne le détournera de toi. L'émeraude le dit, ajouta-t-elle en prenant la pierre dans sa main sur sa gorge mouillée.

Elle la regarda un instant, puis s'assit dans le bassin de pierre pour ôter le collier de son cou. Elle le tendit à Sofana.

— Maintenant, l'émeraude est à toi. Prends-la. Lorsque Riou est entré chez mon père avec elle, sans que je puisse la voir, puisqu'il la portait sous son vêtement, j'ai senti une force s'emparer de moi, qui m'attirait vers Riou, et m'inspirait un grand désir de lui. Ainsi a commencé le chemin qui m'a amenée jusqu'ici. Mais je sens que ce chemin ne va pas plus loin. Est-ce parce que je suis d'une autre race que lui, est-ce parce que j'ai souffert à cause de lui, je ne sais...

Elle tendait toujours sa main, où étaient le collier et la pierre.

— Et puis je ne pourrai jamais avoir d'enfant, reprit-elle. De Riou, tu en auras cinq, et Riou les chériras, et il te sera attaché pour cela jusqu'au bout de votre vie... Il aura un fils d'une autre femme mais celle-ci ne fera rien contre toi et tu élèveras cet enfant après qu'elle aura péri de mort violente, car toutes celles qui auront aimé Riou n'auront fait que le lier à toi... Jérusalem ne sera jamais reprise par les Chrétiens, et plus tard, beaucoup plus tard, Riou et toi quitterez Djabala pour aller à la cour d'un prince très puissant, qui ne peut être que le Sultan ou son successeur...

Les yeux de Judith semblaient voir au loin et de fines gouttes de sueur perlaient à son front. Elle comprit tout à coup qu'elle était en train de lire l'avenir dans la pierre qu'elle tenait serrée dans sa main, à la faveur de l'émotion qui était née de la conversation qu'elle venait d'avoir avec Sofana, et ce fut comme si elle s'éveillait d'un rêve.

— Prends-la, pour l'amour de Dieu, dit-elle soudain d'une autre voix. Garde-la sur toi, et ne lui demande plus rien. Elle a dit tout ce qui te concerne, et ce n'est que du bonheur.

Les larmes montaient aux yeux de Judith, tandis que Sofana prenait l'émeraude et, la gorge serrée elle aussi, se penchait sur la fille de Mordoch pour l'embrasser.

Table des matières

Cet ouvrage a été composé par Graphic Hainaut
à Vieux Condé
et imprimé par la S.E.P.C. à Saint-Amand-Montrond (Cher)
pour le compte des Éditions Laffont

Achevé d'imprimer en février 1987

Imprimé en France
N° d'édition : 30152. N° d'impression : 235.
Dépôt légal : février 1987.

avril 87